ISBN 91-0-056287-4
© Kerstin Ekman 1996
Sättning Bonniers Fotosätteri
Printed in Sweden
Smedjebackens Grafiska AB, 1996
Smedjebacken

Vintern har börjat nu och den ska bli lång. Ljus och syre tryter.

Oda Arpman är på väg. Käppen hugger i skorpan av is och smuts. Hon kommer från Dalen som ligger mellan Tallkrogen och Gamla Enskede. Nu går hon förbi alla svampvägarna och tittar noga på villornas trädgårdar. Det finns risiga äppelträdskronor och lutande idegranar. En del gräsmattor är toviga. Hon ser syrenhäckar med döda hål i. Bland annat.

Det gäller att inte falla genom Döda Hålet.

Parabolantenner och tjyvlarm och galler för källarfönstren. Visst är det ordentligt. Men ändå: varför är Sune Kyndel så förargelseväckande i Dalen? Här finns ju också förvildade trädkronor. Kanske hav av sommargräs, lårhögt. Vem vet.

Oda måste passa sig så att hon inte blir förargelseväckande. Hon är gammal. Född på 1911. De sista tio åren har ingen trädbeskärarfirma ansat hennes äppelträdskronor. Skatorna bygger i dem.

Det är ett litet uppförslut till huset med tvättmaskinsaffären MIE-LE. En omotiverad trottoarbacke upp och sen ner. Den hade hon sluppit om hon korsat gatan vid förra övergången. Men det var inga luckor mellan bilarna på Tallkrogsvägen.

Uppe på viadukten råmar Nynäsvägen och en bit längre bort väser tunnelbanan i sin hage av galler och stolpar.

Nu är det dags. Gubben är grön. Oda kör Johan Krylunds käpp ända ner till betongen. Men när hon ska stiga ut i gatan tar luften slut. Jävlars. Hon måste få upp inhalatorn och tappar käppen. Nu suger hon in tre gånger, kraftigt, men gubben hinner skifta och bli röd innan hon får upp käppen ur modden.

Hon andas bättre när det blir grönt igen och nu ska hon över. Vem litar på grönt ljus? Hötta med käppen tänker hon inte göra. Men hon har läst latin. Inte i Fruntimmersskolan i Borgå utan senare, i lycéet. Fruntimmer skulle inte lära sig styra grossistfirmor, telefonbolag och departement. Men De bello gallico gick in ändå: fälttåg, marscher, triumfparader och övergångar. De bjudande gesterna. En sådan gör hon nu.

5

Fast de senare sextio, sjuttio åren burit småborgerlighetens prägel av fryntlig överenskomlighet korsar nu Oda gatan som gammal skolad överklass. Hon är Gaijus Julius Caesar och bilarna står brummande och muttrar. Tämjda skaror. Hon är långt ute i körbanan och försöker lägga tyngden på högra höftleden för att skona den vänstra och Schollskorna plaffar i det bruna moddlagret. Hon är klädd i gråsvart lodencape och har en skär halsduk lindad kring sin ömtåliga luftrörskanal. Barhuvad är hon, som en edil. Håret skulle likna en härva järntråd eller en vintrig äppelträdskrona om någon såg det. Vad de som sitter inne i bilarna ser vet ingen.

Manteln fladdrar. Vi segrade oförtrutet. Då skiftar ljuset och bilarna startar från sitt tämjda läge och rusar mot Tallkrogen. I två filer gör de en snäv båge kring Oda. Hon står mitt i ett Rubicon av elliptiska stålströmmar och i den stunden är hon värd vad hennes kropp är värd, knappt tvåhundra kronor. Fältherregesten har gått över i rent hot. Hon skakar vänster näve och knackar Johan Krylunds käpp i beläggningen för att understryka oförsonligheten i sin hållning.

RÖTT

Vääääs...

Nu hackar hon sig över till trottoaren och där tar hon fram inhalatorn och suger åter kraftigt tre gånger. Bakom henne fortsätter det periodiska vrålet intermittent avlöst av väsningar och brum. Men Oda skiter i det nu. Man måste leva i nuet.

Hon rör sig mot tunnelbanestationen förbi en utdöd restaurant i ett brunt hyreshus. Den heter Linnégården. Linné skulle ha trott att det var någon av Swedenborgs lägre lokaler. Och Nynäsvägen? Hans bruna blick på bandet av bilar.

De döda är döda och borta. Nej, inte borta, inte ens långt borta. Utan dödens döda.

Och varför går jag här då?

Tala med Johan. En bild förstås. Man tänker i bilder eller små lama ordstumpar. Tala med Johan. Man tänker små undansmitande, små vaga luddiga. Man tänker råttor. Tankar är råttor.

Tala tala tala. Blir en annan sorts grått. Som gröt. Pappersmassa. Avfall från en dokumentförstörare. Tungan är en destruktionsapparat.

Vart tog små råttor vägen?

Men det går att ordna upp. Intellektet serdu. Johans instrument.

Och hans lem och hans hjärta och hans bröst och hans händer. Och tungan.

Tungan är en liten lem.

Stöten när jag hade läst telegrammet och slagit upp versen. Johan var rolig. Det glömmer di. Sände det från Hudiksvall, antagligen från Stadshotellet. Mahognyfärgade groggar. Johans ljust bärnstensgul. Han var så försiktig. Nej noga. Han måste ha rest sig och sagt: ursäkta mig, jag måste sända ett telegram. Affärer, hade mahognygroggarna tänkt. Affärer dygnet runt. Mycket att stå i. Krig och importstopp, men hjulen måste snurra. Och Johan sänder telegram från portierlogen:

Jakobs brev 3:5
Johan

Eller kanske från rummet. Javisst. Bibeln i nattygsbordslådan, en hälsning från Kristna Köpmän. Och denna hemliga och intensiva njutning telegraferad i januari 1943. För det var verkligen då. Hon grät över Stalingrad, över soldater som inte längre var bruna och nazi utan döda: instängda, ihjälsvultna, förfrusna, sönderskjutna. Och pojkar. Ingenting annat. Och ändå skrattade hon inuti, djupt, när telegrammet kom. Hur kunde man? Men det var så. Stöten, kittlingen.

Så är ock tungan en liten lem och
kan likväl berömma sig av stora ting.

På den tiden trodde man att man var di enda som gjorde så där, att man hade hitta på det själv och ingen tog en ur den tron. Johan var ju försiktig av sig. Fast inte alltid. Han var glad också. Tokig ibland. Men noga. Underkläderna hopvikta på stolen. Byxor med hängslena hängande, västen fint över stolsryggen, kavajen ute i kapprummet.

Han tog av sig kavajen ute i kapprummet. Då visste jag.

Annars blev det bara te.

Oda går ända fram till Skogskyrkogårdens tunnelbanestation med en vag tanke att köpa en dekoration. Idegranskrans. Stel blomma. Oljeljus i plastbehållare. Men för fasen! Johan skulle –

7

Aftonbladet

## HAN KNÄCKTE BENEN
## PÅ SIN EGEN BABY

En ung rätt fet karl. Han sitter och sitter fast det är bråttom. Öl bråttom, pizza bråttom, sitter och sitter tills det är slut: whisky. Sportjacka med märke på ficklocket, träningsskor, vita sockor. Flåsar lite: HAN KNÄCKTE BENEN PÅ SIN EGEN BABY, bara lite och en öl. Nu lämnar han det till en annan karl. Handskrivet, med filtpenna. Inte behöver man skriva sju ord på datorn, babyns sju ord med filtpenna, det går fort. Det är hans jobb, han flåsar bara lite. Jobb kallas knäck förresten; tiden singlar iväg som en papperssvala. Han knäckte babyns sju ord på korset och är värd sina tjufemtusen i månan och den andre i sportjacka och träningsskor, mindre flås, inte riktigt lika fet, ännu inte arriverad, springer med löpet, nej – springer elektroniskt förstås! buken mellan låren, hackar in knäckta babybenen. Hackar sig in i mig. Jag tror inte han vill sälja, jo det vill han förstås. Annars möten på toppnivå, sjunkande upplaga, dystra ramlösor. Men hans ambition är nog i en fas alldeles ren, absolut som vita benet, allt slafs bortbränt: in i medvetandet. Kläm och skruva. Babyben och medvetanden brosk.

Di här tallarna. Di här stadshustornshöga oknäckta tallarna med sin svartmörka bark. Nu viker jag av längs muren. Smiter in till Johan. Till Johans – vad? Inte grav. Närvaro, minne? Men i alla fall sista fästpunkten för Johan Krylunds kropp. Nej, rörelser. Fast inte den sista heller och absolut ingen punkt. Spridda punkter, ett raster. Aska, damm. Må ej spridas under årstid då snö täcker marken. Nej, det vore ju alltför grafiskt.

Vad är det här för kladd? Vad är det för sorts närvaro? Vilka brukar vara här mellan muren och tunnelbanestaketet och trampa marken, kludda på allt?

Bänkarna är massivstabila och förankrade med järn i jorden. För att de inte ska kunna fragmentera dem och föra bort flisorna. Tallarna är kluddriga. Tvåhundraårstallarna med raka svartbruna stammar och kronor i dusket, nästan osynliga.

Sprejkludder. Linjen hejdas av barkens djupa fåror, blir inte jämnt strömmande anaforisk som på bänkar, väggar, elskåp, lyktstolpar, papperskorgar. Tallarna och kyrkogårdsmurens stenblock gör motstånd mot den flytande närvaron, vill ha kraftigare åverkan för att minnas.

Kluddret är inte ord. Det är väl vågor. Inte logon eller initialer utan vågor av nerbrutet språk: närvaro, tjatter. Får allting att se använt ut. Inte glömskt och rent inför nästa blick utan här var jag som är jag som är jag som är raster punkter korn som är du som är jag...

Befria oss från jagets kludder.

Vem?

Ja, vem talar jag till? Det är då förunderligt så lätt vi har att rikta rösten uppåt. Vilka spår i hjärnan, vilka meningslösa slingor som ser ut som mönster. Vem har klottrat i min hjärna?

Oda är vid kyrkogårdsgrinden nu, lämnar det okända folkets remsa mellan muren och spåren. Mellan dödsriket och transporterna. (ha!ha!) Det är sextio år sen hon kom på att man får tänka vad man vill. Man får tänka pekoral och sacrilegium. Hon har nyss vänt sig mot höjden. Ja, tanken har i alla fall famlat i lågtrycksdusket över tallkronorna. Johan skulle inte ha tyckt om det. Om folk trodde övertygat och genomtänkt (ha!) och hade en rimlig teologi bakom sin tro, ett system av överenskommelser om det ovetbara, så fick de naturligtvis ha den i fred för hans ironi. Han trodde på resonerandet, det förnuftiga samtalet. Han menade att även teologin borde vara ett resonerande, ett utbyte av erfarenheter.

Från början hade han med förvåning hört tidens religionsdebatter, Tingsten och Hedenius contra biskoparna och folkdjupet. Han hade nog inte haft klart för sig att helvetet ännu var i full gång som en panncentral under moderniteten och att det behövde sina avskaffare. Men senare hade han blivit betänksam, hört gälla röster, ett visst tyranniskt smatter (jag återkommer till Jesus!) och han hade sett de arketypiska figurerna dra sig ännu längre ner, under centralen, och göra sig oåtkomliga för resonemang.

När det gällde henne själv vet Oda att det hos Johan fanns, jämsides med respekten förstås, en reservation – nej det är för mycket sagt: en aning av en anings undran när hon stundom trevade i dusket. Men han kunde resonera om vad han kallade de fyra stora: den fuktigt och moderligt jungfruliga med de strömmande brösten, den unge som offrades åt jorden, den gamle som hade makten och

9

ljungelden och den luftige överallt närvarande, det fågellika sände-budet.

Han sa till och med att Herden och Älskaren, den jordvigde, den i köttet ljuvlige, borde ha fått behålla sin erotiska dragningskraft. Hans avsinnande hade varit en stor olycka för den västerländska människans känsloliv. Det hade torkat ut henne liksom glappet mellan oskuld och födande hos Jungfrun hade torkat ut hennes adepter och hetsat dem till dyrkan av rått kött. I spetskorseletter, hade Oda tillagt.

Sådant var deras resonerande. Amatöriskt fritt, livligt som unga djurs lekar. Lattjo.

Genom denna grind i kyrkogårdsmuren smiter man bokstavligen in till Johan. Minneslunden är en tallbacke. Sällan tittar man egentligen upp i kronorna här. Tankarna går med äcklat tvång till jorden, till askan och rötterna. Tallarna ger intryck av uråldrighet. Men de är väl ett par hundra år. Oda gör en kalkyl och kommer till Reuterholmska snopenhetstiden, åren efter det grymma skrot- och inflammations-mordet. Vilket fruktansvärt bakrus i stanken och smärtorna. Och ändå den ädla hållningen! Sedan: en grå regim, ett finger på läppen. En lukt av fängelseunk ur den enda mun som fick tala. Och alla hukade utom Svenska Akademien. Välsignade Silverstolpe! Hans friska andedräkt.

Fast tallarna är kanske inte fullt tvåhundra år. Slet folk sönder folk i tryckfrihetens namn när de grodde spätt? Crusenstolpe på väg till Vaxholms fästning: kängor som trampade ner munnar, trampade in ögon, trampade sönder en strupe. I entusiasm.

Grinden står öppen. Nästan alltför välkomnande. Hu ja. Oda vill leva men den viljan känns oanständig. På fyrtiotalet fick hennes fin-ländska mamma barnaögon. Dessa ögon hade sett det andra århund-radet. Blicken i dem levde med en sällsam humor. (Eller skadeglädje?) Här har ni mig i alla fall. Det är kallt ute och inne, krig säger ni, kol-briketter, cellull i kläderna, kaffesurr. Men jag lever! Det ni känner är inte vördnad, vi är ju inte i Kina precis. Det är den västerländska hu-manismen i sin mest utmattade form.

Hon blev sjuttio samma år som El Alamein och Oda tyckte att hon var gammal. Men hon blev äldre, hon levde ut femtiotalet och in på sextiotalet, oförtruten, senil, glad (eller skadeglad?), i olika stadier av förvirring. Till att börja med hade det rört sig om förfall. Det var därför hon fick komma över från Finland, från det insomnade Borgå. Hon skulle tas om hand. Men det var en naken livsvilja som bar henne över avgrunderna, inte Oda. Pappa hade hon glömt. Stackars jäktade pappa. Och barnet Oda var glömt. Liksom unga Helsingfors-Oda, studentskan som rökte Klubb 7, och Harjalintus maka, den politiskt ofattbara var glömd. Det var bara vuxna starka Oda Arpman kvar. Hon som kom med strumpor och äkta bönkaffe och lät sätta in ett nytt rör i radion i stället för det trasiga.

Då tänkte Oda, i den kalla krigsvintern: hon lever över mig. Hon har mera livsvilja än jag. Jag köper kläder åt henne. Garderoben är sprängfull. Men fröken Valborg står alltid och frågar efter nya och större klänningar när jag kommer. Fröken Valborg har börjat lägga undan i kartonger det som mamma inte längre kan ha och hon frågar om hon får sända dem till Finlandshjälpen. Det är något skrämmande med denna utvidgning av den gamla kroppen, något glupande och magnifikt.

Hon blir aldrig en torr, stilla gumma och jag känner mig som ett tomt skal. Jag har yrsel.

Nu död. Nittonhundrasextitre. Fem år efter Johan. Känslan då, femtioåtta, när hon levde och min älskade var död. Strödd. Här.

Smita in till Johan. Men nu är kraften min trots den fruktansvärda tröttheten i benstommen. Den benvita viljan.

Käre Johan, hade det inte varit bättre, snyggare menar jag med lite mild tro? En aning längtan. Något som liknade hinsidestankar. Men du smet inte in bakvägen du. Du var rak Johan.

Vad säger jag?

Herrejösses, du smet om någon! Upp i talldungen, över gården mot källaringången. Jag såg din korta breda gestalt genom gardinerna. Fast synen mildrades av gardinernas markisett uppfattade jag den snabba blicken åt sidorna och tänkte: vad utsätter jag dig för? Vi oss för.

Och så visste hon antagligen om det hela tiden. Den förståndiga Aina.

Det är förbjudet att röra sig fritt i den tallbacke som är minneslunden. Endast vägar och stigar får beträdas står det på skylten. Ändå

11

smyger och trampar människor in bland tallstammarna och skotten. De vill vara nära och de har en bestämd uppfattning om var deras döda befinner sig, det ser man av brännmärkena efter marschaller i det gulbruna gräset och lämningarna efter ljus och oljelyktor som brunnit länge.

En död har bosatt sig vid foten av en björkstam. Där har han gett sig tillkänna i en fåra där roten delar sig. Han bor som i en moderlig skreva och hans efterlevande har lagt ett litet idegransarrangemang med silverkottar där och ett ljus som slocknat i rådusket.

Krukorna med starkviolett evighetsljung, de skära plastrosorna och de svartbrända rundlarna i gräset finns här och där mellan träden. De döda tycks bo som skogsmöss under stubbar och invid rötter och man inser att tanken på det eviga livet inte längre förvaltas på högsta teologiska nivå. Folk utformar själva dödsriket och de gör det efter nordiskt kynne. Andarna sprider sig i terrängen; en nordlig ande vill inte bo tätt och den har ingenting emot kyla, mörker, snöglopp och glest tovigt gräs, för den är släkt med de små grå och nästan bortglömda som förr bodde under logbottnar.

Även Aina Krylund och Oda Arpman gick upp i det förbjudna gräset som då, i början av oktober 1958, ännu var grönt fastän grovt och snärjigt. Aina bar kartongen. Det var en vit pappkartong. Oda kan inte minnas att den hade några emblem. Inte duva, harpa, segel, blomma eller kors. Säkert finns det numera behållare av värdigare design och material.

Aina hade tagit på sig bruna gummistövlar som om det gällde trädgårdsarbete. Johan var ju begravd, det vill säga jordfäst, vilket var symboliskt och kanske tomt prat. Fast det hade varit högtidligt i Heliga Korsets kapell och hela samtalsgruppen hade varit med, de som återstod. Men här hände ju i alla fall det som eventuellt skulle fästa honom vid jorden för gott och det var Aina och hon ensamma om. De var ute i olovliga ärenden. De två änkorna. Fick man väl säga. Fast de aldrig någonsin talade om det.

Det som skulle utföras var förbjudet. Johan hade visserligen ivrat för kremering och askans utströende. Ingen dyster dyrkans plats. Ingen gravsten. Skingras ville han. Men förrättningen skulle utföras av en tjänsteman med en ströare. De anhöriga fick inte ens veta vart askan tog vägen. Anonymitet i minneslunden – det var lagens bokstav. Det var sanningen att säga Johans önskan också. Fast det fick vara måtta.

Oda hade undrat vad det var som blivit officiellt gravsatt i Johan Krylunds namn ett par dar tidigare. Någonting ur värmepannans asklåda?

Aina bar i alla fall kartongen nu. De öppnade den när de kommit en bit upp i backen. Oda trodde då att hon alltid skulle minnas var de stod, men det gör hon inte. Det är så många tallar, så många lika eller nästan lika avsnitt av backslänten med unga tallskott och lingonris. Ormbunkar minns hon. De var på väg att vissna ner.

Aina grät inte, hon såg sammanbiten ut. Med stela rörelser sådde hon ut Johans aska, ett kornigt pulver. För lite, tänkte Oda. Det kan inte vara det hela. Tanken på ben och tänder och på krossning och malning kom farande mitt i paniken och hon kände sig ett tag oresonligt arg på Johan som utsatte dem för detta bisarra påfund. Hon till och med längtade efter en präst eller begravningsentreprenör, någon professionell handhavare som kunnat lindra råheten i Ainas förehavande.

Till slut skakade Aina kartongen. Det såg ut som om hon hade städdag. Oda minns panikkänslan: nu kommer det. Hatet. Den bittra drycken kastas tillbaka som en spya på mig. Förödmjukelsen! Men Ainas ansikte var orörligt.

Det var ju inte bara sig själv han förödmjukade när han smet in från talldungen bakom Odas hus för att ta av sig kläderna. Och nu var han avklädd till och med kartongen. Vad skulle Aina göra med den? Hon såg bestämd ut när hon stoppade ner den i kassen så antagligen hade hon tänkt ut det i förväg. Men vad?

Sedan stod de en stund med armarna korsade över bröstet. Ingen böneställning för Johan var programmatisk ateist. Hans aska glittrade inte längre i luften (hade den glittrat? verkligen glittrat?) och det var kyligt i oktobersolen. Det var då hon upptäckte att hon hade något skräp i ögat.

Usch. Nej.

Och sedan traskade de hem till Dalen i denna duvna stämning. De satt hos Aina och rörde och rörde i sina tekoppar. Kanske tänkte hon på sin egen fars begravning i Borgå. Tanken kommer i alla fall nu, det är som om den hörde ihop med tekopparna.

Han var född på 1858 och blev sextionio år gammal. Hans kropp

13

las i en svart silverbeslagen kista under drivor av liljor och kördes i likvagn som hade en svart baldakin med silverfransar. Hästen bar sammetsschabrak och i årtionden tänkte Oda på dödens majestät när hon kände lukten av hästgödsel.

Men Johan ströddes ut i sammanbiten förvirring, i panik, och utan någon majestätisk doft.

Nu kommer en ilskeraptus. En inre jordstöt. De kommer tätt nuförtiden, men i hemlighet. Hon tror i alla fall att hon håller dem hemliga.

Det här är inte min tid.

Och sedan lika ordtydligt: fy fan.

Den dödar för lätt. Och den har lika lätt att göra sig av med liken. Nej, varje människa har rätt till två, tre timmars begravning, fem, sex med kaffet. Hon har rätt till släpfotade hästar i svart sammet, till baldakin och klockor, till utdragna och klagande psalmsånger.

> O usla liv, o bräcklighet,
> Ho kan dig rätt betrakta?

Till svarta dok och vita kragsnibbar, till mandelkakor och madeira. Hon har rätt till långsamhet, till fördröjning. Det förbannade kriget skulle höra upp i fem, sex ja sju timmar medan offren begravdes ett och ett. Det skulle vara tyst på dieselmotorer och maskingevär. De fick vänta tills det var klart. Och sedan nästa. Och nästa. Långa ringlande begravningståg, svartklädda människor med rödkantade ögon, ljudet av fotsteg, hästtramp och klockor medan de unga männen i kängor och kamouflagekläder stod overksamma vid sina granatkastare, sina whiskyflaskor och sina cigarrettpaket.

Ja, varför inte? Varför inte rituell långsamhet. Som när skalbaggen rullar sin kula och när spindeln virkar sitt nät, omständligt och av den inre plikt som kallas instinkt.

Nej. Nicht diese Töne sondern andere und fröhlichere Töne, säger Oda nu och strävar, lite stel av halkrädsla, uppför backen för att tala med Johan Krylund. Vilken idé. Ska man skratta eller gråta åt sig själv?

Här finns den anbefallda platsen för minnesmeditation, en gräsvall där ljungkrukor och tujakransar är arrangerade i smörgåsbordsupp-

14

läggning. Oda Arpman står och stirrar på kransar, band och fuktiga pappersblommor. Hennes ögon rinner, särskilt det högra släpper numera fram tårvätska så fort hon stiger utom dörren. Hon är tom. Det ekar som i en gammal skolkorridor. Vad ska hon säga?

Man kan ju inte prata med... Vilket avskyvärt ord. Prata. Prata av sig. Hon läste i morse om barn som kom till skolsköterskan för att prata av sig. En sexårig kamrat hade blivit skjuten. De behövde göra sig av med känslor som var lika önskvärda som exkrementer.

Nej Oda, du borde inte vara ensam, du blir arg som en sparkad hund och här gäller det förresten inte känslor och inte att prata. Jag behöver resonera, jag vill ta skäl. Jag vill opp ur känslogröten, det stora koket. Jag sjuder och vill svalna. Johan!

Blicken vinglar omkring. Hon kan ju inte fästa den på en krans ditlagd för någon annan eller på en tallstam som stod där hundra år före Johan Krylunds födelse. En skylt med hans namn skulle det ha funnits i alla fall. En enkel platta eller metallbricka, sen får du säga vad du vill, Johan. Nånting att fästa blicken på.

Oda stirrar på ett strålarrangemang av silverpapp som är fäst i toppen på en mycket liten enbuske i kruka.

Nu fryser hon och i detta ögonblick kommer tröttheten vällande, en stor hävande dyning genom kroppen. Allting värker. Artriten. Hon är säker på att hon borde få återgå till cortisonet. Och hennes hallux valgus spränger. Hon vet att det inte hjälper att hon kan de latinska namnen på sina åkommor. Det enda som lindrar är att lägga foten med den värkande stortåleden högt. Hon måste sitta nu, hon måste komma ner innan dyningen kastar omkull henne.

Det finns ingen bänk. Jo, högre upp i backen vid plåtarrangemanget som liknar en lappkåta och döljer urnor med aska. Men dit är det för långt och brant. Hon ser längre ner en dam som svävar ironiskt vågrätt (sväva Oda Arpman, sväva!) och har lockfrisyr i brons, orörd sen fyrtiotalet. Oda ser som en örn på långt håll: det ligger snöflingor på brösten som håller sig upprätta.

– Jävlar anamma, det börjar snöa, säger bronsdamen åt Oda.

Vid minneslunden finns brickor av svartlackerad plåt att sätta ljus på, tre långsmala brickor placerade i fallande höjd. Benen ser bräckliga ut men Oda sjunker ner på en, det finns inget val. Hon hamnar i alla fall något över marken.

Vila. Det spränger. Hallux valgus är en så löjlig åkomma och självförvållad. Ja, inte förr i tiden. Det är som julkort, det snöar i minnet också; hon ser finska torparbarn stirra grönsnorigt. De frös röda blanka knölar på fötterna. Svenskkängor hade de, ingen skillnad på höger och vänster. De klämde åt över stortåleden och lämnade sitt onda minne för livet. Oda hade handgjorda boxkalvkängor men hennes knölar spränger likförbannat. Av högklackade skor.

Men så hade jag roligt också! Lulle Ellbojs orkester, turkiska cigarretter. Lyktor vaggande i gröna bladens famn. Kyssar med konjakssmak. Ren skjortkrage, nyrakad strävlen kind. Jag hade roligt på skyhöga klackar.

Rasben.

Det är ett ord som Johan aldrig skulle ha fått över läpparna förstås. Ja, käre Johan det var mycket ras på den tiden; underlägsen ras och överlägsen ras. Fick jag rasbena i halsen före Johan, på egen hand? Gudvet. Jag klarar alla släckta fyrar, på erotikens ocean. Det fanns vissa saker som han inte tyckte var roliga, fast han var så tolerant. Så godmodig mot flams. Hade till och med nånting att säga om det. Att det var nyttigt? Nej, bara naturligt kanske. Men han var egentligen allvarlig, redbar, oflamsig. Och man blev väl hursomhelst allvarligare med åren. Men resonerandet var det han som lärde mig.

Reson. Raison. Ratio.

Det lugna resonerandet. Det milda. Sa han inte till och med det? Fast det var väl citat.

Kylan kryper upp som djur från marken, sprutar förlamningsvätska. Oda sitter i ett curarehav som stiger. Gud va dumt. Och ändå är det allvar, bara för att jag är över åtti är det allvar. Som i brons. Inuti mig svävar vågrätt en fyrtiotalsdam med orubbade lockar och rasben. Men själv kan jag inte häva mig opp ur bronsmassan, det går inte.

Att komma och tala med Johan. Nu här i snön som faller och kylan som stiger som pilgift verkar det klart rubbat. Johan finns inte och skulle inte ens veta vad ett TV-program är. Och Striptease? Fanns ordet? Damer som klär av sig och gnider en herrslips mellan benen, det fanns väl. Men Johan hade nog inte sett sånt. Och hette det striptease? Samhällsprogram, det låter inte heller som på Johans tid.

Tid.

Tant Serine var änka från 1913 till 1945. Oda stod på kyrkogården i Kongsvinger bredvid sin norska moster och läste på hennes nyuppsatta gravsten. Oda, änka efter löjtnant Arpman från Stockholm, läste

16

och räknade: det blev trettiotvå år. Ensamheten uttryckt på polerad svart sten var förfärande. Klosterstraff, långdraget döende och fördömelse. Tyckte hon då i sitt unga änkeskap.

Käre Lars som kom till Finland som frivillig under vinterkriget och fick skottskada i axeln och lungsäcksinflammation. Det var allt trodde jag.

Nu är det snart fyrtio år sen Johan ströddes ut här och mer än ett halvt sekel sen Lars begravdes i kista på kyrkogården vid Haga och fick sten med namn och årtal. Nån särskild fördömelse blev det inte. Det blev Johan. Snabbare än anständigt. Och sen blev det ingenting som liknade det, någonsin. Men liv.

Sorg ofta. Melankoli. Som när man klinkar piano i skymningen, ungefär så. Fast Oda spelar inte piano.

Jag har haft så utmärkta män. Var är di där knölarna som sätter sig på kvinnor? Nåja, Juha var ju som han var. (Odas tanke har i över ett halvt århundrade gjort ett litet skutt runt Harjalintu.) Och Lars politiska åsikter var ju mer än betänkliga förstås. Men vem begrep det i fosterlandets svåra stund? Och det är klart att Johan dominerade i kraft av sin genomtänkthet. Resonerandet.

Men nu är det slutresonerat, älskade. Till och med ordet älskade är ömkligt i kylan och grymma mörkret. Du skulle inte förstå:

Jag vacklar Johan. Vinglar. Är ostadig. Varifrån kom din milda övertygelse? Varför behövde du aldrig övertyga dig själv? Hur visste du – orubblige?

Jag skäms. Det är larvigt, men jag skäms. Jag såg reprisen av Striptease. Käre Johan, bara obegripligheter eftersom det är i tiden med dess jargong. Ruth Anser, det är Nisse Åslunds dotter, kan du tänka dig henne drygt sextioårig i den där stora villan här i Dalen, föräldrarnas, fast möblerna är så gott som borta nu, jag tror bara pianot är kvar. Di har fått nya, bekvämare och ljusare från IKEA. Hon är chef för socialkontoret här, ja, det är ett stadsdelskontor förstås. Han dog för några år sen. Han var medelhög tjänsteman vid Systembolaget. Det skulle ha glatt dig för han gjorde inköpsresor till la douce France, det har ju inte varit några krig här i Europa. Fast det är krig nu.

Och krig i Dalen. Ruth Anser drog igen dörren framför TV-kameran. Det är en rituell gest ser du.

Hennes ansikte var ont. Det är också rituellt. Säger mer än orden som bara var:

17

– Ge er iväg. Här får ni inte filma. Säger: jag har valt sida och nu stänger jag min dörr. Det är någon hon vill förbjuda att flytta in här, i din villa. Kanske kan man säga att det är *något*.

Jag tyckte inte om vad jag såg. Men vet du vad det var för ansikte Johan? Du skulle inte ha känt igen det, nej det skulle du inte ha gjort. För det var mitt hemliga ansikte.

Hon önskar att det vore sand i rabatten, inte klumpad, frusen jord.

Sandkorn. Vita gnistrande, röda, bruna. Och svarta. Då kunde man sila dem mellan fingrarna och önska eller tro.

Hon måste andas. Inhalatorn väser och den säger åt Oda:

– Jävlar anamma, du fryser. Du håller visst på och domnar i roten. Aska! Jojomensan.

Svarta korn av en viss mandeldoftande specerigrossör blandade med korn av charkuterister, spårvagnskonduktörer, tidsstudiemän och hemmafruar. Små, små korn av en späd gosse med svagt hjärta. Grova korn av en illegalt utspridd hund. Nej, du domnar Oda. Han är inte urskiljbar. Är du ensam så var det. Johan Krylund har äntligen fått sällskap.

Martin Sallahs övergång till asaläran är nånting som Sigge hela tiden vägrat att befatta sig med. Adam Oxehufvud har för en gångs skull varit riktigt allvarlig, han har vädjat.

– Fixa nu det här. Du vet. Lite prylar, det ena med det andra. Så det blir nåt. Gör det. Så där som bara du kan.

– Mjödhorn va?

Han såg ledsen ut. Han tyckte inte om hennes skratt. Nej, det gjorde han inte.

– Det är en liten grej, Sigge. En liten larvig grej, okej. Men den råkar betyda en massa för Martin.

– Det där vraket.

– Martin är på väg opp nu. Han behöver den här lilla grejen och den måste vara snygg.

Men det är ingen liten grej. Lotar har burit ut förstärkare till skåpbilen. Största högtalarna. Strålkastare. Han luktar svett. Hans combiline baggies smetar därbak. Lotar ser slaktmogen ut. Han kan inte ha vanliga kläder.

– Jag köpte kvällstidningarna när jag for hit.

– Äh!

Det är vad Adam Oxehufvud alltid säger om Ove Fehzéns utåtriktade verksamhet. För naturligtvis är det han som meddelat tidningarna. Lotar stånkar förbi med ett strålkastarstativ.

– Kan du fixa tårtor i alla fall? Adam tror att hon har ändrat sig eftersom hon har kommit till firman på söndagseftermiddan.

– Jag är bara här för att trycka ut min föreläsning.

– Jaja. Men två prinsesstårtor.

– Märklig förtäring vid ett sånt tillfälle.

– Vi ska ha dom här. Efteråt. Ställ dom i kylen. Jag sticker och hämtar Martin nu.

– Ska han kostymeras här? Fårskinn? Benlinder?

– Han byter om på Sal.

Själv tänker Adam uppträda i sin vackert skurna blyertsgrå. I bak-

19

grunden. Kanske inte ens ute i terrängen. Greve Oxehufvud ska nog dricka te med sin mamma när Martin Sallah blotar i buskarna. Sigge tänker sitta hemma och tjura. Ja, hon känner sig utanför. Det är absurt. När hon började vägra, det är månader sen, frågade han om inte hennes kille kunde åta sig scenografin.

– Han har ju varit reklamare.

– Men nu går han på arkitekthögskolan, sa Sigge.

– Och kommer inte att få nåra jobb. Sigge, var förnuftig. Eyvind Johnson och arkitekthögskolan. Ni hamnar snett.

– Inte så länge jag sköter bokföringen åt dig.

När Sigge sa det, med lyftad näbb, blev hon plötsligt rädd. Hon har varit hos Adam Oxehufvud sen hon började jobba vid sidan av litteraturvetenskapen. Hon har varit oumbärlig. Faktiskt. Sigge fixa det. Gör det. Greja till det här är du snäll. Prata snällt med honom, jag sticker. Vad fan är det här? Momsrapport. Siiigge!!! Ta ner hamburgare och cocacola hit så är du en ängel. Vill du prata med Martin? Han har ballat ur. Ligger hemma. Kan du beställa band? Är kuverten slut? Vad är det här, kan du fylla i det? Snälla Sigge, tala med den här mannen, han säger att han ska mäta ut gods. Vafan – gods. Jag tror han menar PA-bordet. Du måste få honom och förstå. Jag sticker nu.

Hon har varit med när Fehzén blev Adams kompanjon. Från början var firman uppbyggd kring en tonårsstjärna i den popreligiösa genren. Henne köpte ett större bolag ut och det var Adams smala lycka för hon höll inte. Hon fick barn och stora bröst och rösten gick från näktergal till glasfil på mindre än ett år. Det var då Adam började med rock, en städad, ung medelåldersvariant. Folk vill känna sig med, fattar du? Fast dom vill inte ha vardagsrummet urblåst. Dom som börjar bli vuxna, skaffar barn och skinnsoffa. Och sen längtar dom tillbaks. Men inte precis till undertröje- och kedjeköret. Då måste dom få sitt.

Sen kom Fehzén med sina fastighetsaffärer och Martin Sallah som var svårt nerkörd. Han hade fått honom billigt för han ansågs slut. Men Fehzén trodde att han kunde fixas upp. Adam var på väg över till yuppierock då, sidenkostym och tämjda vrål, men han nappade på Sallah. Det är nåt rörande över den där amfetaminbleka negern, sa han till Sigge. Det rörande satt förstås i lungorna och i en högst egen bäckenskruv. Ingen kunde veta vad han hade för kön och Adam hade Fehzén att svära på att hans protegé inte var intresserad av småpojkar

20

innan de gjorde kontrakt. Fast svära? Blek var han av salvor, undervisade Sigge. Han var förresten halvsvensk. Men hans pappa var riktigt svart jazzmusiker från USA eller hade varit.

ROCK OF AGES blev ROCK OFF och började producera lite småhård rock. Adam höll med framgång undan både småpojkar och amfetamin. Spriten gjorde han och Fehzén till slut affär av: det blev Gud som fick rädda Sallah och så var de tillbaka i det religiösa halvpopköret igen och då var det bara att inse att Martin Sallah hade gjort sitt. Trodde Adam. Han hade börjat göra fastighetsaffärer ihop med Fehzén. De gick ihop i BOSTABIL och så blev det CHECSEC, den etablerades samtidigt som Sallah dök. Micke Finn var Adams egen lilla gödkyckling, en dödsblek cracker som tog sig in i alla system. Superfiffigt, sa Sigge med bortkastad ironi om Adams idé att bli datasäkerhetskonsult. Han hade fått silverstrimmor i det svarta, välvårdade halvlånga och hans skjortor sydda i London var vackrare än någonsin. Det finns ingenting vulgärt över Adam Oxehufvud. Det är det som är hans grej, tänker Sigge ofta. Han vadar i kloaker med den där profilen intakt. Ädla näsan är visserligen lite klumpig neråt, nånting i stil med ett misslyckat könsorgan, tänker hon när hon är arg. Men den friska hyn från Årsta golfklubb och de rena naglarna. Det är nånting tilltalande med Adam i alla väder. Särskilt när Fehzén är med, för han är solkig och lättar ofta på skinkan för att släppa en rökare.

Det är han som fått Adam att intressera sig för multimedia. ROCK OFF har bara producerat ett par rockvideos förut. Martin Sallah i lila dimmor svävande genom något som måste vara en hopfallen masugn. Metal trash fast lite softad variant. Men nu ska de bli HYPERVISION och plötsligt har någonting mycket stort (säger Adam) som heter GLOBECOM börjat intressera sig för HYPERVISONS affärsidé och för CHECSEC. Så nu är Adam på väg mot tunnare luft och Fehzén ser ut att gå åt sitt håll, han ska in i riksdan. Det politiska är kört, säger Adam. Men Fehzén tror att man kan göra nåt av det ett tag till. Han vill antagligen säga till sin mamma: mamma jag har blivit statsråd. Även om det skulle betyda femtiotvåtusen i månan. Men han har ju kvar HYPERVISION. BOSTABIL har gått upp i pappersstrimlor.

Förutom Sallah som nästan är en nostalgipryl (... men han kan komma tillbaka med asaköret. Fan Sigge, han låter som ett helt stålverk nu, han är fräsch!) är EDIBLES för tillfället deras enda gemen-

21

samma projekt. Det är ätbara tallrikar, dito bestick och glas. Mera som en grej för konferenser, säger Adam. Man tuggar i sig tallriken, lite grand i kanten så där och pratar om hur sopbergen minskar och såna fina insatser. Det är urinne, varenda cateringbolag har haft dom sen i september. Men det är klart folk tröttnar. På hamburgerbarerna har vi fotfäste, folk ska fan få käka opp disken efter sig och vill dom inte det så tar vi tillbaka det till SUPERSWEDEFOR. Det är Sals säteris grisfodertillverkning. Nu har fabriken flyttat till Bålsta så Sigge slipper fakturera åt den i alla fall.

Rädd. Ja, faktiskt. GLOBECOM – det låter som K2 eller en atomubåt. Sigge ska hyras in nu. Men hur länge vill de ha henne? Kaffekokerska, självutbildad på ordbehandling och bokföring. De har specialister till allt. Värdinnor. Ordbehandlare. Kalkyldamer. Utan synlig eller märkbar familj. I grå dräkter från Jaeger med gräddvita sidenblusar. Sigge har varit uppe på GLOBECOM med Lotar och lite av de första flyttgrejorna, för Krylundska villan är nu såld till kommunen. Det är enda gången hon känt nån sorts lojalitet med Lotar. Hon hade förstås inte blommiga baggies utan noppriga tights och akryljumper från Åhléns. Men i stort sett tog de sig nog ut som samma sort inför de grå och gräddvita specialistdamerna.

Söndagseftermiddag. Sickan kommer fram från sin plats under skrivbordet när de har åkt. Hon gillar inte Lotar. Nu sträcker hon på sig och blir en och en halv meter lång. Sigge släpper ut henne genom altandörren. Det har börjat snöa. En mattbrun koltrasthona i en krusbärsbuske fladdrar iväg när Sickan kommer. Hon slår sig ner i snöbärshäcken som markerar tomtgränsen. Sickan bryr sig inte om henne. Det snöar och skymningen tätnar. I grannvillan är det mörkt.

Nu har Sickan kissat och hon kommer spikrakt tassande tillbaka. På altanen ligger redan ett tunt snölager som hon gör spår i. Sigge står med armarna slagna om sig själv. I ryggen har hon villans torra värmeledningsvärme, mot mage och ansikte och ben strömmar rå vinterluft. Den är grå mot ögat, softad. Hon tar ett steg bakåt när Sickan runnit in och stänger altandörren, en gräns av glas.

Hon släcker ner i studion. Den var en gång vardagsrum och har en halvcirkelformad fönstervägg mot altanen med samma form. Nu lyser bara skrivbordslampan inne i det som var funkisvillans matsal. Hon har samlat ihop sitt manuskript, det ligger i ljuscirkeln.

Mellan momenten finns då och då stunder. Tillvaron, i alla fall Sigges, är en militär operation. Mödosamma och brådskande förflyttningar. Översyn av materiel. Laddning. Signalering. Konfrontation. Brådskande omflyttning. Reparationer. Förflyttning igen. Översyn...

Det är momenten. Stunderna är som den här. Mattgrå luft, marktätt fladder. Glas och snö och ett mörker som prövande stiger ur jorden. Hon ser de prydliga märkena av trampdynor på altanen och tänker: språk, inte ord. Nu ska hon brygga te.

Hon saknar redan villan. Den är kanske egentligen ful inuti. Dess nordiska säregenhet har för länge sen brutits ner. När Fehzén köpte den på åttiotalet hade daghemsbarn fingermålat väggarna. Han lät sina italienare dekorera den med samma stuckarbeten som i hans pizzarestauranter. Den blev osäljbar. Men Fehzén är inte dum. Han lärde sig snabbt. De villor han senare köpte upp i området dekorerades av inredningsdamer som var så estetiska att de talade i näsan.

Adam älskar baren i vitt och guld. Ingen har fått röra den, inte ens när de skulle få plats med det stora kontrollbordet. Den är så jävlig så jag blir rörd, säger han.

Innan Adam Oxehufvud slog sig ihop med Fehzén och flyttade studion till Krylundska villan, levde Sigge i två världar utan förbindelse. Hon hade just fått sitt avhandlingsämne när hon med ROCK OF AGES kom till Dalen.

Docenten med sina svallande sextiotalslockar (hon måste ha kvar en uppsättning Carmen Curlers) lyssnade med pannrynka när Sigge undrade om hon kunde få skriva om "Samhällsdebatt och kvinnoproblem i läsecirkelsromaner". Det var ett misstag att få det att låta som en titel. En doktorand ska vara ödmjukt tentativ, det lärde hon sig över den tekoppen. Dagmar Edqvist, smakade docenten av, Alice Lyttkens... tjaa du.

Nåja. Farsan blev störtglad att hon tog (fick) en proletärförfattare. Seminariet var inriktat på Eyvind Johnson. Sigge tilldelades Krilonsviten. Farsan läste så det dånade och kom ihåg kriget. Han var född 1939 så minnena var väl inte prematura men snudd på. Men han sa att hans farsa varit med och brutit upp en låda med en kulspruta i ett tyskt permittenttåg på Laxå station. Han var full av krigslegender och entusiasm. Sigge försökte ta ner honom lite genom att förklara att det gällde metafiktionella drag; Johnsons alla inlevelsesaboterande

23

strategier skulle spåras. Vafan då för? För att dom finns. Han försökte hela tiden upphäva illusionen samtidigt som han skapade den. Fattar du?

Farsan fattade för lätt tyckte hon ibland. Hon hade behövt vara ifred, smälta in i tekniken. Men han saboterade den. Johnson var i alla fall först och främst en helvetes bra berättare, sa han. Ja, men mycket medveten om vad han höll på med. Han läste Gides Falskmyntarna och började pilla med illusionsupphävande konstruktioner och använda den metafiktiva paradoxen. Vadå för paradox? Inbjudan i illusionsriket: varsågod det här är en värld, stig på och känn dig som hemma. Här bor Skinnstrumpa och snörmakar Lekholm på sina rätta adresser. Samtidigt: det här är inte människor, det är buktalardockor och marionetter. Den som egentligen har ordet är författaren och ibland grinar han till och talar direkt till dig. Han lägger ner en papp-kuliss i dockskåpsvärlden och släpper in kalldrag från konstruktionsverkstan.

Vadå för? sa farsan envist för hans ungdoms ABF-cirklar i litteratur hade inte gett honom någon inblick i modernismens problem. Jag vet inte, sa Sigge. Det har visst och göra med 80-talsoptimismens sammanbrott. Det vart ingen ny skön värld då heller. Överallt flydde dom in i njutningsfylld pessimism. Eller också i gudlighet som Strindberg härhemma. Sen måste man försöka sig på ett annat sätt att bygga fiktionsverklighet. Den gamla bar med sig både den gamla artonhundratalsidealismens kulissbråte och positivismens kullager och järnkedjor. Den skramlade.

Ett par veckor senare fann hon farsan på sängen (det gjorde hon allt oftare). Han läste Falskmyntarna. Hon såg Fyffesannonsen på baksidan: BANANEN ÄR SOM BÄST MED BRUNA MOG-NINGSFLÄCKAR. När han la den ifrån sig med ryggen fläkt sa hon:

– Vet du att det är en dyrgrip? Spektrumupplagan.

Det stod 2:50 frampå och André Gide stirrade, vacker men ondsint som fantombilden av en massmördare. Farsan orkade inte längre lufsa runt i antikvariat. Han handlade det mesta i grannhuset hos en begagnade möbler-firma som köpte upp dödsbon och han måste ha haft en otrolig flax.

– Jag vet inte om det är så vidare illusionsupphävande, sa han. Fast han har bråttom ska vi försöka hinna med honom, skriver han när

24

Vincent går till Passavant. Är det inte som Pickwickklubben? Och jag, han skriver jag, vet inte riktigt vad jag ska ta mig till med Lilian när hon skrattar så där. Han antyder att personerna har nån sorts eget okontrollerbart liv. Är det inte ett rätt gammalt trick?

– Vänta tills du kommer in i andra delen. Den spekulativa, sa Sigge.

Men hon visste inte vad hon talade om. Hon fick en kall, fadd känsla som inte kunde vara mycket olik den en politiker kunde eller borde få i valtider. Hon kände inte igen namnen. Vare sig Vincent, Passavant eller Lilian. Hon försökte tänka skarpt på Falskmyntarna. Den låg där. Det var två häften trasiga i ryggen, blå med röd text utanpå. Pappret var gulnat, det syntes när farsan bläddrade för att finna fler illusionsupphävande ställen. Hon mindes inte vad den handlade om. Inte ett skit.

Jag har inte läst den.

Det var den enkla sanningen. Det var ju inte så märkvärdigt. Men varför pratar jag om den som om jag har gjort det?

Varför tror jag att jag har läst den?

Farsan läste. Han läste verkligen. Känner jag nån mer som läser? tänkte Sigge. Verkligen läser? Faddheten och kylan kom av mekaniken i den professionella läsningen, så effektiv att den alltför ofta måste nöja sig med referat och analyser. De sedimenterade, bildade en ogenomtränglig bottensörja som man tyckte var fruktbar, alstrande. Men den är död botten, tänkte Sigge. Grå och död.

Man läser för att göra något av det. Texten är objektet. Att underkasta sig en bok är något annat. Att vara objekt för en texts starka inflytande över en – går det nu? Eller kopulera med ett annat medvetande med texten som medium. Går det någon annanstans än här, i en sjukpensionerad gasverksreparatörs etta på Folkungagatan? Lungemboli. Det är förklaringen.

Nej.

Han har rökt sen han var elva år och läst sen han var sex. Men mera nu förstås. Men han har alltid varit som han är. Oförklarligt.

Som romanfigur är Sigges farsa den idealiske arbetaren (utom det att han inte arbetar). Det är därför hon fortsätter att tänka på honom och tala till honom som farsan. Sigge kan inte skriva romaner. Men hon kan analysera romanfigurer. Hon har en annan gestalt på lut åt honom, en som utövar tvåtusen atmosfärers tryck. Han dyrkar henne. Hon är en sorts Klara Fina Gulleborg och det glitter och lullull som denne kejsare hänger på sig är till hennes ära. Förmodligen vet han det. Hans läsande är en kulthandling. Men det svarar antagligen mot ett djupt personligt behov som han kände innan han visste vad det var att läsa. Han har helt enkelt fått den dotter han behövde. Eller skapat henne.

Det finns stunder av kall och fadd panik. Man känner att det håller på att bli stopp i avloppet. Inte i dag, kanske inte i morgon. Det gurglar fortfarande. Men snart.

Hur ska man göra sig av med all skit? Allt som man rivit åt sig, snappat opp, stulit, samlat, hopat, stuvat i nån sorts vansinnig mental girighet. Hur ska man bli ren? När ska man säga: här finns jag och det som angår mig. Gör farsan det när han ligger på den där sängen? Gjorde ökenfäderna det? Thoreau?

Allting är gammalt, tänkte Sigge den gången. Hur blir man ny? Hon är trettioett år.

Hon var tjugonio och ett halvt och de hade haft studio i villan i fyra år utan att hon tänkt särskilt mycket på dess förflutna. En eftermiddag var hon med Lotar i källaren och ställde in kartonger med kopieringspapper. Hon öppnade dörren till en stor matkällare. Där fanns bara en gammal frysbox och bakom den en rad hyllor på väggen. Det stod en kartong på golvet under den nedersta hyllraden. Den var försluten med klisterremsor som spruckit och gått upp.

Övergivna, gråa, ömkliga material. Hon fingrade på pappersremsorna och flaket av gråpapper som skyddade innehållet i kartongen. När hon vek det åt sidan såg hon böcker. Samma bok. Hon räknade till tjugosju exemplar. De var häftade i ett grått omslag. Titeln i korrekt svart tryck var:

SAMTALSGRUPPENS MÖTEN
1937 – 1948
med kommentarer av
J.A. KRYLUND

Inget av exemplaren var uppsprättat. Hon tog med sig ett upp och fortfarande kan hon minnas hur slarvigt hon skar isär två sidor för att kasta en blick på innehållet.

Viktigt.

Just det ordet. Antagligen en av de första meningar hon läste: Därför är det viktigt att vi samlas och resonerar.

Inälvorna rör sig när man blir upphetsad. Kropp och själ talar med en mjuk invärtes stöt om att de är av samma vävnad.

Pappret var glatt, trycket tätt och jämnt. Det fanns ingenting insmickrande i utstyrseln. En liten uggla under titeln. Tryckt hos Fock & Söner Boktryckeriaktiebolag. Tryckåret var 1948.

Fumligt sprättade hon några sidor här och där. Visste hon redan? Hon satt vid sitt skrivbord igen, Lotar pratade med henne men fick inga svar. Nej, hon visste inte. Det var som förälskelse. Eller anad graviditet.

Hon tog två av böckerna med sig hem. Hon vågade inte lita på att det stod samma sak i dem. Ord för ord.

Här träffades under tio år fem män och samtalade. De var namngivna.Varje avdelning började med ett datum och namnen på dem som varit närvarande. De talade inte fritt utan över ett ämne. Vad man skulle tala om föreslogs på ett tidigare möte. Ibland kom en som hette J.A. Krylund med ämnet. Påfallande ofta förresten.

Är ondskan medfödd?

Om propagandans inverkan.

Hur långt sträcker sig vårt ansvar?

Ämnena var abstrakta men samtalen tycktes inte ha varit det. Genom farsans legender kände Sigge tidsdoften i dem. De rörde förhållanden som upptog dessa män under förkrigstid, krigsår och blek efterkrigstid. Hon såg namn på män och orter. Ribbentrop. El Alamein. Coventry. Marshall.

De talade, samtalade. J.A. Krylund refererade och kommenterade. Déjà vu.

Förtrogenheten med det som borde vara totalt främmande. Hemkänslan. Ibland ville hon lägga ihop boken och skjuta upp sin kunskap om dess innehåll. Spänningen var alltför stark. (Lyckan. Faktiskt.)

Den fanns inom de grå pärmarna. I det täta svarta trycket. Men inte i språket. Det var korrekt. Hon hade de johnsonska vibrationerna i sina egna nerver vid det här laget. Här kändes de inte. Det var ett språk i grå överrock. Tigersprånget, kattklivandet fanns inte. Utan något annat. En tät känsla som i en buss: människor.

27

Professionellt är Sigge van att umgås med texter. I texterna bildas fiktionskaraktärer. Hon kan frilägga dem. Hon blottar knippen av ord, språkbildningar. Det redskap hon petar och trevar med är språk. Är, ner i enskildheterna, ord. Något häpen tänker hon ibland att hon skär i kött med kött.

Det är en tanke som hon inte hade förrän hon fann J.A. Krylunds bok i en matkällare som luktade svagt av mögel. (Krigsmögel? Hamstringsförskämningar?) Här har något bevarats och sakta förändrats. Men figurerna som stiger upp ur texten och som heter Krylund, Arpman, Fredh, Åslund och Fock är inga fiktiva karaktärer bildade av ett antal språkmarkörer som Sigge kan isolera och lägga ut.

Det har slagit henne hur enkelt fiktiva karaktärer egentligen bildas. En upprepning av några få markörer. Eller av en enda dominerande: konsulinnan Buddenbrooks öppna hand – den lilla hjälplöst vädjande gesten. Igenkännandet rör oss och vi hjälper så gärna till.

Hon har umgåtts med fiktionskaraktärerna Krilon, Hovall, Minning, Frid, Segel, Arpius och Odenarp under lång tid nu. Hon vet vilka adjektiv som framförallt bildar Krilongestalten i hennes föreställning: stadig – bred – kort. Ett skikt av språk längre fram i texten, men tidigare i kronologin än det breda Krilonstadiet, bildar gossen Krilon av vekare och mer flytande markörer. Det gör Sigge rörd. Den stadige Krilon, den humoristiske melankolikern Segel vars smärta till slut bryter sönder honom, den älsklige Hovall som blir visionär av gammal god bourgogne, den plågade och mycket manlige Frid, cigarrernas och den gungande fyllans och kärlekslängtans Arpius, den redlige arbetaren Minning och den anstuckne och av sin egen rasism i hjärteroten träffade Odenarp har sällan i de tre texterna getts diffusa markörer som får läsaren att irra i deras teckenvärldar. De är inte töckniga. De vacklar inte. De är ovedersägliga gestalter som håller ihop liksom deras överrockar och kostymer gör det. Deras författare är ute i ett uppdrag. Han tänker inte slänga vare sig kompass eller sportjacka av militärmodell. Någon storartad töcknighet kommer inte att råda. Han vet vad han kan vid det här laget. Det finns ett kattlikt självförtroende i hans språk. Men han väljer nu enkla markörer. En hatt, en överrock, tre adjektiv.

Sigge har haft djupt språklig (mänsklig) glädje av dessa ordsammanställningar som bildar öga – näsa – mun – kropp – händer – röst – kön. Hon har känt sig intakt, närmast ointaglig med Krilon och gett

28

sig hän i långa kroppsrystande nysningar fulla av njutning med Hovall. Klockor har talat till henne som de talar till Isabelle Verolyg. Fläsk har stekt sig och bröst har rundats så att hon nästan trätt sina fötter i Floras nyinköpta pjäxor. Hon har fått hejda sin entusiasm. Men kärleken har hon inte kunnat hejda. Hon tycker snarare att professionalismen har fördjupat den. Det ilar när hon rör med sitt kött vid hans kött.

Ur pappkartongen som hon fann i källaren, ur de grå omslagen och de täta svartspräckliga satsytorna stiger naturligtvis inte människor. Det är fortfarande föreställningar om dem. Men något annat än de fiktiva karaktärernas gestik är det hon fångar upp. Knapphändigare – som namn och nummer. Och omständligare: åsikter i omtugg. Hon ser dem inte först. Det tar faktiskt timmar som blir till dagar av tyst läsning innan Arpman, Fredh, Åslund och Fock stiger fram.

Med J.A. Krylund är det annorlunda. Han unnar sig utbredning i texten. Det är han som suttit här, för det måste ju vara här i villan han suttit och skrivit, kanske i nattlig tystnad efter deras möten. Gatlyktors ljus, spräckelmönster av grenverk på altanen.

Hur gamla var äppelträden? Nyplanterade? Kallt kanske. Isigt. Krigsvintrar. En av dem avgjorde kriget på ostfronten och altanen måste ha legat snötäckt i månskenet.

Sigge är inte direkt någon anhängare av verkligheten. Hon är naturligtvis fullständigt hemma i den, förs av dess bärande våg av tjatter och motorvrål och elektroniska pip i en riktning som heter framåt. Hon är ett med dess verksamma flimmer. I alla fall oftast, ingen ska säga annat. En kompetent handhaverska av kopieringsapparat, PC, elektroniska kortavläsare, instrumentpanelen i Golfen, termostatreglerade vattenkranar och espressobryggare.

Men människor.

Hur i helvete kan hon bli så tagen av att de är människor? Krylund, Arpman, Fredh, Åslund och Fock. De måste ha haft långa vita kalsonger och kragskyddare. De levde, de hörde hästhovar mot gatsten, ännu. De kände oro för sin värld, ett kväljande äckel som de måste bekämpa. Äcklet väcktes inte av namn som Omarska och Dretelj utan av Dachau, Ravensbrück och Birkenau. Men de måste bekämpa det. J.A. Krylund krävde det. När massgravarna öppnades, när barnskeletten befriades från kalk och lera, då satt de runt matsalsbordet i en funkisvilla, här satt de, och var människor. De försökte

29

vara människor så att det blev någon mening med det.

Som farsan.

Ja, Sigge tänker: som farsan. Hon är ovan att tänka på människor som utkast eller försök till just människor. Lotar stönar i sitt gym, Oxehufvud köper måttbeställda skjortor i London. Fehzén badar i jetströmmar. Säger han. Janne får hundskit på skorna, får snilleknäppar, luktar gott – sommarhav – har ett sammetslent fodral över lemmen som kan bli sidenblankt. De är naturligtvis människor, men i hastigheten kommer hon inte på någon annan än farsan som också försöker vara det. Som de här otroliga figurerna som visserligen stiger upp ur en text men som en gång levde i helt andra kategorier. Luktade på speciella sätt, hade svårbeskrivbara, nej obeskrivbara röstkvaliteter, tappade hår, förlorade pengar, gick långpromenader, blandade groggar – ett sammelsurium av tecken och markörer som inte är tecken eller markörer utan sådant som skedde och bildade liv, levda liv, ofrivilligt oftast, styrt av ett system utanför viljan, som nerverna kring rectum eller i hjärtmuskeln eller i ögonbotten. Men dessutom något som var styrt av vilja och – kan man kalla det hängivelse? Ja, av något hängivet bakom kragskyddaren: ett verkligt försök. Som farsan, tänker hon igen.

Det dröjde innan hon sa något till Janne. Hon smusslade med de två exemplaren av boken. Till slut kläckte hon det. Det var vid frukosten; smulor, honungskladd och trycksvärta på furuskivan. Hon visste knappt var hon skulle lägga den.

– Jag har hittat Karl XII:s fältkansli.

– Vardå? sa han och läste i Dagens Nyheter.

– Nej, jag menar... Döda havsrullarna då. Jag har hittat själva – oj. Nej, jag kan inte.

Janne skar ost. Hyveln gjorde en backe i osten och hon tänkte: TYSTNADEN ÄR HELIG. Men eftersom det var ett strindbergsord gällde det förmodligen författeri, det vill säga påhitt under utformning. Det här var, skulle bli, måste bli vetenskap. AKRIBI, tänkte hon. Och nu med den överprydligt laserprintade manusutskriften framför sig ser hon ordet i skräckfilmsdarriga drypande versaler. Det blir en horrorshow på Whitlockska. Hon vet det. Och hon slår bort det.

Hon försökte berätta för Janne där, tvärsöver frukostbordet, som hon förr eller senare måste berätta för sin handledare. Sansat. Nästan

30

torrt. Men övertygande. (Godegud! Jesus! Hjälp!)

Fem män träffas och samtalar i stora och nödvändiga ämnen. Det är osäkert vilka de är. En av dem heter Fock. Han kan vara boktryckare. Den som heter J.A.Krylund är initiativtagare. Det är också han som efter varje möte skriver ner sina kommentarer till diskussionen. Han återger viktiga (sic!) repliker, polemiserar, diskuterar. Ibland berättar han också.

– Det är Krilongruppen, sa Sigge. Krilon. Krylund. Fattar du?

Janne sträckte sig efter boken.

– Torka fingrarna!

Han reste sig och gick och ställde sig att tvätta händerna under diskbänkskranen, ironiskt omständligt. Sen skakade han dem som en kirurg. Hon tyckte inte om hans sätt att bläddra i boken.

– Ta det lugnt, sa hon och hennes tonfall var sådant att Sickan morrade till under köksbordet.

– Är det inte tvärtom? sa han.

– Vadå tvärtom?

– Ja, att trafiken har gått i motsatt riktning. Hur är det med årtalen?

– I Grupp Krilon träffas först Krilon och Hovall och sen Minning 1930. Men det är bakgrundshistoria. Romanerna beskriver precis den tid dom skrevs i. 1941 till 1943.

– Yo! sa Janne. Dom är ju jättetjocka. Han jobba väl häcken av sig?

– Han hade knappt nån häck. Det var en liten mager en. Han beskriver sig själv i tredje delen. En mager och tunnhårig författare med trasig portfölj.

Men Janne läste Assar nu och åt honungssmörgås.


J.A. Krylund, Lars Arpman, Joakim Fredh, Nils Åslund och Simon Fock hade mötts kring ett matsalsbord eller nersjunkna i fåtöljer och talat till varandra om sin tids vånder. Det var säkert. Ja, hon trodde på det. (Akribi?) Länge hade de varit reducerade till något underspråkligt, till trycksatser på gulnande papper. Men nu: omöjliga karaktärer som varken rös eller flämtade.

Det har funnits stunder i läsfeberns dagar då hon önskat att hon aldrig mött dem. De kliade. Nässelmänniskor. Världskvalster. Som Lotar och Adam. Hon har nog egentligen aldrig gjort den skillnad på fiktionskaraktärer och levande människor som hon pratar så professionellt om. Hovall och Minning har helt enkelt varit bättre och roligare och haft värdefullare synpunkter än dem hon måste trängas med när hon handlar rödvin. Hon behöver inte gå någon annanstans än in i texten för att få dem att falla upp. De smiter inte. De diffunderar inte, blir inte fläckiga och sönderfallande. De hackar inte på hjärnan, tjattrar aldrig. De flyter in i den.

Krylund, Arpman, Fredh, Åslund och Fock fanns på papper. Men de var inte tillverkade med en konstskicklighet som blev större därför att den ibland ironiskt upphävde sin illusion. De var döda.

Eller var de inte det?

Det dröjde inte länge förrän hon insåg att hon måste göra en expedition i verkligheten. I grus, på asfalt. Hon måste ringa på dörren till villan mittemot och där kunde vadsomhelst möta henne. Säkert obehagligheter. (Snusk? Demens? Senil aggressivitet?) Där bodde en kvinnlig geront som på grund av sitt namn, Arpman, inte kunde förbigås.

Oda Arpman är översnöad. Hon kommer inte upp, hon har hamnat för nära marken. Hon gick ut på Skogskyrkogården för att tala med Johan Krylund. För att tänka får man väl säga. Men det blev aldrig någon reda med hennes tänkande. Och vad skulle det för övrigt ha tjänat till?

Folk går och tänder oljelyktor. De är spridda glest i mörkningen över de långsluttande kullarna. Begravningsplatsen flämtar av ljus. I stället för att lägga fram hennes sak för vinterhimlen har tankarna vindlat mellan infallsstationerna. De har ryckt henne hit och dit, tvärbromsat, rusat. När hon ser tillbaka för att försöka urskilja den ljusare timma som var eller gick eller virvlade bort i grått töcken före snön, ser hon bara bilder: enbuskar, stjärnor, högklackade skor, hästgödsel, fläckad sammet. Jag kan inte tänka! vill Oda ryta åt mörkret som faller mellan flingorna och snabbare än de. Men hon har ingen kraft kvar. Lungorna har sjunkit ihop, bronkernas fina förgreningar drar sig samman i kramp. Den grenar sig som ett träd och värker finfördelat. Hon måste försöka andas. En aning luft, så mycket som man kan överleva på, måste hon suga åt sig från mörkret. Hon tänker suddigt om luften: jag har rätt till den.

Sedan blir det alltså snöfall och mörker och Oda har sjunkit ihop, en stor hög vid minneslunden. Men det skiner en lykta på högen och den får konturer av det lysande mörkret. Perspektivet är i alla fall storartat även om Oda har slocknat; det är de långa landskapslinjer som Asplund tänkte in sin begravningsplats i. Oda vilar i de långa linjerna, går bra in i dem. Kanske tänkte han också på mörker, översnöade bröst, svävande vila.

Nu tänds fler lyktor. En till. Och ännu en. Lågor. De andas mot snön, suger syre, darrar mellan våta flockar av snö och rörlig luft. Det är nu en gestalt blir till som en förtjockning av mörkret, böjer sig, tänder en låga som fräser till vått och slocknar, tänder igen.

Nu darrar den, ett blomblad av ljus i stillheten som är rörlig, är frusen och som faller.

Figuren, en liten stabil en i mörk päls eller kappa, rätar på sig och kanske tittar den efter andra lågor. Blicken sveper över de långa linjerna, över kullarna och är på väg att svepa förbi minneslundens mörker.

Då höjer Oda armen ur snön och capen. Fältherregesten. Hon som tänt en låga reser sig ur sin hukande ställning och går upp mot kullen.

Det snöar hela natten och Sigge drömmer utan att veta om huset, gatan och Katarina kyrkogård utanför fönstren. Hon sitter vid ett bord och måste skriva. De är flera författare och de skriver på uppdrag; det är en sorts tävling. En har en tjock bok med sig som han dricker ur. Smart. Men hon avslöjar honom. Snön faller och faller och gör fälten bleka utan att hon vet det. Sigge är själv rädd att bli avslöjad. Hon rymmer från bordet och uppdraget. Överallt flödar vatten men hon vet att det är natt och att hon strövar genom institutionen. Det är nog Frescati, den är öppen åt alla håll och vattnet flödar in. Väggarna suger åt sig; denna natt håller de vatten klart och bristfärdigt som glas. I en hatthylla sover en hemlös. Det är också smart. Nu kommer en byggnad på en höjd, det är ett slott, någon har skrivit om det. Hon känner igen det men på nära håll är det bara ett gytter av smaklös, osammanhängande arkitektur, nej inte arkitektur, något som bara är upptornat – rutigt, randigt om vartannat – stugor byggda på höjden. Ja, det är språk. Gud give att det inte är mitt. Men det är det väl.

Hon har smitit. Men hon är inte utanför. Det snöar och Sigge vet inte om att hon är litteraturvetare, hon tror att hon skriver. Det är allvar.

Det är då Janne stiger upp och går. Han tar inte på sig bootsen förrän han öppnat dörren. Sickan stirrar. Han har lagt en lapp på bordet. Det är väl fegt, men han vill så gärna tjäna lite pengar utan bråk. Han går längs kyrkogårdsmuren, ser de bleka fälten men tänker inte på dem utan: varför kan hon jobba åt ROCK OFF år efter år men jag skulle inte kunna ta ett uppdrag.

Och vilken natt för Martin Sallah!

Vattnet i Strömmen som är så vilt och aldrig klingar dövas inte av snön, den sugs upp i svärtan. Svanarna böjer halsormarna in under vingen. Snart är det is på hela Riddarfjärden, knottrig och grov vid stränderna. Nu slätas den ut under snöfallet och i mitten går rännan svart och fräck. Änder i en vak, simmar stilla runt i natten. Några står på isen med uppdraget ben och näbben gömd. Skogen ser ut att marschera an, silvergrå. Det är kanske kransar av hus. I vinter kommer man att kunna gå på fjärdarna, det är inte långt dit nu.

I gamla hus yr det i ventiler och skorstenar. Men det smattrar inte, det är stilla. Sömn och snö. Fast pulsen bultar.

På Stadshusets borggård skulle det bli spår som skönskrift om någon gjorde dem. Taken glimmar ärgiga, himlen lyser fast det snöar ur den, kastar skenet tillbaka mot lyktbanden, mot det lysande gyttret. Tänk om någon ginge barfota här. Tyngre spår om hon bure sin älskade i famnen och en gubbe tittade ut, grått och vasst emellan gallerstänger. Så många skuggor som är uppe och far, det är som i Sigges dröm. Ännu värre vid Johannes kyrka. Där faller snön i luftiga kantiga flak, som upplösta bokstavskex.

Änkan efter en liten mager författare är uppe i nattlinne och kofta. Det är på Djurgårn. Där har det tjocknat, men hon hör motorljud i dovheten. Hon har hört det så länge att hon måste upp och titta. Orangefärgat ljus pulserar i det grå snöfallet. Hjälmar, en stege vågrätt ut i luften. Nog är det konstigt men ingen dröm. Stegen leder mot en ek nedanför Sollidsbacken. Vad gör di?

Ulla Häger nere i Djurgårdsstan bär inte hatt och lugnar inte desperata människor med en avlägsen röst; hon sover.

En ung kvinna föder i en källare under Allmänna Sjukhuset. Bredvid hennes bår ligger en manskropp med ansiktet täckt av en duk. Källarväggarna vibrerar när granaterna slår ner med ett hårt, genomträngande ljud. Gång på gång slår de ner. Nu är barnet fött. Granaterna fortsätter att slå ner. Barnet sover. Det är i en annan stad.

Sylvia Fransson-Bleibtreu är vaken. Hon tänker på människorna som fanns omkring henne när hon var barn. Om någon ur den världen frågade henne om hon kan sova på nätterna skulle hon svara: dä ä ömse. Hon har dragit upp persiennen och ser de två förvridna granarna i Vanadislunden. Hon tänker också på vad marken och den luftiga fotsdjupa snön ska få ta emot när dagen och hundpissandet börjar.

Hon tänker igen på den andra världen och dess språk och hon känner som hunger att hon vill tala det. Men va dä snödde i natt!

Sveket har trängt in i hennes kropp som i en mark som får ta emot och ta emot. Kyla, smuts och gift. De värsta sveken är de långsamma och insipprande. Du tar emot flödena i tillitsfull öppenhet, och så upptäcker du en dag kylan och att den hårdnar. Då

36

förstår du att du utvidgas och kan sprängas.

Pulsen saktas, Janne är i tunnelbanan, den slår och väser med glesa slag. Glåmigt. Han är arg för att bilen är Sigges. Allt är så kantigt på natten.

Nära, mycket nära pulsen ligger Kajan. Det är den stora trafikleden från Tranebergsbron utanför fönstret, inte många brungrå metrar dit men Kajan är rätt döv. Det heter hörselskadad. Fast så hette det inte när hon fick det i ett stålverk som hon aldrig tänker på. Det får hon inte.

I Dalen är det silvergrått. Oda är uppe och stökar förstås. Det är varma mjölken och patiencen och nattradion och det ena med det andra. Små rutiner. Gamla skrabbor behöver inte så mycket sömn och inte så många kalorier heller så egentligen är mjölken onödig. Men det är barndomen igen. Den drar gärna upp ett draperi så här dags, silvergrått och mjukt i natt. Pappa, som han gnodde. Och så hade han svårt att sova. Mjölk och emsersalt. Jag har lite känningar i halsen, sa han.

Men det var studieskulderna.

Ruth Anser ser inte att det lyser hos Oda, för hon sover på femton milligram Sobril. Annars kunde det där ljuset bakom gardinen ha varit ett sällskap. Nu är hon ensam i sina labyrinter.

Blenda då? Ja, hon sover. Det är inte så stora problem med det. Ingen vakt i rummet bredvid. Men hon är faktiskt inne i en intrig. För ett par dagar sen har någon som aldrig har sett snö förut plockat ut henne som lämplig och skrivit ett inbjudningskort på tjockt vackert linnepapper. Nu är det snart gryning, nu drar snödraperiet bort över Sörmland och Blenda får små orgasmer i sömnen. Det är bara för att hon behöver kissa. Men hon är sån; hon tolkar gärna saker och ting ljust och njuter när hon kan.

Mariella vaknar av ljud. Inte Tallkrogens gamla vanliga trafik och basdunk och knäppskallar som hojtar och slår i dörrar utan ljud från köket. Det är Lucia. Nu är Rosemarie vaken, nu håller hon på med nåt. Mariella såg ett långt vitt lucianattlinne med spetsar sent igår kväll när hon var oppe och kissade. Det låg på Rosemaries säng och hon hade strukit ett rött sidenband också. Det låg över det vita tyget och hade inte ett veck på sig. Det förklarade varför strykbrädan dunkade på kvällen. Hon tog fram den ur städskrubben då.

Mariella smög. För det blir taskigt om man vill överraska nån och den märker det i förväg. Mamma sov. I alla fall var dörrn stängd.

Nu grejar Rosemarie med nåt i köket. Det klirrar. Sen ska hon komma in och sjunga och ha ljus på brickan. Inte i håret förstås, för de har ingen luciakrona. Men i alla fall. Och vilken fin klänning.

Vad har Sigge väntat sig? Inte att Sals kyrka ska brinna i alla fall. Eller att den ska sluta brinna om den brinner och en kall måne ställa sig över den i fel väderstreck, på fel tid.

Här är skuggor. Tusen skuggor? Befriade från kött och tyngd. Den brinnande kyrkan kastar inget ljus på skogen. Inga väggar störtar in. Skugglöst brinner den och musiken dånar. (Ett vansinnesös, Sigge!)

Roterande blåljus. Poliskroppar som försöker behålla sin vikt genom att förankra den med tunga bilar, läderjackor, koppel, batonger, hölster, vapen, handklovar. Men de svävar.

Han håller på att befria skuggorna. Utan tyngd glider de förbi, utan smärta och utan kärlek passerar de genom varandra.

Han är dröm och drog nu. Han är djur.

Men han kräver avstånd.

Sigge dånade nyss genom natten in i motorvägens ljuskorridor, gulrosa som människopiss på snö. Hon hittade avfarten och såg att massor av folk hade funnit den. Det fanns ingenstans att ställa Golfen; bilar efter hela dikeskanten. Lutande som i jordskred. Till slut var vägen igenkorkad av bilar och hon klev ur.

Det var Sickan som hade väckt henne, ett oroligt rassel av klor på golvbräderna. Då var Janne borta och lappen låg där:

> far till Sal och kikar if it sucks
> jag hade ju ett uppdrag

Ju var falskt. Hon visste inget.

Men härute måste han ha varit flera gånger för att kunna fälla in ljuset i landskapet och bygga ön som en scen med hjälp av balkar och kluster av ljus. Strömmen måste väl komma från kyrkan?

Greven har tumme med kyrkorådet.

Bronsålderskullarna och den knubbiga 1100-talskyrkan med svart spåntak vilar i en ljusplasma, ett ägg av grårosa transparens som är

39

stadens. Det har Janne dragit igenom med ljuskärl som blodådror och de pulserar. Sjön är vassig och isbelagd en bit ut från stränderna, skuggkroppar har skrikande tagit sig ut och gått ner sig. Beavis och Butthead verkar vara här, mangrant. Därute ligger ön som ingen av dem når. Glesa trädridåer och ljus. Musiken är bara råtung hardcore nu. Martins röst toastar. Sigge känner igen orden:

> det gamla språket
> låt det leva
> låt det skalla
>
> Torkraft åt alla
> Torkraft åt alla
>
> ormens yngel
> har grymma ögon
> Tors söner slår hårt
> Torkraft åt alla
> Torkraft åt alla
>
> det gamla språket
> låt det leva
> låt det skalla

Hästen rusar över ön. Skriar. Nu står Sigge alldeles intill kyrkans norra mur och hon är rädd och trycker sig upp mot de skrovliga stenarna för folk skriker och tror. Hästen eller hästens skugga? Hästens bild? Han är så stor.

Sen är det en tjej, en tjock en med flamrött hår uppskruvat på hjässan som skriker: runer!

Martin Sallahs röst ilar i hörselnerven nu; han går upp i nån sorts kastratfalsett. Det är nytt. Och det är stora runor på kyrkmuren. Det står Martin Sallah så gott det går och flickorna klättrar på stenskrovlet.

Hästen syns igen. Poliserna klafsar ut i vass och sönderbruten is för att hämta in folk. Hur Sigge blir involverad med de skrikande runklättrerskorna vet hon inte, men hon skriver Martin Sallah med runskrift och kulspetspenna på blottade underarmar. Hon är helt enkelt rädd för dem. Särskilt för henne som drar upp t-tröjan och blottar gungande bleka tuttar.

– Jag kan inte skriva på dom, säger Sigge. Det blir ryggen i stället, knottrig av blemmor. Hon skriver

martin salla
kud ok kudsmodir hialpi ant hans

Då skriker hästen dödsskriket. Sen blir det vitt ljus laserskarpt på öns mitt och Martin står där utan gura med hängande armar och bar överkropp. Blod på bröstet och underarmarna. Hon inser att hans storlek är övernaturlig, att man inte borde kunna se blodet men tycker ändå det verkar vara han, att han rör sig.

Det är då Sals kyrka börjar brinna utan ljud och utan röklukt. Poliser springer, tungt nu, mot bilarna och Sigge tänker: det spårar ur. Inga utryckningsfordon för då är det färdigt. Då börjar det kosta pengar. Hon lyckas ta sig fram till en polisbil och hör anropet.

– Det brinner inte! skriker hon. Men han har redan fått kontakt och beskriver vägen.

– Det brinner inte!

Han föser undan henne och låser bilen. Sen störtar han tungt stövelklafsande ner mot stranden igen.

Nu ser hon folk med röda jackor och getingar på ryggen och knuffar sig fram efter dem.

– Titta, säger hon. Det brinner inte.

Men vad ska dom tro? Tills månen går upp. Kallvit. Och kyrktornet står orört mot den pulserande himlen.

Musse Piggklockan är halv sju. Det är inte Rosemarie som är därute. Kylskåpsdörrn låter annorlunda. Det är mamma. På toaletten och vid spisen. Det hörs. Sen kommer hon in med brickan. Hon sjunger lite. Tysta fjät och runt kring vår stuva. Hon har kall O'Boy och ljus på brickan. Inte i håret förstås och ingen vit klänning.

– Vart är Rosie?

– Jag vet inte, säger Ann-Britt och låter smal på rösten. Som om hon vore rädd eller nåt. Då säger inte Mariella nånting, hon bara dricker ur O'Boyen. Det är som det skulle bli värre om hon började fråga.

Hon hinner se på luciamorgon i TV, i alla fall en bit. Det är en utklädd tjej och en kille som står och håller om varann. Det skulle de aldrig göra i verkligheten för han är mycket mindre än hon. De har töntiga halsdukar och mössor.

– Kom nu, säger Ann-Britt.

– Varför sjunger dom så där?

– Jag vet inte. Det ska väl vara fint.

Nu har de bråttom. Ann-Britt låser överlåset och kollar det där stället på dörrkarmen där nån gjort ett fint hål som hon har pluggat igen och målat över. Hon tar lite med kajalen för att det ska bli mörkare. En del säger att det är märken som tjyvar gör. Fast nu har de sprintar och överlås. Brännmärket på ringklockan är inget sånt märke. Det är bara nån som har stått och bränt med en cigarrett. Ringde det då? På kvällarna öppnar aldrig Ann-Britt när det ringer. Men glöden skulle väl ha fallit av om de tryckte för hårt så det ringde nog aldrig. Mariella har frågat Ann-Britt en gång men hon sa äsch, dom bara larvar sig. Fast Mariella hörde en lång kille som stod utanför Saschas affär säga: kom så går vi in till blattetjejen. Det kanske var han. För han rökte.

– Vakna nu, säger Ann-Britt. Du måste se dig för så det inte kommer en bil.

Inne i Saschas affär lyser bara skyltfönstret och taklamporna. Det är släckt över kassan. Fast det visste hon. Inte öppnar Sascha tidigare för att det är Lucia.

– Vart är Rosie?

Först nu frågar hon. Och Ann-Britt svarar förstås att hon inte vet.

– Hon kanske lussar nånstans.

– Det sa hon inget om igår.

Men det var nåt. Alla de där små flätorna. Och nånting annat. Som om hon inte hörde på vad Mariella sa. Det kostar nog flera hundra att få en sån frilla, små små flätor över hela huvet.

– Hon kanske har fått en kille, säger Mariella.

– Det skulle hon ha sagt i såna fall.

Ja, Rosemarie brukar sjunga när hon har en kille och prata om det. Fast om det är på riktigt? Om hon har en kille och ska bo hos honom och inte vågar säga det till Ann-Britt för att hyran blir så dyr då.

Sen skils de åt. Först knäpper Ann-Britt översta knappen i Mariellas fleecejacka. Den ska inte vara knäppt. Sen går hon förbi döskallegubben på torget och fortsätter över till tunnelbanan.

Mariella går in bland husen, ginar till skolan. Det är galler för alla källarfönster. I portarna sitter det skyltar.

HJÄLP OSS ATT HÅLLA KYLAN OCH OBEHÖRIGA UTE
STÄNG PORTEN OCH SE TILL ATT DEN GÅR I LÅS

Sigge har tänkt koncentrera sig på föredraget men hon måste ut till firman och titta till saker och ting. Lotar är i gräl med en chaufför som vill leverera kassetter. Han blockerar källardörren och börjar låta hotfull. Sickan som vanligtvis inte lierar sig med Lotar (är det lukten?) skäller på chauffören och Sigge medlar. Lotars poäng är att firman ska flytta och att leveranserna nu måste gå direkt till GLOBE-COM.

– Inte skivgrejerna, säger Sigge. Allt det där är faktiskt över nu, det ska Fehzén ta över. Men det blir chauffören hon förklarar för och han är totalt ointresserad och letar pizzarester mellan tänderna. Han har en öppnad kartong bredvid sig; klockan är nio på morgonen. Aschlet är fastväxt i bilsätet, magen väller.

Lotar har låst källardörren så hon får gå runt och ner och göra honom god igen. När hon talar till Lotar låter hon som Pettson när han talar till Katten:

– Det ska va ordenklit. Gör i ordning här nu för kassetterna. Tänk inte, gör bara som jag säger. Finns det nån tårta kvar?

Hon tänker muta honom med kaffe och tårta men han sticker direkt sen hon öppnat källardörren. Asfalten på uppfarten bränner King Cabens däck. Men det kan göra detsamma för den hör också till det förflutna. Det bästa med GLOBECOM är att det inte längre kommer att bli så mycket materia omkring henne. Men vad blir det? (Information säger Adam.)

Av prinsesstårtorna är det bara kladd på pappskivor kvar. Disk och fimpar. Sickan går och lägger sig på mattstumpen under skrivbordet, Sigge börjar röja upp. Här har asagänget haft en liten kaffestund. Hon hittar en fin sak, inte precis i vikingastil: en liten ängel i styv metallfolie. Den ser ut som silver. Ängeln har suttit fast på nånting, den har en ögla som är trasig. Tunna vingar. Hon lägger den i pennfatet.

Det är då hon ser att Adam har kopplat ner telefonerna. Så fort hon anslutit dem börjar det ringa. Medan hon sitter med det första samtalet kör två bilar upp. Hon hör dem och ringningarna och hur de övergår till bankningar. Då säger hon: ett ögonblick bara! och tassar tyst över golvet och drar för gardinerna mot trädgården. Snart hörs det röster därute och hon sänker rösten:

– Nej, det brann inte. Det är alldeles riktigt. Det kallas Gassprojektion. Gustav Adam dubbelsixten. Det är nåt nytt. Jag vet inte. Jag har faktiskt inte en aning.

Men till slut, fjärde samtalet, inser hon att hon måste försöka förklara. Hon har ingenstans att hänvisa dem. Det tjänar ingenting till att moralisera heller. Hon försöker men de garvar i andra änden. Visst har de skrivit att Martin Sallah tänker offra nånting, men var kommer det ifrån? Hur var det med hästen?

– Det fanns ingen häst. Jag vet inte förresten. Och kyrkan brann inte, det kan ni ju se själva. Det var en Gassprojektion. Det är nån sorts ljus. Två sorter.

– Vadå två sorter?

– Ja, det ena heter metonljus. Det är intensivt, tätt. Nånting i stil med laser tror jag. Men man kan liksom skiva ut det i flak. Och sen är det fictastrålar. De består av färgat ljus. Man kan läsa in bilddata i fictastrålarna.

– Hurdå?

Ja, hurdå? Adams gester, ordström.

– Genom en elektronisk process som liknar scanning. Tror jag. Dom kan avläsas mot metonflaken men bara mot dom.

– Avläsas?

– Ja, ses då. Hela processen kallas för Gassprojektion. Det betyder att man kan projicera bilder utan skärm. Metonljuset reflekterar fictastrålarna. Alltså dom bryter sig mot metonljuset men inte mot nåt annat i hela världen.

Sen, innan hästen kommer upp på nytt, lägger hon på luren och kopplar ner telefonerna. Hon vågar inte åka därifrån så länge bilar kör upp och det bultar på ytterdörren. Men det gör ingenting. Hon har tagit fram föredraget och håller det i den tysta studion för Sickan och PA:n. Sen lyssnar hon till det. En liten ljus röst. Mellan flicka och tant. Hon snuddar vid nånting som gått förlorat. Men hinner inte. Läser en gång till och nu kan hon det praktiskt taget utantill.

Betrakta mig som närvarande. Så sa Johan, långt innan han dog. Under natten har Oda tänkt på detta. Mycket.

Det finns för det mesta en annan inom dig, en som du kan samtala med.

Men inte alltid.

Nej, ibland drar han sig undan. Så sa Johan. Han hade rätt: i stället för den andre inom sig mötte hon denna vinternatt flinande ansikten. Hon sov lite. Det blev skinn på mjölken hon värmt. Vaknade av att hon hörde en skata utanför. Ett vasst utbrott. Hon tänkte åter på den andre inom sig. De andra. Virrbilderna. Hånflinet.

Om du har svårt att komma till tals med den andre inom dig då ska du betrakta mig som närvarande. Du måste föra ett samtal, sa Johan i nattankarna. I gryningsplågan, när ljus och syre var på upphällningen och skatskrattet rasslade. Du är en käring. Du är en skrott, en mulltott, sa skatan. Du har inte ens tänder i överkäken.

Att resonera, att samtala är djupt nödvändigt. Om du inte samtalar kan du hamna i din övertygelses våld. Och du ska veta att det inte går att föra samtal med sin övertygelse. Övertygelsen är havande med intigheten och ingendera går att samtala med.

Sa den förståndige. Den stabile och något fyllige. Du Oda som berömmer dig av att vara anhängare av skepticismen som inte ens är mosters brylling – nej, det sa han inte för han uttryckte sig alltid en smula högtidligt och omständligt, han sa: vilken inte ens på långt håll är släkt med nihilismen, du kan ändå hamna i så svåra eller kvalda lägen att du lutar åt intighetssynen: allt är lika bra. Om hundra år är vi ändå alla benknotor och mulltottar. Då blir du förskräckt, ja uppriktigt sagt asrädd (sa han det?) vid tanken på viljans bild av världen, att den är lika bjudande hos Arkans tigrar och skändare som hos dina flickor i Fred och Frihet – de som utan att du märkt hur det har gått till blivit tanter med kassar.

Ja, det är förfärligt Oda, sa Johan Krylund och var lika närvarande som Arkan, att hamna i sådana likvärdighetskval eller brist-på-värden-kväljningar. Man frestas bli anhängare av något slag. Man frestas övertyga sig och då upphör samtalet. Den andre inom dig får tusen splittrade och flinande och hånande ansikten – ja, du ser i värsta fall bara ditt eget ansikte i hans, en skev och motbjudande spegelbild. Då, Oda, ska du betrakta mig som närvarande och du ska samtala med mig.

Man har kallat det bön. Det finns tider då man har kallat det bön. Inte så att jag i livet eller ännu mindre efteråt skulle ha varit en person eller gestalt som man kunde be till. Naturligtvis inte. Jag var en kort, något undersätsig livsmedelsgrossist i Homburgerhatt, det vet vi båda.

Oda borstar tänderna i underkäken. Överkäkens tänder har hon redan gjort rena. De ligger i ett glas med svagt antiseptisk lösning. När hon kommer ut ur badrummet ser hon att Sigge har dragit för gardinerna i Krylundska villans fönster. Hon ska ringa till Sigge. Hon ska be henne komma in på en kopp te och så ska de lägga upp kampanjen.

Det finns goda övertygelser, Johan. Du hade nog själv en och annan. Och morgonen har kommit till mig med en sådan lugn och god övertygelse.

Sigge släpper ut Sickan. Hon silar ut henne genom altandörren, gläntar bara minimalt på gardinen. Som om hon inte ville bli sedd. När Sigge för två år sen stod på trappan och hade ringt på trodde Oda att det var en springflicka. Fast sådana finns inte längre. Men någon som den där flickan som av ren hygglighet brukar komma med varor från affären. Sigge hade dropp under näsan av vårkylan och var barhuvad med långa mörka och rätt tunna hårslingor på läderjackan. Hennes ben såg ända upp på låren pinniga ut i svarta strumpor. Hon sa att hon hette Sigrid Falk och höll på att doktorera i litteraturvetenskap. Hon undrade om Oda kände någon som hette Lars Arpman. Och kanske någon som bott i villan intill och hette J.A. Krylund.

Oda har varit vaken länge för flickan som ville låna en luciakrona väckte henne före sex. Man kan inte säga att hon har sovit ut efter strapatsen i minneslunden – som hon ångrar – och hon är möjligen på väg att bli förkyld. Andningen är inte oklanderlig. Men i förmiddagsljuset känns det ändå annorlunda. Hon vet hur hon ska göra. Egentligen borde det ha varit självklart.

Det är nära att hon ringer till Kajan först. Hon är praktiskt taget alltid hemma. Men så kommer hon på att det vore att gå bakom ryggen på Ruth Anser. Hon börjar böka med de stora tunga telefonkatalogerna och efter något fipplande slår hon numret till socialkontoret.

– Jag mår illa, säger hon och fröken glor. Alla de andra glor också. Sen går hon ut. Fröken kommer inte efter. Mariella tar på sig fleecejackan och sticker snabbt.

Affären har öppnat nu. Den ligger bredvid hundmatscentret. Sascha har fullt med glitter och glasbollar överallt. Han har gjort alla skyltarna med GOD JUL! och BRA KORV. Rosemarie har sagt åt honom att det inte heter så. Det heter god korv. Men han skriver så i alla fall. ICA vill döda mig, säger han. Jag får inte finnas.

Saschas affär har blivit rånad två gånger, en gång då Rosie satt i kassan. Hon satt alldeles stilla och tittade ner i golvet. Det låg en trasig påse med sega råttor där. Hon tittade på den hela tiden medan de där händerna rafsade i kassalådan. Och så var hon rädd att Sascha skulle komma ut från lagret. Han skulle bli så arg. Då skulle de börja skjuta.

Men han kom inte förrän de hade dragit. Då satt Rosemarie fortfarande och stirrade ner i golvet. Framför henne var kassalådan öppen.

Mariella tänker på segaråttpåsen, vem som hade öppnat den. Kanske nån unge som blev rädd när Rosie eller Sascha titta åt det hållet. Släppte påsen.

Rosemarie sa att hon stirrade på den hela tiden när hon såg händerna i lådan. Det var en ring på långfingret på ena handen. Som en guldklump med en liten röd sten. Jag skulle känna igen den, sa hon till Ann-Britt. De pratade lågt. Det var vid TV:n men Mariella hörde. Säg inget, sa Ann-Britt. Det hade hon inte gjort heller. Det kunde vara nån från husena.

Mariella kikar först genom dörrn, glaset kyler mot näsan. När hon öppnar kommer Sascha ut från lagret med en låda apelsiner. Han snubblar ut fort när han hör klockan. Det är för att ingen sitter i kassan han har så brått. Och så blir han arg när det bara är Mariella.

– Vart fan är Rosemarie? säger han.

– Jag vet inte.

Hon hade trott att Rosie skulle sitta i kassan nu. Kanske. Att hon kommit tillbaka. Då skulle hon ju gå till jobbet direkt så att inte Sascha vart så arg. Han kunde ju ta nån annan.

– Om hon är sjuk kunde hon i alla fall ringa, säger han. Varför har hon inte ringt?

– Jag vet inte.

Hon går ut, nästan baklänges. Sen vet hon inte vart hon ska gå. Inte hem i alla fall. Om hon är ute tills klockan blir fem kanske Rosemarie är hemma när hon kommer. Eller sex.

Hon går ut i planteringen. Döskallegubben håller om en unge. De är korta och tjocka. Killarna har målat ögona svarta och målat tänder ovanpå mun. Det är därför han ser ut som en döskalle. Ungen med. Men han ser snäll ut i alla fall. Tjock.

Jag ska gå runt gubben arton gånger. Så många år som Rosie är. Fast hon fyllde i augusti. Jag ska gå runt arton gånger och så nästan en gång till. Jag ska lämna biten från augusti till december. Så ska jag stanna där och titta opp. Då kommer Rosie från tunnelbanan.

Man får inte vara subvalid.

Personalen vet vad Ruth Anser menar fast terminologin härstammar från 1950-talet och socialpolitiska institutet. Ruth är inte subvalid. Hon är superstabil. Idag har hon sammanträde i kommundelsnämnden. Hon bör också gå på Johnsonsällskapets möte på Whitlockska ikväll. Men först har hon Kyndel och sedan Ångesten, båda övertagna från lägre nivåer. Kyndel har nu, enligt en av assistenterna, ballat ur fullständigt och siktat på byråns utsända med ett hagelgevär. Ångesten heter Tom Karker. Namnet borde ha stoppats på Patent- och Registreringsverket.

Sune Kyndel äger och bebor fastigheten Svansjön 7, två hus från Ruth Anser i Dalen. Så hon är fullt klar över hur där ser ut sommartid. Högt gräs som går i ax. Risiga äppelträdskronor med stora skatbon i. Osande kompost. Sträv och frodig gurkört som fröar från Kyndels tomt och blommar intensivt blått över alla tomtgränser. Körsbärsmacchia. Potatisland. Han påstår att han lever på potatis och smör.

Men varifrån får han smöret?

Grannarna har krävt sanering av trädgården inklusive den livskraftiga och företagsamma råttstammen. Socialbyrån har påpekat att han kan få våning och bostadsbidrag och ekonomiskt bistånd enligt sjätte paragrafen om han gör sig av med villan. Tänk. Hur många får ett erbjudande om bostad, Kyndel?

Han har kallats till Ruth Anser för samtal. Mycket fogligt har han inställt sig och sitter nu framför henne med sitt vita vågiga hår som nästan retar henne, för så gammal är han faktiskt inte, huvudet på sned, bruna ögon med bedräglig hundblick. Han har leverfläckiga händer vilket berör Ruth känslomässigt. Han är klädd i täckjacka, fiberpälströja, flanellskjorta, jeans med kraftigt häng därbak och graningekängor. Änglahåret är bart. En grön sportmössa av militärmodell har han lagt ifrån sig på golvet bredvid stolen. Det står en tät dunst av snusk kring honom. På något sätt påminner den om ost.

51

Klockan är elva och Ruth ska förbereda eftermiddagens möte i kommundelsnämnden. Hon kommer inte att få någon lunch eftersom hon har ett möte med Ångesten inbokat. Hon är inte insatt i hans fall. Men hon räknar med att hämta bakgrundsinformation om Karker under samtalet med Kyndel.

Nu tar hon alltså itu med Kyndel vars bakgrund hon som granne känner alltför väl och förbereder under tiden Karker. Under samtalet med Karker räknar hon med att förbereda kommundelsnämndsmötet och under detta möte tänker hon göra stolparna till sitt inlägg på opinionsmötet angående Krylundska villans framtid.

Hon säger hej åt Kyndel och slår på datorn och medan den dundrar fram till registret där Karker håller till, den del av honom som inte går lös och stjäl lax i ICA-butiker, så säger hon att det var trevligt att se honom och så slår hon sin kod som är ACCA47. Datorn meddelar att den inte känner någon ACKA47. Kyndel klipper med sina (bedrägligt) mildbruna ögon och lägger huvudet ännu mer på sned.

Ruth slår nu om koden och hamnar smärtfritt i Karkers personalia, hans födelsenummer, bostadsadress så länge sådan förekom, de tjugotvå strafföreläggandena och utlåtandet från det alkoholpolikliniska behandlingsteam som senast tog hand om honom, hans jag- och resurssvaghet, missbruksprofil, leverstatus samt åtgärdsprogram och redogörelser för tidigare rehabiliteringsförsök. Allt detta verkar skäligen enkelt att läsa in eller ögna över och Ruth säger att det här går inte längre, det förstår han ju själv. Kyndel tiger.

– Det är en annan stämning nu serdu på socialbyråerna. Det kan bli polisanmälan.

Klipp med ögonen. Karker har stulit oxfilé på Åhléns och sålt den på Centralens herrtoalett.

– Vi tål inte vadsomhelst längre. Våld till exempel.

Då ekar Kyndel:

– Våld?

Det är hans första ljud.

– Hagelgeväret. Du har siktat på assistenten, Kyndel.

Mjälten spräckt. Fast det står levern på ett annat ställe. Men allt det där är långt borta i city. Oxfilén hoppar hon över och kommer till ett uppträde i hundmatscentret.

– Det var en hare.

– I Dalen? Säger du det. Och du har jakträtt förstås, i tätbebyggt område?

Han får pröva på lite ironi till omväxling. Annan stämning nu, Kyndel. Då kommer han med en lång utläggning som hon faktiskt inte hör så noga på för hon blockar åtgärdsprogrammet på Karker och tycker att det är en enda röra i filen.

– Så han klarar sig för det mesta, slutar Kyndel.

Hon får markera än här än där och musen knäpper vänster dubbelklick och treklick och mera sällan högerklick. Det borde vara mer samlat.

– Vi talar inte djurplågeri nu. Vi talar om assistenten.

Djurplågeri har tidigare varit på tapeten eftersom Kyndel har haft en råttfälleliknande anordning för fasanfångst under vinbärsbuskarna. Inte anmält. Men förtroendeskapandet har gått så långt som det kan nu. Hon får ingen fart på utskriftsfunktionen och kommer på att hon aldrig har slagit på skrivaren. Då ringer telefonen. En, två, tre, fyra signaler. CTRL-ALT slår Ruth med långfingret och tummen på vänster hand och DEL med pekfingret på höger hand och tänker för sent att hon borde ha gått ut ur Karkers händelsebakgrund innan hon bootade om. Fem, sex, sju, åtta signaler. Det låter som desperation därute. Ruth svarar.

– Jag har sagt till att jag inte vill bli störd.

– Men det är en fruktansvärd tant på linjen, säger växeln. Hon säger att hon känner dig.

– Jag tar inte telefon nu.

– Oda Arpman. Är det ett namn som du känner igen?

– Jag tar inte telefon nu.

Kyndel sitter där och ser på henne som på ett evenemang och det kan han sannerligen göra. En arbetande människa bör vara en storartad händelse i hans värld av harar och gurkörtsblom.

– Vi har en utväg till som vi har funderat på, säger hon samtidigt som hon går in i Ångestens bakgrund igen och konstaterar att all blockning försvunnit. Förstås. Konstigt att han inte ens tål antabus. Kan man spela sånt?

– Jämtland, säger hon.

Det skulle vara att operera in då, i låret eller hur det går till. Antagligen tål han det mycket bra.

– Du kommer ju därifrån.

53

Det ringer igen. Den här gången rycker hon upp luren till örat och talar kraftfullt.

– Men tanten är på linjen igen! vädjar flickan i växeln. Hon säger att hon är god vän till dig och att hon ligger och har brutit benet och inte kommer opp.

– Ge mig henne.

Kyndel blinkar enfaldigt. En människa som har all tid i världen. Innan hon får Oda i luren säger Ruth:

– Hemma i din glesbygdskommun är ju allt det här fullständigt okej. Du kan vara hur originell du vill, Kyndel. Jaga hare. Gå klädd hur du vill.

– Det gör jag ju här också, säger Kyndel.

– Äntligen. Du är sannerligen svåråtkomlig.

Det är Oda.

– Hur är det!

– Tack bara bra. Men vi måste träffas och resonera.

Kyndel har tagit av sig täckjackan.

– Benet Oda!

Han svettas. Förhoppningsvis i mer än en bemärkelse.

– Vi måste träffas! ryter Oda som börjat höra illa. Det är mycket viktigt. Jag såg som du förstår ditt inlägg i televisionen.

Finns det någon människa mer i världen som säger televisionen?

– Jag kan inte tala nu. Jag har en klient. Du har vilselett flickan i växeln.

– Äsch, säger Oda. I misshugg blockar Ruth den frysta oxfilén och hela toalettepisoden och undrar hur inblandad personalen är i transaktionerna. Men det är en polissak och hör inte hit. Hon gör ÅNG-RA KOMMANDO på Centralens herrtoalett och säger åt Kyndel att en glesbygdskommun har helt andra resurser att ta hand om udda önskemål om existensvillkor än ett tätbebyggt storstadsområde med höga bolåneräntor och fluktuerande villaprismarknad.

– Ja, jag har ju inga lån, säger Kyndel och Oda föreslår samtidigt att hela gruppen träffas och resonerar sig fram till ett ställningstagande före opinionsmötet.

– Jag har inte tid, säger Ruth fast. Och tänk att Oda verkligen lägger på luren. Inga lån. Deklarerar ingen inkomst. Tar inte emot sociala bidrag. Är skönstaxerad för en inkomst strax ovan existensminimum men har inte på länge betalat någon skatt på den. El-, telefonoch vattenräkningar betalas däremot. Men inte sophämtningen. Kyndel påstår att han bränner det lilla som blir.

– Flyttningsbidrag. Det kan vi erbjuda. Ordna opp det med din kommun i Jämtland. Jag förstår om du inte vill flytta in i en lägenhet här, Kyndel. Men han säger enfaldigt:

– Det här är min kommun. Jag har bott här i trettifyra år.

Någonstans bör det finnas en lista på Ångestens straffföreläggan-den som inte är så detaljerad. Hon vill ha en snabböversikt, det gäller ju typen av brottslighet, inte detta fruktansvärda träsk av detaljer: krossade näsor, laxar i rostfria rännor på herrtoaletter och spräckta levrar. Hon bör fråga Kyndel om han vill ha kaffe. Det är dags för det. Och landstingets badlakan av frotté. Har Ångesten verkligen försökt sälja dem? Sune Kyndel vet att hon inte är att leka med nu. Kaffe går bra. Trettiofyra år i kommunen. Han har en poäng där. Men nu ska de prata, verkligen prata. Hon ser inga möjligheter att blocka några väsentligheter, det är bara att ta hela sjoken för utskrift så kan hon läsa dem under kommundelsnämndens sammanträde för nu är hon lite försenad. Hon får skjuta på Karker. I vanliga fall tar Ruth en koffeintablett i situationer som denna men Kyndel behöver kaffeterapin. Folk är inte mer än människor. Men i samma ögonblick inser hon vad hon kommer att hamna i om hon visar sig i dörren och frågar om det finns vatten varmt (en avgrund av desperata behov nämligen) så hon föreslår honom en kompromiss.

– På mitt sätt, säger hon nästan lättsinnigt och visar honom hur hon brukar göra en ränna av en bit A4 som hon viker på mitten. Hon lägger pulverkaffet i rännan och häller det i strupen.

– Det går alldeles utmärkt om man lutar huvudet bakåt. Och så på med vatten.

– Det blir väl inte riktigt samma skjuss som när det kokar? säger Kyndel och blinkar med båda ögonen. Han avstår från kaffe. Men den lilla förtroligheten har uppenbarligen gjort honom gott. Fasthet får inte utesluta humor och värme. Utskriftskommandot ska finnas någonstans på snabbraden men hon klickar fel och får egendomliga frågor om hon önskar fälla in en bild i textrutan och klickar igen och Kyndel ser ut som om han är på väg att lyfta från stolen och krypa tvärsöver bordet men det ska han akta sig för. Hon dubbelklickar och hela episoden med landstingets badlakan blir svart och sen försvinner den och det kan ju också göra detsamma.

55

– Som intagen har du ju helt andra möjligheter att leva det liv du egentligen vill leva, säger Ruth och Kyndel ekar:

– Intagen?

Hon menar förstås inte intagen utan avflyttad, utflyttad. Ångestens intagningar ska nu förvandlas till utskrift och det är det som inte går, fast det är en löjligt enkel sak. ESCAPE! Om bara inte Kyndel hängde över bordet. Håret som ser ut som glasfiber hänger också.

– Du, det är sekret information det här, säger Ruth och trycker på HJÄLP och får upp en dialogruta samtidigt som Ångestens rehabiliteringsprogram med prognoser och allt försvinner som i ett svart hål. Gud.

– Jag ber och få tacka men jag stannar nog, säger Kyndel och det där är ett misstag som hon måste ta ur honom. Han lever faktiskt i ett samhälle.

– Du lever faktiskt i ett samhälle Kyndel, säger hon och i samma ögonblick får hon upp utskriftsfönstret och klickar OK. Den lilla trygga rutan FÖRBEREDER UTSKRIFT kommer upp och Ruth viker ett nytt kaffepapper och andas djupt. Sen försvinner rutan och det blir tyst. Hon hör Kyndel andas. Inte med möda eller demonstrativt eller något sådant. Bara andas. Och det är ljust turkost på skärmen och samma svarta text, olycksbådande stilla som före åskväder. RÖR INGENTING säger det inuti henne men hon kan inte låta bli att trycka ENTER. Bara ENTER. Ingen åska. Ingen utskrift. Ingenting.

– Det där du, säger Kyndel bekymrat.

ESCAPE!

Gud fader.

Nu smackar Kyndel på ett obehagligt vis. Ruth talar med honom om samhället, om att han är en samhällsmedlem med ett samhällskontrakt (hon har fått för sig att han är kvasiintellektuell) och försöker under tiden, diskret, trycka CTRL och BREAK. Det är som att sitta i berg.

– Den jäveln har hängt sig, säger Kyndel med ljus röst.

– Du borde tänka över mina förslag, säger Ruth. För annars är jag rädd att det handlar om sanering med grävskopa.

– I trägårn?

– Om du vill kalla den så. Och utmätning och exekutivt, Kyndel. Skatteskulderna serdu.

– Jag brukar ordna opp det med kronofogden.

– Grävskopa, säger Ruth med kraft.

CTRL-ALT-DEL. Men det är urberget hon hamnat i.

– Nu skulle du vilja ha en yxa va?

Inte utan.

– En yxa rakt ner i det här jävla förbannade elektroniska skrotupplaget.

– Vad du pratar, Kyndel.

– Jag känner igen blicken. Stäng av och starta om. När du går in och ska skriva ut den där röran med han Karker igen så skriv filnamnet.

Hon ser inte på honom, hon ser in i datorskärmen som nu är gråsvart.

– Du glömde skriva filnamn för utskriften. Det stog bara ett bibliotek. Då hängde han sig. Vilket jävla dödshäng dessutom. Lite primitivt program va? Är det en treåttisexa det där?

Hon stänger av datorn med en rörelse som om hon gjorde det nästan i förbigående och säger stramt:

– Jag skulle ha utskrift på skrivaren.

– Då måste du ange det serdu.

Hon får faktiskt för sig att han härmar henne. Men han backar direkt:

– Jag fick min första dator på det viset. Av grannen. Kom in till honom med en påse röbetter och där var det frågan om yxan, det kan du ge dig fan på. Direkt. Om den bara ha lega brevid. Ta den här jävla apparaten sa han. Tan mesamma för helvetes jävlar innan jag gör mig olycklig. Jag fick manualer och allting. Nu har jag en fyråttisexa. Man får dom billigt när dom har leasat dom ett tag.

Det fordras tid och tålamod att lära sig hantera datorer och deras program. Långa, långa sommarnätter. Koltrastsång. Ljus i den bleknande datorskärmen. Trasten drar daggmask ur komposten. Lukten av nykokt kaffe. Kyndel har små och svarta sysselsättningar som han ofta likt en koltrast sköter i de ljusa sommarnätterna. Hon har sett honom, sett pipröken ringla ovanför trädgårdsbordet.

Syrenerna så bleka om natten. Gryningens rassel i asparna. I sina sömnlösa nätter har hon sett honom.

– Kyndel, säger Ruth lågt. Gör opp med kronofogdeassistenten om en amorteringsplan. Ta bort komposten. Idag. Till sommarn gäller följande: slå gräset. Framförallt gurkörten. Den eller grävskopan. Fattar du?

– Jodå, säger Kyndel med ljus, ljus röst.

– Jag skojar inte. Det vet du. Eller hur?

Sen går Kyndel och skrivaren börjar i samma ögonblick knattra med ett starkt förtroendeingivande ljud som hörs långt ut i korridoren.

Oda ringer på ROCK OFF:s samtliga nummer men får fortfarande inget svar. Ändå är det alldeles färska spår efter Sickan i snön, en sväng ut mot vinbärsbuskarna och in igen över altanen. Och Sigges röda bil står på uppfarten.

Villan vilar i sin svala skönhet, den som snart bara Oda ser genom sex årtiondens förfall. Eller utveckling. I varje fall historia. Tid som går och skönhet som dröjer sig kvar i benstommar och regelvirke. Helig plats.

Nej! Låt oss ta det lite lugnare, något nyktrare med det svunnas skönhet och helighet. Denna villa byggdes av byggmästaren Joakim Fredh efter ritningar av själve Markelius och blev en fruktansvärd felspekulation som höll på att vålla Fredhs konkurs. Men för Johan Krylund var den det andra mötet, och det avgörande, med det sakligas skönhet. Han köpte den och räddade Fredh, åtminstone tillfälligt. Sådana vänner var de, i vardagens kriser och komplikationer, så tätt höll de ihop, så viktig var vänskapen i Krylundgruppen att den fick Johan att överge centrum (han bodde mittemot Blå tornet och hade grossistfirmans kontor i hörnet Tegnérgatan–Holländargatan) och ge sig iväg långt ut åt Enskede och försöka rota sig i en modernitet som då var kylig, nästan ödslig. Så långt utanför tullarna. Så nära det som skulle bli en begravningsplats, också den saklig och skön.

Ja, saklig? Egentligen var den väl en sorts dröm. Inte kunde man ana att kroppar som inte fick ta upp plats i jorden skulle börja avge kvicksilvergas.

Johan var född i Uppland. På bondlandet. Långt in på trettiotalet stank det från avlopp som gick rätt ut i dikena och från ruttnande slaktavfall bakom lagårdarna. Hans far var jordbrukare och lanthandlare och Oda har förstått att han gjorde sig en nätt förmögenhet under det första stora kriget.

Världskrig och hästkärror på väg in mot Stockholm. Sakta knagglade sig handelsman Johanssons vagnar fram på gropiga uppländska vägar. Skinkor, smör, potatis och grädde från Krylundas bönder.

Rakt in i gulaschernas värld: de smorde kråset. Såsfläckiga krås på stärkskjortorna? Eller gåsinälvor rinnande av flott? De där affärerna bekom inte Johan illa för han visste inte om dem då. Student 1916. Exercisen på Pollacksbacken, i trekantig hatt som en Armfeltkarolin. Men så småningom gick det upp för honom varifrån pengarna kom och han blev väldigt noga i sitt krig, tjugofem år senare. Ingen hamstring. Inga svarta affärer. Ändå gjorde han inte dåliga resultat. I krig är det mat som ger pengar hur man än hanterar den. Mat och vapen.

Fadern dog av hjärtslag under Johans tredje termin i Uppsala. När han kom hem stod modern och systrarna svartklädda bakom disken i affären, fyra hjälplöst avbleknade ansikten, och han fick, nittonårig, bli lanthandlare.

Nominellt var det förstås modern, änkan. Men bakom henne växte pastorn i pingstförsamlingen upp. Johan hade en tydlig minnesbild av hans hjässa. Det blanka skinnet över kraniet, de fetsvarta hårstrimmorna. Den var, tvi dig värld, en mycket ungdomlig bild av moderns älskare. En del kapital rann ut i hänryckningen (bara gudlig, andlig?) men Johan sa redan efter ett första förvirrat, bittert famlande år farväl till Hamlet och började granska bokföringen.

Vid trettiotvå år var han grossist och hade flyttat till Stockholm. Av systrarna hade två blivit gifta och en fått utbildning till lanthushållslärarinna. Modern bodde kvar i boningshuset på gården i Krylunda men jorden var såld. Hon skulle bo kvar till sin död.

Johan hade lyckats i världen. De tre terminerna i Uppsala hade inte lämnat kvar frätande strindbergska minnen utan gjort honom till vad han mitt i grosshandleriet alltid var sedan: en bildningssvärmare och radikal. Vad man än för tillfället sätter för politiska märkningar på radikalitet. De brukar ju falla av, som etiketterna på saftflaskor i en fuktig källare.

Utom Harjalintus. Förstås.

Johans radikalitet fick snart andra förtecken än de ungsocialistiska. Hans mannaålders gudar var Barbusse med "Elden" och H.G. Wells. Han kom ur ett Gammalsverige, ett bibliskt och lerigt bondland. Ur en faders konservatism och hat mot en ny verklighetsbeskrivning (Strindberg! Branting!) och en moders svärmiska och okritiska fromhet.

Käre Johan, fromheten kan inte vara kritisk!

Jo – mot fromleriet borde den kunna vara det, särskilt om den har tre oförsörjda döttrar!

Men kärlekens sabotage, kärlekslågans nerbrännande av allt vi borde hålla kärast och närmast, fick Johan själv erfara och han föll svindlande, när han efter sex års äktenskap flyttade in i den vita och sakliga, den ännu i förfallet och förändringarna sköna villan som Markelius ritat och mötte Oda.

Johans karaktär och personlighet fick sina grunddrag ur Bibeln och Upplands lerjord men den formades väsentligen av ett svek. Inte som i fallet Johannes Krilon (ofta anfört) av ett svek som en annan människa utsatt honom för. Inte av en midsommarnatts bedrägliga ljus och fylla och knivhugg i själva livsroten. Utan det betydligt utdragnare och av klart dagsljus belysta svek som var hans eget.

Men det fanns alltid en annan sida. En öppen, idégenomspolad. Med båt kom han till den ljusa sakligheten, till det första mötet. Tänk. Därav styrkan i det?

Han sa att det var en Petterssonbåt av ljusbrun mahogny och att de startat från båthamnen vid Blockhusudden. De satt där med sina pjoltrar på Eau-de-Vie och vichyvatten. Han var på väg in i sitt grosshandlarliv. Året var 1930. Det var sommar. Vid Djurgårdsbrunnsvikens strand hade staden svävat ner ur framtiden. Frammanad av Asplund i grönskan och vattenspeglingarna. Vit mindes han den. Men med kolorit. Fläckar, ytor, chocker. Ändamålsenlighetens obevekliga seger över girighetens och maktens omskrivningar, dess självförhärligande girlander och krusiduller. Över unkenhet och lort och mörker. Över själva fattigdomen.

Denna soliga styrka! Den smala båten vacklade i diskussionerna. Det var bara Johan som var hänförd. På en gång. En blixtlik förälskelse. Ljuset, vattnet, spiritualiteten och sakligheten. Han fann sin tid där. Den låg där i solen.

Oda bodde i Helsingfors, gifte sig med Harjalintu i det där taget och såg aldrig Stockholmsutställningen. Hon fick lära sig att tro på en annan framtid. Sträv och oskön. Ärlig, skrev Harjalintu i artiklarna som han undertecknade med den krigsvarslande fågelns namn. Som han bytte till innan de gifte sig. Hon kunde ingen finska. Bara några barnord. Ja, hon kunde hälsa, till nöds. Juntanen, det hade för Oda varit som att bära en annan människas klädesplagg närmast kroppen. Fast det sa hon aldrig. Han bytte ju i alla fall. Herre, jag är själv en bracka och jag tronar själv på minnen som en gammal farisé, läser det i Oda, ett halvhögt inre mutter när hon sätter på förmiddagskaffe.

Hon har en idé om opinionsmötet. Villans framtid i kommunens ägo. Jojo. Och villans baktid i vilken den skvalpar långt från tidens våg. Tror di. Men vem har, som Sigge säger, koll på historien? Jävlars, vilket gott humör hon blir på.

Hon kan bevisa att den här villan är historien. Den är inget inklusorium för kulturminnesvårdande medelklassdamer. Den är på väg genom tiden och har varit det ända sen... ja.

Den 13 september 1959 klockan 22.02.30 svensk tid hasade Lunik II ned på månen och när det var klart spelade radion Schubert. Det var en halvmulen kväll i Stockholm men många tittade på himlen. Tage Erlander var statsminister och Gustaf VI Adolf kung. Johan Krylund var död sen nästan ett år tillbaka. I ett enda av villans fönster lyste det och Oda tänkte: har di bara fått opp en lampa? Men sen förstod hon att de nyinflyttade satt och lyssnade på Schubert och historien.

Det var ett välbärgat par. Hon hade kommit i en liten brun persianjacka med basker i samma skinn. Stor hårknut. Väldig kan man säga. Hon var så vacker.

Hon hette Zenta. Var det ett slags artistnamn? Hon var dansare. Hon sa så. Inte dansös. Hennes man var företagare, det var någonting i samma bransch som Johan eller angränsande. De hade köpt villan av Aina som flyttade till en liten lägenhet i Birkastan. Zenta hade dansat för Mary Wigman. Fast i sanningens namn visste inte Oda vem det var då. Nu dansade Zenta bara på bjudningar. Det var nog så att de anordnade bjudningar för att hon skulle få dansa med håret i den stora hårknuten löst och utslaget, svepande runt ansiktet och sopande parketten. Barfota.

Lite knöligt med fötter. En svart, löst sittande klänning som räckte ner på anklarna. Alla var lite generade för det var en sorts sågande musik från en grammofon och väldigt kantigt med kroppen. När hon dansade pekade fötterna ibland uppåt från hälen räknat. Ruth Ansers mamma, Siv Åslund, lilla fina människan, hon dog sen, sa att fötterna ska spännas i en båge neråt. Men det här var ju modern dans.

Mannen dog ju. Och det var inte så mycket kvar efter honom. Zenta började försörja sig med balettlektioner för småflickor. I villans stora vardagsrum dansade de i trikåklänningar med volangliknande kjolar. Till uppvisningarna blev Oda inbjuden med mammorna och fick sherry och kaffe med kakor. En avslutning var det så varmt att de dansade på altanen, skära, något svettiga älvor.

Och till slut Luciafesten. Det finns händelser så bisarra att de inte passar in i historien. Tärnälvorna, vita den här gången och med glitter i håret skulle dansa kring Lucian. Flickorna var febrigt upphetsade. En del mammor tyckte att det urartade till skönhetstävling. De preparerade resolut sina telningar och tvingade fram ett val som Zenta inte gillade. En grov flicka med antydan till överbett. Ja, mer än en antydan. Hon kallades Hartand.

Så gör man inte med skönheten. Den har trots allt vissa rättigheter. Den självklart vackra hette Rosita. Hon fick stå tillbaka.

En plastfabrikör skänkte konstgjord lingonkrans med elektriska ljus och en ny sorts plastglitter att linda kring granar och hår. Och så dansades det. Men Rosita stod inte ut med att röra sig kring Hartand, hon gick till sin mammas knä och där satt hon och böjde sig fram och där stod ett vanligt stearinljus på kaffebordet, långt från barnen som dansade i sin säkerhet, i sin elektriska ljusvärld och till Zentas grammofon. Hennes glitterkrans antändes av den levande lågan.

Plasten brann rinnande och kletande. Hon fick den på fingrarna och fingrarna brann. Håret. Munnen som stod öppen. Moderns fingrar brann. Och innan en av de resoluta mammorna hade slitit duken av bordet och börjat kväva elden brann hennes ansikte.

Oda var ensam kvar, länge. Benen bar henne inte. Ambulansen hade gett sig iväg. Var var Zenta? Kakor och krossat porslin låg på golvet. Det var en sorts bild. Men det menades ingenting med den.

Rosita bodde ju kvar med sina föräldrar i Dalen. Trots många operationer var hennes ansikte för alltid delat i två halvor. I den ena kunde man se hennes ursprungliga skönhet utveckla sig och gå i blom. I den andra mörknade och skrumpnade och fnasades den skada som avunden gett henne.

Om det nu var så?

Det var i alla fall ingenting att berätta. Lika lite som Zentas alltmer vacklande gång.

Sherryn som hade oljat trögt umgänge och gett det blomdoft och den fina aromen av eketrä blev nu Zentas värmare i kulna höstnätter och en liten och till en början verksam hjälp att somna. Foten slant väl någon gång. Men hon hade sannerligen skyhöga klackar!

Zenta försvann ur kvarteret utan att Oda visste vart hon tog vägen. Ibland tänker hon på henne: taxin, de två lätta resväskorna, persianjackan och persianbaskern med markasitsmycket i, vinkningen med en behandskad hand – borta.

Så meningslöst. Fast det beror väl på hur man plockar ihop bitarna. Vem som gör det.

Nyss tänkte Oda att historien var i hennes huvud. Men det är någonting annat därinne. Monstret grinar genom altanfönstret samtidigt som Zenta gör sorti till taxin. Och så gick det inte till. Monstret var först en pubertetsyngling som växte ut i ojämna eruptioner av hormonell kraft. Händerna blev jättelika på en vecka. Nästa vecka hade han en förut okänd näsa. Ansiktet blev bördigt, det grodde och gödde mognande finnar. Hela tiden hade han de där föräldrarna. Stillsamma, äldre. De hade väl fått honom på sluttampen. Han var lektor och hon arbetade på stadsbibliotekets filial. Det började dåna i villan. Den skakades av explosioner från källaren. Det dunkade och det ylade. Jamande och spruckna skrin, hesa flås och krämtningar trängde ut och glaset skälvde i fönstren. Sinnessjuka schäfrar i en flygplanshangar. Avrättningar i garage.

Ibland lät det som orgier men Monstret hade ingen förrän han tog studenten och det var trots emblemen osäkert om den var sexuell. Villan skulle få vänja sig vid ljuden. De är fortfarande dess dunstkrets. Nu är det ROCK OFF som osar. Men Monstret och hans grammofon var onekligen först.

Fast Sigge säger att det är en himmelsvid skillnad på rock och rock. Att Fehzén och Oxehufvud distribuerar skit men att det finns juste rockmusik. Som uttrycker sin tid. Monstret var nog ute lite före sin tid. Och frågan är (har hon sagt till Sigge) om inte den här musiken och allt den har i släptåg gör sin tid i stället för att uttrycka den.

Och vad gör Sigge?

Hon använder skiten för att sprida lite gyllene korn förstås. Sigge finansierar sin litteraturvetenskap med skit. Jojo. Men hon sår i en mylla där dyngan ännu inte hunnit brinna ut. Den kommer att fräta opp dina små korn, Sigge.

Oda sitter vid köksbordet med kaffekopp framför sig och utsikt mot villans altan och stora altanfönster. Hon är ensam och behöver inte passa sina löss för hosta.

Men Monstret hade faktiskt röjarskivor långt före slutorgien. Så lätt det är att tappa en bit historia eller fler. Dagar då moder biblioteksassistenten låg på knä och skurade väggar och golv. Men studentexamen var onekligen kulmen. Flickskrin, bröl och dån. De blåste upp vitgula ballonger som seglade över arpmanska tomten. En sprack i häggmispeln och Oda trädde den på pekfingret och gjorde en inre utredning om sina tider. Kondomer köpte man, när Harjalintu och hon var i farten, olagligt på frisersalongen. De var dyra och man trädde på dem med vördnad eller i varje fall med bävan och fniss. Kvalitén var inte heller den bästa. Så kom Heikki till.

Monstret och hans otaliga vänner och bekanta grillade korv på altanen. Snart flammade ett bål. De hade övergivit den hemmabyggda grillen (en fotskrapa över två rader tegelstenar) och tänt direkt på marmorn. De eldade möbler och uppstoppade fåglar, räven med ögon av glas med flera specimen ur lektorns samlingar. Marmorn sprack och Oda ringde efter polisen.

Orgier och Götterdämmerung och världskrig och härdsmälta.

När Sigge säger världskrig menar hon att hon är osams med Janne. Hon tror inte att det blir några världskrig eller att det någonsin varit några. Bara de vanliga smutsiga små eller större krigen, ofta om heliga platser.

Nej, låt oss vara lite nyktrare. Låt det nu blåsa tvärs igenom huset om det är vad det vill göra. Någonstans har Oda läst att mänsklig identitet inte längre kan knytas till en plats. Eftersom platserna blir alltmer lika varandra är det klyftigt tänkt. Människor sätter sig i en taxi som Zenta eller dyker upp som Inga Hernfelt (Herngren?), Monstrets moder i alla fall, på kaféet i Hötorgshallen med en cappucino framför sig. Hon sa att han sålde husvagnar nu och hade två små flickor. Hon och hennes man hade skaffat sig en boxer i stället. De kallade honom Tuff och hon talade mycket om honom.

De bodde i Sollentuna och hade inte längre trädgård. Hernfelt eller Herngren var ju ingen odlare. Han ville läsa. Som hon slitit med trädgården i Dalen trots sin onda rygg. Tills det inte gick längre och de fick sälja. Ored Bildström dök upp med sitt gäng. De måste väl ha fått villan billigt. Den spruckna altanen? De såg ju fattiga ut. Alla utom Ored var klädda i blåkläder och randiga snickarblusar. Nej, en del hade plysch också. Han hade brun basker, glasögon och vindtygsrock. Om han inte stått där och bett henne om nyckeln för visning så skulle hon ha trott att han funnit rocken på villans vind och att det var den Johan hade när han tog sina promenader på isen de kalla krigsvintrarna. Det militära snittet som inte ens civilisten Krylund undgick. Och baskern. Och de stålbågade! Ored tycktes stigen ur det förflutna.

Hon visste inte då att tiden eller i varje fall dess anda hade vänt. Den önskar inte alltid gå framåt. Den gör små krokar och öglor tillbaka när den tycker att det går för fort. Men för Oda var Ored den förste och hon tyckte att det hela var märkvärdigare än färgtelevision.

De gjorde mellanväggar för de var ett kollektiv och hade många barn. Och de plöjde upp gräsmattan och satte grönsaker. Först hade de börjat fräsa den men sen blev det möte om saken i vardagsrummet där de flesta låg på golvet. Dessa människor hade en uttalad motvilja mot att sitta på stolar och mot maskinredskap. De lärde Oda att göra sin egen yoghurt. Hon lindade en tröja om hinken och satte den bredvid värmepannan i tolv timmar. Kvass lärde hon sig också att jäsa men den blev i längden för syrlig för hon orkade aldrig dricka upp den. Det blev fruktansvärda mängder som från ljus bärnsten mörknade till brunt. Det liknade en sjuk människas urin. Svampen växte i detta urhav och blev slemmig och skickade ut trådar och alstrade sig i nya amöbaliknande former. Den dan hon kastade ut det gulgråa sjoket på komposten kändes det som en politisk handling. Och det var det väl, enligt Ored och Ella och de andra.

Men de hade rätt om kriget.

Det var spännande. Yrsel Järnsjö som var berömd kom och läste ur sina böcker, satt på golvet med dem och de bjöd in hela Krylundgruppen. De var generösa med sitt mateté och sitt nässelbröd och att lyssna till Yrsel var som att föras bort av en stark vind och gro på annan ort. I någon myr.

Och de hade rätt om skogen. Och om motorvägarna. Och om kriget.

För inte alltför länge sen har svenska intellektuella uppvaktat USA:s ambassad med tacksägelser för dess krigsinsats mot Irak. När Oda läste detta tänkte hon att det skulle Johan ändå aldrig ha varit med om. Inte att svassa. Nej. Men USA:s styrka såg han som värnet mot antidemokratiska krafter och däri hade han inte kunnat rubbas om han levt.

Hur skulle han ha levt när väggarna sprack och svampen växte sig allt slemmigare? Onsdag följer på tisdag och torsdag följer på onsdag och fredag följer på torsdag och vår på vinter och det blåser och det snöar och det regnar och rinner bort och det blir grönt längst inne vid husväggen och det ruggar och saftar sig och blommar och fröar och vissnar och bleknar och snöar igen och allt detta är kanske inte tiden men det liknar vår föreställning om den.

Historien är det inte. Zentas kaffebord brinner och altanen sprick-er av en annan och senare hetta. Ored som skrev dikter om köksbord och disktrasor vandrar in och sen ut med glasögon på näsan och följd av hela kollektivet: dropp, dropp, dropp. Den rejäla Ella Bask stan-nar ensam kvar med sina barn och odlar mangold där gräsmattan var. Hon blir stordagmamma, ja, det var väl egentligen en sorts alternativ lekskola hon hade och barnen målar väggarna som folket målar mu-rar och husväggar i det befriade Portugal. Det blir färggranna gubbar och barn och Draken Kapitalismen och Molnet Giftutsläpp för bar-nen är lika lydiga som på Alice Tegnérs tid. Så får Ella älgkött från Jämtland. Bilen kommer tillbaka; hon har blivit förälskad, kanske i en livsform, och ger sig av i sina jordskor av märket Knulp. Fehzéns italienska stuckatörer kommer i långa blänkande bilar och bär ut sina hinkar och målar över alltihop. Går det till så? Kan det berättas så?

Det är tisdag eller onsdag eller kanske torsdag, det snöar eller blå-ser eller regnar och Oda går genom Krylundska villans hall, ropar hallå, hallå! I handen har hon en påse eller en burk med något. Yog-hurtkultur? Gurkplantor? Man ska bara gå rakt in, det är så de vill ha det. Det är så tomt i den stora ljusa villan, hon vandrar som i dröm-men och öppnar till slut en dörr och finner Ored och hans flickvän Barbro på en madrass på golvet. Han ler mot Oda och säger: kom in till oss! och han fortsätter att smeka Barbros bröst som är nakna och starkt blåådrade. Han tar med pekfingret, han håller upp fingertop-pen och säger: ser du vad det är? Oda skakar väl på huvudet eller stir-rar som i drömmen. Mjölk, säger Ored. En hälsning från vårt barn. Vi har gjort abort förstår du. Då går Oda baklänges ut och hon är rädd för dem. I hallen finns den stora målningen med stålmannen och där står som förut: JAG SLICKAR HANS STÅLKUK men nu ser hon att det inte är någon barnslig hand som skrivit orden. Hon är rädd för dem. Ja, hon är rädd. Kastrera Chao Ky med en slö skridsko står det på toaletten. Hon går aldrig dit mer. Det är onsdag eller tors-dag och bilarna går som vanligt utanför, det blåser, vinden drar ge-

67

nom äppelträdskronorna. Det är en dag långt borta, hon vet inte när. Hon måste i alla fall bestämma sig. Man får välja. Man får plocka ut bitar och man får hålla upp dem och man får göra detta med förnuft och vilja och inte bara låta historien eller tiden eller vad det är ske med sig och skicka ut trådar och grumla nuet och göra det beskt som gammal kvass.

Samtalet med Ruth Anser har gjort Oda tankfull men inte nerslagen. Hon ringer till Kajan som visserligen ska samla pengar på Norrmalmstorg nästa kväll men lovar komma så fort hon kan. Ulla Häger får hon tag på i Oscars församlingshem där hon sorterar glasögon som ska gå till Rumänien. Ulla tycker att de kan tala om Krylundska villans framtid efter Whitlockska. Två möten denna vecka blir mycket. Men Oda är bestämd.

– Det är viktigt, säger hon. Sigge svarar inte på telefon. Gardinerna är fortfarande fördragna. Blenda Uvhult låter som om hon tänkte på någonting annat och säger att hon får svårt att hinna.

– Blir inte två möten den här veckan lite mycket?

Sen börjar hon fnissa och säger:

– Jag ska på nånting.

På nånting. Oda undrar förstås men säger inget. Möte? Det är klart, hon är ung. Eller i alla fall yngre. Medelålders. Mitt i.

Sylvia Fransson sitter vid, som Odas mamma sa om väven. Fast hon sitter vid arbetsbänken och stirrar på några i Odas tycke ganska motbjudande fragment av medeltida tygtrasor. Hon säger tankspritt att hon får se. Det går nog. Hon får se.

Nu är det tyst igen. Oda sitter kvar bredvid telefonen. Det är som om hon trodde att någon av dem skulle ringa upp igen. Eller Sigge. Trots att hon vet att hon måste bestämma sig, att hon har bestämt sig och att hon gjort det med förnuft och vilja sitter hon och tänker (tänker?) på handelsman Johanssons illegala varukärror på väg från Krylunda till Stockholm under det första krig som kallades världskriget. Hon ser dem väl. Kanske.

De passerar genom Almqvists ordridåer och valven av ljusgröna lövrika kvistar som böjer sig ner över vägen. Vaggar och knagglar i lergröpperna.

Hans tid varade till slutet av 1920-talet. Då berättade en kvinna att hon hade sett honom. Han bodde i hennes trappuppgång. Hon var ett barn. Han skrämde henne.

När hon dog var Almqvists tid slut. Men hennes berättelse hade spelats in. Oda har hört den i radio på sextiotalet.

Andra tider kastar gyckelsken och bilder på väggarna i det rum som nu ska vara Odas tid. Inte ens glömskan är naturlig. Den är en elektronisk sömn som kan blixtra till i plötslig vakenhet, spraka som en ektoplasma på en tom vägg. Hon har hört Brahms spela piano.

Janne kan inte fatta logiken. Om det är okej att Sigge jobbar för ROCK OFF så kan väl han få ta ett enstaka uppdrag. Han frustar det inifrån badrummet. Det hörs knappt vad han säger. Men han är jävligt nöjd. En halv dag på löpsedlarna.

Då får hon syn på det där konstiga tornet igen. Den här gången på en affisch.

### EN DAG FÖRE FRAMTIDEN

Och så GLOBECOM. Otroligt.

– *Ett* uppdrag! tjuter hon genom badrumsdörren. Vad fan är det här då?

– Vilket?

– Tornet!

Men det brusar därinne.

Hon har sett det här tornet många gånger. Han har ritat det på blockpapper och med sitt Easy Cadprogram på datorn. Hon har tyckt att det har varit rörande. Kukar kan vara rörande.

Det lutande tornet i Pisa lutar neråt. Det här vill uppåt. Det är snett uppåtsträvande och rörande och vackert. Svårt att säga vad som är knepet. Men tornet i Pisa har hon slagit upp och vet att det inte alls var meningen att det skulle luta.

Hon har frågat honom om lutningen eller snarare strävningen och om vilka material som skulle kunna hålla för en konstruktion som den här. Den är ju omöjlig. Janne säger att det omöjliga är det vackra med hans torn. Det strävar snett uppåt från sannolikhetens gräns. Han är fylld av ömhet för det. Andakt kan man nog säga.

Hon har också gillat det. Men nu har han parat ihop det med GLOBECOM-konferensen. Hur? Ska det här vara affischen? Varför har hon aldrig fått se den? Varför fischlar han med Oxehufvud? Och varför badar och duschar han så inihelvete därinne?

– Skynda dig! Vi måste åka.

Då hör han.

– Jag är ledsen Sigge, men jag kan inte komma med.

Det är så hemskt. Hon kan faktiskt inte tro att det är sant. När hon ska hålla föreläsningen. Nu kommer han i alla fall ut. Han är våt och håller på att linda en handduk om magen, noggrant. Han är konstig. Alltihop är konstigt. Tornet på affischen. Ska han börja med reklam igen?

– Din farsa kommer ju. Och alla Krylundtanterna. Sigge...

Det är faktiskt bara hemskt.

– Jag måste jobba ikväll. Vi ska göra en verklig grej med tornet. Vi har inte många dar på oss. Du vet precis.

Hon vet ingenting. Men hon måste sticka nu om hon inte ska komma för sent.


Janne var berömd när hon träffade honom. Hon visste inte vad han hette, men han var berömd. Det var på Prinsen, en massa folk, och hon åt bara musselsallad och drack isvatten. (Jämt har jag ont om pengar, jämt.) Janne kom in, han var lite tunn på hjässan fast han inte var tretti, och hon såg hans boots, jättefina, svarta. Han hade gott om pengar, det märktes. Och han var så finlemmad och hade fin brunaktig hy. Hon gillade kavajen också. Grå med mockaskoningar på fickkanterna. Vem är det där, sa hon till Jessika. Vet du inte det?

Han var alltså berömd. Det är han som har gjort COPY CAT-annonserna, sa Jessika. Det var den där tiden då alla väntade på att Guillou eller Aschberg skulle visa skosulan när de vräkte upp sig i rutan.

Det var nån i USA som blev avrättad för mord på tre flickor, mord och våldtäkt förstås och tortyr. Han hade visst mördat trettionio kvinnor och småflickor på samma sätt men man fick bara fast honom för tre. Sen var det flera mord i Stockholm, det blev tre på raken och tidningarna började skriva att det var en epidemi, den ena mördaren inspirerade den andre; de använde den amerikanska polistermen copycat. Janne hade gått Beckmans och fått ett jobb på en byrå, inget fast. Firman hade ett jättekontrakt med en skoimportör. Ganska grova skor men såna som folk började vilja ha, i alla fall om de var under tjugo. De gjordes i Asien nånstans, fabriken föll ihop sen men ännu stod den och var full av levande flickor som satte ihop skor. Den här skon hade inget namn än, det var det saken gällde bland annat och

71

Janne hade inte ett dugg med den att göra. Han var ju ny.

Den första mördaren, han i Vasaparken, hade lämnat ett skoavtryck efter sig. Janne satt en natt och skissade (han berättade för henne hur han känt sig, elektrisk). Det blev ett sulavtryck, det där grova räfflade, inget mer. Sen fick han tag på skoprototypen. Det var i smyg och rätt svårt för han hade ju inget med saken att göra. Han hade köpt sand i en djuraffär och gjorde avtryck av skon en natt och fotograferade den. Det var svårt. Olika fuktighetsgrad på sanden och en anings utblandning med blomjord som han köpte på Weibulls. Till slut fick han fram det. Svartvitt, platt. Det var som ett polisfoto. Han var nöjd och så drog han upp det, grovrastrigt.

Sen visade han det på firman. Då var han rädd, för det var hierarki där som i ett landslag och han hörde inte ens till reserverna. Men dom tände. Fan vad dom tände. Han hade skrivit Copycat. Skon skulle heta det. Det gick ända ut till den där asiatiska fabriken: copycat copycat copycat. COPY CAT.

Det blev så. Och sulmönstret refflades grövre.

Äckligt, sa Sigge åt honom. Uräckligt. Då gick alla redan i de där skorna, tyckte väl att de smög omkring och gjorde avtryck. Men Sigge sa vad hon tyckte. Han hade bjudit henne på vin. Var hon full? (Jag blir aldrig full. Jag måste ju upp på morron sen.) Men det var den där tändningen. Det var nån bok då: OM FÖRÄLSKELSE. Vad hette han? Alberoni? Alberti? Han förklarade det där.

I alla fall som ett rus, en eufori och i den sa hon vadsomhelst. Sanningen. Finns det nånting så sant som det man ser och säger i alberoniska eller albertiska ruset? I det första stadiet, i det frätande genomgripande klara. Det är som havsvatten. Tjugofem procents salthalt.

Hon kände det inte alls som förälskelse, tvärtom. Hon tyckte att han var patetisk. Snart skulle han vara flintis och vid närmare eftertanke fann hon både bootsen och kavajen rätt löjliga. De var för dyra helt enkelt, han måste vara osäker.

Det blev ett disco sen, allihop for dit i taxi. Janne och hon fortsatte käfta om COPY CAT, rätt hetsigt. Han stötte sitt underliv mot hennes på ett oförskämt sätt. Man dansar inte så om man inte är påtänd. Det var överdrivet. Men han stötte. Gud.

Till slut blev han så jävla arg att han gick. Hon minns inte vad hon sa, det var väl ungefär samma tugg hela tiden. Sigge har ormtunga, hon vet det. Hon var på väg hem hon också, då såg hon honom på

Folkungagatan. Han stod och gned och gned sulan mot gräset. Det var precis där hon skulle gena över till kyrkogården. Han hade fått hundskit på en av sina svarta boots. Hon kunde inte låta bli att gå dit och säga nåt som hon inte minns vad det var, möjligen: symboliskt.

Men han var så tagen att han inte blev arg. Han var fruktansvärt förtvivlat olycklig. Helhysterisk. Lukten! Hon var tvungen att hjälpa honom. Det var närmast humanitärt.

Sommarnatt. Lindarna blommade. Och så bröt den där hundskits-lukten igenom. Hon hörde en duva på kyrkogården.

När de kom upp till henne blev det för mycket för Janne. Det var varmt i lägenheten och stanken blommade ut. Han hulkade över toaletten medan hon gjorde ren skon i köket.

Han blev bra tagen av sin framgång med COPY CAT. Rädd. Man måste vara lite hård för att klara framgång också. Allt det där för och emot och fram och tillbaka, småkvalen, det håller inte. Hon visste att det var det som avgjorde saken. Men alla trodde att det var hon. Han började på arkitekthögskolan. Då hade de redan flyttat ihop. Tänk, farsan gav henne lägenheten och flyttade själv till en etta vid Lång-holmsgatan.

Farsan! Ska han ta sig till Whitlockska?

Här är huset där Sylvia arbetar. Det står inte precis och gungar. I varje fall inte så att det syns. Och naturligtvis inte på grund av ett svek.

När hände det egentligen? Det är svårt att säga. Sveket kan ju sippra in. Det kan ha börjat leta sig in i blodbanor och körtelgömmen medan du fortfarande porlar och pjollrar av andfådd (och skrämd?) salighet.

Det har gått år, faktiskt, sedan Sylvia kom hit och det talades om krig då också fast ett annat. Och man sköt undan det, i varje fall sköt Sylvia undan det. Det var obehagligt. Ett rättfärdigt krig. Ändå inget Odas predikarkrig precis. Ett krig för att försvara oljan och oljestaternas beroende av USA. Bland annat. Dessa staters tänkte befriare var emellertid en brutal slaktare och krigsförbrytare. Bland annat, bland annat.

Det finns nämligen förbrytare i krig. Slaktare som inte slaktar som man ska slakta i krig utan slaktar med gas och slaktar sina egna och hotar att slakta innevånare i avlägsna städer. Det är förbjuden och orättfärdig slakt.

Det var den tiden det. Oda hade fått besök av den lilla litteraturvetaren med skinnjackan och tightsen och cirkeln hade levt upp och börjat läsa Eyvind Johnson igen. Skeptikern. Han tvekade i alla fall inte under kriget. Han som varit radikalpacifist. Han tog ställning när det verkligen var nödvändigt sa Oda. Den här upplösningen, den här uppgivna misstron hade inte intagit honom. Som den till exempel intog Vennberg. Sa Oda liksom ljungande av rättfärdighet. Som om hon vetat att Sylvia hade Vennbergs Du måste värja ditt liv på natttygsbordet. Men det kunde hon inte veta för Sylvia är den som kan hålla ihop om sig själv och dessutom använde hon under dessa dagar diktsamlingen bokstavligen till att värja sitt liv; hon öppnade den sällan, stirrade bara på orden, ibland nätter igenom.

Det enda vettiga som Sylvia lyckades uppfånga i den diskussionen – det där om slakt hade väckt förstämning, hon satt och skämdes – var att Oda sa: längtan efter absolut hängivenhet finns starkare hos

Vennberg än hos Johnson. Misstrogen – ja kanske. Men inte skeptisk. Inte tillräckligt skeptisk.

Min längtan efter total hängivenhet var stark, tänkte Sylvia och hörde sen inte mer av deras ibland ganska gälla röster. Från det svåra gick jag in i det enkla: vill du den totala kärleken? Ja! Ja! Ja! Jag var misstrogen – och ovaccinerad. Misstro skyddar inte. Tvärtom. Misstro är en sjuka som man vill ha bot för. Skepticism är däremot vaccin.

Hon borde ha varit vaken och sagt ifrån att även om Vennbergs misstro längtade efter att bli övervunnen av en stor hängivenhet så blev den aldrig det. Förresten vet hon nu när af Chapman ligger med stilla master i en rörlig trädgardin av snö och hon stirrar på skrovet med krafter som är allt annat än förströdda men ändå inte får det att röra sig in mot stan och snödimmorna och klockklangen i trafikbruset – begravning i Jakob, är det möjligt nu? – att man inte kan driva denna likhet mellan politisk och erotisk hängivenhet alltför långt. Det finns i kärlek en rest som inte kan förstöras i efterkalkylen. En vild rest, en god.

Eller också gör det inte det.


Huset i Ferkens gränd ägs av ett stort båtförsäkringsbolag. Husen i detta kvarter står på lergrund. De kan flyta bort eller slukas. Nu ska bolaget låta renovera huset och påla i källaren. Ett brungrått medeltida skal som måste bevaras. Det kostar tiotals miljoner, men det var åttiotal när det påbörjades. Huset är naturligtvis K-märkt och dessutom hopbyggt med ett hus på Skeppsbron. När kalkylen var gjord och renoveringen beslutad framhöll direktören att huset hyste bolagets själ.

Huset ruvar. Det har haft många själar. Det håller på att rämna och sjunka. Det vill sjunka ner i den brunsvarta, den halvt flytande leran. Gärna i Saltsjön. Det vill lösas upp.

Men bolaget tänker rädda själen och pålningsarbetet pågår djupt nere i källarvalven. Bottenlös gungar gyttjan.

Upp ur den kom förstås historien. Det gjorde den redan under renoveringens första månader. Det ville inte bolaget för historien kostar tid som är pengar som är bolagets kropp. Historien luktar unk. Den är smetig och lös. Inga skelett, inga krukor, mynt eller svärd. Bara stora leriga sjok av svarta klutar.

Bolaget ville helst ge fasen i historien men besinnade sig på ett sty-

75

relsesammanträde och anmälde till Riksantikvarieämbetet fyndet av något som såg ut som en tjock tross sammansnodd av tyg.

Då blev huset i Ferkens gränd förvandlat till en arkeologisk utgrävningsplats. Styrelsen gick på spänger över leran och kikade i strålkastarljus ner på medeltidens mörker och gyttja. Den tog tappert sitt parti och ställde tid och rum som också är pengar till förfogande för den arkeologiska forskningen. Det blev så småningom ett modus vivendi ovanför gyttjan. Kontoret flyttade till stor del ut på stan, hyrde in sig i en av hötorgsskraporna. Styrelsen sammanträdde fortfarande i sitt rum. Sylvia Fransson-Bleibtreu tillkallad från Zürich fick ett kontor i huset. Hon är expert på textilier. Gravfynd särskilt. Hon fick ett rum med skrubb för kopieringsmaskin och skrivare. Härifrån övervakade hon, som i Stockholm blev alltmera Fransson och mindre Bleibtreu, utgrävningarna och gjorde registreringarna av fynden. Här breddes de ut, fotograferades och förpackades för transport till laboratoriet. Så småningom blev rummet mer och mer laboratorium. Bolaget kostade på. Man fick good will som antas vara pengar av att visa laboratorium och forskardam och källarmörker för stora kunder bland rederierna.

Det blev inte så många fynd. Det blev tre. Tre trossar av sammansnodda tygklutar.

Bolaget tycker om att ha Sylvia Fransson-Bleibtreu sittande i sitt hus som en bild av dess själ. Det är numera övertygat om att historien är dess själ. Bolaget som bildades efter krigsslutet då sjöfarten kom igång igen, känner sig förbundet med Hansan och Lübeckarna, med de företagsamma Visbyköpmännen som en gång förtöjde sina koggar och löpande skutor med trossar sammansnodda av tyget efter utslitna plagg och bäddkläder.

Sylvia sitter i sitt rum under tjocka valv. Ibland slår hon huvudet i en valvbåge. Hon har i en antikhandel köpt och låtit forsla hit en sådan soffa som förr kallades schäslong. Det var av försiktighet, lika invecklad som Sylvia själv. Det var ju une chaise longue – en stol egentligen. Försäkringsbolaget får inte tro att hon vilar ibland. Bolaget väntar på resultaten av hennes arbete men önskar inte att det föreligger förrän till dess femtioårsjubileum.

Man betalar henne för att skriva en festskrift som redovisar en vetenskaplig undersökning av medeltida tygrester. Ur den ska dräktskick och vävtekniker och handelsvägar stiga upp. Minnen. Gyttjans minnen befruktade av Sylvias kunskaper. Det ska bli fina färgfotografier. En ung man med fem millimeters skäggstubb gör detta som han kallar bildmaterial och han låter guldgult ljus släpa över de svartnade texturerna. Visst blir det vackert. Hon är alltid med när han arbetar, hon litar inte en sekund på honom. Han har en accent som hon förstår är nutida och stockholmsk men för henne är den främmande. Ett staccato. En sorts heshet. Alltför öppna ö:n.

I detta medeltida rum ber och arbetar Sylvia framför en schäslong som varje stund och minut påminner henne om en möbel i Cyrus Bleibtreus tjänsterum i Zürich. Där hände det. En irreversibel handling. En möbel som liknar det altare där de första gången offrade har hon alltså själv låtit släpa hit. Utan att bli varse likheten förrän den är installerad. Välbetald och tjänstledig har hon haft tid att stirra på schäslongen, dess eviga nu:

– Nu har jag dig. Nu är du min. Jag äger dig. Äger och besitter. Tar dig.

Hur orden ordnade sig naturligt! Det ena följde det andra som om det varit ordens natur att driva allt mänskligt till sin vanbild.

Något slughuvud har sagt att Gud endast kan beskrivas i negationer. Genom vad han inte är blir han bestämd. Det kallas visst den apofatiska teologin. Vad den passade där, på en schäslong som den här, i vinterljus, i ljumt genomglödgat mörker med gatlyktsreflexer, i klibbig syrlig frisk genomandad värme.

Den apofatiska beskrivningsmodellen. Vad den passade oss.

Du. Du. Det finns ingen som är –

Nej! Nej!

Trogna den apofatiska teologin stammade vi de sista negationerna. Vi stod i. Jag står i med orden ännu.

Vi var en mycket liten sekt, tänker Sylvia när hon ser på schäslongen. Två personer. Jag vet mycket väl att detta var vårt sakrament. Vi begick det. Schäslongen utan några vita altarlakan var vårt bord. Där offrade vi. Där åt vi guden.

Men kan du begripa att vi samtidigt hade trevligt?

När jag för din skull gick i kommunion kände jag mig i bästa fall omsluten och delaktig. Jag erfor en liten tidrymd av blankhet – ett slags vitt hål i medvetandet. Det hände också att jag var rädd. Men roligt var det inte. Men det här!

– Lilla gris! Skrik inte!

– Nu måste jag kissa.

Roligt, trevligt, mysigt. Kul också. Det var otur att jag måste upp den gången. Jag gick fram till skrivbordet, jag var törstig, ville se om det fanns något te kvar i kannan. Då gick du ut på toaletten. Vattnet spolade i kranarna. Du sköljde bort våra dofter. Underkläderna på skrivbordsstolen. Vita kortkalsonger av bomull. Ärmlös undertröja. Det såg så ordentligt och riktigt ut. Som om barnjungfrun Heidi med sitt rätoromanska joller och sina förmaningar en gång för alla hade utrustat dig mot livets stormar och skiften. Rent under.

Skjortan. Den var ljusblå, ofta. Byxor, livrem av svinläder. De trubbiga bruna skorna. Du knöt dem som Heidi lärt dig. Nu tog du armbandsuret. Tiden startade igen.

Jag stod och drack det kalla beska teet som jag nästan kramat ur kannan. Du hade tvättat dig, klätt dig och satte nu på dig armbandsuret. Då tänkte du:

*Nu har vi offrat henne.*

Oj, sa du. Jag måste hem. Du lät precis som vanligt. Men jag hörde din tanke alldeles tydligt inne i mitt huvud.

Det hade naturligtvis hänt många gånger att jag visste vad du tänkte. Det är väl så mellan älskande. Kanske. I alla fall mellan oss. Och alltid alltid tänkte du som du sa eller brummade medan jag pep. Nej… nej. O du! Och sådant.

Till denna dag. Då var det som – ja. Sådär som de påstår om Ulla Häger. Att hon faktiskt läser tankar. Hör dem.

Så hörde jag ditt: nu har vi offrat henne.

Visst hade din tanke rätt. Vi offrade på vårt altare. Det gjorde vi. Det var inte så högtidligt som det låter. Vi offrade din fru helt enkelt. Är det min tur nu?

Älta. Mala. Veva runt.

Peta, gräva. Å fyfan.

Åfyförledefan.

Men det är tvunget. Det måste malas ner. Siktas. Sänkas. Sedimentera. Lager på lager som är jag som är hon som är den som var som är som hela tiden blir till i strata super strata av stämningar. Därinne vilar livets ägg med disig yta, med grummel och korn. Ska den någonsin tas fram och slipas? Gnistra. Reflektera.

Det här är Sylvias svaga sida och hon vet det. Ett slags kvasireligiöst symboliskt tankegagg. Inte proto.

Kvasi. Pseudo.

Nu bör hon åka hem. Hon bör äta något. Byta om och ta 46:an till Eriksbergsgatan och gå till Whitlockska. Och det är hon ifärd med, ska just passera övergångsstället för att fånga upp 46:an från Söder när hon ser Blenda komma rultande glömsk av sin kropp. Den har urnform med generös ända och midja som fortfarande går att markera och runda bröst och runda axlar. Blenda går i sitt moln. Folk går i sina moln. Det är inte på minsta sätt något övernaturligt i att kunna se de töckniga formationer av bekymmer och besvär, omsorger, ängslan, tvång och förhoppningar som människor rultar eller skrider, haltar och skuttar fram med. De står vaggande över deras huvuden. Tyngden av dem gräver sig ner i deras ansikten som om huden vore sand i en öken som Sylvia ser från hög flygplanshöjd: Blendas man som heter Kjell och som sagt upp sig från skolboksförlaget (sagt upp sig!) och ger ut egna böcker med litteraturstöd och inte får dem sålda och Blendas mamma som blev änka och som släpper lös en storm av små skrin, gråt och kvidanden var gång Blenda ringer – det händer att hon håller luren en bit från örat och då låter det som fåglar vid en havsstrand – hjälplöst beroende, en gång vacker, på fyrtiotalet var det, sedan dess bara övergiven och lurad av livet. Har hon inte hajat det, säger Blendas dotter Viveca som är skådespelare, man får rynker, man blir torsk, det är så, det är livet. Tjugoårig visdom, gäller andra och den fyller Blenda med ömhet, i varje fall berättar hon om den med sådan. Rultar på. Köper nytt kylskåp åt mamma, avbetalar på Kjells dator, det kallas leasing med köprätt och är tungt, tungt, nästan tretusen i kvartalet. Köper Kattens middag med kyckling åt katten. Vivecas teatergrupp måste ha bilen, de kör begagnade frigolitskivor från ett bygge. Kulisser ska det bli, nån sorts helvete eller dystopisk bild av stan. Så kör de av vägen vid Tungelsta, kvaddar Golfen. Viveca är inte ens med gudskelov. Men molnet vaggar ovanför Blenda, blir en dag riktigt helvetes grävande blytungt. Det är så pass att hon glömmer av att henna håret på över en månad och det spricker upp i strimmor, silvrade av molntyngden. Det är när de ska förvandla sina hyreskontrakt på Högbergsgatan till bostadsrätter.

Trehundrasextifemtusen! 365 000!!! Räntorna på det? Då är hon några dagar, kanske bara timmar ifrån avgrunden där man står och frågar sig: vad är meningen?

Vad är det egentligen som är meningen med alltihop?

Att man ska betala.

Visst. Det vet hon. Men ska de som inte är så konstnärliga alltid betala åt dem som är mera konstnärliga och de som inte är så begåvade alltid åt dem som är väldigt begåvade och de som inte är så vackra åt dem som är eller i varje fall har varit mycket vackra och sörjer det?

Nej, det tänker hon inte på avgrundens kant. Det gör hon inte alls. Det är bara Sylvia som föreställer sig att den tanken vore tänkbar att tänka därute på det yttersta. Att man kanske kunde explodera. Att man kunde bli urförbannad på sin pretentiösa karl, mor, dotter och katt.

Blenda rultar på under sitt moln. Hon är uppenbarligen på väg mot Ferkens gränd, hon söker Sylvia. Hon har något i molnet, men inte det som Sylvia tror. Hon har stora pengar därinne, lyckobegivenhet, hopp. Och därmed förbunden rädsla. Den är som svindel, som känslan på berg-och-dalbanans högsta punkt. Det har inte ett dugg med tyngd att göra.

– Gud vilken tur jag hade, säger hon när hon får syn på sin vän Sylvia. Jösses!

Hon gick. Sa inget. Inte hej hej då. Hon hade sin ljuslila långhalsduk lindad om halsen och ena änden slängande på ryggen, den andra framtill.

Det måste ju vara så.

Skinnjackan från överskottslagret. Och korta svarta läderstövlarna. Inget på huvet. Alla dom där små fina flätorna. Hon måste ha haft bagen också. Den där svarta som var så tjock att den bågnade åt alla håll. För alla de sakerna var borta. Och den vita klänningen och sidenbandet.

– Hej hej då.

Fast det sa hon aldrig. För det var så tidigt på morron. Sen har ingen sett henne.

Jo – nån har förstås sett henne. Men ingen som säger nåt. Ingen som minns?

Nånting har ju hänt.

Mariella kom på det när de hade slutat prata om det. Det blev alldeles tyst. Första dan hade de pratat hela tiden om olika saker som kunde ha hänt. I telefon också, med mormor och med Ankis mamma. Sen var det slut. Det var som om det blev farligt att prata om det. Andra dan blev det farligt. Ann-Britt gick till polisen. Det är inget farligt sa hon. Det gör man.

Det var då Mariella kom på att nånting måste ha hänt. En sak. En enda av alla saker som de hade pratat om. Eller en helt annan sak. Men bara en.

Sen kom hon att tänka på när armbandet som hon fått av Eilert ramlade av handen och försvann och hon letade överallt och försökte tänka ut var hon hade varit. På Grönan och på färjan innan och i bussen och på trottoaren mellan färjan och Slussen och i Blå gången och framför kiosken och hemma hos Anki sen för att berätta. Till slut förstod hon att det inte kunde vara på en massa ställen utan bara på ett. Där låg det. Det fanns. Det var där, på det enda stället. Det måste ju finnas nån som vet det, tänkte hon. Eftersom det är så.

Det finns. Och då är det nån som vet det.

Det sa hon till Ann-Britt och då skrattade hon lite, fast nästan ledset, och rufsade henne i håret. Men det var den gången. Det var armbandet. Nu säger Mariella ingenting. Men hon vet. Rosemarie är nånstans. Om nånting är, så är det nån som vet det.

När hon kommer upp till tunnelbanan går hon in på kyrkogården.

Hon går och går, det är långa vägar och folk står böjda över gravar, petar i snön. Sätter dit burkar med ljus. På Allhelgona var det flera tusen ljus därinne. Miljoner kanske.

Det är en sorts kyrka eller nåt. Porten är låst förstås men efter en stund kör en bil upp framför en altan som är framför och en gubbe stiger ur och låser upp och ställer porten öppen. Sen börjar han lasta ur kransar med nejlikor och stela gröna blad och rosor ur bilen och sidenband som är så styva att de rasslar. Det är guld på. Han har svart kostym och vit slips och skjorta och stora fötter och kalt huvud. Han är inne ganska länge varje gång. När hon ser att han bara har en börda med kransar kvar i bilen går hon in efter honom, så tyst hon kan.

Hon är rädd. Men om han ser henne ska hon inte säga vad hon heter och inte vilken klass hon går i. Hon ska bara stå alldeles stilla tills det går att smita.

Hon tycker det är som en stor verkstad eller busshallarna och ganska kallt. Gubben i svarta kostymen håller på därframme och ställer kransar kring en ljusbrun kista. Det tickar nånstans och så är det ett brus. Det dröjer en lång stund innan hon kommer på att det måste ligga en som är död i kistan. Det är när gubben går ut för att hämta de sista kransarna. Hon gömmer sig bakom bänkarna. Hon tänker på fötterna på den som är död i kistan och på ansiktet och på om han är kall. Det tickar och brusar. Men inget annat. Hon vet inte vad hon ska göra.

Nu kommer gubben tillbaka och lägger ut fler kransar och håller på länge, länge innan han får dem att ligga som han vill. Sen tar han upp en kamera och fotograferar kistan och kransarna. Överst på kistan ligger en bukett gula rosor. När han ska gå sista gången bockar han sig framför kistan och strax efteråt släpper han sig.

Hon förstår att hon kommer att bli inlåst med en döding om hon inte smiter ut före honom, så hon springer mot dörren utan att bry sig om ifall han ser henne. I förrummet är det ett bord med röda böcker på och hon tar en och stoppar den innanför jackan. Det går så fort att hon inte fattar det själv och på vägen hem är hon rädd att boken ska ramla ut och nån ska få syn på den.

Hon stänger in sig i sitt rum och bläddrar i den och läser en massa konstiga ord. Sen kastar hon den på golvet, ganska långt bort och går fram och tittar efter vad som har fallit opp. Om det står nånting om Rosemarie. Hon gör det tre gånger och det är först sista gången som hon kommer på att hon måste blunda och peka i boken där den har fallit opp. Då gör hon det tre gånger till och skriver upp de saker som hon pekat på.

*Käre bröder, såsom medarbetare förmana vi eder att icke så mottaga Guds nåd, att det bliver utan frukt.*

*Från ditt hjärta, o Guds Lamm, blive mig en dubbel bot, emot synd och lagens hot.*

*Samt hade det uppsåt... 190:7*

Det är de tre saker som kommit upp och det är bara ordet frukt och ordet lamm som kan vara om Rosemarie.

Fruktaffärn. Eller att hon hade frukt med sig. Eller lammkött. Att hon skulle gå till nån med frukt och lammkött.

Efteråt lägger Mariella boken i en tidning och gör ett paket av den med gummisnoddar omkring. Hon är rädd att Ann-Britt ska komma hem snart. Att dörren är stängd skulle hon aldrig bry sig om. Hon skulle bara öppna.

Vad gör du?

Paketet lägger hon i en plastpåse som hon knyter ihop och sen slänger hon alltihop i sopnedkastet. Ingen kan veta varifrån det kommer. Fast hon darrar hela tiden.

– Gå längre bak i vagnen! Den här vagnen startar inte förrän alla har passerat bakåt. Det är fler som ska på! Dörrarna stängs.

Dörrarna stängs. Ja, dörrarna stängs… Sista lukten: lök ur munnar. Frän tobak i kläder. Och jag förlorade dig i trängseln framför krematorieportarna.

Nej gud, tänk om hon läser… hör tankar… så där som Ulla… Nej! Vilket övergrepp. Det är värre än allt annat.

– Nu ska vi äta, säger Sylvia till Blenda. Vi skiter i Smala Franska. Vi hoppar av uppåt Kungstensgatan och går på Wedholms Kött och vräker i oss blod och fett och muskler. Va?

Hon är beredd på att Blenda ska säga: jag har inte råd och så ska hon övertala henne att få bjuda men Blenda bara nickar. Sylvia är så helt övertygad om att Blenda sökt upp henne för något särskilt, att det är något hon vill säga och att det är viktigt. Men Blenda bara pratar på Wedholms. Skvalppratar och lägger in av köttet. Är hon rädd? Det är otroligt. Men hon verkar rädd och samtidigt på nåt sätt euforisk. Kanske är den människa som inte har en djup hemlighet i sitt liv mycket fattig? Har du en hemlighet Blenda? Är den djup? Den tycks i alla fall vara lite farlig.

Den mest kvalificerade hemligheten är förstås Gud. Men det kan vara ett kärleksförhållande också. Eller ett brott. Det kan vara skam.

– Gud va hungrig jag va, skvalpar Blenda på och griper efter isvattnet.

– Nej, vi ska ha vin. Sylvia vinkar. Rött, nästan svart vin. Vad gör det om vi blir lite luriga på Whitlockska?

– Gud vicket vin, säger Blenda när hon smakat. Det är ju… jösses! Nu måste hon äta några tag. Några riktiga köttuggor och brynt fett och vitlökssmör som smälter.

– Dom har riktigt smör på ett sånt här ställe va? Och efter ett par gräv i bakpotatisen:

– Det är kumminkorn, spiskummin förstås, det måste det vara.

Hon tvärslutar att äta. Det är bra för hon har ätit för fort, slukat.

Sylvia ser nu att Blenda är urfallen. Rund fortfarande, jodå. Magen putar när hon har knäppt upp jackan. Hon är så osannolikt klädd, i svart dräkt och halsband med doserade pärlor. Mammans? Dräkten verkar gammal. (Te hos drottning Louise.) Den är trång. Men ändå: Blenda har fallit ur. Det syns på kinderna, på de tunna överarmarna nu när hon drar av sig jackan upphettad av vinet och köttet.

– Det är nåt. Jag måste... Sylvia, du lovar väl?

Äntligen kommer det.

Några måste komma först. Alltså är Kajan Tidström och Ulla Häger redan på väg mot Whitlockska. De vill ha bra platser. Ulla har tagit 47:an till Dramaten och gått fram till tunnelbanenedgången på Birger Jarlsgatan. Där står hon när Kajan kommer upp. De tycker om varann. Nu möts de.

Det är i nittonde timmen, törsten och hungern är stora i hela stan. Magskinnen är förtorkade, hjärnorna vissnade, bilarna råmar. Folk sitter i tunnelbanevagnarna med öppna gap och stan är orörlig som ett fartyg för ankar. Spagettivattnen sjuder.

Då är det de bildande nöjenas timme. Mätta och otörstiga samlas silverhåren. Det börjar tidigt. Det är för att de inte ska bli knackade i huvudena när de går hem. Ulla bär en svart ganska vidbrättad filthatt med ett lackband som liknar ett skärp eftersom det har spänne framtill. (Det är ett skärp.) Kajan har sytt om hennes svart-och vitspräckliga ulster också, knappat in på slagen, byggt upp axlarna. Själv bär hon mockapäls och en liten mörkgrön hatt av herrmodell med två smala fjädrar vid bandet (fasan?). Det är osannolikt att just Kajan har en sådan hatt som på sin tid stack upp ur buskarna kring Karinhall. Även utan rakborste av gemsbocksvans är det en illavarslande huvudbonad. Kajan en blomfluga förklädd till rovgeting. Ja, det är så. Kajan anlägger mimicry.

De diskuterar om de ska använda sina biljetter till övergång på 46:an och åka fram till Eriksbergsgatan. Men de tror att det går fortare att promenera. De undrar om Oda nu är på väg och hur.

– Ruth kör henne väl, tror Kajan.

Men Ulla Häger har informationer. Ruth kommer inte. Hon tänkte komma, men hon kommer inte.

En liten sättning i marken. Knappt märkbar.

– Så konstigt, säger Kajan bara.

Nu är de framme vid Eriksbergsgatan. Ulla håller Kajan under armen. De går försiktigt i modden som är mer grå än brun här på den lugnare gatan med bruna hus som liknar borgar. I Whitlockskas portgång släpper hon Kajan. Ulla tänker på Anna Whitlock och hennes reformskola. Det gör inte Kajan för hon har en annan historia. Inte mycket fruntimmer i den.

De får gå ner i källarn. Kassören i Johnsonsällskapet har kommit men annars verkar det tomt. De behöver inte betala. De är medlemmar och visar sina kort.

Någon har satt en hyacint på podiet. Den ser hemdriven ut, lite överdimensionerad när det gäller bladverk. Är Oda redan här? Nej. De är faktiskt först.

Och de sätter sig på de mittersta stolarna på främsta bänken. Det gör man ju egentligen inte. Men det här är speciellt. Sigges dag. De tänker verkligen få se och höra allting.

Bombyx mori är en vit fjäril. Den fladdrade kring mullbärsträden när Hsi Ling Shi, kejsarinnan, gick förbi, lätt som om hon haft fågelfötter. Hon var på väg att bli gudinna då, med den vita fjärilens hjälp. Hennes rispuderkind vitnade alltmer och nacken var nästan kysk.

Tog hon en fjäril på pekfingret? Vitt vingfladder, len vitgul päls. Hon log. En gudinna, halvgudinna i alla fall, ler och det blir kanske en bundenhet då vid den långa, filade opalskimrande nageln.

Nej, hon gömde nog puppor i den lackerade skulpturen som var hennes hår. Eller var det ägg? Snodde hon tråden på sitt smala finger? Hon var i alla fall förståndig, en riktig blivande gudinna i vishet och hushållningsnytta; hon gav människorna den hemligheten att masken kan dödas med hett vatten innan den gnager sig ur kokongen och förstör sin skapelse, de två långa silkestrådarna.

De kan hasplas upp till två, kanske tretusen meters längd. De åtta eller niohundra meter som kan tas tillvara behöver inte spinnas. Chrysoliden har spunnit dem. Det finns naturligen ingenting finare, ingenting med mer lyster, inget starkare, mjukare, segare.

Det är blod på tråden när den löper genom dessa årtusenden, det är det ju på allt mänskligt. Tråden skimrar ambrafärgad som sekretet ur chrysolidens körtlar eller bronsfärgad, svartnande av det som rinner bort ur de döende.

Längst ute i silkestrådens ände sitter Blenda och hasplar, vet inte mycket om blodet och vägarna över Lou Lan och Tun Huang, ingenting om öknarna, om sjön som undflyr alla kartor, de stora floderna, kamelkaravanerna, hemligheterna och morden, vet egentligen ingenting. Ändå är hon rädd.

Men hon försöker i alla fall berätta för Sylvia, långa nästan stiliga fast just nu lite magra och skraltiga Sylvia, som hon litar på och beundrar för hennes lärdom om just sådana materier som siden. Sylvia vet mer om det mjuka än någon hon känner. Själv är Blenda en ofta alltför glad amatör, det erkänner hon. Men hon tycker det är så roligt, hon pratar på och delar med sig av det hon lärde sig när hon fick vara med och väva upp repliken av Överhogdalsbonaden.

Hon höll alltså föredrag, det är det hon berättar om för Sylvia.

– I källarn på den där kåken i Tallkrogen där dom fått sin kyrka eller vad man ska kalla det. Ganska ruskigt förstår du, bara en vanlig cykelkällare och två andra källarutrymmen, ett för karlarna, ett för kvinnorna och dit kommer dom fem gånger om dan, tänk dig det. Jag menar inte alla, men det kommer alltid folk och det är en som leder bönen jämt, jag har aldrig sett honom mankera. Och så lokalen med vävstolarna då. Jag fick ut tre stycken från fritidsnämnden och sex små bandvävstolar och en varpa och härvel. Svart tavla. Dom var ganska sömniga under föredragena. Dom förstod ju inte svenska nåt vidare egentligen. Jag tyckte det var kul att berätta om Överhogdalsbonaden, både hur vi vävde upp repliken och all tid det tog, nån centimeter per dag, men gud vad vi hade kul Sylvia! Och alla som kom och titta, turisterna. Och så berätta jag om restaureringen. Du får inte skratta åt mig.

– Det gör jag inte.

– Det var i alla fall restaureringen som var knuten förstår du. Jag vet att jag inte vet nåt om konservering och restaurering, jag menar på djupet. Men i alla fall. Dom ville nog helst sätta igång och väva direkt. Men det skulle vara lektioner för svenskans skull. Jag fick prata hur jag ville. Och dom var ju så stillsamma. Lukta parfym, mysk eller så. Väldigt mycket parfym i dom där blanka håren. Lite loja tyckte jag men det är nog bara kulturskillnader du vet, vi ska ju vara så ruschiga. Det var två tjejer som satt och ja halvsov trodde jag. Dom sluta sen, blev aldrig med på vävningen. Men sen hände det. Dom kom tillbaka. Då hade dom briljant i vänster näsborre båda två och minkpälsar, tänk dig det. Långa jädrans minkpälsar, nästan svarta. Jag visste inte vad jag skulle tro, om jag skulle tycka synd om dom. Om dom hade lånat menar jag. Du vet kreditkort och sånt. Dom fråga om jag kunde hålla föredraget igen, det var så intressant. Jag menar inte för att jag gick på det, men vad skulle jag tro? Det var ju helt osannolikt.

Men det blev av. Dom kom och dom hade med sig en annan tjej, ja, kvinna, vad kan hon ha varit: tretti, trettifem? Väldigt snygg faktiskt, mager, inte bullig som dom där två och snabb vet du, fena på svenska och jättebra på engelska. Hon fråga på engelska ibland när hon inte hade orden, termerna alltså. För det gällde vävnader. Konservering, restaurering. Hon satt där i en linnedräkt, kostym egentligen, smal och snygg och jag blev helt ställd. Vem var hon? Hon var ju utbildad och framåt och liksom hård på nåt sätt. Ja, inte otrevlig. Men man ana...

Du vet dom andra levde i sin värld, man kände det. Dom skulle få barn. Dom skulle vördas som mödrar om dom hade tur, dofta tungt... ja, jag tänkte på hur man föreställer sig... om jag inte kan behaga dig längre min make så har jag inget liv...

Men den här. Hon var ju akademiskt bildad, det kan jag ta gift på. Assia hette hon. Eller Asja. Ashia... vad vet jag.

Assia.

Oda ska ta sig in till stan nu, till Whitlockska. På något vis. Hon beslutar sig för taxi till tunnelbanestationen. Det är obehagligt med Ruth Anser. Hon hör inte av sig. Det blir ingen bilskjuts och Oda måste planera förflyttningen i detalj. Hon börjar klockan halv fyra med att byta om. Sen vilar hon och ser på Aktuellt. Hon ser långa svarta säckar av plast. De måste vara specialgjorda. Unga män bär dessa säckar av manslängd, släpar dem. De lyfter och baxar. Tunga ser de ut att vara. En sjuttio, åttio kanske nittio kilo. De ska ha upp dem på lastbilsflak. Oda sitter och stirrar. Efteråt blir det tyst inne.

Vad hade man innan man hade plastsäckar? Tänk att hon inte vet. Allt upprepas sannerligen inte.

Hon har ju varit med så länge att hon med en viss auktoritet skulle kunna yttra sig om återkomster och upprepning. Jag omfattar snart hela det här århundradet, säger hon åt sig själv. Ser med någorlunda klara ögon in i det förflutnas dunkel. Hör också. Hästskoklapper över kullersten, sabelns skrammel i gehänget.

Men vad hade man för säckar som var av manslängd? Jute? Hampa? Eller hade man inga säckar? Det var mycket som helt enkelt fick vara som det var förr. Utan förpackning.

– Jag kände en gång en ung man som hette Juha Juntanen, säger Oda åt tapeten. Ja, för att säga som det är så var jag gift med honom. Han bytte namn, han såg sig som en banerförare, en som gick i spetsen för en ny tid. Harjalintu kallade han sig. Han var före, han var bland de främsta i den nya tiden. Vi trodde att den skulle bli ljus och rättvis.

Våldsamt var det nya. I våg efter våg slog det över det gamla Ryssland som låg så nära oss. Som vi varit en del av. Människor försvann. När en våg dragit sig tillbaka var det glesare, det fattades några. Många. Men hur skulle man kunna urskilja det på långt håll? Därinne kanske.

Ja, där försvann människor för varandra. Och i sommarhusen på Karelen träffade jag dem som irrat undan. De satt där om vintern nu.

91

Di ryska damerna sa vi när jag var barn. I sina goda tider hade de suttit i morgonrockar och druckit te långt frampå förmiddagarna. Rökt långa cigarretter.

Mamma hade sagt att man måste tvätta sig och klä sig innan man åt frukost. Inte sitta sådär som de ryska damerna. Ja, nu var de utfattiga. Fåglar som förirrat sig ut ur flocken när den flög mot vintern och döden. De förstod knappt. Men de hade väl kommit undan.

Vad förstod jag själv när min tid kom? Såg jag något upprepa sig? Juha Juntanen, han som kallade sig Harjalintu och flög före, blev han varnad? Nej. Allt var nytt för honom. En ny värld. Ingenting upprepade sig. De bildade ett tecken i vilket de flög. Många föll till marken och dog. Hade någon (vem?) kunnat säga honom de dödas tal så hade han visat det ifrån sig. Han kanske hade skrattat. Så groteska siffror räknar sig förresten inte. Fallande löv, sandkorn på en strand, snövirvlar, aska, fåglar som aldrig kommer fram. Människors aska, hår. Nej, ingen vet. Ingen vet.

Långt efteråt kommer räknandets dagar. Arkivmånaderna och åren. Men då är det för sent.

Nog känner vi igen stanken och liklukten när de väl är där. Då böjer vi oss för historien och säger att den upprepar sig. Men det är inte riktigt sant. För innan blodstanken trängt fram till oss känner vi inte igen det vi ser. Kanske borde vi ana skuggan av en likhet. Men den är förvriden. Vi tror inte på den spöklikt irrande bilden, den är en fantom som vi försöker fixera, en skenbild. Vi stirrar tills ytan stelnar.

Entydighet. Det är vad vi vill ha. Entydighetens lugn.

Vårt land, vårt land, vårt fosterland. Mina bröder försvarade det. Överlevde båda men en av dem hade förstört sina lungor för alltid. Den andra sin sömn. Min man, den käre modige Arpman, barnet höll jag på att säga, överlevde inte. Ja, ett par år. Men farten tog honom.

Det finns en särskild fartvind kring döden när det är krig. Den stimulerar också. Det är syrerikt brus i kriget. Ingen vardag nära döden. Farten tog honom efteråt, i det lugna gråa Eftergiftssverige. Vårt land. Något entydigare har jag aldrig upplevt, vid sidan av en kärlek som också var sådan att ingen tvekan fanns, var detta min stora övertygelse: vi gör rätt. Vi försvarar vår frihet. Nu vet vi äntligen vad frihet är. Grovt, mörkt bröd, sånt som ni kallar finskt. Så är frihet. Nödvändig. Hård.

Är frihet en ikon? Är den oföränderlig och entydig?

Det som hände en av mina bröder gör att jag måste svara nej.

Han måste fullfölja det påbörjade kriget. Det kallades också fortsättningskriget. Då var jag i Stockholm, gift med Arpman. Jag gick till skolorna som var insamlingscentraler för kläder som skulle skickas till Finland. Där låg högar, ja vålmar av gamla kläder. Det var en särskild lukt kring den där hjälpsamheten. På väggarna satt affischer: ett ansikte, en svart bindel kring en hög panna, en uniform.

Han hette von Döbeln. En gång lämnade han sin armé på Åland, rödsotssjuk, döende i feber och ofattbart eländigt snusk. En döende armé. En skändad manlighet.

Ja, det är svårt att förstå krigets nödvändigheter när det gått något århundrade. Eller några årtionden. Svårt också att urskilja vilka mänskliga nederlag som efteråt ska höja sig med benvit panna och svart pannbindel och kallas hjältedåd.

Han var min bror. Min älskade lillebror. Carl hette han. Nu är han död förstås. Men han levde länge och hans sömn blev inte förstörd, bara lungorna. Han blev inte ens beroende av det fenedrin de fick för att orka sitt krig, dygn efter dygn efter dygn utan sömn.

Min bror Carl hade gått med tysken, med naziarmén, i ett krig som för honom var rättfärdigt.

Jag såg på det där ansiktet med den höga pannan och tänkte: om man lyfter den svarta sidenbindeln från pannan så kryllar det av mask i såret.

Men min bror hade sett ära, skyldighet, vilja.

En ikon.

När historien lyfter fram sina ikoner, släta, tydliga, glänsande, då kan man ingenting lära av dem. Man ska stirra på plastsäckar hellre. Klädhögar. Avskuret hår.

Nu vill inte Oda åka till stan. Hon är trött. Hon skulle hellre sitta här och tala till tapeterna. Man kan ju tala om andra saker.

Det är skönt att vara ensammen. Det blir allt skönare.

Men hon tänker på Sigge och inser att hon ska åka.

Sylvia och Blenda har fått in en kanna kaffe till. En ung kvinna, hon ser ut som Blenda föreställer sig en teologistuderande, kretsar ibland ett varv kring dem och drar med en serviett över en bordsskiva. Klockan går. Klockan går. Men det tänker de inte på. Blenda berättar och Sylvia lyssnar. Med ett inre gapande får man nog säga.

Skatter och TV-licens ska betalas, Europas floder är fulla av salter, tungmetaller, klorföreningar och bakterier. Den som man febrigt åtrått får bleka ben och skrynklig påse framtill. Det luktar ur gatubrunnarna.

Allt det där vet Sylvia. Men det här.

Blenda är ju en vanlig människa. Urvanlig. Och så rör en fé vid henne, en ond eller god, i alla fall en mörk som heter Assia. Erbjuder henne pengar till kattmat, leasingavgifter och försäkringar. Hon kan betala in fyratusen på ett kundkonto på ICA. Hon har råd att köpa en varm kappa åt sin mamma. Hon anar till och med lösningen på bostadsrättseländet. Bara hon lagar en gammal skrynklig rock.

Är det möjligt? Är det ens sannolikt?

Inte bara skrynklig föresten. Genomskitig och sönderfallen.

Det är det här som är så svårt att berätta. Blenda Uvhult har visserligen inte alls de kunskaper som Sylvia Fransson-Bleibtreu har, men så mycket vet hon att hon klart inser att hon har gjort fel. Hon har förstått det hela tiden. Hon har tänkt på landshövdingskan som la Överhogdalsbonaderna från 1000-talet i badkaret och tvättade dem energiskt.

Det var inte till höghusen i Tallkrogen som Assia förde henne i sin vita Audi. Där bodde minkflickorna och de andra som gick på vävningen. Där fanns Kryddan i en trång etta, han som skulle flytta in i Krylundska villan nu när kommunen köpt den. Eller om han inte skulle flytta in. Där fanns överhuvudtaget en hel del mörkt folk, kvinnor med sjaletter, gamla män i tofflor. Och eftersom Blenda hade jobbat i vävkällaren så hade hon trott att hon visste lite om det där. Men Rinkeby! Gud. En värld.

Blenda försöker beskriva den. Lukten av masala och mynta och vitlök och rått kött i snabbköpet. Gamla brunögda män i persian-mössor, på parkbänkar. Liksom vilande i nån tid som aldrig tar slut. Sylvia satt och tänkte på sin första Parisresa, det var första resan utomlands överhuvudtaget och hon hade aldrig sett en neger. Som man sa. Sen var det en annan resa dit, på åttiotalet, då hon upptäckte vad som hade hänt med kvarteren bortom Pigalle.

Mörka vågor över världen.

De flesta människor är mycket mörka och mycket fattiga. Nu rör de sig i väldiga vågor över kontinenterna. Bildar världar inuti den kända världen: Kreuzenberg, Rue des Abesses, Rinkeby. Fyller den inifrån med växtkraft som spränger, obevekligen.

Assia förde Blenda upp i en lägenhet där det bodde en fet kvinna som rökte hela tiden. Hon bar stora konstsidensjok, en sorts vid lång klänning fast med joggingbyxor under och badtofflor av blått och vitt gummi. Från och med den dagen då hon öppnade dörren när Assia ringde en viss signal, ping pingeling ping ping (vid det här laget kan Blenda den, det ska gud veta) förstår hon ingenting längre av vare sig sin egen värld eller deras eller om den trots allt är gemensam.

– Det finns inte en siffra som stämmer, säger hon. Jag menar allt tugg. Politiskt och så. Vi tror vi lever i nån sorts värld av ord. Göran Persson och dom där. Assar Lindbeck. Men det stämmer inte. Vi lever i lukter. Det hörs röster. Det blir skador... jag vet inte hur jag ska säga.

– Beskrivningarna stämmer inte. Idéerna är verkningslösa. Är det så du menar?

– Nej, inte riktigt. Idéerna är så mycket långsammare. Egentligen. Sitter djupare ner. Man vet inte ens att det är idéer, man tror det är verklighet.

– Myter, säger Sylvia.

– Ja, det är nog så. Du sa det i Krylundgruppen. Om indianerna som fick solen att gå opp och det där. Jag måste erkänna att jag inte begrep det då fast jag trodde det. För jag menar solen går väl opp i alla fall, det är väl ett objektivt faktum? Men så insåg jag att nånstans finns kanske fortfarande nån som ligger på knä och gör dom rätta rörelserna och får den att... Man vet ju inte om alla har lagt av. Och så länge vi tror att nån håller på, lever vi i myter som vi kallar verklighet. Fast ibland när vi ser andras verklighet eller känner luk-

95

ten av den ordentligt så blir vår egen blek. Vacklar.

Kom loss nu Blenda. Du skäms. Men berätta i alla fall. Berätta vad du gjorde med rocken.

Den var av siden. Bottenfärgen var gul. En gång var den guldgul. Nu lades fragmenten upp på bordet i ett mörkt vardagsrum. Fulla av gråvit fågelfjäder. Genompissade. Genomskitna. Fläckar som kartbilder, brunkantade och styva. Yngre fläckar som ännu luktade. Skador. Fina och mångfärgade silkestrådar hängde ut ur såren.

Assia förklarade. Dessa tyglappar utgjorde fragmenten av en lång klädnad, en rock. Den hade fraktats från dessa människors hemland i en bolster. (Vilka människor? Blenda såg bara den äldre, feta, rökande kvinnan som strirrade på henne när hon plockade med sidenlapparna.) I hemlighet hade den fraktats.

– Smugglats? sa Blenda och Assia såg vass ut.

– Den är deras. Den är min, faktiskt. Fast jag kom ut därifrån två årtionden tidigare. De hade ett land och en kultur. Vi hade det.

– Fast det är nog inget land som nån har erkänt eller så, säger Blenda till Sylvia. Dom är väl som samer eller nåra. Som har överlevt. I alla fall tills nu. Nu gasas dom visst. Det kommer attacker från båda håll sa hon. Utrotningskrig. Kryddan kommer därifrån, visste du det? Tänk om det här har gått genom Kryddan på nåt vis? Fast jag vet inte. Dom tog rocken eller resterna av den i ett bolster och på det låg en gammal kvinna under hela resan. På Frankfurts flygplats hade dom stand by i tretton timmar och då dog hon på det där bolstret, på rocken i praktiken. Nu ska du få höra. Dom sa inget. Dom fortsatte med tåg och båt, dom frakta gumman likadant tills dom kom till Trelleborg. Först då sa dom att hon dött. Då hade hon varit död i två dygn. Det blev ett jäkla liv. Men dom sa att dom inte hade förstått det. Att hon hade varit så orörlig länge. Men det var förstås för att få in bolstret i Sverige utan att nån undersökte det.

Det var inte bara utsöndringarna under den gamlas sista och dramatiska sönderfall som genomdränkt rocken. Många fläckar var äldre. En del måste vara urgamla.

– Vad ville dom? frågade Sylvia.

Det är det som är svårt att erkänna.

– Du skulle sätta ihop den och göra den ren?

– Ja.

– Dom erbjöd dig pengar.

Blenda nickar med slutna ögon.

– Och du tog emot?

Hon får det att låta råenkelt. Det hade det inte alls varit. Det hade varit kval. Men Oda skulle säga att det inte är kvalen och hit- och ditresonemangen som räknas. Det är handlingen. Att som Blenda veta lite om arkeologisk moral, om plikter mot historien (vems historia?), mot det förflutnas skörhet och ändå göra så här. Stolpe rumsterar i Svarta jorden. Winckelmanns anhang tvättar marmorgudar. Och Blenda Uvhult är i farten och gör schwungfullt ett lapptäcke av ett historiskt siden. Gode Gud.

– Ja just det, säger Blenda. Men du får tänka dig vilka erbjudanden. Jag har bara åtta timmar i veckan kvar på skolan. Och så har jag vävkursen. Och det här blev timpenning för full tid och övertid.

– Vilka jävla idioter, säger Sylvia.

För hon tvivlar inte på att det är ett mycket gammalt siden. Så mycket vet ändå Blenda.

I flera månader har hon arbetat där nu. Hon åker till våningen i en Passat som hon köpt efter Golfen. Tänk bara det. Hon ringer signalen, ping pingeling ping ping. Den gamla kvinnan som förresten inte är så gammal, i sextioårsåldern tippar Blenda, öppnar och släpper in henne. Varje morgon tar hon ett djupt andetag på bilparkeringen det sista hon gör, för därinne är luften tung av cigarrettrök, damm, parfym och kryddad mat. Hon har fått eget arbetsrum. Lägenheten är en fyra. Det rum hon arbetar i är ett sovrum som en av pojkarna haft. Han har flyttat in till brodern nu. Det var aldrig tal om att hon skulle få ta hem tygfragmenten.

Det finns två pojkar, ja unga män. Mamman, hon är deras mamma nämligen, kanske inte ens är sexti för pojkarna är, gissar Blenda, tjugofem och tretti. Hon har inte en aning om vad de gör. Om de arbetar. Men de verkar väldigt upptagna. De har mobiltelefoner. De talar ofta och hetsigt i dem. Kommer hem med lådor. Hon vill ingenting veta. Blenda sitter dag efter dag, vecka efter vecka denna höst och rengör sidenbitar. Lägger ut dem. Har köpt ett tyll som hon ska fixera dem på. (Sylvia sluter ögonen.)

Det är inte utan kval som Blenda sitter där, det vill hon verkligen understryka. Det går dåligt också och hon är medveten om det. Hon försöker vara så försiktig. Ingen tvättvätska utom destillerat vatten. Med något litet undantag.

– O gud, säger Sylvia. Gud!

Det går inte bra alltid, nej kanske inte alls egentligen. Långsamt och med en del oåterkalleliga misslyckanden. Hon hade en uppgörelse med sig själv. Det var förresten efter ett möte i Krylundgruppen. Hon kände att hon inte kunde ta ansvar längre, insåg att det var rena förstörelsen. Så hon beslöt sig för att sluta och sa det till Assia när hon kom upp för att titta hur det gick. Det blev hetsigt. Ja – hon fortsatte.

– Du förstår, det var omöjligt att inte anta hennes anbud. Hon fråga vad jag ville ha. Utom timpenningen alltså. Alla omkostnader betalda, timpenning som förut och när rocken var rengjord och sammansatt en slutsumma. Då sa jag femtitusen. Bara för att göra slut på alltihop. Det var ju en fantasisumma.

– Du fick den?

– Dom gjorde ett kontrakt. Jag fick skriva på. Det var inga problem med summan.

– Fick du en kopia av kontraktet?

Nej, hon hade inte velat fråga. (Vågat?) Så hon arbetade på. Rädd och misstänksam och samtidigt avskuren från alla sådana känslor arbetade hon på.

Blommor, fåglar... Det började leva på sidenet. Någon hade haft sin arm där. Hon kunde nästan ana formen av en armbåge. Längesen. En mans kropp. En furste?

– Jag tror det är en jaktrock, säger hon. Ryggstycket är borta. Men det skulle kunna ha varit en furste där, en man på en vit häst. Med en jaktfalk.

– Hur har du fått den idén? frågar Sylvia rätt skarpt.

Det är då det blir riktigt svårt.

– Är du rädd?

Hon blundar.

– Blev du rädd när de var villiga att betala en så stor summa?

– Ja, lite. Men det blev värre sen.

I själva verket är det så att det blev värre idag. Nyss. Nu vet hon inte om hon törs gå tillbaka till lappandet. Om hon törs gå hem. Hon vet faktiskt ingenting. Hon önskar att hon hade talat med Sylvia från början, första gången hon såg de där brunfläckiga sidentrasorna. Då hade det förstås inte blivit något av. Det hade blivit – ja vadå? Riksantikvarieämbetet? Historiska Museet? Och inga pengar.

Sigge är huvudperson på Whitlockska. Styrelsen omringar henne. Den är äldre och vänlig och den bär sjalar från hemslöjden och åldriga tweedkavajer. Som på femtiotalet när farsan var ung. Han är där. Han sitter längst fram. Bredvid honom sitter Oda och sedan Kajan Tidström och Ulla Häger. Sigge har gått fram för att kolla mikrofonen. Hon är inte blyg. Men hon är livrädd.

Farsan ser ut som en örn. Ulla böjer sig framåt och flirtar med honom, verkligen flirrrtar. Hennes röst är fågeltunn. Kajan ser som vanligt sammanhållen ut. Oda sitter och trimmar sin apparat. Farsan har också sin med sig. Den är förstås av en annan sort. De talar inte med varandra om apparaterna utan håller dem vant. Som värjor eller små sällskapshundar.

Det kommer folk hela tiden. Det är tio minuter kvar tills det ska börja. Lysrörslamporna i taket surrar men det hörs mindre och mindre av dem allteftersom folk strömmar till och pratar. Ja, strömmar gör de kanske inte. Men det måste vara fyrtio personer nu. Farsan ler mot henne, bara med ögonen. Han är nyrakad.

*Det är viktigt att vi samlas och resonerar.*

Sigges ögon bräddas nu av varma tårar. Det är inte klokt. En eller två pillrar ner i undre ögonfransen. Hon är stenrörd. Det är nog nervositeten. Men i alla fall. Oda där på första bänk och farsan i kostym. Lilla Kajan och jourhavande medmänniskan Ulla Häger. En sån här vinterkväll. Det är viktigt. Hon har tänkt börja sitt föredrag:

*Natten mot den trettonde december nittonhundrafyrtio satt en gross-handlare i en villa i Fredens Dal i Gamla Enskede och skrev protokoll efter ett möte i en diskussionsklubb. Han återgav sitt eget inlednings-anförande och detta började: det är viktigt att vi samlas och resonerar.*

Nu beslutar hon sig för att ändra ordningsföljden på meningarna. Hon ska börja med: *det är viktigt att vi samlas och resonerar.* Hon ska låtsas, nej inte låtsas heller – hon ska helt enkelt vända sig direkt till dem, tala om för dem att det är viktigt att de samlas här i den gamla whitlockska reformskolan, i lysrörsljuset och att de resonerar. Först efter en stund ska hon tala om att J.A. Krylund skrev detta i sitt protokoll, i en annan tid, i ett annat viktigt och skrämmande läge av det som de kallar historien.

I december 1940 var Europa till största delen under Adolf Hitlers herravälde. I de flesta europeiska länder såg tyska truppförband till att en politisk och byråkratisk administration trimmades för att människor som var motståndare till nationalsocialismen effektivt skulle kunna samlas ihop, föras bort och likvideras.

Alla skulle inte föras bort. De flesta skulle övertygas. Man räknade för övrigt med att de skulle övertyga sig själva. Deras rädsla skulle verka kraftigt övertygande. Andra var redan nationalsocialismens anhängare. De hade möjligen från början bara ivrat för ordning och reda. Men nu gällde det inte ordning i byrålådorna utan ordning och reda i hela Europa. Det var många som tidigt blivit anhängare av den segerrika och ordningsskapande ideologi som vällde in i länderna.

J.A. Krylund menade att det var viktigt att enskilda människor även i små och till synes betydelselösa grupper samlades och resonerade. Resonera kommer av raison, av ratio. Krylund var anhängare av förnuftet och av samtal mellan människor. Han menade att sådana lågmälta och inträngande samtal innebar en beredskap mot den invällande, ordningsskapande, grå och smittförande tanke- och krigsverksamheten. Till Sverige hade kontaminationen ännu bara nått i form av ordproduktion. Om detta handlade J.A. Krylunds inledningsanförande som han hållit på kvällen den tolfte december i sin vän Nils Åslunds hem.

Det blev jul. En mörk och orolig jul. Det var skrämmande kallt denna vinter. Mälarens vatten och vågor stelnade till tjock is. Fjärdedag jul befann sig J.A. Krylund på Norr Mälarstrand där hans vän byggmästare Fredh bodde. Familjerna hade träffats och druckit söndagskaffe som man gjorde på den tiden. Det började bli ont om kaffe. Krylund hade tagit med sig äkta brasilianska bönor från sin grosshandel. Han hade räckt den dubbla bruna papperspåsen till fru Lisa Fredh och hon hade jublande känt lukten och slutit den till den barm vars mjukhet endast byggmästare Fredh kände.

Krylunds fru Aina skjutsades hem i paret Åslunds bil som var försedd med ett vedeldat gengasaggregat. Johan tog en promenad över isarna. Han berättade senare för sin väninna Oda Arpman att han befunnit sig mellan Brommalandet och Kärsön när det hände honom någonting som kanske varken var stort eller ens besynnerligt. Men det var intressant. Han hade nämligen mött författaren Eyvind Johnson. Denne var precis som han själv ute på promenad över isarna.

Johnson var vid den här tiden inte någon stor och berömd författare. Men han var känd. Krylund kände mycket väl igen honom. De hade nyligen läst hans roman Nattövning och diskuterat den i samtalsgruppen. Det var ingen litterär diskussion. Den handlade om den övervunna pacifismen. Det var boktryckare Fock som uttryckte saken så: Johnsons övervunna pacifism.

Nu är frågan: talade författaren Johnson och specerigrossören Krylund med varandra denna vintereftermiddag på isen mellan Brommalandet och Kärsön?

Källan sitter på första bänk. Oda Arpman ser lugnt på Sigge. Hon har sagt att Krylund kom in till henne efter promenaden. Han var röd om öronen. Persianmössan räckte inte ända ner. Han berättade om sitt möte. Han hade gått en ispromenad och han hade mött en betydelsefull författare. Han log ett hemlighetsfullt leende.

Jojo.

Nu samlas styrelsen kring någon annan. Det är virrigt med sjalar, silverburr, gråstrimmor. Hennes egen docent med blont svall ovanför en jersey från Bredenbergs. Gud vad hon står i. Men för vem?

Då ser Sigge att det är S.A. Idhahl. Professor i litteraturvetenskap, ledamot av en vitter akademi och minst två lärda societeter.

Jag är torsk tänker Sigge.

Hon är i färd med att dra upp dragkedjan på sin nya dokumentportfölj (GLOBECOM TRAVELS SPACE AND TIME FOR YOU) för hon tänker lägga manuskriptet på hyllan i talarstolen. Hon ämnar inte fåna sig och komma upp utan manuskriptet eller nånting sånt.

Nu flyttar hon blicken från Idhahl, den förgyllde och oövervinnelige, ner i portföljen. Men det enda som står där är GLOBECOM-tramset igen: TRAVELS SPACE AND TIME FOR YOU. Portföljen är annars tom.

Jag har glömt manuskriptet. Jag vet var det ligger. På hallbordet. Jävlar.

101

Nej!

Det är lögn alltihop. Om ansvaret. Om den högmoraliska känslan Blenda sagt sig ha fått efter mötet i Krylundgruppen.

Det kröp nämligen fram en annan känsla och den tog sig upp ur själva tyget. Allteftersom de där fläckiga och bristfärdiga bitarna fogade sig samman började sidenet dunsta ut någonting. Och det var inte Ansvar och Moral. Man kan ju känna en sorts ömhet för det förflutna; hon kände det nog mest för det närmast förflutna på Frankfurts flygplats. En gammal kvinna fraktas kraftlös bort från allt hon är förtrogen med. Livet rinner ur henne och fläckar ett bolster, tränger igenom och rinner ner i – ja historien eller vad man ska kalla det. Men därnere finns annat. Mörknat, stelnat.

Fåglar, blommor... visst hade sidenet börjat leva. Röra sig, inte skimrande men osäkert flimrande. Gudvet om det var blommor. Ojämna fläckar, uråldrig stank levde upp i tygvecken. Naturligtvis inbillade hon sig det. Men det kröp och kröp.

Sylvia brukar säga att den mjuka historien multnar bort utan spår. Tyg multnar. Det försvinner som kött. Till slut finns bara benknotorna kvar av en civilisation. Karosseriet.

Svärd hittar man. Kanonrör. Men värmen är borta. Det prydliga. Den skönhet som framställts med mjuk konstskicklighet. En gammal värld grinar mot dig. Ett dödskallegrin. Sten på sten. Den grinar som en björn utan skinn, vasst som en fjäderlös fågel.

Visst är det sant att hon lyssnade till Sylvia i Krylundgruppen när hon berättade om flickan under rödockran, hopkrupen under de trådar som varit hennes klänning, brett leende med utspridda tänder. Håret inflätat med yllegarn och pärlor av ben. Ylletunikan sammanhållen vid axlarna.

Mödrarnas och de äldre systrarnas omsorger försvinner, den lättförgängliga skönheten i en kvinnovärld grånar, blir spröd och vissnar, multnar. Högtidstunikan förintas nästan lika snabbt som de rosiga bröstvårtorna.

Varsamt, varsamt. Plocka tråd efter tråd lika nätt som en gång inslaget skyttlades i den tunna väven. Den gjordes i en enkel ram. Kanske hölls varprompan nere av en fastknuten sten. Vävens komplikation fanns i hjärnan och utfördes med fingrarna. Spår av skäl och motskäl, en bild ur hjärnor. Redskapen var av trä och grova.

Det låg en flicka här. Låg med lätt knutna händer och huvudet böjt åt sidan. Hon var klädd i sin finaste dräkt och bar en krona av vråkben (fjäder, kropp?) på huvudet.

Hon måste ha varit en älskad varelse. Så mycket rödockra som strötts över hennes kropp. Pärlor, rovdjurständer.

Eller fruktad?

Den tanken kryper fram ur ett siden. Om hon hade ett hemskt lyte, ett eldmärke över halva ansiktet. Eller en underlig gåva. Om hon redan som barn blivit fruktad, hatad – vördad?

Sylvia berättade hur de hade penslat fram henne. Det sista jordlagret flyktade bort med de lätta dragen av en pensel.

Det är vinter nu. Vinter, jäkt och höga ambitioner. Alldeles för höga för Blendas kunskaper. Hon har köpt ett par dyra läderstövlar. Finska, Palmroths. Käkar majssallad för hon hinner inte annat. Hemma säger hon att hon fått så mycket timmar. Jobbar, jobbar. De vet inte att hon sitter i en hyreslänga i Rinkeby, lång som ett kryssningsfartyg, och tvättar och lappar uråldrigt siden. För hon får inget säga. Ur sidenet kommer känslan av klibb och stank. Gammalt blod. Inte Frankfurt. Äldre.

Historien är ju bara en berättelse. En väldigt torftig kioskroman faktiskt. Det verkliga livet är nu. Det är den riktiga världen. Den är som ett ägg. Visst förstår man att det finns andra ägg, tider och platser. Som Hudaybiyya, Frankfurt och sådana som förlorat sina namn. Palmyra finns med i romanen. Men inte flickans namn på det som var hennes värld när de pudrade över henne med rödockra.

Ägg intill ägg intill ägg med inte precis ogenomträngliga skal, men i alla fall med avrundning, skillnad och avslutning. Slut på stenåldern. Lägg ihop graven. Strö den sista ockran över den sista flickan. Ankomst till Frankfurt. En era varken blöder eller kissar längre. Nytt ägg. Ägg intill ägg intill ägg.

Ja, Blenda är ju ingen idiot. Och normalt medelklassbildad. Men i alla fall. Så torftigt är det inne i huvet.

Nu har hon i veckor, dag efter dag till långt frampå kvällarna suttit

103

böjd över sidenfragment, utan att kunna tala med någon. Den gamla eller möjligen inte så gamla kvinnan i badtofflorna talar inte svenska och inte engelska heller. Hon röker och ibland ler hon mot Blenda och hon kommer regelbundet in med kaffe som inte är tjockt och sött som luften i lägenheten utan ett alldeles vanligt, ganska kraftlöst pulverkaffe av märket Nestlé. De två männen rusar ut och in, de äter mat som doftar, slutar dofta, diskskrammel startar, de talar i mobiltelefonerna, ropar åt mamman att inte skramla, hennes röst svarar morrande, radion spelar, det är P3. Vad i herrans namn kan denna kvinna ha ut av tocka tocka tock raspjoing tjsuiii tocka tocka tock rasp och så nyheter, nyheter, nyheter som hon bevisligen inte förstår? Nästa omgång mat börjar dofta, ibland lukta. Det är när Blenda är illamående av trötthet. Ur sidenet kryper mer och mer påtagligt något mycket gammalt fram.

Gammalt blod.

Just det.

Världsäggen läcker.

Så är det. Det är sant att hon efter det Krylundmöte då Sylvia berättade hur hennes arkeologiska team med varsamhet, kunskap och omsorg penslat fram flickan under rödockran, beslöt sig för att sluta arbeta för den stränga och resultatinriktade och föralldel vänliga Assia i Rinkeby. Men det var först tre dagar efter mötet och ansvar och moral och andra högmänskliga begrepp tog hon fram efteråt och la dem vackert runt sitt beslut.

Hon hade blivit rädd för själva sidenet. Men värre skulle det bli. För den gången lät hon sig i alla fall övertala att stanna kvar vid arbetsbordet. Hon till och med skrev på.

Men sen kom det där brevet. Det är bara några dar sen. Ett kort på tjockt linnepapper. Ett vapen i guldtryck. Och Blendas eget namn skrivet med driven handstil och reservoarpennebläck. Nu vet hon knappt om hon vågar behålla det som bokmärke i "Inte utan min dotter".

I ett helvetes tankeblänk känns olyckan.

Blodsmak.

Sigge störtar uppför trapporna och i känslogapet mellan två steg har hon huggit framtänderna i kalkstenen. Snubbel. Det är inte mer än så. Och hon störtar vidare. Efteråt kommer hon att se skelettet av ett kräftdjur i den brunlila stenen: ett sår gapar till och sluter sig. Medan minnet nöts ner som trappsteget.

Det verkliga såret ser hon i en spegel en knapp halvminut efteråt.

Det dånar i lägenheten. Hennes smärtupptagningsapparat är öppen. Den har öppnats av tanken på krossade framtänder. Men det hade inte behövts.

Hon rycker i handtaget, ropar Janne! men han hör ju ingenting; musiken dånar. Så öppnar hon fubbligt med nyckeln, tänker på Whitlockska, måste hinna, måste hinna, dom har ju lite föreningsangelägenheter först, undrar vad farsan tror, hann aldrig säga nåt. Och nu är hon inne i dånet, jordbävningsrytmen, i svindeln från en himmel under jorden – och ser.

I spegeln ser hon det. På bordet ligger hennes föreläsningsmanuskript, det överprydligt laserprintade som redan tillhör en annan tidsålder. I glaset ovanför knullar Janne en tjej. Djupt in i glaset.

Fast det är tvärtom: tjejen gungar, stöter Janne. En stark rygg, stjärthalvor som muskulöst går över i lår. Hon sitter där, behandlar honom. Han är utslagen, armar som kronblad, hjälplöst slutna ögon, diande.

Ja, han diar njutning.

Det är den grymma naturliga bilden.

På de varma doftande sängkläderna människoblomman. På hettan, stanken av dem.

Giftsmak.

Nu ska den process börja, vars resultat i det övre skiktet klarnar som livsvisdom, i det undre och sällan vidrörda, det grumliga, tjocka bildar giftig bitterhet. Innan processen hinner börja och Sigge fortfa-

105

rande är mitt i (musiken, stötarna) gör hon två handlingar, en med vardera handen och de är oförklarliga och konsekventa: hon tar manuskriptet och hon tar en handväska av grått hajskinn.

I en romantisk berättelse, som det nödvändigt måste bli då Sigge vänder sig bort från glaset och påbörjar processen, finns bortilandet inskrivet: ena armen höjd, handen för pannan, den andra armen slappt hängande, kroppen ilande av smärta och avlägsnande sig från den onda punkten i tro att den kan läggas utanför dess område. Men Sigge har båda händerna upptagna (manuset, handväskan) och ilar tillbaka mot Whitlockska. Först ner till Golfen där hon några ögonblick lutar pannan mot ratten och väser, sedan neråt genom stan. Mot värmeledningselementet där Sickan är bunden.

För hon hann aldrig krångla med sig Sickan. Så det är väl för att hämta henne (vad vet man?) innan hon på allvar börjar ila bort som hon återvänder och felparkerar och störtar in. Sickan halvreser sig och ger henne en uppskattande blick, mer hinner det inte bli för docenten kommer svallande (av lättnad) och Sigge rusar in i någon sorts frenzy som inte är hennes egen, styrelsens kanske, och så står hon i talarstolen. Hyacinten stinker lik. Farsan ler och ser uppklädd ut. Framför Sigge ligger manuskriptet:

*Natten mot den trettonde december nittonhundrafyrtio satt en grosshandlare i en villa i Fredens Dal i Gamla Enskede.*

Det är klart hon börjar. Vad skulle hon annars göra?

Wedholms Kött är tomt så när som på de två viskande kvinnorna. Det är ju en mellantid, tomhet och öken. Varför viskar de? Vestalen eller prästseminaristen i vitt kyparförkläde ser inte ut att lyssna, knappt höra.

Det är Blenda som börjat viska när hon kommit till ambassaden. Sylvia smittas, rösttonen försvinner.

– Du vet därutåt engelska kyrkan. Där dom ligger allihop. Det är klart jag gick. Jag menar man blir ju aldrig... en vanlig människa kommer ju inte på en ambassad, det fattar man ju.

– Men du måste ha frågat dig varför?

– Jag vet inte.

Nej, hon vet inte. Hon tänkte inte eller tänkte så där som man tänker: om jag nu går, jag är i alla fall bjuden fast det kanske är nåt fel, det är nån annan dom menar egentligen, men jag har ju kortet och vad skulle man ta på sig om man gick? Dräkt. Madame står det. Inte ambassadören. Madame måste vara ambassadrisen. Och franska. Pratar dom på franska också? Det blir lite kryckigt. Men jag kunde läsa en bok innan, friska opp. Svarta dräkten? Herregud. Men man måste väl vara korrekt?

– Så jag tog den här dräkten. Den är i alla fall korrekt.

Sylvia frustar till. Eller vadå? Neej...

– Förlåt. Det var vinet. Snälla rara du.

Det är snart slut på andra flaskan. Är dom inte kloka?

– Det stod en karl i tamburen, vit jacka, svarta byxor. Alltihop verka så europeiskt först. Stora krukor med drivna syrener. Tänk dig. Och sen var det mattor, jag menar riktiga, ja det var museiföremål, man borde inte ha gått på dom. Och mera syrener och så rosor. Och det var mig dom hade bjudit förstår du. Hon kom och hälsa, håret var uppsatt, blanksvart. Hon var mager och antagligen lyft. Hon hade det där hajleendet som dom får. Först sa jag va jag hette och sen presentera hon mig alldeles rätt för nån och sa att jag var – du kommer att skratta ihjäl dig – en framstående textilkonstnärinna. Jag menar

107

det måste ju vara nåt fel, jag jobbar på en skola, ett vanligt gymnasium. Fast det där med Överhogdalsbonaden förstås. Och dom andra var kvinnor allihop. Skådespelerskor. Jag kände igen två, jag kom inte ihåg vad dom hette. Nån som har den där poesihörnan. En glaskonstnär. Och vad heter hon, inte Channa Bankier, den andra? Hon målar i alla fall. Så det var nån sorts… kulturellt… ja du vet. Med kvinnor. Och hon sa mitt namn. Hon hade sidendräkt, ljusgrön, det låter hemskt men det var en fantastisk färg. Vilka skor. Gudskelov tala hon engelska. Man fick juice eller sherry och lite pistaschmandlar och nåra flarn, du vet såna där som man stryker ut med pensel direkt på en bakduk. Men det var te uppdukat i rummet intill och till slut gick vi in där. Det var tre småbord, jag hamna bredvid henne med poesihörnan och hade ingen bredvid mig på andra sidan gudskelov. Det var väldigt trögt. Jag visste inte vad jag skulle säga och ambassadrisen prata på hela tiden vid mittenbordet. Det är ju ett yrke, gud vad dom kan prata lätt och flytande liksom, om ingenting och efteråt tänkte jag att det var sånt prat bara när hon tog mig i armen väldigt lätt men alla fall.

För det var en känsla Blenda haft att man tar inte i varandra. Inte här. Man nuddar inte varandra. Det är inte korrekt. Och därför kändes den där lätta beröringen invid armbågen en aning obehaglig. Om det inte lät så överdrivet skulle hon säga att det var ett maktspråk. Ett hot?

– May I show you something that will interest you very much? I'm sure it will.

Ambassadören hade kommit in, han gick runt och hälsade, såg inte ut att bli långvarig. Blenda hann trycka hans hand, sen drog madame in henne i en korridor. Det var stengolv, marmor och skumt. En skonsam belysning förstod hon för där fanns textilier bakom glas. Siden. Det blommade. Det var blommor, fåglar.

En rock på ett stativ. En slät guldgenomvävd grund. På den avtecknade sig i olikfärgad silkessammetslugg en persisk trädgård med iris, tulpan, lilja, hyacint och nejlika. Där red fursten på sin hingst. Den var gräddfärgad. Kanske en gång vit. Hans turban var i guld och grönt. Och rocken som han bar – o gud – den var den rock vars ryggstycke han samtidigt red på, där fåglar böjde långa halsar bland hyacint och nejlikblomster. Och Blenda frös inuti. Hon kunde lugnt säga (viska) nu att hon aldrig vetat vad rädsla var förrän hon stod framför sidenrocken med två, tre hårda fingrar vid sin armbåge och det där lätta pratet som inte upphörde och leendet som inte gav någon reflex i ögonen. Och hon sa till Sylvia:

– Det var inget misstag vet du. Det var jag som var bjuden. Dom vet om det. Dom visste att jag skulle se att rocken var snarlik. Men madame sa ingenting annat än att hon vetat att den skulle intressera mig. Jag vart kall inuti. Ja, det är sant. Jag frös inifrån. Jag känner mig fortfarande sån. Det är som jag skulle få influensa. Men det är att jag är rädd, Sylvia. Jag är rädd. Om den är stulen från dom varför går dom inte till polisen?

Det är hennes blåklintsblåa fråga.

För fjorton minuter sen började Sigges föreläsning ta sig ut ur hennes mun som egentligen var stel, lokalbedövad. Och orden föll och föll. Inte som snö utan som något torrare. Flingor av frigolit.

De föll och föll. Och faller fortfarande. Sid åtta. Sid nio. Sex herrar runt ett matsalsbord. De tyckte att de var i mörker, de trevade sig fram i sitt samtal. Sex herrar under trettiotalet och under kriget då de väntade på en lavin som skulle sopa bort dem. Faller orden.

Och kniven i köttet: spegelsynen, handväskan. Varför tog jag den?

Två minuter per sida. Så faller orden och lägger sig tätt tätt, isolerar för markkylan. Tror jag. Det finns draperier av ord och inre belysning, kluster av ljus som bygger upp ens gestalt och ett tunt luftigt täcke som den står på, vanligtvis finns sådant bygg- och belysningsmaterial. Men av en slump, ja så heter det väl, rivs draperierna och effektljusen släcks: här står en kvinna med pinniga ben och talar och talar sida ner, vänster höger, sida ner och påstår att Johannes Krilon inte bara var uppbyggd av flingor som föll omsorgsfullt och metodiskt, melodiskt utan också av en vinterdags slump, av möte.

Ett stycke av en annan – materia? Kanske inte större än en bit ost som blivit kvar på en tallrik. Men starksmakande och med en livlig mögelkultur från det där landet, det oordnade, slumpens med sina vilda strandlinjer, samma land som Janne var i, kanske är i än med mjuka hårda stötar. Det vilda landet där det gör ont.

Hon som alltid hävdat att läsning är liv, är erfarenhet och alltså levt liv, måste nu erkänna att den aldrig gör så ont som det här vad det nu ska kallas. Verklighet är ett bra starkt ord i en lokalbedövad mun där orden faller utlösta av någon automatik som vi vanligtvis kallar viljan eller vadå?

Ordena faller över ansiktena. Farsans hänförda stirrande som han försöker skyla med nån sorts ironi: vi känner varann du och jag, vi är av samma folk. Aper är vi i så fall. Bandarlog, tjatterfolket. Ordena står som snövirvlar över ansiktena. Man kan göra konfetti direkt ur destruktionsapparaten. Kasta strimlor. Kasta avfall. Är det här tankar? De pågår, som matsmältningsprocessen medan ordena faller. Parallella processer. Deklamerandet och tarmrörelserna. Idealismen och smygfjärtarna.

Gud vad är det här? Alla, nästan alla, nej allihop är ju grå, papperstorra, mjälliga, leverfläckade. Lungor och levrar har malhål som tröjor. Hur har jag hamnat här? Allihop är på väg att bryta opp, lämna lokalen, den här Humanismen eller vad den ska kallas som pågår samtidigt som peristaltiken. Oda Arpman du är inte verkligare än Carl Gustaf Leopold eller Johan Stenhammar, den stackars lungsiktige entusiasten – nej du är Magnus Enberg! den siste gustavianen, sirlig och parodisk i artonhundrafemtitalets kolrök och slammer. Oda, Oda du är på väg bort. Allting rör sig medan ordena faller i det här huset som inte längre innehåller några förhoppningar.

S.A. Idhahl ser ut som en döskalle. Det grå skinnet stramar över tinningar och kindben. Han har huvet på sned och ler. Jag är föremål för S.A. Idhahls vänliga intresse. Det är tjugo minuter kvar. Han kommer att kvadda mig, knulla mig mot ett elektriskt stängsel sen – inget skoj, det här är en snuff movie. Och det är kvaddningen han är hitbjuden för. Jag är i alla fall inte dum, inte hur länge som helst. Det var onödigt att ta väskan, det var ingen avsikt alls. Hajskinn, det vet jag. Det var Lili Thorm, jag såg hennes profil i spegeln. Ryggen, låren. Han duschade och duschade och skrubbade sig. Jag är kvaddad. Jag kunde lika gärna ha kört framtänderna i kalkstenen. Vadsomhelst kan hända. En del av det händer. Ordena faller och faller i alla fall.

Nu kommer Blenda Uvhult och Sylvia Fransson-Bleibtreu in i lysrörsljuset tjugo eller tjugofem minuter försenade. Lulliga verkar dom men det är väl ändå inte möjligt?

Orden faller i lampljuset och samtidigt sker en långsam fällning i Sigges kropp: det här är verkligt. Nu håller jag föreläsningen och konstigt nog är den först nu vansinnig, löjeväckande och ömklig. PATETISK. I närheten av S.A. Idhahl, detta småleende fiskbuksgråa reagensmedel. Han fäller ut misslyckande. Helt naturligt. En lugn process, just ett fallande, en rörelse ner mot bottenslammet. Sopor. Det är vad det blir. Just håller på att bli.

Entropi.

Just det. Verkligheternas verklighet. Energin räcker elva minuter till.

Man gör inte universitetskarriär på grosshandlare Krylund eller på den blonda grevinnan G. Forna storheter som Fredrik Böök och Henry Olsson kunde kanske tillåta sig att snudda vid kött och blod. Men då var de redan vetenskapligt etablerade och halvt skönlitterära. Snoilskyska skandalen och lilla knubbiga Sines dygd i Lund är för övrigt bara som plastfigurer i frukostflingor, ger ingen näring men roar barn. Krylund och hans trenchcoatgäng är inte ens pikanta. Ändå finns det folk som sitter och blir rörda, några naiver med vintersnuva som tror att romaner avbildar livet och att de själva är mitt i livet som i en roman och att snön faller och faller. De kommer att gå hem på sulor av luftkuddar i dusket. Ja, man kan utan överdrift påstå att Sigge gett dem lite syre eller amfetamin eller en fotblöta utav Taunitzer See.

Det är dom. En sex, sju, åtta stycken. Sen är det Oda och hennes gäng i vilket man kan inbegripa farsan fast han knappt känner dom. De har en högre eller ambitiösare form av naivitet; de är en smula anfäktade av karriärism å Sigges och egna vägnar. De tror att Krylund och hans diskussionsklubb helt enkelt inspirerade författaren Johnson. De har ingen aning om den jäsande kompost han i åratal härbärgerade och att det enda de egentligen kan hoppas på är att mötet på isen rörde om en smula och luftade någon av delprocesserna nere i det molmande johnsonska mörkret.

Om nu Sigge lyckas bevisa mötet. Det tänker de inte ens på. AKRIBI. De känner faktiskt inte ordet. Farsan är värst av dem. Han är dubbelnaiv. Han tror fullt och fast att romaners och avhandlingars egentliga ändamål är just den där syrsättningen, kicken som får delikventen att glömma att han är dödsdömd i exempelvis lungemboli och dessutom tror han att Sigge ska bli berömd och docent och att han ska leva till doktorsmiddan.

Nu har de sista elva minuterna gått och Sigges tankeverksamhet som tillsammans med matsmältningsprocessen pågått under föreläsandet upphör. Hennes sista tanke är metafiktion eller ungefär: jag skulle ha hållt mig till det metafiktiva, jag skulle aldrig ha –

Sen känner hon bara Lili Thorm ta djupa tag, djupa skär. Gunga och stöta.

Ordet har förklarats fritt. Kort tystnad. En äldre herre förbereder annihilationen av Sigge, hennes usla tes och hennes exponerade ben. Krilon är inte någon grosshandlare Krylund! ryter det i hans bröst. Men en Kristus är han och en Platon!!!

Det finns människor som aldrig skulle komma på tanken att yttra sig i en debatt. Kajan är en av dem. I gengäld ser hon mer än de som just ska kasta sig in i närstrid. Hon ser Sigges hand med röda knogar krama en avlång handväska som inte hör ihop med tunikan från Indiska. Hon ser de svarta benen, så hjälplösa när de sticker upp ur kängorna. Vad är det med Sigge?

Nu får herrn med Kristus och Platon sitt sagt. Men han är i alla fall en amatör och pensionär. Han väcker mindre uppmärksamhet än nästa herre som börjar tala om transcendental meditation och som tillrättaförs av ordföranden. Hon har en missklädsam jersey, tycker Kajan. En dam med tunn röst frågar om Krylund verkligen kunde gå på isen hem till Enskede. Sigge ser slö ut. Det blir ordföranden som lite hurtigt påpekar att det fanns ju både spårvagn och buss att åka tillbaka med. Men nu håller någonting på att hända. Det glider. Det skevar. Kajan känner det. Då begär S.A. Idhahl ordet.

Han är en människa med samhällsansvar. Han har en mörkgrå kostym med ljusare grå ränder. Den faller snyggt i kavajryggen och där byxbenen på ett kanske lite gammaldags men elegant sätt stöter mot skon. Så faller bara en verkligt bra kvalitet. Ingenting av luggsliten KB-sittare över S.A. Idhahl. Han har sommarnöje på Dalarö. Han har långa ben. Han är gift med generaldirektören för datainspektionen. Men han börjar bli kutryggig.

När han talat i två tre minuter börjar det luta åt katastrof. Och varför är Sigge så passiv? Hon ser nästan sömnig ut. Gråblek. Hängig. Om hon ändå tagit på sig något lite korrektare. Eller för den delen snyggare. Men det är en hopplös tanke för Sigge vore knappast Sigge utan tightsen.

S.A. Idhahl tar upp namnsymboliken och påpekar att en föregående talare (som nu livas som en vissen pelargon) har nämnt parallellerna Kristus och Platon. Han påminner också om les cris longes – de långa skrik som Krilons torterade förfader upphävde i sin uthålliga kamp för högmänskliga värden och som skulle ha givit Krilon hans namn – allt enligt romanen.

Allt det här är verkligen långt från Krylund och grosshandeln högt uppe på Drottninggatan. Sigge ger Idhahl en ond blick. Om den inte samtidigt vore så slö. Så hopplös. Den berör Kajan illa. Ett ögonblick tycker hon att S.A. Idhahls kostym är av sådant kvalitetsgott tyg som höga officerare förr hade i sina skräddarsydda uniformer.

Han låter godmodig och faderlig när han fortsätter in i namnsymboliken. Att Fock skulle ha blivit Segel, att Arpman plus Oda skulle ha blivit Arpius och Odenarp, Fredh Frid och Krylund Krilon efter ett obevisat möte på isen i januari 1941 börjar låta besynnerligt även för Kajan. Idhahl redogör njutningsfullt för den johnsonska namnsymboliken, för namnet Segels både ljusa och tragiska betydelser. Sö själ tycker Kajan att han säger, gång på gång. Sö själ. Men han säger förstås se gêle och påminner om risken för nedfrysning som ligger i Segels namn. Då hör Kajan att Oda inte fnyser utan tvärtom: mycket ljudligt drar hon upp. Kajan är imponerad, det erkänner hon gärna för sig själv, men samtidigt tycker hon att Idhahl är lite väl invecklad. Det visar sig emellertid att det är författaren själv som är invecklad. Idhahl citerar bara. Han säger att Arp i Arpius och Odenarp är ett manlighetens och maktens och vishetens arv och Oda stöter nu ut den luft hon förut dragit in. Kajan önskar att hon kunde hålla sig tyst. Det är inte bra för Sigge att Arpmans änka sitter där och understöder henne med ljudliga in- och utandningar.

Nu lämnar Idhahl namnsymboliken som han refererat som en elegant lek. Om han fryser ner, sill sö själ, så blir det leende tänker Kajan. En ohotad människa. Kanske generationer tillbaka. Ohotad av svält, krig och förödmjukelser kommer han att glaceras.

Där kopplar hon upp sin tanke. Den vill in på områden som uniformer, förödmjukelser och nerfrysning. Den blir odisciplinerad när hon sitter stilla och lyssnar. Därför sitter hon sällan stilla. Samma sak händer henne när hon till exempel plockar svamp. Då måste hon smågnola mellan sammanpressade spetsade läppar. En sorts vissling. Men hon kan förstås inte vissla nu. Hon känner lättnad när han slutat tala om Segel.

Han talar inte alls om namn och personer längre. Han är i färd med att beskriva den narcissistiska narrativa metoden; Krilongestalten är en form av författarens självbespegling och reflexion över den egna identiteten påstår han. Oda suger kraftigt i sin apparat. Kajan tycker också att syret börjat ta slut i rummet. Idhahl påstår att Johnsons berättelser inte är berättelser ur verkligheten utan berättelser om berättelser om verkligheten.

Verkligheten, tänker Kajan. Hon tänker ordet. Hon undrar hur han kan ta det i sin mun. Men det gör han egentligen inte. Han sätter citationstecken kring det. Kanske ironiserar han. Leende. Som om verkligheten vore något genant. Plötsligt önskar hon att Oda ska frusta eller fnysa igen.

– Vi vet, säger S.A. Idhahl med sin strama vitgrå skalle på sned, att det inte är litteraturens uppgift att återge en faktisk verklighet. Vi vet att det ligger utanför dess möjligheter, utanför den konstnärliga ambitionen. Litteraturen handlar inte om verkligheten.

Den sista meningen uttalar han som om han stod framför en skara barn. Kanske talar han till barn? Till barnsliga människor. Till såna som måste akta sig för verkligheten – om de kan. Som småvisslande eller ångestgnolande försöker passera den som man passerar Sveavägen i rytande rusningstrafik.

– Litteraturen, säger Idhahl, vill åskådliggöra hur individen, den konstnärliga individen, författaren, i sitt medvetande omgestaltar verkligheten, förvandlar den i en stiliseringsprocess som hela tiden avlägsnar honom från den. Från den objektiva verkligheten. Vad den nu är.

Det sista säger han med ett samförståndets nästan konspiratoriska leende. Det är fullt klart att S.A. Idhahl inte känner verkligheten, inte önskar känna den och att han anser att frågan om dess beskaffenhet hör till metafysiken. Eller filosofin. Eller något annat patetiskt. Som Sigge brukar säga. Hon ser själv rätt patetisk ut nu.

Idhahl avslutar med att harangera Sigge för hennes kommande avhandling som just ska behandla de metafiktiva tendenserna i Johnsons Krilonsvit. Han tror att den kommer att bli mycket intressant.

– Under tiden som arbetet pågår har Sigrid Falk tagit oss med på en fascinerande liten utflykt i Fredens Dal bortom Gamla Enskede. Ett stycke receptionshistoria kan vi kanske kalla det. Vi får lära känna den mentala atmosfär som tog emot Krilonsviten – som *också* tog emot den får vi väl säga. För vi ska inte glömma att många var på samma villovägar som den gode Odenarp.

Varför säger han den gode Odenarp? Det förstår inte Kajan. Men hon förstår att Sigge är avfärdad. Och att Oda är avfärdad. Och gruppen.

– Krilonböckerna var böcker som en liten och motståndskraftig opinion hade väntat på. Jag tror man kan säga att den hade hungrat och törstat efter dem. Fler samtalsgrupper än den krylundska diskussionsgruppen kanske bildades efter Grupp Krilons mönster. Det är en fascinerande tanke. Sigrid Falk har givit oss ett bevis för att åtminstone en sådan grupp fanns. Det tackar vi henne för.

Han har gjort en operation, tänkte Kajan. Åt den där docenten som vill att Sigge ska lägga undan Krylundkommentaren och skriva om det metafiktiva. Nu tackar hon honom. Hennes jersey är säckig därbak. Hon ger ordet åt Sigge. Som om det vore möjligt att tala när man är nyopererad.

Men Sigge talar lite. Några ord.

– Protokollen, säger hon och låter pipig. Dom är daterade. I den där utgåvan hos Fock & Söner. Krylundgruppen fanns redan 1937.

Kajan hör knappt vad hon säger. Ändå sitter hon och Ulla Häger och Oda på första bänk. Längre bak kan Sigges röst inte höras. Han som åberopat Kristus och Platon ryter:

– HÖGRE!

S.A. Idhahl reser sig elastiskt.

– Ja, säger han, de är daterade. Men vi vet inte när dateringen gjordes. Vi vet att protokollsutgåvan trycktes 1948. Det är vår terminus ante quem.

Vår? Varför säger han så? *Vi* vet, *vi* antar.

– Det kan tänkas att det fanns en liten frestelse att antedatera dokumenten, en liten önskan att...

Nu reser sig Oda. Det är ett helt evenemang eftersom hon samtidigt tappar käppen.

– Ja, det är ju helt naturligt, skyndar Idhahl på sig själv. Det ligger ingen kritik i en sådan liten aning av en... jag vill inte ens kalla det misstanke. Bara ett sätt att se på protokollen som specerihandlare J.A. Krylund skrivit ungefär som på ett litterärt verk. I varje fall tills vi fått belägg för motsatsen.

– Vilken motsats?

Oda har brölat till. Det är inte ens säkert att S.A. Idhahl uppfattat frågan. Oda har inte fått ordet, hon har tagit det. Men varför måste hon låta som en bronslur? Det där är i alla fall en riktig jersey. Dubbelvävd. Kajan har själv sytt klänningen som går omlott framtill och döljer att Odas mage eller kanske hennes tarmsystem har utvecklat sig till något tämligen självständigt.

– Jag heter Oda Arpman, säger hon nu och Idhahl sätter sig. Docenten i sin sladdriga jersey kommer på benen.

– Vi kanske ska ordna upp talarlistan lite.

Men Oda fortsätter:

– Mitt namn är den feminina formen av det falliska mansnamnet Odd. Det har alltså ingenting med arvet efter Oden att göra. Inget ariskt eller asiskt. Hon sänker huvudet och håller fast Idhahls blick. Det är inte lätt. Docenten far upp och ner på sin stol ett par gånger och resignerar sen.

– Odd – udd! säger Oda och skrattar till som en som smällt en spyfluga. Samtidigt lägger hon inhalatorn i Sigges pappas knä utan att se på honom.

– S... A... Idhahl, säger hon långsamt och tydligt. Vilket fantasieggande namn. Id och hal. Vad kunde inte författaren Eyvind Johnson ha gjort av det. Kanske skulle han ha suggererat något fisklikt.

– Nu tror jag vi ska låta ordet...

Docenten är på benen igen.

– Eller ormlikt... hal... häle som betyder svans. Men iden är en fisk som inte kan hugga. Han har för liten mun.

Oda är galen. Hon är senildement. Stackars Sigge sitter och lutar som om hon fått ett slag. Hon ser ner i golvet eller in i sig själv. Kajan brukar vara rätt oberörd av pinsamma stämningar. Hon är inte som Ulla Häger som genast vill flyga upp och ställa allt till rätta. Men nu är Kajan anfäktad och önskar bara att syret ska ta slut för Oda så att hon faller i vanmakt. Något annat finns knappast att hoppas på.

– S... A...

Oda suger på Idhahls initialer. Han ler fortfarande, men stramt. Ja, stretande. Det är som om det grå skinnet kring munnen inte räckte till.

– Han kunde ha fått det komiska infallet att det betydde Såpat Aap-arsel!

Det susar till i källarlokalen. Efteråt hörs lysrörens brummande alldeles tydligt igen.

– Nu så, säger Idhahl, nu ska vi kanske återgå till diskussionen.

– Haaal, säger Oda. Hal som ett Såpat Aap-arsel…

Sen måste hon sätta sig. Syret har verkligen tagit slut.

Det finns en sorts minne som i själva verket är glömska. Ett minnande som utanför vilja och vakenhet trevar och skapar om. Sigge är där nu. I glömskans minne där en skuggvärld tar form och blir rörlig. Hon känner igen dess gestalter och ändå är de så främmande. Gestalter?

Ni närmar er igen. Ja, igen. Ni är upprepningar. Ni är en sorts kopior. Oda är naturligtvis Oda. Men ändå inte. Under namnet Oda ruvar en stor och töcknig fantasm som liknar den där gamla damen Sigge kände. Nu tar den form som ur grå luft, ur dimpustar och drivande väta.

Simulacra, simulacrum. En kropp, inte av ord utan av snabbt förbiblixtrande – vad? Ja, sådant som hon sett. Faktiskt. Men aldrig vetat att minnet eller glömskan sparat.

Där sitter på första bänk en dubbelvarelse som är Kajan men samtidigt är det en död människa. En flicka som inte kan vara mer än sjutton, arton år. Grå som ett bårhuslik.


Det är över.

Nu ska hon ta sin dokumentportfölj och gå. Vart? Hon kan ju inte komma hem tidigare än hon sagt. Till nån sorts larvig pinsamhet: Lili Thorm skuttande till badrummet med underkläderna i famnen. Det orkar hon inte med. Fast vad skulle det göra? Nej – orken är slut.

Gudskelov ser hon inte längre grå töckenkroppar med fantastiska likheter och olikheter utan vanligt hophållet folk. Med mjäll på rockkragarna. Vad är det för folk? Hur har hon hamnat bland dem? Nedanför hallbordet låg ett par trosor av benvitt siden, inte någon stor sidenbit men kraftig. En spetsbård i grått. Högt uppskuren trosa. Tänk att glömskan såg den. Sparade den.

Jag är torsk.

Det var för en timma och trettiofem minuter sen det. Nu är jag dubbeltorsk. Tre gånger om förresten. Idhahl slaktade mig som en liten kanin på en laboratoriebänk. Handledaren slapp få blod på händerna.

Men gode tid vad jag är patetisk!

Det försiggår nån sorts diskussion. Oda har varit uppe och trumpetat. Nu hörs fler kvinnoröster, gällare. Upplösning. Kindpussar. Men är du här! Så trevligt! När kom ni hem från Ramlösa? Läste du Knuts understreckare? Tack för din bok! Örjan har tagit den först – han är alldeles vild på den. Mjäll. Barbro Sörmanklänningar. Farsan ser verkligen dålig ut. Nu måste jag härifrån. Det dånar i Sigges öron och alla de glättiga välmenande rösterna låter som fågelskrin ovanför ett vattenfall.

Nu minns hon vad Oda sa. HAL SOM ETT SÅPAT APASCHEL. Det blev sparat precis som sidentrosorna. Ja, värre kan det inte bli. Tack tack, Oda Arpman. Som nu ångar fram och tar Sigge i armen.

– Vi ska äta på China Garden, det vet du?

Jo. Nej. Men hon kan tänka sig det. Krylundgruppen ska äta kinesmat och ösa soja över den. De ska dela på notan. De ska kackla och de ska pulvrisera Idhahl och Johnsonsällskapet och snart ska de vara ointagliga igen. Nu har Oda tagit farsan under armen och drar iväg mot kapphyllorna med honom. Farsan ska äta fem små rätter. Om han nu kommer så långt som till den friterade bananen. Han ser dålig ut.

Sickan sitter orörlig bland stövlarna under kapphyllan. Hon fixerar Sigge. Docenten, den ljuva Britt-Marie med lockarna, tar henne i armen och säger:

– Sigge, det blev lite... jag vet inte vad jag ska säga.

– Det blev väl för fan precis som du hade tänkt.

Skönt. Nu gäller det bara att bli av med Krylundtanterna och farsan. Skubba dem av sig. Hon löser upp Sickans koppelknut. Hon har Krylundgruppen omkring sig som en livvakt. Det blir antagligen inte så lätt att springa ifrån den. När de kommer ut i snögloppet börjar Ulla Häger anföra truppen. De ska kunna ta sig upp till China Garden på Karlavägen genom att gå smågator uppåt i mörkret. Huskropparna ruvar. Det är narkallt. Hon går långsamt med Sickan som behöver kissa men vägrar att göra det på asfalt. De väntar hela tiden in henne. Den värmande kletiga klumpen av tanter.

– Kila på ni, säger Sigge. Jag måste rasta Sickan. Jag kommer efter.

Nu har de börjat äntra en bred trappa i en backe. De blir upptagna av stödjande och andning runt Oda. Flås flås. Och snön gloppar.

– Det är kul att leva, säger Sigge åt Sickan.

Nu är de framme vid trappans fot och Sigge tar några trappstegs-kliv, stannar sen. De försvinner däruppe nu, om hon har tur. I sitt eviga sorl. Sitt kvittrande och puttrande. Nu orkar hon inte mer. Inte ett steg vare sig fram eller tillbaka. Hon borde fly neråt, mot Eriks-bergsgatan där bilen antagligen eller högst säkert har ett inbetalnings-kort under vindrutetorkaren. Men hon orkar inte. Hon sätter sig på trappsteget och känner snövätan tränga igenom tightsen. Trappans sten kyler fränt och verkligt. Först nu märker hon att hon fortfarande kramar den avlånga hajskinnsväskan.

Det faller lite glåmigt gatlyktsljus över innehållet när hon öppnar den. En tjock svart läderkalender. Den bågnar av Lili Thorms liv. Hon knäpper upp den. VISA PLUS, MASTER, NK och ett par till. Flera till. De sitter tätt som en pokergiv i fickorna på båda pärmarna. Inga foton annat än på körkortet som sitter instucket i den stora pärmfickan. Sigge vet mycket väl hur Lili Thorm ser ut. Mörk, brun-ögd. Profilen skarp, nästan djärv med den kraftiga karlnäsan och de fylliga brunröda kinderna. Cliniques crêmerouge. Det ligger i botten på väskan. Clinique och Clinique. Och Clinique igen. Jaja, man ska vara försiktig och rädd om sig. Inte få allergier, usch. Här har kani-nerna suttit fastspända och blinkat med mascara på slemhinnorna. Supermascara.

Hur orkar jag? Jag skiter i kaniner. Hon slänger ut mascaran i modden. Hundrafemtio kronor? Puder, Extrahelp Makeup. Läpp-stiftet. Brunrött, ganska mörkt. Blod? Ja, i så fall torkat, som på en binda. Hon skruvar på hylsan tills hela stiftet är uppe och kör sen ner det i trappans sten. Stapeln försvinner. Det blir bara lite fett mos på stenskrovlet.

Hon är lik mig. Sigge tittar på körkortet igen, håller det snett upp-åt så att ljuset ska falla på ansiktet under inplastningen. Nej, jag är lik henne. Hon har det ledande utseendet. Men likheten finns. Man tän-ker inte på den för man ser henne på nåt sätt alltid i profil. Det är profilen man minns också när hon rör sig. Men så här rakt framifrån är vi lika.

Sigge bläddrar i kalendern. Drar ur bladen och river dem i småbi-tar. Alla dina appointments Lili Thorm. Och telefonboken – vilket fynd. Nu du. Försök få tag på alla dom här numren igen. Hemliga dom flesta. Små små pappersflingor och så på med modd. Trampa

121

och stampa till pappersgröt med bläcksudd på. Dina nummer. Ditt löjliga superliv. Pengar. Fyra tusenlappar och ett par femhundrakronesedlar och flera selmor. Inga mynt. Så mycket pengar fast du har checkboken med dig. Läderomslag på checkarna. Inuti minst tjugo av SE-bankens blanketter. Lägger vi här, ser du. På trappräcket. Och hoppas det kommer nån och tar den och går till banken kvickt innan du hinner spärra. Lägger körkortet bredvid. Varsågod. Vi bjuder på lite superliv i dag. Men pengarna ska ner i modden, dom ska blötas opp. Dom ska rivas först. Pengar, pengar, pengar. Tyvärr bara en handväskeportion. Om jag kunde mosa och plåna ut din arkitektutbildning och din fil. kand i estetik och konstvetenskap och dina förbindelser och din elastiska rumpa och dina långa muskulösa lår och din hesa röst. Då skulle du också vara tvungen att titta efter om det var extrapris på purjolöken.

Så jävla meningslöst. Sitta här i trappan och riva och slita i det ohjälpliga. Jag är fem år. Titta kondomer. Inge vidare märke, nån sorts bananomslag. Kanske köpta i snabbköpet på vägen till Janne. Litar du inte på Janne? Det gör jag. Han är proper och osmittad. Eller var det tills han träffade dig.

Det här är meningslöst.

Nu flåsar det. Och så skrapar det med jämna mellanrum. Doppsko i modden. Någon trevar med en käpp för att undgå förrädiska isfläckar. Det blir tyst. Sen hörs sug och väsningar.

– Sigge!

Det är ingen idé att försöka smita för Oda står högt däruppe och har utsikt ner över trappan.


Snöskyarna driver in över Humlegården. De lyser, de är ljust rödgult grå, svullna av den färg som staden kastar upp. Bruna duskar de ner mot träden som fångar dem på drypande armar. Sigge och Oda traskar över Engelbrektsgatan med Sickan som inte vill släppa en droppe urin på sten utan kräver mylla med visset gräs eller multna löv under blötnande snö. Hon vill överlämna sina kroppsvätskor åt Moder Jord säger Oda. Sund hund.

Odas ironiska småprat tyder på att hennes självförtroende är orubbat av episoden på Whitlockska. Och varför inte, tänker Sigge. Johnsonsällskapet äter säkert supé med Idhahl nu. Svärmar kring hans eminenta hjärna. Men det är på Gåsen eller något annat sobert ställe. I en annan värld. Oda är i sin. På henne väntar den friterade bananen och det fullständiga medhållet. Ovationer. Låt oss ta in en flaska vin! Har de något husets?

Man ska vara i sin värld, tänker Sigge.

Bakom de våta ridåerna skymtar en töcknig massa. KB. Vilken sjabbig katedral. Smutsgul med underbetalda officianter. Detta har varit Sigges värld. På sjuttiotalet ville ett socialdemokratiskt statsråd lösa lagringsproblemen genom att ta bort alla utländska titlar. Så definierade man ett nationalbibliotek tyckte han. Nerslitet och dragigt och trångt. Nu spränger man bergrum, rutorna skälver. Ibland har Sigge och hennes grannar vid borden fått lämna forskarsalen inför detonationerna. Hittills har fönstren hållt men andra världar tränger in ändå. Klemmings vitskäggiga vålnad irrar i allt mer stuvade magasin. Och om man mötte honom? En jultomte eller asagud i bonjour. Nörd. Klemming avförd. På toaletten i källaren är det väl ett par årtionden sen man kunde måla sig. De satte in ett blått ljus så att narkomanerna från Humlegården inte skulle kunna urskilja venerna.

Därborta i ljustöcknet vrålar världarna.

Jag går aldrig på KB mer. Aldrig.

– Vi kanske kan gå uppåt. Mot Karlavägen, säger Oda. Hon låter försiktig. För att inte säga manipulerande.

– Jag ska inte med och äta. Jag har torskat och jag vill vara ifred.

– Men Idhahl har inte krossat dig!

Krossat. Gud. Tillbaka till högpatetiken. Och husets sura vin. Nej, Oda.

– Alltihop är bara politik och det vet du, säger Oda. Britt-Marie Uddén vill göra ett sammanhållet projekt med – vad är det sex? sju? avhandlingar baserade på hennes egna scriptures. Meta… vad det nu var. Hon tog S.A. Idhahl till hjälp för att föra dig på den rätta vägen. Men det bästa av allt vet dom inte om. Jag hann aldrig säga det för syret tog slut. Det där med namnsymboliken – aap-arselett! – det var bara inledningen! Men kanske var det lika bra att jag tappa luften. Det är inte jag som ska överraska dem. Det är du! Jag har di handskrivna protokollen. Sigge! Ända från 1937.

De har stannat bakom KB. Sigge rör sig inte. Sickan som har traskat runt under träden på egen hand kommer tillbaka och försöker hitta en torr fläck att sitta på. Hon väntar.

Då hugger Sigge tag i Odas arm och börjar dra henne ner mot

Humlegårdsgatan. Oda tycker inte om att man tar i henne. Det är nästan otroligt att Sigge vågar göra det. Hon drar och drar.

– Det finns en bänk därborta. Vid grillkiosken. Du ska sätta dig där. Jag springer tillbaks till Eriksbergsgatan och hämtar bilen. Sen kör jag dig till China Garden. Men jag går inte med in.

När hon kommer tillbaka med bilen som sprutande plöjer modd kan hon först inte urskilja Oda. Men det är en töcknig formation vid den mörka grillkiosken. Skurarna av halvfruset regn kastas mot vindrutan och torkarna vispar maktlöst i sörjan. Det ser ut som om någon stod med ett par väldiga fötter på bänken. Töckengestalten fortsätter från fötterna upp mot den nerfallna himlen. Någonstans vid höfterna försvinner den, löses upp. Är Odas huvud högt däruppe där det är fruset och stjärnklart?

Sigge rör vid henne. Hon är bara en liten hög. Barhuvad. Det järngrå håret är vått. Så underligt att röra vid henne igen. Den här gången gör hon det varsamt. Oda stirrar i gatlyktans vintermånsken. Ser blind ut. Är hon sjuk? Tappat luften.

– Kom Oda. Jag kör dig till China Garden. Eller ska jag köra dig hem?

Bordet som Ulla Häger reserverat på China Garden är för stort. Johnsonsällskapet gick någon annanstans. Sigges pappa fick ta en taxi hem. Han orkade inte med supén. Ruth Anser dök inte ens upp till föredraget. Varken Sigge eller Oda har synts till. De är bara fyra och de sätter sig vid bordsändan. Ulla säger:

– Så bra att vi är ensamma. Så slipper vi tobaksröken.

En doft av frityrfett svävar okommenterad mellan väggarna. Tyst är det förstås. En osynlig del av personalen måste ha upptäckt det, för nu hörs plötsligt musik ur högtalare högt uppe under taket.

De har blivit våta i håret trots mössor och sjaletter. De börjar lukta vinterfukt. Lokalen verkar tät. Som om den tänkte behålla allt som den tjocka plastmadrasserade dörren en gång slutit sig om. En smal kinesisk flicka i kort svart kjol och vit blus lägger fram matsedlar. De är överens om att vänta på Oda och Sigge. Men tar in vin. Husets, bestämmer Ulla.

– Det är säkert alldeles utmärkt. Alla instämmer utom Sylvia.

De följande minuterna ägnar de sig åt att se ut som om de lyssnade till musik. De vet allesammans att det i egentlig mening inte är musik som hörs i högtalarna. Oda skulle ögonblickligen ha bett att få den avstängd. Det är inte utan att de känner lättnad över att inte Oda har kommit än.

Det är i varje fall inte den sortens musik som alstrar inre bilder: man ser inte nakna män som springer med fladdrande hår i havsbränningar, inte vind över skogstoppar eller mognande sädesfält eller aritmetiska problem tecknade på väggar eller himlar. Ingenting sådant. Det är för det första kinesisk musik. Eller kinabetonade ljud. De är arrangerade för att man inte ska höra Karlavägen och luftintagets väsande. Eller tystnaden vid det enda ockuperade bordet. De är snarast antiljud.

De har faktiskt ägnat en diskussionskväll åt de ljudprodukter som distribueras via högtalare i storladugårdar och varuhus. Oda har låtit Sigge förklara för dem hur de uppstår. Hon är ju genom sin verksam-

125

het i musikbranschen, eller i varje fall inom en elektronisk ljud- och informationssfär, något förtrogen med dess teknologi. De har fått veta att ljuden som nu tränger fram till dem härrör ur en synthesizer, ett elektroniskt apparatsystem som Sigge vårdslöst kallade synt. De har en vårkväll varit inne i Krylundska villan och tittat på synthesizern. Det lät också ur systemet, varierande och ibland överraskande naturtrogna ljud fyllde studion. Om man i naturen innefattar till exempel violonceller. Eller bastubor.

Det mörka eller ljusa trät i en violoncell är naturligtvis förädlad natur precis som de legerade metallerna i tuban är det. Som den människohjärna som omvandlar klanger och toner och rytmer ur skogskornell, ask och lönn, ur koppar, tenn och silver till bilder eller till aritmetiska problem eller själsliga förlopp är natur. Allt är natur, anmärkte Oda vid detta tillfälle. Det finns ingenting annat än natur i olika grader av bearbetning. Även detta, sa hon, och pekade på den stora maskinen. Men det är långt från trädet som offrat sin täta ved och saven i sina ådror. Långt från den sten som håller metallen fängslad.

Ja, det fick man hålla med om. Naturligtvis alldeles för långt. Men Oda blir lätt högstämd. De var mer roade av Sigges föredrag. Fast ljudillustrationerna var besvärliga. Sigges öron tycktes tåla mer än deras.

Nu tänker åtminstone Sylvia på tongeneratorn i synthesizern. För de kinesiskt betonade flöjter och slaginstrument som de nu tycks höra på är naturligtvis också framställda i eller till och med av en elektrisk svängningskrets. Som kanske kan framställa vadsomhelst. Åtminstone tillsvidare i ljudväg. Som själv knappast kan sägas existera i sinnevärlden. I varje fall inte som något åstadkommet eller ja – skapat. Förstod de saken rätt den där aprilkvällen då äppelträden hade så svarta drypande grenar så var det snarast förutsättningarna för att en elektrisk svängningskrets skulle uppenbara sig som hade åstadkommits i synthesizern. Synten.

Ulla och Kajan tänker inte på synthesizern men de uppskattar ljudslingorna. Något ängsliga låter de väl. Som om melodin aldrig kom nånstans. Men de distraherar på ett behagligt sätt.

– Pling ming ming... njing njing, härmar Blenda. Hon har plötsligt blivit onaturligt uppsluppen tycker Ulla. Nu börjar hon sjunga.

Dort oben am Berge!
da stäht ein Chinäääs...
er hat in der Naaase
ein Limburgerkäääs!

Nu verkar hon slappgaskig. Förresten luktar hon vin redan innan de
fått något i glasen. Det gör Sylvia också. Gudskelov sjunger Blenda
rätt lågt. Sen börjar hon och Sylvia härma kineser som talar svenska.
De säger att de kanske vill ha vållullal. Det är inte roligt. De är till och
med en smula diskriminerande. Fast de är väl som vanligt ironiska.
Sylvia är ju den som brukar vara ironisk. Och då kan man, har Ulla
förstått, tillåta sig ungefär vad som helst. Nu kommer en historia. En
kines tillfrågas om man i hans land har general elections och han sva-
rar: eveli molnin. Blenda säger inte mindre än tre gånger eveli molnin
och Sylvia frustar. Kajan och Ulla ser ett ögonblick på varandra, sen
tittar Kajan ner.

För Kajan fungerar de kinesbetonade ljuden eller de lätt europeise-
rade asiatiskt klingande antiljuden som hennes eget gnolande när hon
går i skogen. Eller när hon går hemma och städar. Den frityrluktande
restauranten med sitt asiatiska bric à brac är tät. Just tät förekommer
det Kajan. Det är det som är meningen med att gå på restaurant. Man
tätar till. Härinne är ljuset varmt, det glimmar bakom sidenskärmar
med röda fransar. Buddhor med stora magar ligger på hyllor och
bord. Det finns drakar. Lotusar. Precis som de vita porslinsmagarna
och ljudelementen (flöjtkviller, torra små trumknäppar) är de tecken.
Men ur ett språk som tycks nedbrutet. I varje fall är det oförståeligt
tänker Kajan. Buddha? Hon försöker tänka sig en restaurant med
korsfästa Kristusar på vinhyllorna. Flaskor i rader. Detta är mitt
blod.

När vämjelse mänger sig in i nuet, särskilt ur gamla äckelkällor
som blod och smuts, metallisk stank, gas och kolrök, då tycker hon
om att lyssna till musik. Eller vad man ska kalla det här. Och hon är
just för tillfället glad att Oda inte har kommit in i restauranten än och
börjat domdera för att få den avstängd. Hon skulle tycka det var
skönt om det inte alls blev något bråk. Om de kunde låta Sigges före-
drag bara ha passerat. Om de kunde småprata. Inte vara så dramatis-
ka.

127

Om nu musiken inte är kinesisk och inte ens musik och om den inte återger elektroniskt bevarade ljud ur silver, bambu och lätta träslag, utan är just vad Oda kallade tecken, rätt grova tecken, ett slags påminnelser om musik och instrument som brukar ljuda långt borta i till exempel Kina (fast de här påminnelserna snarare frambringats i Hong Kong) så är den ändå enligt Ulla Hägers mening inte otrevlig att lyssna till. En stund medan man väntar. Liksom landskapet på väggarna är behagligt att snudda vid med blicken.

Kinesisk tapet. En liten blå himmelsbit, streckad, gul nertill. En gård eller en stor plats inringad eller omramad av torn och av öppna byggnader. De är nog läktare. Man anar att folk sitter där i rader. Det står människor innanför läktarna och ramar ytterligare in centralfigurerna: en mantelklädd gestalt med parasoll och en käpp eller en spira i den lediga handen. Två andra som knäfaller samt några löst utspridda gestalter som bär långa stänger. Det är kanske ceremoniella stavar. Eller vapen. Vad vet man? Det är en avlägsen värld, i dockformat. En sådan målad värld, ja i det här fallet förstås schabloniserad och tryckt, sägs det att en del kinesiska mästare eller i varje fall någon av dem kunde gå in i sedan han målat upp den.

Nu är den ju ändå en liten smula tråkig. Samma scen, samma inramade öppna plats med figurer upprepas över hela väggen. Över alla väggarna. Mönstret består bara av denna enda bild. Det finns ett par vågiga streck mellan dem. De kan förstås betyda något. Makt. Eller mildhet. Vishet kanske. Kinesiska tecken finns det så många. Det här ser ut som mycket banala streck. Men det gör också linjerna på Sylvias temugg. När hon köpte den fick hon veta att de bildade tecknet för evighet.

Blenda hade en tapet med kinesiskt motiv i sitt rum när hon var liten. Hon stirrade in i den när hon skulle somna. Dörren stod på glänt, ljuset föll in från hallen. På tapeten som var svagt gul med ett grönt mönster såg man en kines i platt hatt sitta och fiska i en båt. Spöets böjning var mycket kinesisk. Den tunna reven försvann i ett vatten antytt av gröna ringar. Hon gled ofta ut på det där vattnet. I säven. Det var blommor där. De tycktes flyta på ytan. Långt borta såg man byggnader som stod på stolpar i vattnet. Hon undrade vad det var i dem.

Hon kunde glida från den ena ansamlingen av graciöst böjda sävstrån till den andra. I det grunda (trodde hon) och gröna kinesiska

128

vattnet flöt båtarna med fiskande kineser i. Samma kines men ändå inte samma. De skulle ju vara så lika varandra. En vänlig kinesisk fiskare gled över i en annan och Blenda brukade somna medan hon färdades mellan dem.

Ulla har ett tryck över hjässan. Blicken pilar inuti de likadana mönsterbitarna. Hon kommer inte ut ur den stora anläggningen. Ceremonitorget – eller vad det är. Himmelsk frid råder, det är säkert. Människor rör sig värdigt. Hon tycker att hon rör sig med dem. Men hon kan inte glida ut ur den ena bilden och in i den andra. Hennes illamående påminner om det man känner när man suttit länge och stirrat på ett korsord. Man känner hur fullständigt meningslös mödan varit. Ljudpinglet ur högtalarna som hon nyss fann behagligt är egentligen pinande enformigt.

Hon skulle vilja tala med någon om det, till exempel med den ganska hyggliga Blenda. Men man kan ju inte tala om att man blir illamående och känner sig instängd av att se på en bild som upprepas. Den ska ju säkert framställa upphöjt lugn. Trygghet. Värdiga former av mänsklig samvaro. Ulla brukar själv ofta framhålla att människan har ett behov av riter. Men om man nu tecknar en tapet med ett landskaps- eller stadsmönster så bör det finnas en väg ut. Blicken vill vandra till nästa. Den vill ha en öppning.

Blenda är rödflammig och uppsluppen. Hon tramsar med Sylvia. Ingen av dem verkar riktigt nykter. När Ullas blick irrar upp mot ceremonitorget igen får hon den befängda idén att det är Rockstalund. Och att hon inte kommer ut.

Men Rockstalund är sålt.

Allt det där är borta. Som i snöyra. Det finns inte.

Det är inte nyttigt att sitta och lyssna till enformig musik och stirra på enformiga bilder. Oda borde komma med Sigge nu. Den här kvällen har hon förstört. Det var pinsamt på Whitlockska. Ulla säger lågt men tydligt åt Kajan: – Jag tycker Oda gick för långt.

Kajan vet inte vad hon ska svara. Ännu efter nästan femtio år kan hon känna sig språkligt osäker.

Oda sa arsel. Eller arsle? Aschel?

Naturligtvis är det mycket vulgärt. Hon vet ingen som säger det. Götz von Berlichingen – leck' mich im Ars! Det minns hon. Men det var i en annan värld.

Det kanske blev ännu värre genom att Oda sa det med öppet a och

129

ett alldeles tydligt r. Finländarna talar ju så. Bor-d. Kor-s. Aapar-sel. Men varför såpat? Nu har Kajan funderat så länge att hon inte behöver svara. Ulla pratar redan med Sylvia om att de ska beställa maten eller fortsätta att vänta på Oda och Sigge. Hon låter militant. Är det vapen eller musikinstrument tapetfigurerna bär? De sticker upp. Det står rader av figurer innanför läktarna. Skyddar de kejsaren i mitten? Kinesiska vapen. Spjut.

Men de är inte lika. Soldater har alla likadana vapen. De här har olika. Det ena och det andra sticker upp. Som ur hopar som slagit sig samman på gatan. Hur kan sådana komma in i närheten av en kejsare? Vrålande hopar med tillhyggen. Pöbel.

Nu vill hon inte se mer.

– Skål, säger Sylvia.

Man sitter så här. Man väntar. Egentligen transporteras man framåt. Ögonblicken har inget särskilt innehåll, knappt någon smak eller lukt. Om inte en aning av upphettad, återanvänd och åter avsvalnad frityrolja. Man sitter. Som på en flygplats. Vi bjuder på en tidning. Varsågod. Eller en matsedel. Man väntar på Rapport eller på nästa buss. Man förs framåt fast man inte rör sig. Mot krematoriet, tänker Sylvia. Av någon anledning skulle hon inte våga säga det. Inte framför Kajan som är så allvarlig. Hon är nästan sträng.

En bit tapet, ett tapetmönster, och några upprepade slingor av bortreasiatiska knäppar och klinganden passerar. Man lever när man tänker. När man ser bilder. I egentlig mening lever man bara då. Bilder transporterar inte. De transcenderar. I varje fall har Sylvia en aning högtflygande föreställningar om möjligheterna till transcendens. Samt ett visst förakt för fysiska förlopp och biologiskt utbyte. Nåja – löje. Kanske inte mer.

Det är löjligt att äta. Löjligt att kissa. Mindre löjligt att sjunga. Minst löjligt att tänka. Ändå tänker hon något löjligt nu:

Om jag vore ett barn och kunde gå rakt in till dig mellan alla dom där människorna med sina spjut eller vad det är och sina stora hattar. Om jag kunde gå fram till dej och röra vid din mantelfåll och känna friden och visheten som strömmar ut ur vecken på din sidenkappa och som ruvar likt en fågel i din krona. Om jag kunde få vara hos dig som ett barn hos sin far så skulle jag gärna ge opp allt det mörka och hetsiga. Om du vill det skulle jag sluta äta. Blodet skulle jag avstå från och makten och girigheten. Giv mej din frid.

Då vänder han sig om och hon ser kejsarens ansikte.

Det är en gubbes. Han har en slapp mun som dreglar. Därinne vänder sig tungan. Den ligger långt framme som en vitgrå fuktig valk. Ögonen är färglösa och rinner. Den där blicken är slocken. Han väntar bara på att bli matad.

Det är klart hon vill skrika.

– Jag har själv varit där, skvalpar Blenda på. Och sett honom dansa eller vad man ska kalla det. Åma sig och stå i.

– Har du!

– Javisst, det är inget konstigt. Det är massor av kvinnor som går dit. Tjejer. Möhippor och sjuttiårskalas.

– Inte sjutti!

– Ja, syjuntor i alla fall.

– Läsecirklar? Diskussionsklubbar?

Blenda frustar:

– Krylundgruppen... oäh!

– Vad pratar ni om? frågar Sylvia men Blenda hör inte.

– Han kom in vid halvettiden, kvällens klo liksom. Dunka dunka och rasp på trummerna. Det är en ganska lång kille. Ljus. Han hade svarta antilopskinnbyxor, ni vet som siden fast av läder, tunt, tunt. En sån där rätt bullig hård stjärt som en del killar har. Muskelbullar.

– Gym?

– Ja, jag vet inte. Och han körde fram bäckenet. Det är ju det som det gäller. Fina biceps. Han fick av sig skjortan rätt snabbt. Svart siden förstås och så hade han hängslen på antiloperna. Det var stort nummer bara när han skulle kava av sig dom. Fast det är skillnad på en bh i alla fall. Ojdå – var det här husets vin? Jaja. Man borde aldrig smaka bra vin. Skål Sylvia. För då blir man bortskämd.

– Hängslena, påminner Sylvia som nu är med igen.

– Ja, hängslena. Ur en bh kommer det fram nånting. Men hängslen. Inte ett hår på bröstet hade han. Det såg rätt kul ut med den där släta huden och så ljuset då. Från rött till grönt till allt möjligt. Violett. Han såg ut som en karamell. Fast själva karamellen fick man förstås aldrig se.

131

Hon dricker, kolkar tycker Ulla, och hon tycks ha glömt syran och metallsmaken.

– Så skulle han i alla fall ta av sig byxorna. Då satte han sig på en stol. Och det hjälpte liksom inte hur han fällde ner ögonlocken och slicka och slicka på läpparna och puta med det ena och det andra – en karl som sitter och tar av sig brallerna är inget vidare sexig. Jag menar då brukar man ju nästan titta bort. Eller blunda lite så där passionerat. Det syns ju att det är krångligt. Två långa byxben tar en stund. Det såg ut som om han just hade stängt av TV:n och skulle gå och lägga sig. Sista ölen drucken, dags att borsta tänderna. Alla hade fnissat och småtjoat hela tiden men nu blev det fart, riktig fart. Dom drog opp musiken för att överrösta tanterna. Det märktes att dom var vana vid det här, byxavdragningen var väl kritiska punkten på showen. Men det gick inte att tysta tjejerna. Dom hade en hel del med sig i handväskerna. Av med braxerna! skrek dom. Haru fastna med stortån? Pusse gull, tare lugnt, vi väntar på dej hur lång tid det än tar. Stressa inte! Och en massa sånt där. Så föll byxorna av till slut och dom såg rätt rörande ut. En liten svart hög. Då spratt han opp från stolen och börja bryta sig väldigt i strålkastarljuset och musiken. Men det hjälpte inte. Dom var riktigt i tagen och skratta och skrek. Det var ingen ordning alls och ingen som var upphetsad heller tror jag. Fast dom fejka, du vet: flås, flås och sådär. Han hade en svart påse framtill för grejerna och den var väl lite uppstoppad antar jag för det såg knöligt ut. Annars var den där tangan bara ett par band över höfterna som löpte ihop och gick in mellan skinkorna. Det såg ut som det skavde. Precis när musiken hade gjort furioso eller vad det heter och han stod med halvslutna ögon och andas tungt, tungt och det var slut då var det en tjej som hojta: du får tvåhundra spänn av mej om du tar av dej fillingarna också! Då vart det gapskratt och då var musiken slut på bandet och han smatt ut. Faktiskt.

När Blenda ropade PUSSE GULL, TARE LUGNT kom Oda in från tamburen. Men de har inte märkt henne förrän nu. Hon är drypande våt i håret. Det är som om hon stod på ett isflak långt borta.

Oda kan inte sova på natten. Hon är tung av trötthet och sitter och vilar i det mörka vardagsrummet för att orka gå igenom proceduren att klä av sig. Då ringer telefonen. Det hinner bli många signaler innan hon når fram till apparaten i hallen. Hon tror att det är Sigge. Kanske vill hon komma och titta på J.A. Krylunds handskrivna protokoll så snart som möjligt. Det kan också vara Ruth Anser som beklagar att hon inte kunde komma till Whitlockska och frågar när nästa möte ska bli. Det kan vara vad som helst, men Oda vill att det ska vara något hoppfullt.

– Hallå!

Det andas. Sen kommer orden. En grötig röst. En man. Hon släpper luren. Efter en stund klickar det till. Sen börjar det ringa igen. Signalerna är annorlunda nu. De har ingenting av klingande hopp. Till slut tystnar de. Då har hon räknat till fyrtiofyra ringningar. Ändå vet hon att hon började först när det hade ringt åtskilliga gånger. Hon känner sig stel och frusen.

Ditt gamla luder.

Först när hon druckit sin varma mjölk med honung och kommit i säng inser hon att hon borde ha lyssnat en stund till på den grumliga och tjocka rösten. Nu vet hon ju inte vad det gäller. Men hon anar.

Det är alldeles omöjligt att sova och hon går upp och vankar omkring. Villorna är mörka. Gatljuset spelar i fönstren. Ibland ser det ut som det rör sig inne i Johans hus. Men det är bara oroliga speglingar av trädgrenar. Blåsten har avtagit. Det kommer då och då en snösky som ser guldbrun ut i gatljuset.

Hon måste sätta upp termostaten. Det är kallt inne. Efteråt blir hon sittande i vardagsrummet. Kanske en timme. Hon har inte tänt någon lampa.

Ditt gamla luder.

Nu ska man ju inte ta sådana ord så dramatiskt. Eller bokstavligt. Språkbruket har ändrats. Antagligen betyder de inte så mycket. Kanske ingenting. Bara att en hjärna blivit nattmörk. Att det skaver och

133

vrider sig någonstans i mörkret. I det nära mörkret tror Oda.

Då ser hon att det lyser i källaren i Krylundska villan. Ett svagt ljus som inte är stilla. Det flämtar eller andas.

Nu får Oda en alldeles oresonlig längtan hem. Inte till Finland, till Borgå eller Helsingfors. Utan hem i tiden.

På tisdan gör Mariella det igen. Det går så fort att fröken aldrig hinner säga nåt.

– Jag mår illa!

Hon håller sig för mun som om hon måste spy och så rusar hon ut. När hon kommer ut på skolgården vet hon inte riktigt vart hon ska gå. Hon har suttit och tänkt att hon ska leta efter Rosemarie. Men var? Hon kommer inte på nåt och det slutar med att hon går hem.

Det är konstigt hemma. Hon vet inte varför. Ibland när hon är förkyld eller när fritis är stängt är hon ju hemma ensam. Men då är det inte så här konstigt. Det är andra ljud nu. Och grått inne. Det kommer från fönstrena, det är snön. Det blir nåt grått ljus.

Hon tar kexen med citronkräm. Först bara två, sen allihop. Sen går hon in i Rosemaries rum. Men hon blir nästan skraj av det. Det är inget särskilt men det luktar inte som förut. Det luktar damm och papper bara.

På nattygsbordet står fotografiet av Harry. Han har klarinetten i handen och en scenkostym med glitter på kavajuppslagena. Det är lite grått i det svarta hårkrullet så det är en ganska ny bild. *To Rosie from Dad with all my Love* står det. Mariella kan inte läsa hans stil men Rosemarie har sagt att det står så. Med alla möjliga bläckslängar.

Hon tar upp alla nallarna och dockorna och kollar dem. De ska sitta mot volangkuddarna på sängen. Rosemarie bäddade på Lucia-morgonen och lutade sina nallar och sina dockor mot kuddarna. Precis som det ska vara. Hon slarvar aldrig med nånting. På sängmattan som är vit och luddig och som de köpte på IKEA samtidigt som Ann-Britt köpte blomsterbordet står Rosemaries tofflor. De är kinesiska, broderade. Inuti är det rött tyg som hon har nött hål på. Rosemarie har nästan aldrig trasiga saker. Mariella kan inte låta bli att peta i hålet och då kommer det upp grå vadd. Precis när hon står och petar i ena toffeln hör hon nyckeln sättas i låset och ytterdörren gå upp.

Jävlar. Ann-Britt har glömt nåt. Nu får hon stämpla in för sent och får avdrag. Sen kommer hon att tänka på hur ledsen Ann-Britt blir om hon märker att hon skolkar. Hon böjer sig kvickt ner och kryper in under sängen, fortfarande med toffeln i hand.

Det hostar till. Grovt. Det där var inte Ann-Britt. Nån går runt i våningen. Kylskåpsdörren slår. Sen knekar det lite från vardagsrummet. Det är skåpet under bokhyllan. Det skramlar till. Likörflaskan. Hon är nästan säker på att nån dricker. Då är det väl Ann-Britt i alla fall. Hon kanske inte vill gå till jobbet. Hon sover ju inte på nätterna. Kanske hon börjar supa. Det gör folk när dom blir ledsna.

Om Ann-Britt stannar kvar hemma så är det lika bra att krypa fram. Hon kan väl inte bli så arg när hon själv firar från jobbet.

Då kommer stegen ut i hallen igen och sen närmare och sen kommer två träningsdojor in. Hon ser dem. De är svarta med gula ränder och spännen vid sidorna. Puma. Ganska nya men skitiga. Stora. Det är en kille.

En kille är inne i Rosemaries rum. Går fram och tillbaka och tar i grejerna. Öppnar lådor. Andas.

Först är hon skiträdd. Sen tänker hon: det är ju bara Rosemarie och mormor som har nyckel. Så då måste Rosemarie ha gett nyckeln till honom. Han ska hämta nåt. Hon är hos honom. Och hon vågar inte visa sig för att hon förstår att vi är så oroliga. Hon tror att Ann-Britt ska bli arg.

Men Mariella kryper inte fram.

Nu står han på sängmattan. Och sen brakar det till och sängen bågnar. Hon fattar det inte först. Men han har lagt sig. Och så bökar det och sängen gungar. Nånting kommer ner och lägger sig på sängmattan. Något gulgrått som rör sig. Hon vill inte se det men vågar inte vända bort huvet. Hon törs inte röra sig alls. Så hon blundar i stället. När hon tittar igen, lite, har det gulgråa rört sig färdigt. Det är alldeles stilla och det sticker ut ett slakt finger ur det. Det är bara en handske av tunt gummi.

Han har eksem tänker hon. Ann-Britt fick ha såna handskar i matan, fast lite tjockare, när hon hade tvättmedelseksem. Sängen gungar hela tiden. Han låter själv också.

Han runkar. Vilken typ.

Han blir stilla ett tag när han är färdig. Men inte så länge. Han plockar upp handsken när han satt ner Pumafötterna på sängmattan. Sen fortsätter han att dra ut lådor ett tag och river inne i garderoben bland kläderna. En galge faller i golvet. Alla ljud är så torra. Mariella har ont överallt av att ligga stilla. Det är konstigt att Rosemarie kan vara med en sån äcklig typ. Hon vågar inte krypa fram. Han skulle bli arg för att hon har legat där och hört honom runka.

Han går sen. Hon hör dörren slå igen men hon ligger kvar under sängen länge. Till slut kravlar hon ut. Hon är alldeles stel. Så fort hon kan röra sig springer hon på dörren och sen alla trapporna ner. Hon vågar inte ta hissen. Tänk om han står i den när den kommer upp.

När hon kommer ut springer hon hela vägen till busshållplatsen.

I skolan säger hon att hon blött näsblod också, för säkerhets skull. Fröken stirrar förstås. Men hon säger inget särskilt.

Farsan har en bäddsoffa i köket. Den har hängt med sen skilsmässan då Sigges mamma gifte om sig och flyttade till Gävle. När Sigge kom och hälsade på honom skulle hon sova i bäddsoffan. Nu ligger hon där igen. Det är stängt in till farsans rum och hon hör syrgasapparaten susa. Han har kopplat på den stora nu, den som står vid sängen.

Innan han gick och la sig tillbringade han lång tid i badrummet och hade då med sig den portabla apparaten. Hon hörde kranar brusa. Ibland var det tyst som om han vilade sig.

Sigge ligger och tänker på hur det var före tjugo i sju. Hur hon tänkte och trodde.

Disputation. Arkitektexamen. Ett eller två barn.

En beskedlig utopi. Fast verkligheten hade redan inträffat: två aborter. I det blacka nattljuset i köket minns hon dem med stor tydlighet. Det är inga dramatiska minnen. Bara grå.

Farsans utopi var politisk. Hon vet inte om den havererat eller bara stilla avtagit.

Oda säger att när utopierna havererat finns hoppet kvar.

Farsan går i badrummet fast han knappt kan stå på benen.

Den som hoppas tvättar fötterna och begraver sina döda. En hoppfull människa förhåller sig värdigt till tillvarons sammelsurium (tror Oda!); hon borstar tänderna.

Vad är hoppet för nånting? Kemi? Och vad hoppas farsan på?

Nu är klockan fyra. Gör det ont? Knappast. Det gör inte ont i stora hål.

När klockan går på sex fryser hon om fötterna. Länge trodde hon att Janne skulle ringa till farsan och undra om han har sett till henne. Men det gör han inte.

Han knullar antagligen.

Knullar som han aldrig gjort förr. I varje fall inte med mig. Mina bleka ben. Jag som alltid ska opp tidigt.

Jag är nog inte så sexuell heller. Normalt trodde jag. Men vad är det? När man jobbar till exempel. Och efter aborterna.

De där gråa historierna kommer igen. Den första var koksalt. Håglös väntan och sen smärtsuget i korsryggen. Sövningen. Uppvaknandet.

Det sitter ju inte precis nån där med blommor. Och så får man åka hem och det går ju inte att prata om det som nån sorts sorg heller. Inte som nånting.

Bara gråhet.


Klockan halv sju stiger hon upp och går ut med Sickan. Hon får gå ända ner till Liljeholmsbadet innan det blir något av. Därnere mot vattnet finns det grässluttningar under snön. Badet ligger infruset på sin pråm. Det är mörkt och strömmen av billjus rör sig flimrande och töcknig uppe på bron.

Om badpråmen hade hittat en svart ränna i isen och letat sig ut. Om den varit borta denna gråsvullna morgon. Många skulle ha blivit utom sig. Svärmat omkring på stranden. Pratat. Hyttat med nävarna mot ödet eller myndigheterna. Deras lilla bad. Det gamla gråa träet och den mjuka värmen. Det lena vattnet, rösterna och omslutenheten.

Så lyckas Sigge se det några ögonblick. Se sig själv som en bland många svärmande, pratande, hyttande människor berövade sin – rätt?

Nåja. Ett upphöjt perspektiv är det i alla fall.

Sickan står på sina smala krokiga ben som en liten antik möbel eller bekvämlighetsanordning. Ett bokställ, ett tvättfat. Långt därnere på marken där inget oceaniskt örnperspektiv råder. Där var och en tar sin smärta och går hem med den.

Liljeholmsbadets pråm är inte fast infogad i isen. Dess kropp är varm, den rör sig eller skulle kunna röra sig i en handsbredd ännu inte stelnat vatten. Sigge ser på sina kängor när de traskar i modden och på Sickans ärrade högeröga, det som aldrig går upp. Ögat gör inte ont. Det finns ingen smärta i den där trasiga ögongloben. Inte nu.

Hon måste gå tillbaka till farsan. Det här kunde ha varit en stund. Det råmar bilar. Sjökor på en namnlös och avlägsen strand. Men det är ingen stund utan en knyckig förflyttning. Hon måste undan. Och så måste hon tänka logiskt.

139

Farsan sitter vid köksbordet när hon kommer tillbaka och tevattnet susar. Han säger att han mår alla tiders nu och att hon kan sova hemma i natt. Då förstår Sigge att han trott att hon övernattat hos honom av oro för hans ömkliga tillstånd på Whitlockska. Hon vet inte ens om hon la märke till det.

– Har Janne ringt? frågar hon.

Det har han inte.

Om han vore död. Då skulle jag åka hem till en tyst lägenhet. Röja ut garderoben och bokhyllan och skrivbordslådorna. Packa ner datorn med Easy Caden. Sätta ihop en annons. Kors, blomma, mås eller segel? En vers.

– Vad tänker du på? säger farsan. Då skäms hon.

En sak är klar. Hon vill inte höra farsans synpunkter på S.A. Idhahl. Och hon måste ut till firman.

När hon kommer till Dalen har molndusket drivit undan. Ljuset spolar genom huskroppen. Halvtömd och med alla skavanker och sjaskigheter blottade är den ännu oangriplig. När Sigge öppnar altandörrarna fladdrar gardinerna ut som Nikes klädnad. Morgon och vinter. Här fanns drömmen om ett förnuftigt liv som också var ett liv i nödvändig skönhet.

Hon står och ser på stuckaturkrusidullerna i taket. Det borde göras rent. Innan vi flyttar borde vi koka ur villan som man kokar avlagringarna ur en tekittel. Lämna skönheten som en möjlighet att börja om med.

Lotar har inte kommit, kom inte på hela eftermiddagen i går. Han ska köra grejor till GLOBECOM och till Fehzéns nya mysbo med äggskalsfärgade skinnmöbler. King Caben står inte på gården. Ingen har trampat snön på trappan eller altanen. Men framför källardörren konstigt nog. Hon börjar packa igen.

Jag ska inte tänka. Om jag tänker ska jag tänka logiskt.

Halv tolv kommer Adam Oxehufvud. Han luktar linneskåp när han sveper förbi. Gör en pusshärmning med läpparna.

Men han har aldrig kladdat. Faktiskt inte. Fehzén stod förstås snart med kuken i hand när hon kom in för att ta en diktamen. Hjälpa lilla ponken lite. Vara lite snäll. Kleenex på skrivbordet. När han ingen hjälp fick vände han sig mot väggen med sin Kleenex, skakade till några gånger som om han fått ström genom kroppen. Då var hon redan på väg ut genom dörren.

Det är klart hon skulle ha berättat det för Adam. Ställt villkor: ta ut den där schimpansen eller jag går. Och så hade hon fått gå. Först skulle han förstås ha förklarat för henne att det inte var nåt att bry sig om.

Det är så många snirklar och krokar på livet. Och omständigheter. Därför går man inte. Och därför ska hon inte tänka nu, bara packa. Och Janne är ju ingen masturberande schimpans. Janne är proper och sympatisk. Han kanske till och med är kär.

Inte tänka.

Sen kommer Ove Fehzén. Adam och han stänger in sig på Adams kontor. De delar väl de sista slamsorna av imperiet nu. Efter tjugo minuter ber de om kaffe.

Hon brygger kaffe. Känner något.

Tänk om jag är arg?

Det är som att smaka på en okänd dryck. Arg?

Då kommer Fehzén ut med Adam. De är klara. Ove säger adjö. Räcker fram sin mjuklabb och tackar för de gångna åren.

– Hejhej, säger Sigge som inte behöver låtsas något längre. Och glöm inte dina Kleenex.

Fast det fattar han inte. I Adams ögon blänker en undran. Men bara en kort sekund. Sen säger han att han ska till Kina. Ikväll.

– Du är väl inte klok! Vi ska ju flytta.

– Jag vet. Men allting händer där nu. Och snabbt som fan. Jag menar dom ska ha allting. Fattar du? Systemena. Multimedia. All kommunikation, allting. Det är bara att ösa Sigge. Så jag sticker.

– Såvitt jag förstår bygger det där på att dom har råkapitalism i ett totalitärt system där ingen får mucka ens om fabrikstaket ramlar ner över dom. Över fjortonhundra...

– Sigge lilla. Var inte så hemvävd nu. Greja det här är du gullig. Vi måste ut ur villan, kommunen står och flåsar. Den femtonde är i morgon!

– Lotar är inte här. Han var inte här igår heller, på eftermiddan. Han har inte ens ringt.

– Det är okej. Lotar kommer inte mera.

– Är du vansinnig! Tror du att jag ska bära alla dom här...

– Budfirma raring. Budfirma. Ta det lugnt nu Sigge. Och Lotar har du aldrig gillat. Vi ska skaffa en ny Lotar, nej fan det behöver vi inte. Dom har bud på GLOBECOM. Lotar är vi faktiskt befriade från.

Det är konstigt. Adam är annars inte den som går hårt fram och kickar folk från den ena dagen till den andra.

– King Caben då? Var är den?

Nu ser han faktiskt störd ut.

– Det ordnar sig.

– Var är King Caben? Han stack ju i den igår. Ska han inte lämna tillbaks den?

– Det är klart han ska. Men vi ligger lite lågt nu när det är så körigt. Om du grejar en budfirma...

– Jag stöldanmäler King Caben.

– Det gör du inte.

Det är åtminstone besked. Och innan han sveper iväg ger han henne NK-kortet:

– Mammas julklappar. Sigge raring!

Nå, det är ju rutin vid det här laget. Jul och födelsedag. Hon har faktiskt redan funderat på i vilken stil det ska gå. Stickat silke. Gräddfärgat eller nånting åt oliv. Adams mamma heter Ginette och är född amerikanska. Sigge har aldrig sett henne. Eftersom det inte kommit några klagomål på valet av blusar, sidenschaletter och cardigans så antar hon att färgerna passar. Eller också lägger hon bara undan alltihop. Det har hon ju råd till. Hon är dotter till en koncern som gör mjuka söta skära vita och ljusblå godsaker för en hel värld. Till jul har deras marshmallows formen av änglar. Ibland köper Sigge svarta oliver i lerkrus från Provence och skickar med. Skrynkliga och skarpa. Det är nog inte alltför svårt att träffa rätt.

– Halv fem?

Det är det sista hon hör innan ytterdörren smäller igen.

Hon packar ur sitt eget skrivbord och lägger innehållet i en pappkartong. Där finns Tippex från stenåldern. Hon minns hur hon satt och målade över sina felslag i breven. Nu är misstagen elektroniska och när de är utplånade är det som de aldrig hade begåtts. Då avsatte de vitt tjockt kladd som hon fick lägga på med en liten svamp på ett plastskaft. Verklighet.

Tampax, kex, hundgodis, extratrosor, strumpbyxor i 3-pack för 49 kronor. De tre Krilonromanerna kommer upp. Här har hon dem i Delfin Extravolym.

Sju herrar under en stjärnehimmel. För den dagliga kollen. Och lusen har suttit tätt på Krilon när hon farit med naglarna över hans ädla huvud. Mognadens löss och gnetter. Särskilt den ur smärta pressade och filtrerade livsvisdomens.

Den hjälper henne inte att uthärda ensamheten i den halvt utrymda villan. Vintereftermiddagens kyla tar sig in genom springorna i altandörrarna. Skymningen suger färg ur ansikten och husgavlar. Hem vill hon inte heller. Där finns sängen, svekets öppna famn. Kanske ännu med en fadd lukt av de flåsande kriminella mödorna.

Det är brottsligt att göra som Janne gjort. Det visste hon inte för ett dygn sedan. Men då hade han ännu inte gjort det.

Eller hade han det? Vad har han haft för sig när han säger att han varit ute.

Ute?

Det värsta är att Sigge känner sig komisk. Knackad i huvet, lårbenshalsen knäckt, väskan ryckt. Ett komiskt brottsoffer.

Bortilandets tid är det. Bort från smärtan. Hän mot livsvisdomen.

Det är så banalt att det är komiskt. Miljoner människor knullar fel partner just nu. I fel säng. Eller på fel parkeringsplats. Miljoner människor blir svikna. Man blir inte vis av det. Man blir en annan. Man kränger sig ut ur sig själv och i bortilandet är man några timmar (dagar? månader?) utan skinn. Fuktiga hinnor bara. Sen blir man en annan. Kanske med en ädel uppsyn.

Jag vill att det ska gå fort. Jag vill bli en annan fort.

Kajan vet ju precis vad Oda vill att de ska diskutera. Och hon vill inte gå dit. Nej. Hon törs inte.

Det kan inte vara sant. Och är det sant (vad är det som gör en känsla sann?) så måste det vara fråga om en oförnuftig rädsla, en som hon inte vill ha. Fast vilken rädsla vill man ha?

Kajan är en förnuftig och korrekt person. Hon har den uppfattningen om sig själv och hon delar den med andra vilket är ovanligt. Ändå visar hon i uppropsfrågan en oförnuftig och ogrundad rädsla. Hon vill inte tala med någon om den, inte argumentera och inte heller komma med påhittade undanflykter. Ingen av de andra ska inom sig häpet få konstatera: Kajan är rädd.

Nu är hon det. Det är att likna vid en sjukdom. Inte så dramatisk. Den överlevs. Hon vet ungefär hur hon ska göra för att överleva den här gången också.

Den börjar med att grumliga och oroliga tankar stör hennes nattsömn och gör henne tankspridd och glömsk. Hon börjar handla mat och proppar kylskåpet fullt. Hon inser förstås att det är irrationellt att handla mer mat än hon kan äta upp men hon slutar inte. På natttygsbordet lägger hon en ficklampa. På stolen lägger hon en varm tröja och ett par yllekalsonger. Varför inte? Om det nu ger henne lindring, om hon kan sova först när hon har en ficklampa och varma kläder framlagda alldeles intill sig. Det är ju oskyldigt, det skadar ingen.

Värre är det när Oda envisas med att ringa och övertala henne. Jag är förkyld, säger Kajan. Jag kan inte gå ut. Men Oda pratar och pratar och det uppstår en torrhet i Kajans mun, en hinna av svett under brösten. Det är obehagligt. Hon vill helst vara ensam nu eller alldeles anonym i en folkmassa. Men på eftermiddagen springer hon på Ulla Häger på Norrmalmstorg. De är båda ute med bössor. Ulla har själv börjat vackla och vill egentligen inte gå till Oda på kvällen.

När Kajan varit hemma en kvart ringer det på dörren. Oförberett. Hon har ingen aning om vem det kan vara. Hon står i dånet från tra-

144

fikleden från Tranebergsbron och för en gångs skull hör hon det här-inne. Hon hör det därför att det hindrar henne att uppfatta ljud från andra sidan dörren. Ringningen skär igenom dånet. Svetten ström-mar. Munnen torkar upp.

Hon törs inte titta i dörrens kikhål. Hon är rädd för vad hon ska få se. Men när ringningarna upphört vågar hon sig fram till vardags-rumsfönstret och hon står bakom gardinen och ser Ulla Häger gå mellan träden i parken ner mot tunnelbanan. Hon stannar och tittar upp mot Kajans fönster.

Senare på eftermiddagen när darrningarna och mattheten gett med sig ringer Kajan till Ulla. Hon vill vara vänlig och naturlig mot henne. Men Ulla svarar inte.

Hon såg mig nog, tänker Kajan. Hon skymtade mig bakom gardi-nen.

Men hon måste förstå, nej hon måste lära sig att vi ska lämna var-andra i fred. Det måste vara en viss distans i diskussionsgruppen. Inte som en syjunta där man ger varandra förtroenden som man sedan ångrar.

145

Ulla Häger läser ibland andra människors tankar. Inte alltid. Men några timmar, ibland upp till ett dygn är det som om hon hade en liten radiomottagare i hjärnan. Hon skulle naturligtvis inte tro på det (och hon tror inte på det heller) om det inte vore så att hon fick det bekräftat. Folk säger ofta precis vad de tänker och Ulla kan inte undgå att märka att det stämmer med vad hon nyss hört inuti sitt eget huvud. Det är löjligt.

Ibland vet hon var saker finns fast ingen annan vet det. Då ser hon dem inuti sig. Hon ser dem i en viss omgivning som hon kan beskriva fast hon aldrig sett den förr. I skolan frågade man henne ofta om saker som kommit bort eller blivit stulna. Det gällde cyklar och en gång en plånbok med flera tior i. När hon började realskolan slutade hon att svara. Det hände fortfarande att hon visste när någon frågade. Men hon tyckte inte att det hörde ihop med Rockstalund, med det nya livet. Det hörde mer ihop med folkskolan. Med lukten av barn som inte bytte kläder så ofta.

Så hon sa att hon inte kunde se något också när hon gjorde det. Utom en gång för då var det en stövare som fastnat under harjakt och hon tyckte synd om honom.

Alla som känner Ulla har den uppfattningen att hon har växt upp på en liten sörmländsk herrgård. Rockstalund ligger på en kulle med en näckrossjö nedanför. Mangårdsbyggnaden är av trä, byggd under tidigt artonhundratal. Ett slags sparsam Karl Johan dröjde sig kvar också inomhus när Ullas pappa köpte stället.

Hon har inte alls växt upp där utan på Jungfrugatan och Styrmansgatan och i Lärkstan och på två ställen på Norr Mälarstrand. Hennes föräldrar flyttade mycket, de snurrade runt ungefär som man gjorde på Strindbergs tid. Fast det här var efter första kriget. Ulla är född 1923. Senfödd. Hennes pappa var över femtio och verkställande i en bank som gick mycket bra. När han närmade sig sextiofem började han planera för att dra sig tillbaka och köpte Rockstalund.

Novemberdimmor dolde sjön när Ulla kom dit första gången.

146

Hon gick ner till den sanka stranden och såg att näckrosblad sjunkit under ytan och blivit bruna. I stillheten märkte hon att bryggan och ryssjestörarna stod och ruttnade. En ruta hade spruckit i det lilla badhuset av grått trä. Inne i den annars omöblerade salongen murknade en ospelbar taffel. Det var möss i trossbottnarna. Hon kunde höra dem springa.

Andra tidsrytmer än de mänskliga störde henne här för första gången. Hon kände sig beklämd. Eftersom hon inte förstod varför, förklarade hon sin motvilja med sådant som hon och hennes mamma kunde förstå: mössen kunde bygga bon i byrålådorna om man glömde att stänga dem. Det vore obehagligt om de tog sig in i skafferiet.

Hon fick åka skolbuss på leriga och gropiga vägar för att gå i realskolan i Katrineholm. Hennes syskon klarade det. Men Ulla fick sluta i tredje klass och börja i Klostret, det åttaåriga flickläroverket i Norrköping. Det var ett uppror förklätt till usla betyg. Hon blev inackorderad och slapp Katrineholm och Rockstalund åtminstone i veckorna.

Men sen dog pappa. Det var precis som i en otäck Hedbergroman hon läste. Det ringer på telefonen. Frun lyfter luren. En röst:
– *Grosshandlarn dog nyss.*

Fast i romanen var det en dagdröm i ett äktenskapshelvete. Bankdirektören som var Ullas pappa dog i verkligheten.

Rockstalund såldes bort men efteråt berättade Ulla ofta om det. Om det sörmländska landskapet. Om friden och dimmorna. Om slädfärderna till julottan. Om herrgårdslivet bortom tiden och vansinnet och sorgen.

Ulla är fullt klar över att hon inte växte upp på Rockstalund. Hon är lika klar över att de flesta som känner henne nu tror att hon gjorde det. Att hon är en sörmländsk herrgårdsflicka. Att det finns något tidlöst kultiverat hos henne. (Det gör det också.) Rockstalund är en del av henne. Det finns i hennes inre. Därför tycker hon om att berätta om det.

Ulla inger lugn när hon talar med folk. I åratal var hon jourhavande medmänniska i telefon. Hon lyssnade på förtvivlade och ofta berusade människor. Det var sådana som var misshandlade eller besatta av tanken på självmord, människor som stod i begrepp att döda eller sådana som inte vågade gå ut, som hade stulit, som hade önskat livet ur sitt barn som sedan dött, som var otrogna eller svikna eller lurade på pengar eller dödsdömda i sjukdom eller inbillade sig att de hade hjärntumör eller var utsatta för förföljelse, som mobbades, som hade telefonkataloger tätt uppspikade över hela innertaket mot strålning.

När hon anmälde sig som frivillig till telefonjouren ingav hon misstro. Ulla tycktes inte ha någon livserfarenhet.

Hon hade växt upp i en värld av merkantila dispositioner på vars kroppsdoftande insida hennes mamma levde med sina lavemangskannor. Det var kanske ett gott liv. I varje fall var det bättre än det liv som kom sedan. Banken slogs ihop med en annan bank och förlorade sitt namn när Ulla gick på Påhlmans handelsinstitut på Sveavägen. Hennes mamma fick gråtkramp av sorgen efter pappan och hade svårt att andas. De hamnade på Jungfrugatan igen men där störde mammans skrik grannarna. Ulla fick avbryta sin sekreterarutbildning. Hon fick i alla fall plats på den stora banken. Hon satte fram vichyvatten och kaffe, hon såg till att det fanns blommor i styrelserummet. En tid var hon i arkivet. Det var när hon började kunna gå hemifrån nästan varje dag. I varje fall några timmar. Det blev bättre när hon blev ensam. Mamma dog i cancer tolv år efter pappa.

Mamma hade sagt att Ullas arbete var en sinekur och att hon till skillnad från sina syskon aldrig lyckats fullfölja någonting. Det var kanske sant.

Hon fick alltså livserfarenhet fast hon mödade sig om att den inte skulle märkas. Mamman, vars hämningar en gång för alla var uprivna av den vanvettiga och orättvisa sorg som drabbat henne, sa också att hon aldrig skulle bli gift. Hon var för mager.

Där hade hon fel. Ulla skulle till och med skaffa bil. Det gick till på följande sätt:

I slutet av sextiotalet for hon på ett treveckors julfirande till Teneriffa.

Den prasslande bougainvillean blommade på husväggarna. I den svenska kolonin skaffade man stora cederkvistar som man klädde till julgranar. Man bryggde glögg och hade luciafirande i närheten av det uråldriga drakträdet i Icod.

I Puerto de la Cruz där hon bodde blev hon snabbt upptagen bland de bofasta svenskarna. Här fanns Kalles Kaviar och Skånebrännvin i Torres livsmedelskedja. Oxfilén kostade som falukorven hemma och luften var ljum. Ekonomiskt insiktsfulla personer varnade henne för att hennes fars- och morsarv snart skulle ha dragits in

148

till staten i form av skatter om hon fortsatte att vara bosatt i Sverige.

Det var en underlig nästan skrämmande känsla Ulla hade när hon till hösten samma år undertecknade de papper som gjorde henne till utlandssvensk. Rockstalund, inte snöyran, det frusna vattnet och mössen bakom tapeterna utan hennes inre Rockstalund gjorde uppror inom henne. Men svagt naturligtvis.

Hon gifte sig fyrtiosju år gammal med en kraftkarl från Sundsvall. Han var inte förre chefen för SCA:s markförvärvsavdelning som hon trott före vigseln. Ulla var ju inte heller någon riktig herrgårdsflicka. Det fick hon nu kompensera genom att köpa en Volvo och importera den per båt från Sverige. Maken hämtade den i Göteborg och körde ner den till Cadiz.

Men innan dess hade något mycket skrämmande skett. Kolonin var samlad till bröllopsmiddag efter vigseln i Engelska kyrkan. Av syskonen hade Ullas bror kommit från Sverige. Det gav anledning till att tala om det usla tillståndet i landet. Snart nog talade man om Olof Palme. Det är möjligt att Ullas bror, som i alla bemärkelser var en moderat man, blev lite generad över ordval och temperatur i utsagorna. Han sa att Olof Palme i alla fall härstammade från baltisk adel och hade gift sig med en Beck-Fries; förmodligen skulle hans gener hindra honom från att sälja ut landet till Sovjet.

Ulla förstod att det skulle vara ett överslätande skämt. Hon kände sin bror. Men den man som sedan några timmar tillbaka var hennes make fick hög ansiktsfärg och höjde rösten till ett vrål. Ulla blockerades av genans och uppfattade inte meningsutbytet. När maken började jaga hennes bror genom huset och ut i trädgården med en jaktkniv i handen trodde hon omväxlande att hon skulle svimma och att hon drömde. Manliga bröllopsgäster, lika berusade som hennes make men inte lika koleriska, lyckades få in brodern i en bil och köra honom till hans hotell.

Maken tog nu jaktkniven och skar upp en papaya med den och förklarade att den var oumbärlig i äktenskapet. Alla visste vad papaya var bra för och det blev skratt. Ulla kände sig oroad. Hon trodde att hon under den bråda fästmanstiden på tre höstveckor hade gjort klart för honom att medelålders människor inte ingår äktenskap under samma förutsättningar som yngre.

Hon hade nog inte tänkt sig ett vitt äktenskap. Men egentligen hade hon inte tänkt sig in i saken alls (eftersom hon inte kände myck-

149

et till den) men hon föreställde sig en naturlig återhållsamhet, ömhet och kanske finess. Hennes kropp var lite åldrad och skör. Åtminstone kände hon det så.

Maken gjorde klart för henne att han var en make med en sådans rättigheter så snart de blivit ensamma. Det värsta var att han skrattade åt henne. Stor och hårig tumlade han runt och lyfte hennes ben och särade på dem och slog henne i stjärten och sa att hon var en sjåpagås och en fjaskpella. Han luktade sprit och tobak och det kom pustar från de vitlöksgriljerade hummerstjärtarna ur hans mun. Hon undrade om han var hjärnskadad.

Han blev våldsammare och uppsluppnare ju mer hon försökte värja sin värdighet och sin uppfattning om ömhet och finess. Hon kom uttumlande ur bröllopssängkammaren med blåmärken på hakan och bristningar i vagina. På efternatten satt hon under papayaträdet och frös. Hon hörde hans snarkningar genom stängda fönster och dörrar.

Hon var inte bara skrämd utan också djupt ångerfull och skamsen över det hastiga beslutet att gifta sig. Hon var glad att inte mamma levde. Bilinköpsresan till Sverige gav henne respit. Hon tänkte att det skulle bli lugnare när maken kom tillbaka med Volvon.

Då gjorde de vad de kallade sin bröllopsresa. Han var nykter och saklig när de for upp mot Tejde i den nya bilen. De bodde på paradoren och såg Pico de Tejdes vita pimpstensfläck från matsalsfönstret. På eftermiddagen körde de ut på ökenplatån. Maken skulle lära Ulla köra bil. Efteråt ringde han ner till en vän i kolonin och berättade att hon tamejfan hade hela jävla öknen att köra rakt fram eller åt vilket jävla håll hon ville i och ändå lyckades hon fanimej köra rakt in i det enda jävla klippblock som fanns och fantamej kvadda nya Volvon så att hela jävla fronten gick åt helvete.

På natten fick hon höjdsjuka. Hon kunde naturligtvis inte tänka men hon visste att äktenskapet måste upplösas.

Det var hennes instinkt som sa henne detta. Den hade inte fungerat när hon sa ja till hans frieri. Hon hade umgåtts med honom i veckor utan att höra att vart tionde eller åttonde ord i hans utsagor var fan, jävlar eller helvete. Hon hade trott att han var kultiverad och gediget förmögen och dessutom tryggheten och hänsynsfullheten personifierade.

Men en smula bullrig.

Hon smakade på dessa ord som hon både tänkt och sagt. Hon låg med hjärtklappning och torr mun, som hon mycket väl visste kom av bristen på syre på den höga höjden, och hon förfärades över den belägenhet som hennes illusionistiska tänkande försatt henne i. Hon kände sig inte sviken av livet utan av sin instinkt.

Hon kom alltså att ha mycket att samtala med människor om. Men hon anförtrodde sig aldrig. Hon blev i stället den som man anförtrodde sig åt.

Hennes egendomliga förmåga att då och då kunna höra tankar ur andra hjärnor inne i sitt eget huvud var inte till särskilt stor hjälp när hon samtalade med främmande och olyckliga människor i telefon. Visst hörde hon ibland en tanke som gjorde en utsaga till en ren och skär lögn. Men ofta hade hon vetat det ändå.

Hon visste inte om hon egentligen gjorde någon nytta. Nog förstod hon att hon några gånger lyckats åtminstone uppskjuta ett självmord. Men hur det gick i längden fick hon ju aldrig veta. Misshandel och övergrepp hade hon föreställt sig som besynnerligheter bland en särskild sorts olyckligt lottade människor med låg social ställning. Hon fick ändra på den uppfattningen. Men hindra övergrepp kunde hon naturligtvis inte. Det var ju inte misshandlarna som ringde, det var deras offer. Om någon av bödlarna hörde av sig var det efter offrets död. Sådana människor, uppfyllda av självömkan, var de svåraste att tala med.

En gång hade hon sagt till Oda Arpman att hon inte trodde att hon gjorde någon egentlig nytta i sitt arbete som jourhavande medmänniska. Oda sa:

– Men du finns ju där.

Så enkelt kunde det förstås sägas och Ulla skämdes över sitt högmod. Hon skulle sitta i ett kontorsrum med lysrörslampa över skrivbordet och lyssna till röster utan ansikten. Hon skulle finnas där, ansiktslös hon också.

I samtalen hade hon ibland nytta av det hon upplevt. Men sällan av sin besynnerliga förmåga att veta det som egentligen var ovetbart.

Hon bryr sig vanligtvis inte så mycket om den. Den har ingen relevans i den värld hon nu en gång lever i. Det är bara när hon blir orolig och inte vet hur hon ska klara ut sina egna problem som hon tänker på den. Då kretsar tankarna oupphörligt kring det obevisbara. De blir som en klåda.

Gud vet om det är tankar.

Då har det hänt att hon gjort något som hon skäms en smula för. Det är irrationellt och hon vet inte ens vad hon vill få ut av det.

Nån gång har hon gjort så. Ibland. Så tänker hon om det. Men det är många gånger. Hon kan genomskåda sig själv på samma sätt som hon under de långa telefonsamtalen genomskådade en ansiktslös avvikare som kretsade och kretsade kring det han aldrig gjorde eller bara ibland eller ytterst sällan gjorde och då bara i en mycket mild, nästan skämtsam form.

Men hon gör det. Hon letar sig upp för trappor, läser på skyltar, ringer på dörrklockor och halvt ångrande är hon på väg ner igen när ljudet av steg inifrån till slut hörs.

Någon öppnar. Den här gången en man. Det har hon inte tänkt sig. Hon är på väg att vända när han frågar något. Han är snuvig eller också har han en besynnerlig brytning. Sen förstår hon att han bara öppnar för besökarna och tar emot dem. Kanske vaktar han. Ett ögonblick föresvävar henne närheten till våld. Men det är väl inte möjligt? Att en sådan kvinna skulle utsättas för – ja vad? Överfall?

På sitt snuviga sätt frågar han om hon har beställt tid. När hon svarar att hon inte har gjort det, säger han att det går bra att sitta ner och vänta.

– De gå ba. De gå ba, upprepar han entonigt. Kanske har han ett talfel? Han sätter sig i rummet innanför hallen som är möblerat, övermöblerat, som ett vardagsrum och tar på sig hörlurar.

Ann-Britt har en lapp i handväskan. Den är gul. Hon hade den med sig när hon kom från jobbet igår kväll. När hon har ätit smörgåsen och slagit upp en kopp kaffe till går hon efter telefonkatalogen och tittar på kartan därbak. Mariella begriper på en gång att det är nåt om Rosemarie. Det hörs när hon andas.

Hon rör och rör i O'Boyen och Ann-Britt säger drick nu, hördu och jag begriper inte att nån kan dricka kall choklad på morron. Det säger hon alltid. Allting hon säger på morron är bara en massa mutter som knappt hörs när hon vänder ryggen till. Nånting slår på fönstrena. Regn eller snö. Kanske regnar och snöar det värre så här högt upp. Det är nära till himlen.

Sen går Ann-Britt fram till köksbänken och tittar på lappen i handväskan. Hon vänder ryggen till. Mariella gav henne ett block med gula lappar i födelsedagspresent. Det var en katt på. I julklapp ska hon få ett med skära lappar och en papegoja på. Det finns turkos med en hund också. Om Rosemarie har kommit hem då. Visst blir det jul, sa Ann-Britt igår. Det blir det ju alltid. Fast hon sa inget om Rosie.

Det här är en annan lapp, en som inte kommer från blocket. Den är trasig. Hon har rivit av den nånstans. Nu lägger hon ifrån sig handväskan och går på toa. Hon går alltid en stund efter det att hon druckit kaffe och då är hon borta ett tag så Mariella skulle kunna ta handväskan och titta efter vad det står på lappen. Men det gör hon inte.

Om det står nåt om Rosemarie så borde den som har skrivit lappen ha gått till polisen. Kanske vill han ha pengar? Men Ann-Britt har inga, i alla fall inte mer än hon måste ha och handla för. Eller så har Rosemarie själv skrivit lappen. Hon är kanske fånge och har smugglat ut en liten lapp. Hon är hos en spion. Det är en knarkliga. Det är en kille, en som är konstig, han har fångat henne och håller henne inspärrad. Hon har smugglat ut lappen.

Men då kunde hon ju ha ringt hem i stället.

Ann-Britt stoppar den gula lappen i plånboken. Det kanske är ett telefonnummer på den. Hon tänker ringa från jobbet. Det är nog för att Mariella inte ska höra vad hon säger. Men sen kommer hon att tänka på att det var kartan som Ann-Britt tittade på i telefonkatalogen. Då blir hon rädd. Det kommer när de står i hissen och hon stirrar på Ejes tag, halvt bortskrapad och på knapparna som är brända med cigarrettglöd så att siffrorna smält bort och det har blivit en brun grop. Ann-Britt ser på sitt ansikte i spegeln och pressar ihop läpparna för att jämna ut läppstiftet. Hon gnider sig på kinderna med angoravanten för hon är alldeles blek. Det är väl för att det är vinter. Men hon kanske är rädd hon också. Då kommer magvärken tillbaka. Mariella viker sig och drar in luft. Läpparna har hon pressat ihop till en strut.

– Låt bli och gör grimaser, säger Ann-Britt.

Mariella går inte till fritis på eftermiddan utan åker in till Slussen och går på Konsum och tittar tills klockan blir tio i fem. Då springer hon i modden ner till Skatteskrapan och ställer sig vid rätta utgången. Det kommer matlukt ur en ventil, samma lukt som ur Ann-Britts hår när hon kommer från jobbet. Ibland går det att känna vilken maträtt det är.

– Mamma, jag vill följa med! säger hon så fort Ann-Britt kommer ut. På Konsum gick hon och tänkte på lappen och vem det var som Ann-Britt skulle åka till och det gjorde ont i magen hela tiden, det kom riktiga körare. Hon står och drar upp för hon har blivit snuvig. Då skrattar Ann-Britt lite. Det är nog för att hon sa mamma. Det brukar hon inte. Ann-Britt tar hennes hand och så börjar de traska mot tunnelbanan.

Det verkar som de ska fara hem, men när tåget kommer till Skogskyrkogården säger Ann-Britt att de ska gå av. De går upp på Sockenvägen och går tills de kommer till ett gult hus. Ann-Britt frågar om Mariella inte kan vänta på gatan. Men det vill hon inte. Hon släpper inte Ann-Britts hand.

– Det är inget farligt, det är bara en tant. Kan du inte vänta här ett tag?

Mariella får följa med upp i alla fall och magvärken släpper lite när Ann-Britt ser ut som om hon ville skratta åt alltihop. Då kan det väl inte vara farligt.

Hon får själv ringa på dörrklockan och det blir en massa rassel och pling när dörren öppnas. Det är en sorts draperi av bambusnoddar och ett klockspel.

– Det är nog kinesiskt, hinner Ann-Britt säga. Och sen står det en lång och silverhårig gubbe i dörren och Mariella ryggar baklänges men Ann-Britt håller fast hennes hand och skrattar lite ursäktande.

– Ädde tidd bestädd? frågar han. Ann-Britt vet inte vad hon ska svara först och då frågar han igen:

– Ädde tidd bestädd?

– Nej, säger Ann-Britt.

– De gå ba, de gå ba, säger han och visar på soffan under fönstret.

– Det är en tant jag ska träffa, viskar Ann-Britt när hon tar av sig kappan och den långe som ser ut som en president hänger upp den på en galge åt henne. Han säger ingenting mer. Det luktar damm och lite kattkiss och innanför hallen är det ett rum som är fullt av möbler och kuddar och vaser. Allting är gammalt. Mariella har aldrig sett så gamla saker i ett rum som nån bor i.

– Vi får nog vänta ett tag, säger Ann-Britt och så sätter de sig i soffan som är grön med bruna noppror. Ann-Britt ler mot presidenten som om hon vill ursäkta sig men han märker inget. Han har satt sig i en fåtölj med öronlappar och en massa broderade kuddar som är flottiga av hans hår och tagit på sig hörlurar. Han lyssnar på musik från en stereo. Mariella kan höra musiken som ett svagt sus. Den är sorglig. Det är nån som pratar i ett rum bredvid. Det låter bara som ett surr. Det är en tant i alla fall.

Sen kommer det ut en tant. Hon har en svart hatt med ett lackband på och en liten handväska. Hon tar ner en spräcklig kappa från en galge. Den verkar gammal för den är så kort. Hon har löjliga stövlar också, nästan platådojor. Sen går hon. Ann-Britt går in genom dörren och Mariella hinner se en annan tant som har nån fläckig klänning. Som ett djurskinn. Sen stängs dörren. Det hörs inte ett ljud vad de säger därinne. Hon hör bara trafiken och musiksuset ur högtalarna. Den silverhårige karln tittar rakt fram, rätt i väggen, på en tavla med berg med snö på. Men han ser den nog inte. Han har lacktofflor och mörkblå strumpor med en silverfärgad rand på. Allting på honom är så ordentligt att det ser konstgjort ut.

Hon vågar inte röra sig från stolen och det finns inga tidningar att titta i, ingenting. Utanför ligger trafikdånet på. Man tänker inte på

155

det förrän man sitter utan att ha nåt att göra. Det är som hos tandlä-
karn. Genom fönstret syns ett annat hus och tända lampor. En käring
går förbi fönstret med en mugg i handen. Alla lever och håller på.
Alla jobbar och dricker kaffe och bor i sina rum. Alla, alla. Den sil-
verhåriga gubben som ser ut som en president och inte ser henne luk-
tar rakvatten, samma som Eilert.

CD:n tar slut och han reser sig för att lägga i en ny. Då hörs tantens
röst inifrån rummet. Den säger:

– … gick in i Lejonets hus.

Sen börjar stereon susa igen och gubben sätter sig bakåtlutad och
alltihop är som förut. Efter ett långt tag kommer Ann-Britt ut och
hon lägger just ner plånboken i handväskan. Hon måste ha gett tan-
ten pengar. Varför det?

Innan Rosemarie kom bort brukade Mariella fråga om allting och
det var sällan Ann-Britt inte svarade eller svarade nåt undvikande.
Mariella frågar inget nu. För varje timma som går blir det svårare att
fråga om Rosie. Allting gör Ann-Britt ledsen. Allting gör ont. Kan-
ske har hon ont i magen hon också. Mariella har inte sagt något om
sin magvärk. Det är fler och fler saker som man inte säger nåt om.

Presidenten stiger upp ur stolen och ska hjälpa Ann-Britt på med
kappan igen. Han ser ut som en docka. Han tog fel kappa först. När
de kommer ut i trappan säger hon att det där var ju helkonstigt. Skul-
le han inte känna igen sin frus kappa? Ann-Britt biter på underläp-
pen, jagar flagor.

Det blåser ute och är svårt att gå. Det är isvallar på trottoaren.
Ann-Britt stirrar framför sig men det verkar inte som om hon ser nåt.
Det blir inte lättare att gå på det viset och hon snubblar hela tiden och
hon håller Mariellas hand alldeles för hårt. När de är framme vid Tall-
krogsvägen och står och väntar på grönt säger Mariella:

– Sa hon att Rosemarie är i ett hus där det är ett lejon?

– Vadå lejon?

Så där skulle hon inte ha svarat om inte tanten vetat var Rosemarie
var nånstans. Lejon. Inuti? Eller nån bild på huset? Först när de är
framme vid stengubben med ungen vågar hon fråga igen:

– Är Rosemarie i ett hus med ett lejon?

Men Ann-Britt bara skakar på huvet som om hon ville skaka bort
alltihop.

– Äsch. Det var larv bara, säger hon. Alltihop.

Men hon har sparat på den där lappen och gått hela vägen från Skogskyrkogården och letat på det där gula huset och betalat pengar. Hon tycker inte att det var larv. Det tycker hon inte. Hon säger så bara.

Nu ska hon in och handla hos Sascha och Mariella säger att hon inte går med. Hon går tillbaka till tunnelbanan. Ann-Britt får bli hur arg hon vill. Hon tänker åka in till Slussen för hon vet att det finns hus med allt möjligt på längre in på stan. Men hon hinner aldrig börja leta för hon träffar Anki på tåget. Hon tycker att Mariella ska följa med till Ålles. Anki är väldigt uppåt och pratar högt i vagnen. Det märks att hon inte är så van att åka in så här fast hon säger det.

– Jag åker in jämt, säger hon och sen att tjejerna i hennes klass brukar sno och att hon också gjort det en gång, på kul. Mariella vet inte om det är sant. En handremsväska i rött lack visar hon upp. Hon kan lika gärna ha fått den av sin morsa.

De kommer upp vid T-Centralen ur den där underjordslukten. Det står flera gäng utanför spärrarna och mellan dem går alla vuxna med plastkassar från Ålles eller portföljer. De går rakt på fast nerböjda som om det blåste därnere. Men det gör det inte. Luften rör sig bara som nån andas, en jätte eller så. En pust kommer nerifrån och luktar illa och sen kommer kyla när dörrarna svänger.

Alla glor förstås och hon försöker låta bli att bry sig. Alla glor ju på alla andra. Utom de vuxna som inte tittar på nån utan glor ner i stenläggningen på tuggummifläckarna. Hon är mest rädd för tjejerna. Killarna tittar inte på henne men lite på Anki.

Anki vill att de ska gå direkt upp i Ålles men Mariella drar iväg ut på plattan och uppför trapporna till Drottninggatan. Anki fortsätter att tjata om Ålles när de står och väntar på grönt men går i alla fall med på att gå Drottninggatan en bit. Det är massor av försäljare. Bara blattar säger Anki. Mariella vet inte om hon säger så där bara för att hon tänker på Rosemarie och på Harry. Hon är inget snäll säger Ann-Britt. Men alla håller ju alltid på lite om Rosemarie och hennes hår. De håller inte på alls om Fatima som är från Sudan. Det är Harry och Ann-Britt dom inte kan låta bli att tänka på.

Anki bryr sig inte om tennsmyckena och inte om spindeln som hoppar på en gummisnodd men stannar vid hårsnoddarna. Det ligger ett helt berg på en filt. Hon river och river i högen, tittar på gula och turkos och orange snoddar och håller upp dem. Mariella börjar få

157

kväljningar av alla snoddar. Samma som Rosemarie brukar ha och det ligger en sån hög med snoddar, fast liten, i en av hennes byrålådor. Anki hittar i alla fall ingen som hon gillar och går sin väg med lackväskan dinglande. Hon blåser undan hår som föll fram i ansiktet när hon rotade bland de rynkiga nylonsnoddarna. Mariella tycker att det var konstigt att hon vågade hålla på så där utan att köpa nåt. Killen blängde. Nu går hon in på Bata för att titta på skor och en lång stund försöker de inte ens säga nånting åt varandra för musiken. De går in på flera ställen, till slut vet inte Mariella vad de heter. Det dånar ur högtalare från taket. På Mique vaknar hon upp och tycker att det är lite kul, särskilt en Snobben som ligger på en gummimadrass. Det är en tvålkopp. Han ska flyta i badkaret.

– Ta den då, säger Anki. Men hon menar nog inte allvar. Sen vänder de och går tillbaka mot Ålles igen.

– Vi kan väl gå och titta på hus, säger Mariella men hör själv hur dumt det låter. Anki svarar inte heller och så går de in och kommer rakt på parfymavdelningen.

– Gå fram och kolla på läppstift, säger Anki. Fråga vad dom kostar. Och sen håll på så där. Att det ska vara ljusare och inte så mycket blått i.

– Hon tror ju inte att jag ska köpa nåt. Inte läppstift i alla fall.

– Jodå. Det kan ju va till julklapp. Ankis ögon ser ut som när hon hade taiwan. Hon är redan på väg bort mot den andra änden av disken där det finns nagellack. När Mariella står framför försäljerskan blir hon rädd. Det är en tant med vitgult hår och gröna ögonlock, ganska gammal. Hon ser inte på Mariella när hon frågar vad hon ska ha. Hon ser på Anki som rör sig långsamt därborta.

– Vad är klockan? säger Mariella. Det låter så dumt. Sen vänder hon utan att höra vad tanten svarar och går sin väg mot en stor extradisk med chokladkartonger nedanför rulltrapporna. Anki är väl snart i fatt henne igen. Hon kommer att bli skitsur. Då sätter Mariella fart i stället och kliver ner i rulltrappan och åker till pappersavdelningen. Det slår upp matlukt från nedersta våningen. Hon springer förbi blommorna och de extra parfymdiskarna men blir hejdad precis när hon ska ut i tunnelbanehallen. Vakten har bruna byxor och hon tittar bara på dem och på hans skor när han tjatar på henne. Sen släpper han henne. Han får nog inte titta efter i väskan för han är inte snut. Hon springer ut på plattan och stirrar hela tiden ner i stenarna och ser att tuggummikladdarna är ljusgråa på de svarta plattorna och svarta på de ljusgråa.

Hon kommer upp vid NK och känner igen sig direkt. Hon vet inte vart hon ska gå för att få se några hus med lejon. Vid slottet finns det lejon. Men där kan det inte vara för då skulle tanten ha sagt slottet. Hon sa Lejonets hus.

Mariella går över gatan och tittar i Stor & Litens skyltfönster. Där finns ett vitt skelett som man kan blåsa upp. Hon fortsätter trottoaren ner och sneddar genom Kungsan förbi dem som åker skridskor. Det sitter lite bruna löv fast på träden. De har suttit hela vintern. Det sitter fyra stora lejon därinne. Två av dem är vänsterhänta. De håller tassen på bollar. Men det finns inget hus. Lite längre bort är det svanar, alldeles nötta på näbbarna. De är också av järn. Mellan vingarna är det hålrum som man kan lägga saker i. På ett lejon är det en tag. Det står DOLFAN. På svanarna är det ingenting. När hon går under träden tittar hon på husen på andra sidan och då får hon syn på två vita gubbar som håller upp lyktor i en port. De har konstiga mössor och ser nästan ut som djur. Det finns hus med gubbar och djur överallt här och hon måste titta sig noga omkring. Men det är så mycket folk och bilar och hon kan inte bestämma sig för hur hon ska gå. Hon halvspringer och ser två gubbar av järn som brottas och sen vänder hon för det blir mer träd och mindre hus. Sen tar hon en gata upp åt höger bara för att hon inte kommer över – det vill aldrig bli grönt nångång. Hon ser båtar när gatan sluttar neråt men inga djur av sten eller järn. Hon går på kajen och det blåser rakt genom jackan och nu vet hon inte alls var hon är nånstans. Men hon går mot ett hus med guld på och får stå och vänta på grönt flera gånger innan hon äntligen kommer så nära att hon kan se figurerna på det. Men det är inga lejon.

Hon fortsätter framåt på en lång rak gata med träd i mitten och trafiken dånar så att hon känner sig yr. Så fort hon ser några figurer på ett hus stannar hon och tittar opp. Men det är änglar och blommor av sten och ansikten. Inga djur. Hon känner i alla fall att det är den rätta sortens hus. Hemma är det bara balkonger och fönster på husen.

Varenda tvärgata hon tittar in på är full av hus med stenblommor eller ansikten och det finns djur på en del också. Hon är nära att börja tjuta när hon förstår hur mycket såna hus det finns och hur svårt det är att hitta det rätta. Nu vet hon inte var hon är heller och inte hur hon ska komma tillbaka till T-Centralen. Då får hon syn på en bro med gubbar av järn, jättestora. Hon springer över på gult mellan bilarna, två gånger måste hon korsa gatan för det är en trädplantering i mitten och sen är hon på bron. Det är grindar till vänster när den tar slut. Det är renar eller rådjur av guld på dem.

Nu är det nästan mörkt under träden. Hon springer i trottoargruset som är blandat med snö och ruttna löv. I sluttningen är det konstiga hus. Det står en staty av en gubbe i branten. Han har fått pitten sprutad med svart lackfärg. På andra sidan gatan är det en mur och sen ett stenhus som är stort som en skola och sen konstiga små hus och sen Gröna Lund. Då springer hon över gatan till 47:ans hållplats. Hon är alldeles snurrig av trötthet. Hon fryser också. Men nu vet hon i alla fall hur hon ska komma hem för 47:an går till Ålles och där kan hon ta tunnelbanan.

Jag kunde ha varit hon.

Flottig i håret och klädd i leopardmönstrad Domusklänning av syntetisk silkessammet!

Ulla gick dit för att se. Men såg inget. Det var ju egentligen inte hon som skulle se, det var damen i den smaklösa klänningen. Ulla ville bara se om det verkligen var möjligt att se. Eller att höra. Men ingenting av det som den där kvinnan sa hade den minsta relevans. Det handlade inte om Ullas liv. Det var stereotypt. Hon förutsatte att Ulla var intresserad av pengar och av sjukdom. Hon försökte träffa nånting allmänt hos henne. En oro. Ett hopp. Hon var verkligen ganska ryslig i den där klänningen.

Ulla Häger har varit hos många damer med kristallkulor och kortlekar på sammetsdukar. Hos sakliga damer i prydliga lägenheter med vattnade och ansade krukväxter. Hos damer som hon skulle vilja kalla bohemiska. Hon har inte fått några bevis. Men ibland aningar om en möjlig bekräftelse. Den här gången har hon uppenbarligen varit hos en charlatan.

Och angående Krylundska villan och mötet och Odas konstigheter är hon precis lika villrådig som förut. Hon ska gå på mötet. Det är hennes plikt. Ulla smiter inte. Även om det vore frestande.

Hon är tidigt ute på grund av sin oro. Inte för att Oda skulle misstycka om hon kom en timma för tidigt. Hon skulle få en kopp te. Och bli bearbetad. Allting har blivit mycket obehagligt.

När hon står på gatan två hus från Odas ser hon att det lyser hos Ruth Anser. Rosa gardiner med vit volang går i en båge i vardera fönsterhalvan. Mellan dem en ampel med en hemtrevnad och ovanför ampeln lyser en adventsstjärna i den ganska glåmiga vinterdagern. Hon inser vad hon ska göra: gå in där i ljuset och värmen och resonera igenom hela saken med den alltigenom förnuftiga Ruth.

Hon märker att Ruth blir irriterad när hon kommer. Det är inte så varmt i villan heller. Ruth har naturligtvis mycket om sig som vanligt.

161

Säkert uträknat på minuten. Och hon ska inte gå på mötet.

– Jag har absolut inte tid, säger hon. Och dessutom vet ni att jag har tagit ställning. Jag tycker hela saken är fullständigt självklar. Ursäktar du om jag sorterar tvätten medan vi pratar?

Hon har gett Ulla en kopp te. Bokstavligen. En kopp med en påse i. Nu viker hon skära frottéhanddukar på köksbordet.

– Vill du att jag ska lägga en stjärna för dig?

– Men snälla Ulla!

Det är klart att hon blir förvånad. Eller chockerad kanske. Hon stöter ut luft genom näsan. Det är nog ofrivilligt för annars är hon ju artig. Men bekymren gör henne tankspridd. Vad är det för bekymmer? Ulla får en hetsig önskan att veta. En ivrig, klädig tro att hon skulle kunna få veta om hon bara fick försöka. Så hon frågar om Ruth inte tror på korten. Det är som om någon annan frågade. Och Ruth tror inte på korten. Varför gör hon inte det? För att det var omöjligt att förutsäga händelser. Varför det?

– För att verkligheten innan något har inträffat antagligen har ett oändligt antal utvecklingsmöjligheter, säger hon.

– Men varför skulle man inte kunna spå vilken möjlighet som förverkligas?

– Jodå, jodå, visst kan man det. Men bara med statistik. Och då blir det ett mönster, inte enskilda händelser.

– Men det förflutna, säger Ulla, det kan man rekonstruera?

Ruth sätter sig tungt ner och ser på de ovikta handdukarna, på Ullas tekopp, på allting utom på hennes ansikte.

– Nej nej. Man kan bara göra sig en bild av det.

– Men av framtiden vill du inte göra dig nån bild?

– Jo, men du kan inte göra den åt mig. Det kan ingen. Du har inte tillräckligt mycket fakta tillgängliga för en någorlunda tillförlitlig statistisk förutsägelse.

Hon är så överlägsen. Vad jag än sa skulle jag få svar. Hon är i en värld där hon kan stänga dörren om tvivelaktiga damer. Fast jag inte har leopardmönstrad klänning av syntetisk jersey är jag henne underlägsen nu. Underlägsen, förbryllande och tjatig.

Ruth går verkligen till slut in i vardagsrummet och letar i lådor och skåp. Det märks att hon inte haft en kortlek framme på åratal.

– Här har du.

Hon låtsas inte ens att det är ett skämt. Ulla röjer undan på bordsskivan framför sig och tar upp kortleken och börjar blanda den. Hon räcker ut den mot Ruth som blåser ut luft, mycket luft, mellan nästan slutna läppar. Hon ser grotesk ut och det låter som om hon tyckte det var för varmt inne. Men det är lika kyligt som förut. Ruth Anser är snål om värmen. Om oljan.

– Du ska kupera.

Motvilligt delar Ruth kortleken. Men när Ulla börjar lägga stjärnan följer hon utlägget med blicken. Det gör nog alla. Om hon hade sett ut genom fönstret i stället och följt snöflingorna när de irrar mot marken hade det varit illa för mig, tänker Ulla. När stjärnan är fullbordad säger hon:

– Jag håller med dig om att en stjärna av spelkort på sätt och vis ger en torftig bild av en individs liv. Om man tänker sig att alla händelser i ett människoliv samlades så här – som de här bilderna på korten – och las ut på ett speciellt sätt – i ett sånt här mönster – så begriper man ju att det skulle behövas väldigt många fler bilder...

– Lindrigt sagt.

– Och väldigt mycket större plats att lägga ut mönstret på. Nu har jag inte mer än det här bordet och inte mer än den här kortleken med femtiotvå ganska stereotypa bilder. Du tycker förstås inte att det duger för att framställa ens ditt förflutna liv. Det har ju innehållit så många och så komplicerade saker.

– Ulla, vad har det tagit åt dig? säger Ruth allvarligt och lågt.

– Jag påstår i alla fall att jag framställer hela ditt liv. Det förflutna likaväl som det kommande. En sak har den här stjärnan gemensamt med en stor, en ur din synpunkt tillfredsställande stor och bildrik stjärna.

Ruth har börjat stirra på Ullas ansikte i stället för på stjärnan.

– Det är förstås mönstret. Om jag framställde det här i matematiska formler eller som statistiska staplar för dig så skulle du nog bli mer övertygad. Men det kan jag inte. Jag kan däremot tänka mig att det kunde finnas matematiska formler som ger ett diagram över förhållandena mellan det förflutna, nuet och framtiden. Om man matar in alla händelser i ett människoliv som innehåll i det diagrammet så blir det förstås enormt. Jag tror du skulle vara nöjd med bilden av ditt liv då. Att det hade innehållit och skulle komma att innehålla så mycket. Så olika saker. Så oväntade. Så många upprepningar. Så mycket komplikation. Du skulle känna att du hade levt. Ja, att du verkligen hade levt.

Ruths ansikte har blivit så tungt. Hon har spott i mungipan, bara en liten droppe men det glittrar. Munnen är öppen, ögonen blinkar knappt i det stora bleka ansiktet.

– Jag önskar att jag kunde framställa ditt liv så. Kanske kan du det själv ibland, i något slags tillstånd eller i en känsla. Det är i så fall lyckligt för dig. Men en sak har min torftiga stjärna gemensamt med det matematiska diagrammet, som sagt. Mönstret. Allt som har hänt och som kommer att hända möts i en enda punkt. Här i rummet. Nu i tiden.

Ulla sätter pekfingret på mittkortet. Det råkar vara hjärter ess och det ser ganska magnifikt ut. Ruth andas ut (det är som om hon har glömt bort att andas ett tag) och säger:

– Jag känner inte igen dig Ulla. Sen reser hon sig och börjar plocka fram nya tekoppar och en kanna. Hon sätter på vatten igen. Men det är fortfarande tepåsar hon tar fram och låter hänga ner i kannan. Kamomill.

Ulla måste gå på toaletten, i synnerhet om de ska dricka mer te. Badrummet är mycket rent och det finns skära frottéhanddukar i olika storlekar på alla hängare. Det ser ut som om Ruth hade en stor familj. Men hon är änka och bor ensam i villan. Hon använder munvatten för munnen och en särskild tvål med lågt PH-värde för underlivet. Hon är noga. Ulla är lika noga. Hon har till och med den oparfymerade varianten av samma underlivstvål för att inte i onödan irritera slemhinnorna. Precis som Ruth har hon både schampo och balsam och mousse. På handfatet ligger en plastflaska med flytande tvål, ingen sprucken bakteriesamlare.

De är båda lika noga. Ändå luktar Ulla svett nu. Hon anar det. Det dryper under armarna. Det är helt osannolikt. Men så är det.

Hon lossar jumpern i midjan och drar sig ur ärmarna men låter den hänga kvar kring halsen. Försiktigt tvättar hon sig under armarna och torkar sig med en av de skära och luddiga handdukarna.

När hon kommer ut i köket är den stora stjärnan borta. Hon kan inte se till kortleken heller. Och Ruth har en annan röst.

– Nu måste vi resonera.

Hon använder det gamla Odaordet som kommer av raison och av ratio.

– Tänker du gå på mötet hos Oda?

164

Det är ju därför Ulla har åkt hela vägen från Djurgårdsstan. Bara i förbifarten, nästan som på skämt, har hon tittat in hos den där damen som hade gula lappar uppklistrade på tunnelbanestationen. STJÄRNA LÄGGES. SOCKENVÄGEN 477. En lokal charlatan uppenbarligen. Och vilken luft därinne.

– Ja, Odas möte... vet du jag har inte riktigt bestämt mig.

– Nu känner jag igen dig Ulla. Förut hade du faktiskt en annan röst.

– Hade jag?

Ändå satt folk och väntade. En mamma med ett barn. Man borde inte föra in barn i sånt där.

– Det är bekymmersamt med Oda, säger Ruth. Ulla håller med henne.

– Jag har fått höra om hennes inlägg mot S.A. Idhahl på Whitlockska.

Vem kan ha ringt? Ulla vill inte fråga.

– Hon gick för långt, säger hon bara. Det var faktiskt pinsamt. Ordvalet. Rösten.

– Åldersförändringar, säger Ruth. Hon är så saklig. Hennes ljusa hår är kortklippt. Permanenten gör det formfast. Nu när hon har tänt lysrören i taket ser Ulla att håret är vitgrått vid tinningarna och långt upp på hjässan. Hon har ett stort ansikte. Hakan och näsan är anlagda som på en karl.

– Oda är populistisk.

– Populistisk?

– Ja. När en åsikt är en smula kärv då vågar hon inte ha den. Den ska passa in.

– Passa in? Du menar – var?

– På Dagens Nyheters kultursida.

Så har Ulla aldrig tänkt på det. Nej, det har hon inte. Hon har alltid sett Oda som en väldigt kavat och självständig gammal dam.

– Oda sjunger med änglarna, säger Ruth. När det verkligen gäller får man lov att vara en smula inopportun ibland. Även om det tar emot. Man får lov att stå för sin övertygelse. Såg du mitt inlägg i Striptease?

Inlägg, tänker Ulla. Missade jag det? Hon vågar inte fråga. Hon såg Ruth Anser öppna dörren till villan. Här får ni inte filma! Det var vad Ulla hörde henne säga. Men hon sysslar ofta med något annat när

TV:n är på. Kanske sa Ruth något mycket viktigt. Och kärvt. Något som inte alls var opportunt.

– Jag har växt upp här i Dalen, säger Ruth. Jag hör till de mycket få människor som stannat på samma plats hela livet. Det här har varit mina föräldrars villa, det vet du Ulla. Men jag har sannerligen varit med i samhällsutvecklingen. Inte stannat.

Tonfallet kan vara frågande så Ulla säger ja.

– Javisst! bättrar hon på. Ruth får henne att känna sig flytande invärtes. Som om färger flöt ihop. Vatten. En akvarell. Varför har jag så bisarra infall när nu Ruth talar förnuftigt och logiskt med mig? Det är något fel på mig. Varför gick jag till den där förskräckliga människan? Jag kan väl inte vara så dum så att jag tror på spelkort? Och vad tänker Ruth om mig? En sån idiotisk idé, att försöka lägga en stjärna. Här!

– Du vet att jag inte har någonting emot dessa människor. Vare sig de är flyktingar eller invandrare. Jag tror mig kunna bevisa det, om så behövs.

Det behövs ju inte alls. Men Ulla får inte tag på de rätta orden så Ruth börjar i alla fall bevisa det. Hon berättar om sin verksamhet på socialbyrån. Om understöd och hjälp till människor som vinddrivits. Sa hon vinddrivits? Eller havererat? Ulla önskar att hon kunde hålla sina tankar i samma förnuftiga bana som Ruths tal löper i. Men hon ser hela tiden så mycket konstigheter framför sig. Som om hon vore ett litet barn som en vuxen person talar till. Och som om talet delvis vore obegripligt och därför alstrade oförklarliga bilder. Nu en massa lidande krälande människokroppar på en flotte. Mörker. Storm. Vind.

– Midsommar! hör hon Ruth ropa. Ryta faktiskt. Men vad har midsommar med Dalen att göra? Brukar inte området vara tömt på folk då?

– Dalen representerar ett kulturarv.

Det håller Ulla verkligen med om.

– Och Krylundska villan är dess pärla. Ren funktionalism. Framtidstro. Ljusa drömmar. Men inte bara drömmar utan sociala och politiska visioner!

Oja. Hur många gånger har inte Ulla hört Oda lägga ut den krylundska drömmen därinne i villan. Hur han såg världen: det sjöng i telefontrådarna, järnvägsräls dunkade. På nyasfalterade, uträtade vägbanor som sträckte sig mot horisonten sköt bilarna fram som skyttlar och vävde civilisationens väv. Den kaotiska, brokiga, blixtrande. Alla människors värld. Pannors svett och musklers explosiva kraft: alla bar de fram jordens rikedomar för att mätta hungern i världen. Alla möttes de i båglampors blåvioletta sken på kajer, på flygplatser, på stora slamrande järnvägsstationer. En mänsklighet som rörde sig över klotet, som blandade språk och knöt vänskapsband. Inte melankoliska byinvånare instängda i ett granskogsland. Inga särlingar som levde i lort och mörker och lyssnade till gnälliga dragspel. Utan världsmedborgare. Och han tyckte att norrlandstrotset röt i forsarna!

– Ha! Ha!

Oda gick ofta för långt. Hennes ironi var oberäknelig.

– Kulturtradition, säger Ruth. Arv. Du vet själv hur viktiga sådana ting är. Du som har vuxit upp på en svensk herrgård.

Ulla har tappat några led i resonemanget. Att det ska vara så svårt att hänga med när någon talar logiskt till en. Hon vet att när människor är tillsammans anpassas så småningom deras hjärnrytmer till varandra. Det gäller också i stora folksamlingar, till exempel under massmöten, vilket skrämde henne en smula när Sylvia Fransson-Bleibtreu berättade det. Sylvia bidrar ofta med vetenskapens senaste rön på mötena. Inte sällan får hon dem att låta farliga. Eller i varje fall vanskliga. Men hon påstår att det inte är kunskapen som är farlig utan tillämpningen. Sylvia är alltid så överlägsen. Hon befinner sig i en position på sidan om eller en bit ovanför det hon berättar om. Ulla önskar nu starkt att hon kunde komma i samma rytm som Ruth, att hon slapp alla bisarra infall och sidotankar och underliga bilder och minnen eller fragment av dem. Allt som stör. Hon är trött.

– Du vet att jag bara representerar nånting så urtråkigt, så oglamoröst som det sunda förnuftet, säger nu Ruth. Det har ingen hög status på kultursidorna som Oda läser.

Det vet Ulla. Eller rättare sagt: hon anar det ibland. Artiklarna är ofta mycket långa. Och sundhet är ju inte vad kulturen utandas. Kanske på J.A. Krylunds tid, i hans ungdom. Gud vet. Sen kommer Ulla att tänka på att hon var skolflicka då. Backfisch. Och tankarna vindlar iväg igen. Om det nu ens är tankar.

– Därför var mitt inlägg i Striptease konsekvent, säger Ruth.

– Men var det ett inlägg? vågar sig Ulla på att fråga. Jag tyckte du vägrade att tala?

– Just det! Det var mitt inlägg. Jag avstod från att tala. Det är faktiskt en demokratisk rättighet att slippa vara med i TV. Det blir mer och mer ovanligt att någon inte varit det.

Ulla känner sig träffad. Vet Ruth om att Kajan och hon har varit publik på HUR GÖR DJUR?

– Rastänkande är jag fullständigt fri från, säger Ruth nu. Vi är alla blandningar mer eller mindre. Jag har kanske själv en liten touch of the tarbrush långt borta i det förflutna. Vad vet man?

Tanken är överväldigande fantastisk. Blond och storvuxen skrattar Ruth och visar starka tänder som är något för stora för munnen. Tandköttet har börjat krypa upp från tandhalsarna. I vår ålder borde man akta sig för att skratta för stort, tänker Ulla. Man borde nog hålla igen lite. Hon tappar tråden några ögonblick och måste fråga om när Ruth talat en stund till. Det hon får höra är häpnadsväckande, osmakligt och skrämmande. Alltså: efter avvisandet av filmteamet från Striptease har Ruth fått hundbajs i brevlådan.

– Hund...

– Hundbajs. Inte en korv, Ulla. Inte lite lort i en påse eller så. Utan ett helt lass med hundbajs. Brevlådan fylld till över hälften. Trekvartsfylld i själva verket.

– Men jag förstår inte...

– Förstår du inte? Det framgick ju klart av TV-programmet att jag hörde till dem som skrivit på uppropet. Som värnade om villan, om hela området faktiskt, som ett kulturarv. På morgonen hade jag lådan full med hundbajs.

– Du menar...

– Jag menar ingenting. Jag säger bara att lådan var mer än halvfull. Upp till tre fjärdedelar fylld, det kan jag nog lugnt säga, med hundbajs.

– Hur fick du bort det?

– Jag la brevlådan i soptunnan. Och köpte en ny. Men Dagens Nyheter och två brev blev nerkladdade. Tidningsbud och brevbärare har alltid så bråttom. Dom tittar inte i lådan.

– Menar du att det här med... ja... bajset har samband? Med ditt framträdande. Ditt inlägg menar jag.

– Det har jag inte sagt. Tvärtom. Det kan vara en slump. Men en mycket egendomlig slump. Det enda jag kan säga med säkerhet är att man inte kan samla ihop så mycket hundbajs, inte i det här området.

Här är vi noga. Vi lyder lagar och förordningar.

Ulla minns de kommunala hundbajspåsarna av plast som under 80-talet suttit i sina hållare bredvid latrintunnorna i parkerna. Bruna, inte alltid ton i ton men för det mesta ganska träffande. Där fanns också skyltar med en schäfer som kröker ryggen. Ulla beundrar Ruth som aldrig yttrar sig om något hon inte med säkerhet kan yttra sig om.

– Hundbajset, säger hon nu, måste vara taget ur den kommunala hundlatrintunnan vid rastgården. Det måste vara framtaget ur de där plastpåsarna som vi i det här området är mycket noga med att knyta ihop.

– Gud!

– Ja. Det är en hemsk tanke. Fasansfull.

De funderar båda på detta en stund. De ser en figur, skugglik, utan ansikte eller med en mörk oval där ansiktet skulle vara. Han står böjd över hundlatrinbehållaren i parken.

– Jag vet ingenting, säger Ruth. Det enda jag förstår är att den som demonstrerat mot mig på det här sättet inte har ryggat för själva hanteringen.

De funderar en stund också på detta: uppknytandet av de enligt lag och förordning hopknutna plastpåsarna. Tömningen. Urskrapningen?!

– Svenska sophanterare tar aldrig i innehållet, säger Ruth. Det är därför påsarna ska vara hopknutna. Jag antar att det är en facklig fråga.

– Självklart!

– Det enda jag med säkerhet kan säga, avslutar Ruth, är att handhavandet inte har berett vederbörande något kulturellt eller socialt betingat bekymmer.

Kulturellt. Socialt. Tanken flaxar. Kräkas. Gud. Ulla vill inte tänka mer.

– Detta om detta, säger Ruth. Hon övergår till att tala om Oda. Det är inte så att hon förtalar Oda. Det finns tvärtom värme i hennes röst. Men hon ifrågasätter Odas ställningstagande när det gäller Krylundska villan. Och det gör hon på förnuftets grund. Det känns bra. Vadsomhelst och gärna förnuft. Vadsomhelst bara inte mer tal om hundbajs. Om orenlighet.

Ruth påminner nu Ulla om Odas svärmiska period under Kollektivets tid. Hur hon sprang i villan och drack mate och kvass. Ulla minns ännu sin skam och chock när hon fått syn på Oda i blåst och snöglopp med en insamlingsbössa. Hon stod bredvid FNL:arna på Sergels torg. Ulla skyndade därifrån utan att ta reda på för vilket ändamål Oda samlade in pengar. Men Blenda Uvhult lugnade henne när de många år senare kom att tala om det: det var säkert för Sydamerikas indianer eller mot prostitution.

Oda är inte förnuftig. Oda far iväg. Hon är programmatiskt emot vissa saker. Dennispaketet. Tredje spåret. Öresundsbron. Kärnkraft förstås! Och prostitution och EU. Det har Ruth rätt i. Hon säger att Oda reagerar som en gammal cirkushäst som hör blåsorkesterns skrällmusik.

– Se på Oda nu. Hon struttar runt i manegen. Det är inte bra.

Ulla ser Oda strutta. Det ser inte bra ut.

– Det är ovärdigt, säger Ruth.

När Ulla lämnar Ruth Ansers villa har hon en hel bunt med uppropslistor med sig. Överst står det laserprintat:

KRYLUNDSKA VILLAN FÅR EJ BLI INVANDRARCENTRUM
BOENDE OCH GÄSTER I FREDENS DAL PROTESTERAR
KOMMUNEN FÅR INTE FÖRSKINGRA VÅRT KULTURARV

Under texten finns det plats för namnteckningar.

Ulla känner sig omtumlad när hon kommer ut i vinterluften. Det är dags att gå till Oda nu och delta i mötet. Ruth menar att hon ska ha uppropslistan med sig. Men det känner hon att hon inte kan. Hon vågar helt enkelt inte. Det kommer att bli pinsamt nog ändå. Och Oda skulle börja trumpeta. Det skulle dessutom inte tjäna någonting till.

Hon har ingenstans att göra av pappersbunten. Hennes handväska är för liten. Inte kan hon gömma pappren på sig heller. Hon har bara en trång kappa.

Villrådig börjar hon gå i det lätta snöfallet. Hon funderar på att gömma uppropslistorna bakom något elskåp eller i en häck. Men någon kan se henne.

Villornas fönster glimmar. Luften blir rörlig av den fallande snön. Ulla ser en brevlåda av trä. En mycket gedigen sak. Det ser ut som teak. Det lyser i fönstren bakom den asfalterade uppfarten. Men det

170

är bara prydnadslampor. Här är ingen hemma som kan se vad hon gör. Hon stoppar ner sin pappersbunt i lådan.

Det är ju bara att hämta den efter mötet! Ingen har ärende till brevlådan på eftermiddagen och kvällen. Den är redan tömd. Hon känner sig lättad.

En brevlåda av gediget trä. Siffran 18 i mässing. Tre eklöv, också de i mässing. Det kan inte bli så svårt att hitta den.

Lejonets hus finns inte i Tallkrogen i alla fall. Eller i Enskede eller nånstans i närheten. För det är ingenting på husen. Inga gubbar och inga djur. När Mariella står vid kiosken utanför Tallkrogens tunnelbanestation kommer hon att tänka på Dalen. Om det där med frukt och lamm var riktigt så kanske Rosie gick dit med varor fast hon inte får det för Sascha. Han ska köra alla varor i Toyotan och kunderna ska betala 35 kronor. Men Rosie gör det i alla fall ibland. Det är nån gammal tant hon brukar hjälpa om hon är sjuk. Om hon ändå ska till tunnelbanan eller så.

Fast det vore konstigt om hon gick så tidigt på morron. Hade hon glömt kassen på kvällen? Fått den med sig hem.

Mariella börjar gå in bland villorna. Det skymmer och en massa adventsstakar lyser mellan gardinerna. Först verkar det som om hon är alldeles ensam i hela området för folk har inte kommit från jobbena än.

Då kommer det en tant ut från en tvärgata och går förbi henne. Det är samma som kom ut när de var på Sockenvägen 477. Hon var inne i rummet hos den där andra före Ann-Britt. Det är den spräckliga kappan och hatten med lackband och de där löjliga skinnstövlarna med platåsulor och dragkedja på sidan.

Mariella börjar gå bakom henne. Det var kanske hon som var inne och talade om för den andra var Rosemarie är. Kanske är Lejonets hus i Dalen och hon är på väg dit.

Tanten viker av och går fram till en villatrappa. Trapplyset är släckt så det syns ingenting annat än skuggor däroppe. Men hon har nog ringt på för det är nån som öppnar dörren och så försvinner hon in.

De kanske har Rosemarie därinne. Fast varför det? Då är det nån som säger:

– Va fan gör du här?

Det är alldeles bakom henne. Hon ser honom i gatljuset när hon vänder sig om.

– Ingenting.

Han heter Rickie. Hon känner igen honom för han bor i huset bredvid hennes och hon är klasskamrat med hans lillsyrra. Rickie går i sjuan. Halvnörd. I alla fall blir han tråkad. Han har glasögon och är mörk och smal och alldeles blek. Fast nu är han ganska cool. Så hon vågar inte säga: va fan gör du här själv! Och det är tur för nu säger han:

– Tigern gillar inte att det springer folk här om dom inte har nåt här och göra.

Han har kommit med i Tigerns gäng. Det verkar konstigt. Hon vet inte vad hon ska säga. Om tanten hade sagt Tigerns hus i stället för Lejonets. Men det sa hon inte.

– Är du med Tigern? frågar hon.

Han nickar.

– Tigern gillar inte att folk springer här och sprejar. Han gillar inte klotter. Det ska va rent i Dalen.

– Jag sprejar inte.

– Det är bra.

Han går bredvid henne, ganska sakta och med händerna i jackfickorna. Utan att Mariella vill det är de på väg bort från huset där tanten gick in.

– Hur kom du med i hans gäng? frågar hon.

– Dom behövde mig.

Han låter inte så där töntig som han gjorde förr.

– Vaktar du här då?

– Ja.

Medan de går mot Tallkrogen säger han:

– Gudabarnen håller Dalen fri från klotter. Om nån misslyckas med att vakta och det blir en tag på nåt elskåp eller så, då försöker han ta bort det själv.

Han fnissar till.

– Tigern hatar tags. Gudabarnen ska hålla Dalen ren.

– Tigern är han som går i nian va? Han med ljust hår och känger.

– Ja, säger Rickie. Nu har han det. Förut tyckte han känger var fel för han hatar skins. Alla urballade typer hatar han. Men nu har han känger. Dom finns i COPY CAT nu. Fast dom är dyra. Vi kanske ska ha såna också.

– Vilka?

– Gudabarnen.

173

Han tiger en lång stund och de är nästan framme vid tunnelbane-undergången när han säger:

– Passa dig för att säga nåt om det här.

Nu märks det att han ångrar sig. För han låter arg. Han är en tönt i alla fall. Han pratar på sig för han vill skryta. Hon undrar om han får vara med Tigern så länge till.

– Du säger ingenting om det här.

– Vadå för?

– För att då dör du.

Mariella säger inget men det syns nog på henne att hon tycker det är larv. De har kommit in i ljuset framför kiosken och han tar tag i hennes jackärm och håller henne kvar.

– Jag skriver hur du dör. Sen gör vi det. Fattar du?

Luftmassan vaggar uppvärmd i NK:s entré. Sigge känner lavendel, citron och läder. Fast med kemisk skärpa. Tallbarr kan man ana, med giftig udd, och synteser av nejlika och hav och klöversöt sommaräng. Och ren skit. En svag aning. Kanske piggas människodjuret upp av vissa brytningar? Dunst ur valars kloaker. Lukten av mänskliga exkrementer i homeopatisk utspädning, skiktad med ros och lilja.

Det kvittrar. Damaktiga varelser säljer plastbandsombundna paket med parfymer, eaudetoaletter, chokladkonfekt, aftershave och dessertostar.

Den djuriska öppenheten varar bara ett par sekunder. Sen är Sigge med hopbitna käkar på väg upp i rulltrappan. Hon hittar nästan genast en present till Ginette Oxehufvud. Går effektivt eller instinktivt på ett skyltställ med tröjor av peruansk alpackaull. Inte i äggskal eller havre som hon tänkt. Utan svagt inälvsrosa. Både djärvare och ljuvare. Hon får fatt på en expedit som söker av henne från håret till kängorna och säger att knappraden är av äkta pärlemor och att tröjorna kostar 2 995 kronor.

– Jag kan läsa, säger Sigge och tar fram kortet. Det är i alla fall nån sorts njutning att handla julklappar åt Adams morsa. Med sitt paket strövar hon förbi Alexon, Liz Claiborne, Mondi, Kenzo och Jaeger. Hon måste ha ett par, tre grejor till. Det kommer att gå fort.

Sen inser hon att allt som går fort bara för henne snabbare hem. Hon törs inte åka hem.

Man gör sig ett privat planetsystem i den oceaniska människorymden. Men därute finns en kraft som inte syns. Ett undertryck. En virvel av antihuman frenesi. Nu har hela det lilla systemet försvunnit. Sugits in. Det är tomt. Alla andra världar snurrar vidare: julgranen i entréhallen. Farsans och Adams och Krylundtanternas. Och naturligtvis Jannes.

Tanken att låtsas som ingenting har hänt passerar. No see. No hear. Janne kan inte veta att jag var där. Han var för – upptagen.

175

Och så kommer vrålet inuti. Tyst. Omkring henne gungar tjattret, svävar sorlet.

Det är då hon får syn på Armanikostymen.

Att det är en Armani ser hon inte först. Den är grå. Med väst. De har skyltat upp den på dockan med en offwhite sidenblus, sedigt knäppt i halsen.

Den är otroligt läcker. Tyget är sidenmjuk ull, svagt randad i fiskben. Skärningen nonchalant följsam. Knapparna precisa i ton. Den är snyggt arbetad i alla detaljer. Ficklocken. Slagen. Hon petar upp kavajen och tittar på de små vecken under byxlinningen. De flott diagonala fickskärningarna. Byxuppslagen. Man skulle ha boots till. Nya.

Det är i varje fall ingenting för Ginette och dessutom kostar den 8 900 med väst. Jojo.

I nästa ögonblick springer Sigge på sig själv i en oval spegel på stativ. Där står hon. Skinnpajen. Tightsen. Ansiktet är gulblekt.

Varför målar jag mig inte?

Att hon alltid gjorde det förr minns hon. Åtminstone kring ögonen på mornarna. Men att det har blivit så brått sista året. Det där likbleka facet. Hårtanorna. Flammigt hennafärgade på ungefär hälften av längden. Är det så länge sen?

Ja, det är så länge sen. Du bara jobbar Sigge. Vad jobbar du för? Varför snor du omkring? För att Janne ska få sin arkitektexamen?

Du jobbar och sparar och gnider och snålar och köper kläder på Indiska och på Hennes & Mauritz. Kläder som är på väg att bli sopor redan på galgen i affären. Du hennar håret i tvättfatet och klipper dig i Enskede hos en frissa som ambulerar hos pensionärer.

Du bor i en lägenhet där gasledningarna och toaletten läcker. I åratal har du ätit grejer med röda lappar på och läst flottiga böcker från Stadsbiblioteket. Två gånger har du gjort abort. Här står du nu.

Jag.

I morgontidningen har Sylvia läst att en starkt amfetaminpåverkad man på tjugotre år har tagit sig in i den våning som pastor primarius disponerar i Källargränd i Gamla Stan. Med en yxa som primarii fru lämnat vid balkongdörren sedan hon hyfsat julgranen, har han huggit upp ett hål i MARTIN LUTHER UPPSPIKAR TESERNA PÅ KYRKPORTEN I WITTENBERG.

Nu i den mörknande eftermiddagen sitter Sylvia och läser LA VIE ET LES EPISTRES – PIERRES ABAELART ET HELOYS SA FAME som hon har fått med posten. Det är en nyutgåva av breven mellan kärleksparet från 1100-talet, de som hade så brinnande hjärtan och så klara huvuden. Breven är återgivna som latinska original och dessutom i Jean de Meuns 1200-talsöversättning. Det brinner och det sprakar om dem i bägge versionerna. Det hettar och smälter.

Kärlek.

Det är mänskligt att dra paralleller och göra analogier och det är inte utan att Sylvia tycker att Cyrus och hon också en gång haft klara huvuden och starkt brinnande hjärtan. Han hade när det begav sig testiklar med krut i och hennes vagina flödade. Gode gud. Dessutom uppstod en uttrycksfull brevväxling.

I början bestod deras kärleksförhållande huvudsakligen av brev. Möjligheterna att träffas var begränsade eftersom Cyrus var gift och Sylvia inte alltid vistades i Zürich.

Hon dricker te och stirrar ut mot Skeppsholmen med de svarta träden. Hennes tankar ystas som snöflockarna i den tjocknande luften och hon får för sig att det kan ha funnits några som liknade Heloise och Abelard i 11- eller 1200-talens Sverige. I Skänninge tänker hon. I klostret. Kanske. En lärd magister som kom hem från Paris. En högättad och kvicktänkt ung dam på sexton år som skulle undervisas. Något sådant.

Men alltihop är bränt.

Fan också.

Fan ta reformationen.

Det här landet. Sylvia ser ut i den tätnande vinterskymningen som stiger upp ur svarta träd och ur de gamla kasernerna på andra sidan vattnet. Det här jävla feta fjärtande självbelåtna västeuropeiska förbannade uppblåsta skitlandet.

Det har reformerat och reformerat och reformerat. Fan anamma. Jag antar att jag är kulturkonservativ eller nåt ännu värre. Hon ser hålet för sig. Ett stort hål uppslitet, uppskuret, uthugget i MARTIN LUTHER UPPSPIKAR TESERNA PÅ KYRKPORTEN I WITTENBERG.

Bra gjort. Riktigt bra gjort.

Jag är trött på det här. Det är faktiskt sant. Befolkningens uttryckskraft hänvisad till yxan. Jag är trött på att surfa på den här utvecklingen. Med pensions- och båt- och inbrotts- och brand- och tandskade- och allrisk- och fanvetvad för försäkringar och avtal kommer dom (vi!) aldrig att känna av när Europa går på trynet; vi kommer jävlar bara och sitta slimmade och med slingor i håret och beklaga att nittinie procent av befolkningen sitter i marginalen.

Vilka jävla marginaler dom här samhällena måtte ha!

Sylvias solidaritet med den i alla bemärkelser mest pundiga handling hon läst om på länge ebbar inte ut vid tanken på att hon denna dag flyttat över 75 000 kronor från Allemansspar till den mer fördelaktiga Riksgälden (räntan är i innevarande stund 10,5 %). Tvärtom. Den har verkligen slagit hål i vintereftermiddagens frid. Eller leda. Hålet växer när hon har släckt läslampan och sitter i skymningen. Det öppnar sig mot en verklighet. Mot något hemlikt.

"Hem" reste hon i juli. Det var heimvåcku i hennes jämtländska bygd och hon kom med de andra hemvändarna och satt och frös och slogs med myggen och såg på bygdespel. Mest av allt kände hon sig generad. Hon hade kört bil genom ett Sverige som hon inte längre kände. På sina håll såg det framgångsrikt och pyntat ut. De små tätorterna med sina ICA-butiker och STATOIL-mackar verkade stabila. Byarna däremot hade förväxta, igenslyade lägdor och hoprasade lador mellan hus som alla fått perspektivfönster.

Heimvåckufesten var välordnad. Gubbar utklädda till rallare och skogshuggare stekte kolbullar i fläskflott och sålde dem för tjugofem kronor styck på kyrkplatsen. Sylvia åt och drack kaffe i plastmugg och hon talade med folk som hon inte sett på tjugofem år. De sa att det var slut på fisken. Det såldes åt helvete för mycket fiskekort åt turisterna.

De satt som vid älvarna i Babel fast de i allra högsta grad var hemma hos sig själva och de klagade märgfullt. De ville ha tillbaka landet där folket bar slokhatt och hängslen. Men de hade själva varit med och byggt skogsbilvägar vars sammanlagda längd var tre gånger längden av det allmänna landsvägsnätet och skulle räcka åtta varv runt jorden om man la ut den. De hade haft sin försörjning av att ta ner kvadratmil efter kvadratmil av skog och byggt sig villor för pengarna. Deras PV444:or hade pruttat ut gift liksom deras Saabar och Oplar och Cortinor. Byns elva Mercedesar, hundrafemtio motorgräsklippare och åttio skotrar pruttade fortfarande kraftfullt. O, hur saligt att få vandra, sjöng de i den lövade kyrkan.

De hade själva introducerat motorsågen. BEBO hette den första. De hade stolt kört upp med bolagets skotare och skördare och processorer i hyggena. Nu drog sig skogsbolaget tillbaka och sålde ut. Byborna la in anbud på de skogsskiften som bolaget lämnat, de hänglavsbärande, de grovstammiga, de som gränsade mot fjällets björkskogsbälten och de tog väldiga lån för att finansiera köpen. För att betala räntorna måste de slutavverka.

O, må ingen bli tillbaka! sjöng de.

Sylvia gick sakta runt i byn. När hon var yngre hade hon känt skam över ladorna som var takåsbrutna eftersom ingen längre skottade bort snömassorna om vintern. Hon hade skämts för de toviga och slyiga lägdorna med sin fäll av gräs och örter och för dikena som var fulla av sälg och björkskott. De hoprasade spåntaken hade varit fattigdomens och efterblivenhetens pinsamma monument för gymnasisten Sylvia Fransson. Nu hade de fått en ny glans. Hon såg dem glimma silvrigt. De hade blivit ännu äldre, nått ett mer hemlighetsfullt stadium av förfall. Rallarrosen stack upp sina sensommarfacklor mellan golvspringorna i sommarlagårn.

Hon hittade brunnslocket i aspslyt och hennes hand kände igen handtaget när den slöt sig om det. Men när hon skulle lyfta det fick hon bara upp en brunsvart brädbit som ännu hängde ihop med handtaget. Med stöveltån petade hon bort de möra bräderna som låg kvar och såg att vattnet var svart och rent därnere.

Det godaste vattnet. Hon mindes smaken.

Hon kom på sig med att känna ett lugn när hon gick där i förfallet,

179

ett lugn och en sorts ömhet för det silvergråa, det som nu sakta kläddes med en ny hud av grönskiftande lavar.

Må vara att byborna klädde ut sig till rallare och bupigor och att de klagade som om de exilerats ur paradiset fast de i själva verket sluppit undan lungsot och halvsvält. Men de levde i alla fall i närheten av sanningen och de kom sig inte för med att skyffla bort den.

Där låg den. Där blänkte den svart. Där fick den sakta en ny hud.

MARTIN LUTHER UPPSPIKAR TESERNA PÅ KYRKPORTEN I WITTENBERG börjar klinga av. Sylvia har ofta raptusar av vrede. Men hon får dem mest när hon läser tidningarna och de är snart utspädda med löje. Blandningen blir fort grumlig för hon inser att hon numera får sina starkaste känsloimpulser i en kvasigemenskap.

LA VIE ET LES EPISTRES – PIERRES ABAELART ET HELOYS SA FAME ligger fortfarande i hennes knä. Hon sträcker ut handen efter telefonluren och så slår hon Cyrus nummer i Zürich.

Det är så sällan hon gör någonting oöverlagt numera. Hon är nästan säker på att det ska vara förgäves. Bara siffror, små torra knäppar och sedan signaler som klingar ödsligt i våningen där långt borta.

Men han svarar. Hon känner den gamla ömheten komma flödande när hon hör hans röst.

– Cyrus!

Han förstår inte.

– Ich bin es!

Och så kommer kylan. Som ett kalldrag ur en farstu. Vad är det här? Och när skedde det? Hon pratar på. Han svarar förstrött. En gång kallade han henne Emmchen. Det minns hon nu och vreden kommer tillbaka. De sista meningarna är glättigt formella. Sen lägger hon på. Hon har en känsla av att han redan glömt att hon ringt.

Att han ångrar sig. Att han vill ha Emma tillbaka. Att han är gammal, stel och trött – att passionen till slut har blivit honom främmande. Kanske löjlig.

Oda har dukat med tekoppar, skorpor, kex och plommonmarmelad. Vid närmare eftertanke tar hon bort marmeladen. För hon tänker lägga fram de tre böckerna på bordet. Den med sju män i överrockar och hattar under stjärnhimlen, den med kejsaren av Kina och den med den ensamme Krilon på klippan.

Att det inte blev så lyckat på Whitlockska inser hon nu. Hon borde ha argumenterat lugnare och sakligare. Men Johans resonerande ande var inte med henne. Nu tar det emot att överhuvudtaget nämna saken. Göra avbön.

Isch.

Men nu gäller det inte bara uppträdet på Johnsonmötet. Snöpingen Idhahl kunde gärna ha det. Hans kväkande. Det var som att sitta bredvid Fan och höra föreläsningar i Kiel: allting är vetenskap!

Men liv –

Nu gäller det sanningen. Den är kinkigare. Vad är sant efter femtio år? Många gånger i sitt liv har Oda varit med om att sanningar efter några årtionden börjat se rätt sjabbiga ut. De har fått anlöpningar.

Att Johan mötte författaren Eyvind Johnson på isen i januari 1941 är en sanning. Någonting har hänt och blivit omvittnat. Men därifrån är det ganska långt till det hoppfulla förmodandet att mötet var långt och innehållsrikt resonerande och att författaren Johnson gick därifrån med vingade pjäxor i den knarrande snön.

Att han fått vissa idéer. Detta är den verkliga pinsamheten. Vad har hon egentligen låtit Sigge tro?

Krylund läste Krilon. Det är säkert. Johan hade alla tre böckerna i originalutgåvorna. De för mer än ett halvsekel sen uppskurna pappbanden ligger nu på matsalsbordet. Draken krälar under riddarens svärd och bläckfisken slingrar i ondskefull vanmakt. Klippans skalle bildar fundament för den mycket stadiges fötter i bruna lågskor. Johan skrev sitt namn i dessa böcker och de är fulla av blyertsunderstrykningar, utropstecken och kommentarer i stark förkortning.

Han förde samtal med dem. Ibland tycks det ha varit upprört men

181

oftast var det lugnt och påfallande ironiskt, vänligt ironiskt. Han tycks ha haft lätt att falla in i textens tonfall. Han invände, han konfirmerade och exemplifierade. Samtalet måste ha pågått länge. Oda kan se det på handstilen. Den växlar liksom blyertssorterna. Han träffade alltså även sig själv när han på nytt och på nytt läste i böckerna. Han förde samtal med sitt yngre medelålders jag, med sitt krigströtta och sitt krigsupprörda jag. Hans femtiotalsjag skrev *Atombomben*! i kanten när Krilon i sitt slutanförande säger att han med förnuftets hjälp försöker se in i framtiden. *Vi får inte glömma! Remember! N'oubliez pas! Glem det ikke! Kom ihåg!* har han strukit under med kraftiga, nästan obehärskade blyertsstreck som hotar läsligheten.

När de johnsonska orden skrevs hade ännu ingen atombomb fällts. Gjorde Johan understrykningen och kommentaren när Hiroshima och Nagasaki bländades in i det mänskliga medvetandet? Eller senare?

Hans samtalsgrupp hade gått i protestmarsch mot atombomben och Oda hade varit med. Som den enda av fruarna för övrigt. Det blev ett slags seger där. Det kändes i alla fall så. Men vad var det egentligen?

Nästan allt får med tiden en liten anlöpning. Om vi nu inte fick något atomförsvar i Sverige, vilka var det som egentligen såg till att det blev så? Var det verkligen en bildad, vaken och redan något silverhårig opinion? Eller var det USA?

Vi flöt, tänker Oda och trevar på böckerna på bordet. Det är halvmörkt inne. Hon blir medveten om att hon en stund talat till tavlorna på väggen. Till den välfyllda Mrs Pierre S. Du Pont och den enkelbladiga vita rosen från Fredrika Runebergs trädgård.

Vi flöt och vi levde också med vår rädsla. Den koncentrerades först i ett knappnålshuvud. Allt som hade med atombomber att göra var i vår föreställning mycket litet. Ett knappnålshuvud hade kraften att spränga jorden. Så trodde vi. Men man fann upp det som var bättre. Verkningsfullare. Giftigare. Det hette hydrogenbomben.

Vi flöt i våra liv, i våra strömmar av tid och åsikter och rädsla och övertygelser. Men giftet koncentrerades inte längre i det berömda knappnålshuvudet. Det diffunderade. Det mängde sig med inandningsluften och vi vande oss. Vi vande oss och vande oss och vande oss.

182

Ja, sannerligen vande vi oss inte vid hydrogenbomben, vid neutronbomben, vid livet i byn nedanför den krater som en gång ska spy ut hetta och gift bortom allt förstånd.

Vi till och med vänjer oss vid de där plutoniumpaketen, blyburkarna som syndikatens eller regeringarnas hejdukar far omkring med. Något svettiga i handflatorna får man föreställa sig. Vi flyter och vi lever.

Men en sak är Oda övertygad om och det är att livet är en Tjechovpjäs. För det är mest förströddhet och vapnet som nämns i första akten kommer att avlossas i den sista. Fast då lever inte jag tänker hon. Och så tänker de flesta. Utom barnen.

Barnen ser jordytan brinna som en solnedgång. De ser en eldsvåda i en ödslig rymd. Och de tänker på att inga brandkårer finns då och ingen telefon och ingen som kan ringa till polisen och klaga.

Men barnen blir halvstora och sen blir de halvvuxna och vuxna och då har de vant sig. Hon undrar om Johan någonsin hann vänja sig. Om någon hade gjort det före 1958. Och om han hade fått leva?

Det finns människor som aldrig vänjer sig.

Två år före sin död gjorde han en kommentar om Ungern i kanten vid Hovalls samtal med Jekau i den mörka källarvåningen under Freden. Hon kan föreställa sig hur trött och upprörd han var, säkert hetsad av radiolyssnande i flera dygn. Han drog in också Koreakriget i Krilons tidsvärld, bröt in i den med sin blyerts som om han ville tvinga Krilon att ta ställning till det som blev allt svårare och fick allt mindre av krigsårens tydlighet och skarpa ideologiska kontur.

Oda har under åren umgåtts så ofta och nära med dessa tre volymer att hon vet att Johan också mötte sitt ömtåligaste därinne i texten: sveket mot Aina, lögnlevandet. Han kunde varken glömma det eller införliva det med den han ville vara. Han strök för Jonas Frids brist på glömska och jämförde den med sömnlöshet. Minnets förmåga att pina upptar honom mycket. Åtminstone verkar det så. Men säkert kan man inte veta för i den sortens anteckningar var Johan så oändligt mycket försiktigare. Det är antydningar, tunna, grafitgrå. Ibland ser de darriga ut.

Det enda hon vet är att han levde med Krilon nära sig. Hon skulle önska att varje människa hade en sådan bok om sig själv. En nyckel in i hennes låsta rum, en text där hon kunde gå bredvid sig själv och bli stor och tydlig och märkvärdig – ja, viktig i sitt otydliga, sitt förströdda, flytande och slöhetsiga levande. Där hon blev lugn. Där hon blev ord. Där hon kunde föra ett samtal med sig själv, äntligen. Och den skulle skänka skratt också och någon förlåtelse. Men ändå vara uppfordrande. Det högtidliga skulle ligga omkring henne som i trädkronor eller i fallande snö. Men aldrig i det där felvända ansiktet i spegeln. Aldrig.

När Sylvia på mornarna kommer till huset vid Skeppsbron står hon en stund och tittar ut över vattnet innan hon går in. För det mesta ser hon mer bilar och bussar än hon ser vatten. Men hon anser att hon står och ser ut över vattnet. Det är handlingen som räknas.

När hon kommer upp slår hon på datorn och kaffeautomaten. Hon läser Dagens Nyheter, äter ostsmörgås och dricker kaffe ur en mugg med Miss Piggy på. Det är den bästa stunden på dagen. Så här är mitt liv, tänker hon då. Så här ska det vara. Datorn susar ljust. Dess ljud hör till rummet likaväl som den grå dagern och lukten av stenmurar som åldras.

Samma vatten, samma dån av motorer. Men kvällsdager nu och Sylvia i ett tillstånd av kall förvirring. Ännu ingen smärta. Ännu egentligen inget annat än kyla som stiger upp från ett kallt golv.

Hon har inte varit beredd på svek. På datorskärmen står det:

JAGHAR LSKAT TILLITSFULLT

Hon försöker få bort det och på skärmen kommer det upp:

FEL! FÖRSÖK IGEN!

Nej, hon har inte varit beredd på svek.
Svek?
Det är förmodligen en semantisk fråga.
Svek är – trodde hon utan att någonsin tänka på det – när man ror ut i den doftande sommarnatten med sin älskade. Man ror till Lycksalighetens ö. Där blir den älskade full eller brunstig eller blixtrande kär och uppsöker ett skyddande buskage tillsammans med en annan full eller brunstig eller blixtrande kär individ. Individ? Specimen?

Buskarna är glesa. De skyddar inte det brutala, det stånkande, det högljudda sveket. Lycksalighetens ö förvandlas till Helvittes sopbacke. Där är spyor. Där är tomglas. Där är förbrukade kondomer.

185

Där är också borttappade underbyxor.

Sådant är sveket i ungdomen. Man ror ifrån det. Man vill skära sönder sig eller världen. Det gör man inte. Man ror därifrån och man blir en person.

Så går man relativt säkrad ut i livet och aktar sig för gökrop och liljekonvaljer.

Annorlunda är det medelålders sveket som nu rullar upp sina dolda filer för Sylvia. Hur det smyger. Hur det tar god tid på sig. Vilka vackra ord det använder.

Till livets slut.

Jojo.

Riktiga psalmboksord.

Så varsamt det medelålders sveket är, så hänsynsfullt. Lite tankspritt också.

Det medelålders sveket har inte brått. Men det har svikaren. Allt oftare. Och han har inte längre alltid sina bästa och allra renaste underkläder på.

Så sitter man där, femtiofem år gammal, och sviken som en tonåring. För hur långsamt, hur taktfullt och bolstrat med hänsyn ett mord än är, så kommer till slut den stund då den skäktade och på allt blod tappade upptäcker att den kyla som stiger upp från golvet eller från källaren eller från själva helvetet i själva verket stiger upp ur hennes egen kropp.

Då, i kylan, i gråskymningen som börjar svartna i hörnen, ringer telefonen. Sylvia skärs i två halvor när hon slår ner på luren. Ena halvan vet att det är Cyrus som ringer. Nu förklaras allt. Misstaget. Hörfelet. Vansinnet. Alltihop. Det kommer inte att ta mer än en halv minut. Sedan ska de skratta. Svek! Ojojoj! HAHAHA! Gudihimlen!

Sylvia är snabb som sin Pentium och dessutom dubbel. Den halva som inte producerar Cyrus förklaringar är fylld av vettlös skräck.

Det är Blenda som ringer. Från en telefonkiosk. Hon har nån sorts noja. Och hon vill komma upp.

– Sitter du i mörker? säger Adam när han kommer in. Han ser henne antagligen i silhuett mot altanfönstrets ljusrektangel. Snön dryper nu. Ljuset holkas ur och mörker rinner in i trädgården. Vattensvärta. Blänk. Hon har egentligen ingen lust att tända men sträcker i alla fall ut armen och gör det. Måste få det överstökat.

Han ser inget först. Så hon svänger på stolen. Nu ser han.

– Jävlar Sigge, säger han med djup och uppriktig uppskattning. Hon vänder på huvudet. Björn Axén har skulpterat fram det med saxen. Hon är mörk som en kastanjenöt nu. Och vingen av snedklippt hår vid vänstra kinden skär ut en mörk kontrast mot hudens blekhet. Ivory. Det är Clinique nummer 1. Rouget har samma rödbruna ton som läppstiftet. Hon sträcker benen ifrån sig och vickar med bootsen.

– Är det nån som har stylat dig?

– Nej, jag har gjort det själv. Med ditt NK-kort.

Sigge tänker inte bli nervös. Inte ens av den tystnad det nu är dags för. Hon har räknat med den. Varje fas, varje nivå av hans stigande häpnad har hon tänkt över. Ändå är hon nära att famla efter en hårslinga på axeln. När hon känner sig så här brukar hon sno en om pekfingret. Men det finns inga slingor längre. Hon tar den lilla ängeln av silverliknande plåt ur pennfatet och fingrar i stället på den. Det är den enda eftergift hon gör åt sin spänning. Rädsla får det inte vara fråga om. Hon måste vänta. Inte låta sig överrumplas. Hon vänder och vänder ängeln så att den gör volter mot skrivbordsytan och Adam stirrar på den.

– Det här får du förklara lite bättre, säger han lågt.

Inte svara. Inte än. Titta ut på det blänkande mörkret. Hur det suger åt sig gatlyktors och adventsstjärnors ljus. Odas lysrör i köket ger vitblått sken. Hon rör sig därinne, oformlig men kroppslig.

– Avgångsvederlag, säger Sigge till slut. Adam har satt sig någonstans bortom den gula pöl som skrivbordslampan flödar ut på golvet. Hans röst är fortfarande låg. Brum brum genom mörkerfiltret.

187

– Du tänker väl inte sluta Sigge?

– Jag passar inte på GLOBECOM.

– Jag tycker du ser ut att passa fint. Jag har inget emot att du stylar dig för att komma i fas.

Hon tiger.

– Jag fattar Sigge. För fan.

– Gör du?

Hon har tänkt lägga upp det som en kalkyl. Hennes tolvtusen i månaden mot de nitton, tjugo hon borde ha haft. Skillnaden uttryckt i krontal. Armanikostymen och det andra fråndraget. Resten vad han fortfarande är eller borde vara skyldig henne. Moraliskt i alla fall. Men hon kommer av sig.

– Vi behöver varann. Det vet du. För fan Sigge, vad har du tänkt dig? Disputera på Eyvind Johnson? Vem tror du läser Krilon? Det är ju som Nathan der Weise. Överspelat. Allt det där kan ju vara en hobby Sigge raring. Men jobbet. Jag menar du har ju gett allt. Jag vet det. Jag litar på dig.

Kanske är det Adams verkliga begåvning som entreprenör: att kunna överraska. Hon har varit helt säker på att han tänkte göra sig av med henne så snart flytten till GLOBECOM är klar. När hon burit och sorterat och rymt ut. Han har sagt att han måste hyra in henne i fortsättningen. Det är såna rutiner på GLOBECOM. Och Nathan der Weise! Hur i helvete kan Adam veta att det ens finns nåt som heter så?

Han sträcker ut handen. Sitter och väntar. Hon förstår inte vad han vill.

– Jag fattar Sigge. Vi ska ordna opp det här. Det blir helt andra förhållanden på GLOBECOM. Lönen och allting. Självklart. Det enda är att vi måste lita på varann. Eller hur?

Eftersom han inte tagit ner handen gräver hon fram NK-kortet ur kavajfickan och räcker honom det. Men han tar det inte.

– Du blir värdinna för EN DAG FÖRE FRAMTIDEN. Okej?

– Värdinna?

– Projektledare – för fan. Var inte så jävla råfeministisk. Det behövs inte. Jag vet vad du är värd Sigge. Ge mig den nu.

Det är inte kortet han vill ha. Det är ängeln. Hon har en känsla av att den gett henne tur så hon stoppar den i fickan. Adam har rest sig. Han står därute i utkanten av lampljuset och tittar på henne. Kalkylerar nånting. Sen gräver han i byxfickan och får fram SHELL-kortet.

– Här.

– Vad ska jag med det?

– Kör ut till mamma är du bussig. Jag hinner inte innan planet går. Du vet – julklapparna.

Nu sitter hon med två kort men hon förstår inte det som händer.

– Huvudsaken är att vi kan lita på varann, säger han. Vill du ringa nu? Ta Freys. Jag måste ge mig iväg. Jag kan inte missa planet.

Att se Vråkflickan var den mest genomgripande upplevelsen i Sylvias liv. Det var också den starkaste. Inte så att den skilde sig från alla hennes tidigare erfarenheter och slog ut dem. Hon har träffat Indienresenärer som påstått sig ha upplevt en total och mycket smärtsam omstrukturering av tillvaron. Ofta verkar de sig dock rätt lika när amöbadysenterien botats och avmagringen och sömnlösheten upphört.

En mörk eftermiddag med snöglopp för inte så länge sen stod hon och stirrade på Ruth Ansers ansikte. Ruth med åtta månader mellan sig och Bombay ivrigt pekande och diskuterande över korvarna i ett stånd på Stortorget.

Julmarknad. Röda kinder och snöglopp. Sylvia drack kaffe med henne på Guds eget konditori. De talade om korv. Ruth var inte rädd för världssvälten längre. En instinkt starkare än hela hennes rika och nyanserade uppsättning av humana känslor sa henne att hon inte skulle vara bland de första miljonerna som svalt ihjäl.

Egentligen är det bara det okända, det som vi inte kan tala om därför att vi ännu inte har urskilt det i mörkret, som inger oss skräck. I ett välinformerat samhälle dör till och med den hälsosamma rädslan. Den blir ihjälpratad.

Men Sylvia blev verkligen rädd när hon såg Vråkflickans brutna halsstjälk. Diffusa skräckkänslor, tussar av ängslan, dammkylten i hörnen av hennes medvetande tog gestalt. Hon visste plötsligt mycket om världen. Hon visste vad hon hela tiden anat men inte kunnat se.

Hon visste att all supremati i grunden vilar på fysiskt våld. Hon visste och hade alltid vetat. Men hon hade inte sett.

Det var en insikt som till slut bildade ett mönster. Den vilade på kunskap. Hon vet mycket om våld, om urgammalt våld, våld i historisk tid och nutidsvåld. Hon tror att hon genom sitt arbete och sin vetenskap vet mer än kvinnor i allmänhet vet. Endast en erfarenhet har hon inte. Den direkta. Ingen man har någonsin tystat henne med ett slag på käften.

190

Hon har burit denna insikt och detta mönster inom sig som man bär en dyrbarhet, faktiskt. Hur smärtsam den än är, hur kväljande, så är den hennes och har uppenbarats genom Vråkflickan. Men hon vet inte vad hon ska göra med den. Hur skulle hon kunna gå till sin omgivning som till stor del består av förfinade och sympatiska män och säga vad hon sett? De bildar ju ingen sammanslutning. Det är ingen Världsklubb av Herrar som våldtar unga flickor i parker och placerar ut kärnvapenbärande robotar.

Men deras fysiska styrka bildar någonting. Ett mönster. Över hela världen är det unga, fysiskt välutrustade och tränade män som försvarar de värden som samhällena enats om. Enats om?

Såna där är det farligaste som finns, brukar Cyrus säga när han ser unga starka män ute på stan. Cyrus med all sin ömhet, styrkan av sin ömhet, är en man han också. Vad skulle hon svara?

Blenda sitter på andra sidan skrivbordet och har lagt ut tre små bitar av gult siden på ett A4 mellan dem. Där finns ett mönster som knappt är urskiljbart under bruna fläckar. Hon har slagit upp en blocksida med en teckning. Sylvia ser i hennes ansikte att hon har mött sin vråkflicka.

– Flickan finns inte, viskar Blenda. Bara fåglarna. Ser du?

– Varför skulle det finnas en flicka?

– Toffeln.

Blenda pekar på bitarna. Hennes ansikte är grått och urgröpt.

– Du är överansträngd, säger Sylvia. Det här är inte bra. Du kanske ser saker som inte finns.

191

I tre hela kvällstimmar flödar den där musiken ut. Fönstren är stängda för kylan. Den pulserar genom murbruk och glas och lämnar villans kropp som gift tycker Oda, ja gift som kokas ur sölade lakan och bindor efter en lång dödsprocess. Hon ringer flera gånger men Sigge som ibland skymtar därinne i skuggor och reflexer svarar inte och Oda tänker att hon aldrig ska nämna timmarna av musikalisk (?!) fasa men hon gör det ändå – ja, det är det första hon säger: att Sigge ändå inte tycks vara så plågad av den där musiken som hon brukar påstå. Då svarar Sigge att det inte är den där musiken. Det är annan musik. Hon har den i en NK-påse som hon kastar upp på hallbordet och eftersom inga omslag syns på CD-skivorna så lär sig Oda i alla fall inte skillnaden. Om den nu kan utläsas.

Sigge kommer in bara för att säga att hon inte kan komma. Men Sickan traskar vant in i vardagsrummet och lägger sig på ryan så Sigge går efter, kanske för att kalla henne tillbaka. Men hon glömmer det tydligen när hon får se dem sitta där. Sylvia i gungstolen med Sickan redan hoprullad vid fötterna och med handväskan uppställd på knät så att det ser ut som om hon var på tågresa. Blenda och Ulla nersjunkna i soffan i ett kuddlöst tillstånd. Så Sigge kan väl inte låta bli att säga att musiken tydligen stört dem och Ulla som alltid ser till att pinsam tystnad blir bruten svarar för dem alla att den är ju lite formlös. Eller oformlig. Eller hur man ska säga. Det där dunkandet.

– Stötandet, säger Sigge, det rytmiska stötandet.

– Ja, nåt sånt. Det finns liksom ingen…

– Den är inte på väg nånstans, ingriper Oda.

– Vegetativ. Inneslutande. Töcknigt omslutande.

– Nåt sånt ja.

– I avsaknad av aktivitet. Passivt uppgående. Eller? Ni har i själva verket alla möjliga idéer om den där musiken, säger Sigge. Och sen påstår hon fräckt att de har samma litteratursyn.

Litteratursyn! Diskussionen har spårat ur innan den börjat. Oda har inte ens hunnit nämna dagens ämne.

– Språk som flyter som den där musiken känns som smuts, säger Sigge. Fast för vem talar hon? Som förorening. Avstött materia. Just materia. Kropp alltså. Litterära strukturer måste vara teoretiskt produktiva för att ni ska godkänna dem. Eller hur? Ha pregnant metaforik. En strukturerad symbolvärld. Helst allegorins knepiga, finurliga teckenvävnad. De måste vara på väg nånstans och de måste resultera i utlösning. Hon flinar (verkligen) när hon använder tvetydiga termer. Det är desto konstigare som hon ovanligt nog ser korrekt ut. Hon har kostym och hon är kortklippt och håret är mörkt och ögonbrynen tunna och raka. Det har aldrig nånsin märkts att hon har haft några ögonbryn förut, i varje fall inte utpenslade tecken ovanför ögonen; hon är Sigge fast ändå inte och låge inte Sickan där och susade i sin djupt vänskapliga sömn mot den dammiga ryan så skulle Sigge kunna vara utbytt mot en av de egendomliga dubbelgångare hon brukar tala om, en simulacrum, en liten fantasm i kameralt grått som påstod sig heta Sigrid Falk. Högra foten stampar, den markerar en ohörbar rytm, kanske invand efter den tidiga kvällens excesser i villans halvmörker.

– Men teoretiska modeller i en sån språkvärld som ni föredrar bryts ner i alla fall, dom ruttnar kanske inte som kroppar men dom bryts snarare ner till materia – det skramlar, det knäpper om dom och så är dom obrukbara. Som nån egendomlig och alldeles genomrostad konstruktion man fått opp ur en göl. En gammal cykel utan tramper. Eller tramper utan förbindelse med nåt nav.

– Humanism is obsolete, säger Sylvia.

– Va?

Oda är inte den enda som stirrar på henne.

– Jag tänker bara på en t-tröja som Sigge hade en gång. Det stod så på den. HUMANISM IS OBSOLETE.

– Äsch den... det var ju en ploj.

Sigge har på något sätt kommit tillbaka, trots kostymen. Andens vind har mojnat, hon ser slak ut. Sylvia fortsätter:

– Jag har den uppfattningen, jag har haft den länge, att när en människa säger nåt med stor övertygelse, ja med patos, så kunde hon lika gärna säga precis motsatsen.

– Du menar i andra levnadsomständigheter, säger Oda.

– Nej, inte alls. Hon kunde faktiskt säga motsatsen i precis samma levnadsomständigheter och med samma mentala utrustning. Och hon kunde säga det med lika stort patos.

– Det förstår jag faktiskt inte.

– Nej, inte jag heller. Men det är alldeles uppenbart att det är så.

– Det är ju totalt orimligt! ropar Ulla från soffan.

– Ja, det är det. Och det är därför jag tycker Sigges begrepp ploj är fruktbart. En lösning på dilemmat faktiskt.

– Vilket dilemma?

– Att skepticism och fanatism uppenbarligen är samma andas barn.

Nu är Oda arg och det syns. Som gammal anhängare av skepticismen drar hon in luft:

– Det där får du förklara.

Knäpptorrt. Det kommer små astmatiska efterhostningar också. Ulla vill ingripa men Sylvia låter sig inte hejda:

– Jag tror att dilemmat är oförmågan att tro på nåt annat än absoluta sanningar. Och då tycks mig Sigges provisorier på tröjor och annat, din flytande, vad var det du sa? kroppsliga eller ja ruttnande språkvärld mera fruktbar, ja just fruktbar faktiskt, alstrande... det stinker och det gror i den.

– Ploj, säger Oda, det betyder inte något annat än en provokation som man inte står för. Som man tar tillbaks i nästa andetag. Är det vad du föredrar?

– Dom dumma blir fanatiker, dom intelligenta blir skeptiker, är det så du menar? frågar Blenda som om Oda överhuvudtaget inte sagt något.

– Klockan är nio! Sätt på Aktuellt!

Det är Ulla. Oda är på väg att bli arg, verkligt arg, för nu vill de tydligen bryta ner också diskussionskvällarnas form till kompost. Eller till vad det nu var Sylvia menade med det som stinker och gror. Ulla förklarar att Kajan är på Aktuellt.

– Norrmalmstorgsmötet blev filmat och hon blev intervjuad när hon stod med insamlingsbössan.

Sådant tycker Oda inte om och det vet de. Det gemensamma offentliga ansiktet, TV-överenskomligheten. De ska vara anonyma och individuella. Fast Oda ser själv på TV ibland. Ganska ofta. Apparaten är liten, färgskalan drar alltmer mot grönt. Hon fick den av sin son och den är ansluten till Dalens kabelnät. Att hon såg Herrskap och tjänstefolk när serien gick i repris på eftermiddagarna har hon aldrig berättat för dem, inte heller att hon då och då ser I Vår Herres hage.

Hon tycker om den problematiske veterinären Tristan. Hon tycker om hunden och landskapet med de dammiga vägarna och T-forden som puttrar upp- och nerför gröna kullar. Det händer också att hon ser svenska långfilmer från trettio-och fyrtiotalen. Men nyheterna menar hon att man ska höra i radio för annars blir man dum.

De känner sig också ganska dumma nu när de stirrar på Sten Anderssons ansikte och hör honom säga att det är för jävligt. Det handlar om Palestina, om Gazaremsan och bosättningarna och Ulla säger att Kajan kanske inte kommer med i alla fall. Men då kommer efter en utredning om en alltför verksam ingrediens i tvättmedel (några ögonblick visas fragmenten av ett nylonnattlinne) ett vitblixtrande, ett alltför elektroniskt Norrmalmstorg. Fast sen förstår de att det snöar. Och Kajan är verkligen där med sin bössa. KVINNA TILL KVINNA står det på den och Kajan har en banderoll över kappan med orden FÖR BOSNIENS KVINNOR OCH BARN på. Och sin lilla jägarhatt. De väntar på att hon ska tala. Hon var fantastiskt bra, säger Ulla. Men Kajans kropp försvinner bland de vita korsande blixtarna eller långa stavarna som väl är snö och det kommer in ett mansansikte i blixtret. På nära håll och med porig näsa blir han tillfrågad om han engagerar sig för Bosnien.

– Inte ett jävla dugg, svarar han.

– Varför inte det?

– Att en jävla massa dårar håller på och skjuter ihjäl varann därnere det är inte min sak. Dom kan väl för fan komma sams då eller så får dom väl skjuta ihjäl varann bäst dom vill.

Han har rutig keps. Sylvia frustar till och drar med sig Blenda. Är det roligt? Är det verkligen roligt? Oda ställer inte frågan men då Ulla stängt av TV:n säger hon:

– Jag har bett er komma hit för att vi skulle diskutera den tragedi som håller på att inträffa i Dalen. Den rädsla, ja jag skulle vilja säga den skräck som nu manifesterar sig i det upprop ni alla känner till. Vi kanske skulle diskutera det komiska i stället. Det komiskas betydelse.

I detta ögonblick reser sig Sickan och gäspar utdraget. Just innan hon stänger gapet om det gulaktiga tandgarnityret, den smala tungan och den svartfläckiga, vågiga gommen låter det som en jamning eller ett kvidande. Hon har ställt sig upp med frambenen men sträckt bakbenen så långt ut hon kan och står med bakdelen nerpressad mot ryan. Käken knäpper till när hon avbryter gäspningen och återtar sin

195

normala längd och benhöjd. Den är obetydlig. Sickan har något längre ben än en tax men med samma svarvning. Svansen är hårt kringlad. Öronen står upp till hälften, den yttersta spetsen trillar mjukt framåt och reser sig bara vid yttersta vaksamhet. Hennes grundfärg är gulaktigt vit med grå och rödgula fläckar och hårlaget är kort. Hon har bara ett fungerande öga, det andra är ärrat och blint. Det ser vitgrått ut och är överdraget med en grumlig hinna som i vissa belysningar skimrar i blått. Över högerögat sitter en pigmentfläck som är svartare än de andra. Det ser ut som om hon har en lapp för det friska ögat.

Hon ser komisk ut. Hon är olyckligt formulerad precis som Odas nya ämne. Sigge begriper, de begriper alla, att Oda vill åt det tragiska. Hon vill smyga sig på dem och överrumpla dem med skuld och ansvar och andra dånande begrepp. Hon vill hävda att det i själva verket är tragiken som är komikens moder.

I fallet Sickan finns inget samband. Hennes fläckar, hennes benkurvatur, hennes hårdknutna rompa och i leda eller bara sömnighet någon gång uppspärrade krokodilgap skulle finnas där även om vänsterögat var friskt och fungerande. Inte heller kan hon stödja Sylvias tes att all tragik förr eller senare obevekligen blir komik för Sickan såg naturligtvis lika komisk ut från första början och dessutom hade hon stort runt huvud, valp- och barnproportionerat. Ett sådant huvud finns kodat i instinktsapparaten hos människan liksom den bara och skära magen finns inpräglad hos varg och hund för att avhålla dem från det dödande bettet. Fast i Sickans fall hjälpte bar mage och runt huvud lika lite som silkeskänslan på hennes hjässa eller de klumpiga tassarna med sina små välformade svarta klor kunde avvärja det som hon skulle tilldelas av smärta och som hon nu har glömt eller kanske inte glömt.

Sylvia berättar en komisk episod ur sitt liv för att underbygga sin tes. Vad är det egentligen med Sylvia, hennes röst? Hon berättar att hon varit tofslärka på Medevi brunn vilket betyder att hon gått grötlunken genom parken hållande i ena tofsen på brunnsstandaret. Den andra hölls av en silverhårig herre, en hedersgäst också han, och de hade konverserat glättigt och tappert hela vägen som förresten var kantad av åskådare i den blanka julihettan. På den grådammiga vägen, förbi paviljongerna och de små trähusen och de lövrika träden under vilka en giktplågad, syfilitisk och uttråkad överklass för tvåhundra år sedan sökt svalka men inte funnit så mycket då som där fanns nu när Sylvia Fransson-Bleibtreu gick i takt med den silverhårige efter mässingsorkestern med tuba, cymbaler och trummor och landstingets mer eller mindre krumma patienter kryllade i parken i sina blanka träningsoveraller.

Kajan såg komisk ut i sin lilla jägarhatt på Norrmalmstorg, tänker Sigge. Det är så. Och det har ingen särskild mening, ingen alls. Men Sylvias historia börjar långsamt få en poäng för det visar sig att den silverhårige vid standaret med tofsarna är kirurg eller varit det i sina kraftfulla dagar och det är han som skurit bort hennes livmoder och hennes äggstockar. Det kallas för radikal hysterektomi, säger hon och det radikala beslutet tog han med kniven i handen för att han tyckte att det ärrade och cystbemängda virrvarret av vävnad i hennes buk inte var mycket att ha. Hon hade sökt honom för blödningar och för värk och för menstruationers utdragna plåga som dessutom började gå i varandra så att livet hade blivit en enda lång utdragen menstruationsolust och stundom, ja allt oftare smärta, ett trivialt och meningslöst golgata. Som han avhjälpte. Men en tragedi var det väl i alla fall, en tragedi för en tjugoåttaårig kvinna, det håller de med om men de känner sig generade när hon hävdar att den blev komisk, obevekligen komisk där i brunnsparken när orkestern bompade och pruttade. Han kände förstås inte igen henne för han hade väl aldrig tittat på hennes ansikte och han hade haft tusentals patienter under en lång karriär här och i Amerika och i Australien och kanske hundratals eller tusen eller fler med ärr och cystor och ett inre virrvarr som inte dög särskilt bra till fortplantning. Hon kände inte igen hans ansikte, gudens ansikte under den vita masken, efter alla dessa år och årtionden. Det var hans namn hon kände, för det är klart att vi ger namn åt ödet och bevarar dem i minnet.

Det är osäkert vad Sylvia vill hävda. Kanske att det inte finns någonting som är tragiskt i Odas mening av ordet, ingenting dånande och djupt och allvarsamt som domkyrkoklockor, utan att allt bryts ner till en sorts komik, om man har förmågan att se det så, om man unnas den. Eller det bryts ner i en kompost där det möjligen gror något eller inte gror något utan bara stinker. Gud vet vad Sylvia vill påstå egentligen; hon kanske bara pratar på sig. Hon kanske måste prata prata prata för att bota eller i alla fall lindra en smärta som spökar i ett grenverk, ett trassel av för årtionden sedan avskurna nerver. Då börjar Sigge prata hon också, fast hon inte vill.

– Doktor Mengele säger hon.

– Nåja nåja, säger Sylvia. Det är väl och ta i.

– Minns ni den där judinnan som berättade att hon fött barn i vad var det Auschwitz eller var det Belsen?

– Berättade *var*? låter Oda basuniskt fast hon så väl vet att det var på TV. Kvinnan hade fött barn på en bänk i en av bostadsbarackerna och en läkare hade tagit det ifrån henne så snart det kommit ut.

– Kommit ut var ju också ett uttryck. Det märks att du inte har fött barn Sigge.

– Nej, det har jag inte av diverse orsaker. Det föddes i alla fall och hon fick lägga sig på sin brits, i sin avbalkning och de band om hennes bröst, lindade dom hårt. Barnet tog den där läkaren till sina experiment men modern överlevde. Det vet vi ju för hon har berättat det här, på svenska och allting. Alltså finns hon här. Tänk er nu att hon kommer till Medevi som landstingspatient på äldre dar, det är väl inte helt otänkbart, hon fick nog sina men. Och så möter hon sin Mengele eller vad han kan ha hetat. De går och håller varsin tofs i standaret. Hon känner igen honom. Han känner inte igen henne förstås för han hade ju så många, jag antar han kallade dom för patienter, och där går de bredvid varandra i hettan och mässingsmusiken. Och då är frågan om det blir komiskt. Sylvia!

Det är inte alls det här hon vill berätta, hon vill förresten kräkas. Den historia hon vill berätta finns inte. Hon har aldrig ställt samman den till en berättelse, inte för någon, möjligen snuddat vid den därute i Albano, bredvid behandlingsbänken. Det kommer hon inte ihåg. Den finns bara i Sigges minne fast inte i det användbara minnet utan i det andra. Den finns någonstans på gränsen mellan två minnen där den ständigt drar sig tillbaka och att kalla fram den med ord skulle vara osmakligt.

Hon samlar bilderna inom sig – de sandiga vägarna i tallskogen, bussen, taxin till Albano – och lyssnar ändå på deras kackel. För det är ett rent kackel nu framkallat av den där bisarra Medevihistorien och dess virtuella efterföljare. Ulla ropar ganska gällt att på medeltiden var det de lemlästade, de vanföra och skadade och de fattiga som ansågs så obetalbart komiska att man till och med kunde betala för att få se på dem och Sylvias ständiga gyckel och relativism kommer att föra dem alla tillbaka till medeltiden och för sin del vill hon inte diskutera längre för den här diskussionen har spårat ur, det finns ingen mer än hon och Oda som tar den på allvar. Och Blenda, vad vill Blenda egentligen? Som bara tiger. Oda försöker medla men Blenda har rodnat flammigt neråt halsen och säger att hon kanske tycker att diskussionen har blivit lite för högtravande för en syjunta.

Nu är det ju årtionden sedan gruppen var en syjunta. Den enda som är kvar från den tiden är Oda Arpman som vid sitt inträde på fyrtiotalet föreslog att fruarna skulle ha en läsecirkel i stället. Det blev en kompromiss. De fortsatte att sticka och brodera korsstygn de kvällar deras män sammanträdde i Johan Krylunds diskussionsklubb. Men de bildade verkligen en läsecirkel och Oda som aldrig tog i ett handarbete såg till att romanerna av Lyttkens, Baum, Shellabarger, Maugham och Shute blev diskuterade.

Den första bilden är just sand, sommartorr finkornig sand på en väg med spår av fötter och cykelhjul, kanske en moped. Tanken på en moped kommer av ett ljudminne som ligger längre fram (eller bak): minnet av flyktknatter och skratt. Det är ljud som hon hör när hon ser sanden och sina fötter i sandaler och hur tårna blir grådammiga och får tydliga konturer kring naglarna. Det är ett kvidande. Och skratt. Det låter som ett barn. Sigge tror att det är ett barn som gråter. Som tjuter. Men det är svagt, dolt eller halvdolt bakom ridåer av rönn och tall och det måste komma från svaga stämband. Det överröstas hela tiden av upphetsade och skrattlystna röster. Sigge är rädd utan att riktigt veta det, men hennes kropp vet. Den sticker och svettas.

Hon går in i krattet och ser en betongvägg, en kasun. Sen förstår hon att det är en bunker för det finns en öppning. Hon står snett bakom och ser en pojke komma ut och springa en bit bort och börja kräkas. Han står och hulkar och rister och en annan, en som hon inte ser, har kommit ut i öppningen och ropar:

– För fan, vi har ju fått den!

Han som kräks lyfter huvudet och får syn på Sigge och ropar:

– Stick! Det kommer nån!

Sen lufsar han iväg och det kommer ut flera ur bunkern. En kärring! skriker nån och de ger sig iväg. Hon vet inte hur många de är, kanske fem sex stycken och han som kräktes såg ut att vara elva eller tolv år. Hur de såg ut, hur de var klädda finns inte kvar. Det är mest ljud nu, en remsa i minnet: motorknatter, skratt och det där kvidandet som fortsätter inifrån bunkern. Hon vill inte gå dit men hon gör det i alla fall för att hon tror att det är ett barn därinne. Men i öppningen blir hon stående. Hon måste tvinga sig över en gräns, en osynlig tröskel, från solvärmen och ljuset och talldoften in i mörkret och det där som jämrar.

Det är inte så mörkt därinne, ögonen vänjer sig. Det är bara sand och en låda och en cigarrett som ligger och ryker och en upphängd hundvalp. Ingenting annat.

Det är en liten hund. Hon vet inte mycket om hundar men får höra sen att den kan vara åtta veckor eller så. Den är fläckig, hjässan är rund och håret på den mjukt som silke. Den har sår på kroppen. Ena benet hänger i en onaturlig vinkel och ena ögat är bränt av den där cigarretten. Hon förstår det inte riktigt på en gång. Men hon har god tid på sig att förstå, för det är långt ut till landsvägen. Hon springer och springer med valpen tryckt mot bröstet. Hela tiden tänker hon på polis och på avlivning och ingenting av det hon tänker på går att förverkliga. Det är bara lång dammig väg tills hon äntligen är ute på landsvägen och hittar busshållplatsen. Det dröjer antagligen länge innan den kommer, men tid finns inte i minnesbilden, bara kvidandet som hon försöker dämpa mot tröjan och brösten. Hon funderar på att försöka lifta men vill inte visa någon vad hon har i famnen. Hon vill inte förklara. Det går ju inte.

Mot hennes bröst är det nu en ihållande, uttröttad jämmer. Det kommer små gnällskrik ibland som om rösten flimrade och Sigge tänker att ett djur, ett vuxet djur skulle nog ha slutat jämra för länge sen. Det skulle ha dragit sig undan med sin smärta. Men den här som är så liten tror fortfarande att det finns någon som kan höra och göra allt bra. Och hon har ju rätt. Hon får rätt fast Sigge inte alls tänker i de banorna utan bara på avlivning. Hon vill ha slut på denna jämmer, detta lidande. Rent teoretiskt skulle ju hon ha kunnat avliva den själv, kvävt den på något sätt, strypt den med nylonlinan den var upphängd i. Men här på platta heta landsvägen har hon ingen möjlighet att göra någonting annat än att vagga den och prata till den.

De kommer upp på en buss och Sigge skäms för först nu märker hon att valpen luktar. Den är nersmord med avföring därbak och den pinkar på sig i små korta skvättar. Hon tar av sig tröjan och sveper in den och försöker dämpa, nästan kväva jämmern. När hon äntligen kan stiga av och ta en taxi ber hon till Gud, faktiskt, att pengarna ska räcka för hon har inte så mycket med sig. Men det är inte så långt mellan Stadion och djursjukhuset i Albano.

När hon äntligen står därinne vid behandlingsbänken kanske hon säger att den ska avlivas, det minns hon inte. Det är möjligt att hon inte säger nånting, bara räcker fram valpen insvept i tröjan. De är två stycken, en kvinna och en man i gröna rockar och de arbetar tyst, de gör rent och lägger om och ger först en spruta och sedan en till med något annat i. De går över hela den lilla kroppen som Sigge får hålla på behandlingsbänken för den kan inte stå själv. Det avbrutna benet är gipsat och stelt. De tar också fotografier med en polaroidkamera och ger Sigge bilderna och säger att hon ska lämna in dem hos polisen när hon gör anmälan. Men hon bör också visa upp hunden. Sigge har bara tänkt på avlivning, på dumpning. På att komma ifrån det hela så fort som möjligt. Men de här människorna tänker inte så.

– Hon får blir kvar ett par dar. Vi får se hur det blir med infektioner och så. Vad ska hon heta?

– Ja… Sickan, säger Sigge för det är det enda hundnamn hon kommer på. Hon löser ut henne tre dagar senare och när hon ska hämta henne kravlar hon sig upp från tröjan som hon hela tiden legat på och rör på svansen. Den lindar upp sig i en vickande kringla fast en god del av den är borta och det sitter ett häftat bandage på den.

Hon visade upp henne på polisstationen på hemvägen och lämnade polaroidfotona. Sen for hon hem med henne. Det blev en bra hund. Möjligen något avvaktande mot främmande människor. Hon fick stark vaktinstinkt och blev inriktad på Sigge, på att avläsa hennes rörelser och röst, till och med hennes ansikte. Hon blev också en tålig hund. Någon valpaktighet märktes inte mer. Kanske hade den bränts och pinats bort. Men Sigge förstår att skillnaden mellan ett barn och en hund är mycket stor. Det är inte säkert att traumat lämnat spår hos Sickan. Det går i varje fall aldrig att få reda på det. Vaktinstinkten, reservationen och inriktningen på en enda person kan finnas i generna. Det är något outgrundligt med den där lilla kroppen med sitt blinda öga, sin choppade men ändå uppkringlade svans och det stela vänsterbakbenet. Sickan ser komisk ut och hennes historia är inte möjlig att berätta i en diskussionsklubb, inte ens när diskussionen har spårat ur.

– Jag tycker vi lämnar komiken, säger Sigge.

– Ja! ropar Ulla. Till och med en sadist kan ju se sitt plågade offer som komiskt. Det är ingenting att diskutera, det är bara osmakligt.

Det påstås att hon kan läsa tankar. Det är väl intuitiva träffar av den där sorten som får henne att tro det, tänker Sigge och säger själv med seminariekompression på rösten:

– Det gäller väl vad vi själva kan bryta ner till komik av våra en gång tragiska upplevelser. Det är väl vad Oda menar antar jag. Och om detta är önskvärt. Eller om komiken bara är en flykt. Jag antar att Oda vill hävda att man måste hålla sin tragedi intakt. Sitt allvar levande. Sin värdighet rentav. Min plåga är min och jag ämnar bära henne. Är inte värdigheten och allvaret det karakteristiskt mänskliga? Jag menar med ett Krylundord: det högmänskliga.

Oda tittar länge i hennes ansikte men säger ingenting.

– Jag måste gå hem, säger Sigge. Hon har den tron att om hon säger det mycket bestämt, om hon reser sig och gör allvar av det så kommer hon också att kunna genomföra det. Nån gång måste det ju i alla fall ske.

– Det tragiskas övergång i det komiska, det komiskas eventuella ursprung i det tragiska...

Var gång Oda säger det komiskas försöker Blenda kväva en frustning.

– ... får inte bli en förevändning för oss här att bedriva självterapeutiskt prat. Krylundgruppens sammankomster verkade kanske terapeutiskt i en ond och unken tid. Men de var inte avsedda som självterapi. De gällde inte den enskildes tillkortakommanden och ängslan. Deras ämne var tidsångesten.

– Vad är tidsångesten då! Är det inte individens ängslan och smärta som är just tidsångesten!

Det är Ulla men hon får inget svar, det utbryter kackel. Sigge säger på nytt att hon måste gå och tar sig genom draperierna till hallen med Sickan i hälarna. Just när hon öppnar ytterdörren rasslar draperiets mässingsringar och hon hör Odas röst:

– Sigge, vi måste försöka göra nånting åt det här.

– Vilket?

– Jag vill att du ska skriva på motuppropet.

– Det behövs inte, säger Sigge. Kommunen har bestämt sig. Det blir flyktingcenter eller vad det nu kommer och heta. Kryddan flyttar in ovanpå. Han blir vaktmästare eller nåt. Det är väl bra? Ditt motupprop är onödigt. Vi gör oss bara löjliga.

– Det högmänskliga, Sigge, är inte i första hand värdighet och allvar.

– Vad är det då?

– Är det inte snarare leendet? Den milda självironin. Insikten att jag i all min tragiskhet faktiskt också i någon mening, min eller andras, en eftervärlds eller samtids, är komisk. Och du vet vad det är jag vill åt. Det är inställningen här i Dalen. Vi måste bekämpa den. Det går.

– Jag är inte optimist som du, säger Sigge. Jag har inget program. Jag har bara...

– Program! Jag är väl snarare pessimist. I varje fall skulle många kalla mig så tror jag. Och jag kan gå med på det. Jag är nog pessimist. Av grundad erfarenhet.

Nu kommer kriget, tänker Sigge. Kriige. Men det gör det inte. Det kommer bara en ny deklaration:

– Människor med en grundad svartsyn kan inte desillusioneras. Det ger oss en styrka – i själva verket är det kanske den så kallade pessimisten som kan åstadkomma något. Quand même! Quand même Sigge!

– Det heter trots allt. Om du vill bli förstådd. Det är förresten ingen term längre. Ingen vet vad det betyder. Lika lite som Balaklavahjälmar. Ja, du råkade nämna dom vid förra mötet. Du talade om nåt krig. Men Balaklavahjälm finns inte. Jag menar ordet. Det heter rånarluva nu. Begreppena försvinner. Får nya namn, nya användningsområden. Trots allt. Balaklavahjälmar. Beredskapshållning. Borta. Nu är det rånarluvor som gäller. Allt det där vi håller på med, samtalen, dom viktiga samtalen, är som avhandlingar i litteraturvetenskap. Eller flickkörer. Det är vid den här tiden dom övar. Har du varit i en kyrka en sån här vinterkväll? Änglasopraner som stiger mot valven. Våta täckjackor på kyrkbänkarna. Väntande pappor och mammor. Det är rart. Du skulle kunna börja tro på Gud eller Människan. Men det är precis som avhandlingar om Eyvind Johnson. Rart. Som romaner. Opinioner bildar man inte genom att sopranröster stiger mot taken. De bildas genom press, radio, TV och datanätverk. Det kostar pengar. Det är inte tanter och flicksopraner som får igenom beslut. Det vet du. Det är folk med väljare eller aktieägare bakom sig. Antagligen var det likadant på Krilons och Krylunds tid fast du inte vill erkänna det. Eller inte vet det. Fascism är inte som lungpest Oda. Det var den inte då heller. Den som angrips blir inte ett fullt urskiljbart svartblått uppsvällt kadaver. I varje fall inte på en gång. Han hostar bara lite diskret i kulissen. Öhöhöh-öhöh... Länge.

Oda räcker Sigge ett papper.

– Ta hem och läs det, ber hon. Om du kan så skriv under det.

Vad Oda ser trött och gammal och frusen ut. Det kommer ett vasst drag från den öppna dörren. Sickan är redan ute i kylan. Oda stirrar ut i mörkret, fixerar det. Sigge måste titta. Det är inte bara rinnande mörker, de gamla aplarnas svarta krokiga armar och häckens härva där koltrasthonan kanske sover nu. Det är ljus som rör sig trevande. Det flämtar som om det brann under vatten och snart skulle kvävas.

– Va i helvete...

– Jag har sett det förut, viskar Oda. I källaren. Bara där.

Ljuset flimrar bakom glaset i källarfönstret till Krylundska villan.

– Hur ska vi göra? Du har nyckeln?

– Ja.

De står tysta och ser på det. Sen säger Sigge:

– Det finns ingenting att stjäla därinne längre. Sista lasset gick vid femtiden.

– Men vad är det då? Vem...

– Jag tror vi får skita i det. Det är faktiskt bäst.

Hon viker ihop uppropet och stoppar ner det i påsen med CD-skivorna.

– Och det här är onödigt, säger hon. Kommunen har redan bestämt sig. Det blir som dom vill. Som du vill Oda. Eller som du tycker att du måste vilja.

Sen går Sigge ner på gatan och låser upp Golfen. Oda står kvar hela tiden tills hon startat.

Snöfallet har nu övergått i underkylt regndugg. Det är mycket mörkt mellan villorna. Stövelklackarna är inte lätta att balansera på i halkan. Inte utan att Ulla Häger finner sin pliktkänsla en smula besvärlig. Men hon måste hämta uppropen.

Nummer arton vibrerar av ljus nu. Det är rörligt och blossande bakom de tunna veckade gardinmassorna. Så mycket tyg det måste ha gått åt. Och så mycket lampor. Kanske är det en TV som gör att ljuset inte är statiskt.

Brevlådan är tom. Absolut tom. Uppropen är borta.

– Hallå!

Det är otroligt pinsamt att stå där med handen nere i lådan och se en figur avteckna sig i silhuett mot den upplysta hallen. Men det går snabbt över. För det är en så förekommande man. Han är halvvägs nere på gången nu, mellan tujabuskarna.

– Tack för uppropslistorna! ropar han. Och så tar han tag i hennes hand och skakar den hjärtligt och kraftigt. Fint initiativ! Jag ska se till att få dem fyllda med namn. Va? Det här är Ulla Häger – eller hur?

– Ja, säger hon.

– Jag ringde Ruth Anser. Hon kände igen dig på beskrivningen.

Å Gud. Han såg mig gömma uppropen i brevlådan. Nästa tanke är inte bättre: Ruth vet. Fast det hade förstås varit ännu värre om jag inte kommit tillbaka för att hämta dem.

– Fehzén, säger han. Stig in i min lilla kula.

Det har hon naturligtvis inte en tanke på. Det är ju sent på kvällen. Men han har tagit ett ganska fast tag om hennes armbåge och i den öppna dörren ser hon varmt ljus och hemlighetsfulla reflexer. Det är en magnifik villa. Det är den största i Dalen och till skillnad från de andra byggd för mindre än tio år sedan. Ett svart tegeltak dominerar den mörkbruna huskroppen. Det är som om livet har dragit sig mycket långt inåt i den, bakom balkonger under det överskjutande taket. Hon förstår att det kan inte bygga på intag av dagsljus.

Ulla har god lust att se hur det ser ut därinne. Det ska, enligt Ruth, vara väldigt påkostat. I hallen uppfattar hon bara glimtar: han hänger hennes ulster på en tung galge av ådrat trä, en orientalisk matta sträcker ut sig långt. Det är en riktig gallerimatta och den leder fram till ett upplyst vardagsrum. Ett ögonblick pulserar något stort och skärt – det kan inte vara en ända! Det är ju omöjligt. Och förresten försvinner den med en diskret knäpp. Ulla har i alla fall aldrig sett en större TV-ruta.

– Här sitter jag och zappar i min ensamhet, säger Ove Fehzén. Han liknar en pojke som gjort något fuffens. Fast han är medelålders och kanske en aning fetmad. Men charmfull tycker Ulla. Hon har väntat sig att han ska vara vulgär.

Strängt taget är han väl det också. Han tar två glas mellan fingrarna som en bartender och ställer dem på soffbordets rosafärgade, flammiga marmorskiva. Hon häpnar åt skinnsoffan. Den är krökt och lång – tio, tolv sittplatser i elfenbensfärgat skinn. Och sherryn i den tunga kristallflaskan är utmärkt. Torr och ljus.

– Skål, säger Ove Fehzén. Skål för uppropet!

Ulla skålar naturligtvis. Och försöker efteråt, när sherryn med sin smak av givmild sol och strävt ekträ fyller munnen, förklara sin ambivalens. Hon tycker hon är skyldig sig själv det. Men Ove Fehzén slår ut med sina ganska knubbiga händer och säger att han för sin del är en handlingens man.

– Allt det här diskuterandet, säger han och fyller på hennes glas, går det inte på tomgång snart? Oda Arpman – jag vet. En dam med åsikter. Jojomensan. Om allting – eller hur? Blir ni inte förvirrade? Av allt malande fram och tillbaka.

På sätt och vis har han rätt. Ulla är ganska förvirrad. Men mötena i diskussionsgruppen brukar faktiskt inte lösas upp på det här sättet. Sigge försvann utan ett ord. De andra stod plötsligt i hallen och Sylvia ringde efter en taxi. Det var obehagligt att titta på Oda. Men man måste ju tacka fast teet aldrig blev drucket och plommonmarmeladen överhuvudtaget inte kom på bordet.

– Förr hade vi mera som en läsecirkel, säger Ulla. Vi borde nog återgå till den formen. Den var lugnare. Visst diskuterade vi när vi var en läsecirkel. Verkligen. Men vi hade en både fastare och anspråkslösare form. Faktiskt.

Hon tänker på hur Odas krylunddyrkan har dragit iväg med henne. Gud vet vad hon egentligen har inbillat Sigge.

– Det är möjligt att jag inte fattar finessen i alla hennes resone-
mang, säger Ove Fehzén. Det har ju varit opinionsmöten och inlägg
hit och dit. Allting har jag inte fattat, det säger jag ärligt. Jag är en
enkel man. Men en sak har jag tänkt på. När Oda Arpman eldar opp
sig med alla sina argument och verkar så övertygad, tror du inte att
hon lika gärna kunde säga tvärtom? Jag menar vara lika övertygad.

– Jag förstår nog inte riktigt, säger Ulla. Hon känner sig falsk när
hon säger det.

– Hon övertygar sig själv. Eller hur? Vem skulle inte kunna över-
tyga sig själv med alla dom där argumentena?

Han har whisky i sitt eget glas. Ulla känner sig ännu mer förvirrad
när han höjer det igen och ser henne i ögonen, mycket allvarligare
den här gången.

– Oda Arpman är en intellektuell gammal dam eller hur? Van att
diskutera och argumentera.

Det måste Ulla hålla med om.

– Men blir det inte självändamål till slut?

Blir det? Sannerligen Ulla vet. Hon tänker på mötet. Ett så kons-
tigt möte har de aldrig haft. Det sas saker som hon nu inte kan erinra
sig. Sammanhangslöst. Upplöst faktiskt.

– Jag är en mycket enkel kille från början, säger Ove Fehzén nu.
Men handling – det har varit min strategi. Inte snack.

Han är ljus. Eller kanske mellanblond. Håret har egentligen ingen
särskild färg alls. Det är bakåtkammat och börjar tunna ur. Ansiktet
är nog en pojkes. Fast lite grått och fetmat. Nej, inte fetmat precis. Det
är för mycket sagt. Hon har svårt att hålla fast hans ansikte och få en
riktig bild av det. Ögonen är i alla fall ljusblå. Eller grå. Lite blacka.

– Jag måste se till att komma hem, säger Ulla. Det blir så otrevligt
på tunnelbanan när det blir sent.

– Tunnelbanan! Nej, nej, det där grejar jag sen. Men först ska du se
villan. Jag vill absolut att du ska se hela villan.

Det är som om han satte ett särskilt värde på hennes omdöme om
den. Därför vandrar de nu genom hallen ut i köket som har mörk-
bruna skåpdörrar och mörkgrön kyl och frys och spis i samma
mörkgröna färg och lampor som glimmar under lister och mörkgrö-
na kakelplattor med ett blommönster i orange och guld.

– Infravärme på altanen, säger Ove Fehzén. På den andra altanen
också.

207

Han skryter förstås, men antyder samtidigt att hans uppväxt har varit svår. Kanske inte vad man menar med fattig från början. Mera torftig om Ulla förstår det rätt. Fem syskon. En alkoholiserad far som så småningom inte visade sig mer. Hyreshus i Eskilstuna. Mamman på städjobb om kvällarna, hos en stor grossistfirma. Det var där han började, som springpojke. Sjasade som han säger. Han har rätt att vara stolt om nu allt detta är sant. Och det är det antagligen. Det finns något öppet och pojkaktigt tilltalande hos honom.

Han tycks leva ensam. Det syns inga spår av en kvinnlig hand i villan. Inga krukväxter eller snittblommor. Tunga pjäser av kristall och silver och trä. Röklukt på toaletten. Tjock brun frotté. Han har en dubbelsäng av väldiga mått. Ulla är generad över att titta in i hans sovrum och särskilt generad över en skjorta och ett par minimala kalsonger på en stol. Det är svarta kalsonger med röda munnar på, flickmunnar med tjocka trutande läppar. Han är nog väldigt barnslig. Och ensam.

När de är tillbaka i vardagsrummet och Ulla har fått en ny sherry och nästan hjälplöst sjunkit i soffan säger han:

– Du gillar det inte.

Vad ska hon svara! Han ser verkligen ut som en ledsen pojke nu. Besviken och lite tilltufsad.

– Du är ju uppvuxen på en herrgård, säger han. Gammal kultur och allt sånt där. Prästen vid trägårsgrinn och halvlånga vantar. Det är fina världen det som en annan inte har en aning om. Så det här kan ju inte imponera på dig.

Hur vet han allt? Ja, lite felunderrättad är han förstås. Men ändå. I kärnan är det ju rätt.

Ulla är nog imponerad men inte på det sätt han vill att hon ska vara det. Och hon gillar naturligtvis inte det hon har sett omkring sig. Men det är en fantastisk tanke att hon som bor i en visserligen propert renoverad men mörk och trång tvåa i Djurgårdsstan skulle vara smakdomare åt en man som har råd med allt det här.

– Kom!

Han tar tag i henne. Han tar faktiskt ifrån henne glaset och sätter det på marmorskivan. Den lilla torra stöten varslar om att en flisa gick. Hon hinner aldrig se efter. Ove Fehzén drar iväg med henne. Det är burdust förstås. Men det är avväpnande också. Herregud en sån pojke!

208

Ner i källaren – mattklädda mörkbruna trappsteg. En annan lukt härnere. Inte den textila torrheten, inte den matta eller dävna lukten av dyrbart trä och tyg. Något fuktigt. Som om det levde härnere. Hon kommer att tänka på svampodlingar.

Men något sådant är det inte fråga om. Inte alls. Fukten kommer ur en badanläggning med bastu och pool som verkligen gör Ulla så imponerad som han önskar. Han demonstrerar jetströmmar och syrebubblande underbelyst vatten. Och teak och glas och kakel. Golvvärme. Kylskåp med iskalla drycker. Det finns mikrovågsugn i rummet utanför bastun. Rummet vetter med en stor öppning ut mot det gröna vattnet. Han erbjuder henne plats i en strandfåtölj med zebrarandigt bomullsöverdrag på de tjocka kuddarna och sätter sig själv i en leopardstol med grova buffelhorn längst ut på armstöden. Ulla är förbryllad över leopardskinnet. Det har en glans av nyss slickad kattpäls som verkligen är mycket illusorisk. Men det måste väl ändå vara ett syntetiskt skinn. Hon vill inte gå in på saken utan frågar i stället om bastuhanddukarna i glansigt kyprat hellinne vävts i Finland. Det vet inte Ove Fehzén. Men han visar henne med sakkunskap TV, stereoanläggning och video.

– Hit ner drar jag mig undan, säger han. Här lever jag som jag vill.

Han trycker på en strömbrytare och det börjar susa. Förtjust noterar han hennes förvirring när en vind rasslar i palmen bakom hennes stol. Vinddraget är aromatiskt. Det doftar hav och blommor. Ulla ber ändå att han ska stänga av det. Hon är känslig för drag. Nu reser han sig och slår upp dörren till frysskåpet.

– Nu ska vi ha en bit mat. Jag är tamejfan hungrig.

Hon tycker inte om att han svär. Och mat vill hon absolut inte ha. Han tar två fat från frysen och sätter in dem i mikrovågsugnen trots hennes protester. Hon tackar i alla fall ja till en whisky med iskuber i. Det måste hon helt enkelt för det hör till. Och med de tunga isklingande glasen i handen ser de ut över swimmingpoolen som är grön och lugnt väntande, en lagun i ett landskap som just öppnat sig under en resa till jordens medelpunkt. Här finns det verkligen krukväxter, rikt lövade, blankbladiga och högväxta. Papegojor på socklar med fjäderdräkten stelnad till våder av färggrant glacerat lergods. En stor leopard i en ställning mittemellan lojhet och språngberedskap; det ser ut som om han suttit och slickat de blanka keramiktassarna när han fått syn på Ulla Häger. Ljuset kommer från fullspektrumlampor. Ove

Fehzén försvinner några ögonblick i ett inre rum och det börjar dåna i Ullas öron. Katarakter av ljud har släppts lösa. Hennes kropp svarar på chockvågorna med en inre rörelse, en sorts skakning eller genomgripande vibration som hotar att sönderdela den. Hon ropar åt honom att han måste se till att det tar slut på en gång innan hon brister. Han är mycket förekommande och försvinner igen. Ljudet upphör.

– Det är ju bara Elvis, säger han. Jag tog nåt klassiskt. Jag menar jag begriper ju att du inte skulle gilla sån musik som jag producerar nu.

– Nej, säger Ulla. Det är nog beklagligtvis för sent. Jag kommer som du så riktigt påpekade ur en annan kulturvärld.

I den är det inte Elvis Presley som är klassisk, men det vill hon inte säga. Hon har ingen lust att framstå som en hundraåring.

Det starka betvingande ljudet kom ur riktade högtalare vars återgivningskapacitet han nu försöker förklara för henne med tekniska termer som är mycket intrikata. Obegripliga förstås. Detta är kanske den värld som han till fullo förstår och behärskar. Han är lekfull nu: säger att han har solarium men ingen annan motionsanläggning än biljarden.

Visst är han barnslig, avväpnande barnslig. Men naturligtvis också kunnig. Fast det är svårt att sätta fingret på hans kompetens. Men man får ju inte allt det här, tänker Ulla. Man – ja, skaffar sig det. Och till det behövs en kompetens som hon inte riktigt förstår arten av.

– Här, säger han och slår ut med armarna, härnere, här är jag mig själv. Här är det jävlar ingen som hunsar mig.

Han är annorlunda nu. Den antydda fetman, hyns gråhet, ögonens blacka färg – allt det där är borta i det solljus som kastas från taket. Han är intensiv och stark och övertygande när han säger det: här är jag mig själv.

– Det är ju en myt, säger Ulla överraskad. Ja, hon är mot sin vilja imponerad av styrkan i hans röst, av hans – vad ska hon kalla det? – totala närvaro.

– Det är ingen myt. Det är jävlar sant.

– Jag menar inte alls att det skulle vara en lögn. Tvärtom. Fast det är lite svårt att förklara.

– Försök, säger han och hon tycker att det har kommit en farlig eller i varje fall stark klang i hans röst. Det är obehagligt att tänka sig att hon skulle ha förargat honom nu när de är härnere i hans undervåning. Hon är inte ens säker på vägen upp. Det är väl whiskyn som verkar. Hon brukar inte dricka starksprit. Det var dumt. Nu måste hon förklara sig.

– Det sägs ju att alla myter är döda, försöker hon. Jag menar... ja, att vi lever ett torftigt liv.

– Jaså?

Han förstår tydligen inte. Ulla ångrar innerligt att hon givit sig in på detta. Alltsammans var så glasklart när Oda sa det: vi bara tror att våra myter är döda. Men det är fel.

– Vi lever vår myt, säger hon åt Ove Fehzén.

Han väntar på mer.

– Vi lever vår myt och den verkar i oss. Oda Arpman har förklarat det här för mig.

– Har hon? Jag fattar nog inte riktigt hur du får det att fitta in här.

Han ser inte ironisk ut, faktiskt inte, då han nu skålar med Ulla som tar en djup klunk och försöker på nytt. Det måste hon helt enkelt. Hon måste låta hans mycket konstiga yttrande passera som om hon inte hört det.

– Hon tog exemplet av en supermarket. Hon sa det på engelska faktiskt för att...

– Hon är översättare va? Blomböcker och sånt där.

– Jo det kan man väl kalla det. Fast egentligen så mycket mer. Böcker om trädgårdar, om trädgårdskultur. Om hur människan uttrycker sig med hjälp av tuktad eller vad man ska säga – med naturens hjälp egentligen. Fast...

– Hur var det med myten?

Hon kommer inte undan. Hans blick har blivit fast. Så har hon inte upplevt den från början. Inte så här betvingande. Man ska nog inte underskatta honom, tänker Ulla. Fast han talar lite vulgärt. Jargongspråk.

– Ja, hur var det med Oda Arpmans supermarket?

– Jo, varorna där. Hela anläggningen – rören i taket, ventilationen, gondolerna med livsmedel och ja... allt det där som man köper. Allt som man vill ha. Till exempel geléhallonen.

– Geléhallonen? Har hon nåt emot dom?

– Oda sa att geléhallonen – hon nämnde dom specifikt men det var ju naturligtvis bara ett exempel – i alla fall: geléhallonen med sin skarpa smak av kemisk – vätska eller vad hon sa – dom är inte hallon.

– Nej, tacka fan för det. Dom är ju karameller.

– Hon menade så här: häftena i stället vid kassan är inte i egentlig mening böcker och ljudet från taket är inte musik. Tvålen är en sån som fräter mer än den gör rent. Skorna är likadana som dom som redan ligger slängda utanför i sopbackarna. Brödet smakar inte bröd och det kan inte åldras. Men det gör ingenting sa Oda. De är inte hallon, böcker, sång, tvål, skor och bröd. De är tecken. Det blir nästan obegripligt, det märker hon, när hon säger det till Ove Fehzén. Tamt och abstrakt.

– Varorna är ju egentligen inte riktigt vad de ger sig ut för.

– Inte?

– I Odas exempel är det ju fråga om ett lågprisvaruhus som du säkert har förstått. Men du kanske aldrig har varit på ett sånt?

– Jag äger två, säger Ove Fehzén.

Ulla har egentligen inte tänkt dricka mer av whiskyn men nu gör hon det. Hon dricker ganska djupt för hon känner sig förvirrad.

– Ja, det här var ju bara ett exempel som Oda hittade på, säger hon. För att visa att varorna inte är vad dom ger sig ut för. Men det gör inget att dom inte är det. För dom är tecken.

– Jaså? På vadå?

– Det är tecken för... jaa... fullhet kanske man kan säga. Du förstår myten fast den är illa berättad. Allt, säger den. Allt är härinnanför. Jag kan föda dig och klä dig och värma dig och göra dig ren. Jag kan föra dig runt i din värld och jag kan söva dig och läka dig. Utanför är det sjukdom och smitta. Därifrån kommer transporterna. Men jag renar dem, jag viger dem åt dig. Utanför är det hunger och brist och liv som tynar. Utanför. Härinne är livets fullhet. Tecken för rikedom, liv och hälsa. Bara tecken förstås.

– Ja, vad begär dom? säger Ove Fehzén.

Hon är djupt osäker på honom. Förstår han? I så fall har han nog tagit illa upp. Det var otur med lågprisvaruhusen. Det hade hon aldrig kunnat tänka sig.

– Oda Arpman, säger Ove Fehzén eftersinnande. Han låter den gyllene whiskyn cirkulera i glaset och isbitarna risslar och klingar svagt. En framstående tänkerska. Konstigt att man inte har hört talas om henne mer. Utanför Dalen alltså. Tycker du inte det?

– Nej, säger Ulla. Hon är ju bara en gammal dam. Beläst förstås.

Intellektuell som du så riktigt säger. Men hon är ju gammal och egentligen har hon precis som du antyder bara översatt blomböcker. Engelska trädgårdsböcker och sånt. Och så har hon då den här cirkeln. Den är en litteraturcirkel, ja en sorts diskussionsklubb. Vi pratar om... ja, vad ska jag säga... vår belägenhet i världen och sånt.

– En massa prat, säger Ove Fehzén. Fortfarande låter han eftersinnande. Jag brukar inte fästa mig så mycket vid sånt. Det pratas en förbannad massa skit. Och skrivs ännu mer.

– Det är handling som gäller! säger Ulla uppsluppet och höjer sitt glas mot honom. Hon menar det förstås inte. Hon vill bara skämta lite med honom. För en halvtimma sen – var det verkligen så kort stund sen de drack sherry vid det rosafärgade marmorbordet? – verkade det ju som han hade både självironi och gott humör. Nu skålar han allvarligt med henne. Hårt nästan. Allting har blivit en aning obehagligt och Ulla inser att hon pratat för mycket. Alldeles på tok för mycket.

– Oda Arpman är farlig, säger han.

I samma ögonblick känner hon att det börjar lukta stekt kyckling.

– Oda Arpman är farlig därför att hon håller på och förstöra Dalen. Folk som hon kan förstöra Sverige. Jag har byggt upp nånting här i Dalen men det inser inte Oda Arpman. Husen i det här området var jävligt nerslitna. Trädgårdarna var igenväxta. Jag köpte opp. Jag renoverade och jag sålde. Jag erkänner gärna att jag gjorde mig en slant på det. En bra slant förresten. Men är det nåt ont i det?

– Naturligtvis inte, säger Ulla. Men jag tänkte på kycklingen. Du kanske skulle ta ut den.

– Hur skulle området ha sett ut annars? Jo, det kan jag tala om. Jag kan tala om hur det såg ut när jag kom hit. Som Oda Arpmans och Sune Kyndels tomter och deras hus. Som dom fortfarande ser ut. Förfallna skithögar. Rostiga rör. Murkna äppelträn. Trasiga staket. Läckande expansionskärl. Tak med fuktskador. Det är vad jag köpte i det här fina området som var så jävla funkis och reformerat så det fick heta Fredens Dal.

– Det var ju bara en vits, säger Ulla matt. Byggmästaren som planerade hela området hette Fredh. Han var en vän till Oda Arpmans man, löjtnant Lars Arpman. Och Johan Krylund köpte villan bredvid Arpmans. Fredh var faktiskt en idealist fast han var affärsman. Han var oerhört engagerad av funktionalismen. Det som man kallar

213

för funkis. Det var egentligen en vad ska jag säga – livssyn. Ett program för samhällsomvandling.

– Jag skiter i vem han var, säger Ove Fehzén. Jag skiter i om han var idealist och jag skiter i funkisen. När jag kom hit var det rena förfallet. Och nu hjälper Oda Arpman till med att deka ner det igen. Deka ner det totalt den här gången. Räddningslöst.

– Men en enda villa som blir ett flyktingcenter, säger Ulla. Inte för att jag själv är så säker på att det är riktigt lyckat. Men farligt är det väl ändå inte.

– Inte för Oda Arpman. Hon kommer att trivas, var så säker. Hon trivdes med det där hampodlarkollektivet av sexualdårar och kommunister som hon bodde granne med förut och hon trivs med Kyndel och råttorna och kackerlackorna och hans jävla gurkört. Gud vad hon trivs! Alla tiders trivselgumma. Men det beror på att hon varken har lukt eller smak kvar. Jag däremot måste vara realistisk. Jag har inte råd med annat. Om det här området börjar lukta apa så går inte villorna att sälja. Punkt och slut. Det är verkligheten. Oda Arpman lever nån annanstans där det är finare att leva. Det fattar jag med. Men jag är tvungen att leva i verkligheten. Det har jag alltid varit.

– Kycklingen! Jag är rädd att den bränns.

Nu tar han verkligen ut de två faten. Det ligger en mycket gyllenbrun kycklinghalva på vart och ett och en driva välgräddade pommes frites. Ur kylskåpet tar han en plastbägare med lock och med tummens hjälp gräver han ur innehållet, hälften över varje portion.

– Vitlöksmajonnäs, säger han. Vi kommer att lukta som araber men det är det värt.

Ulla vet inte vad hon ska göra med fatet. Det luktar gott och hon får aptit fast hon inte tycker att hon borde vara hungrig. Men det finns inga bestick.

– Jag är realist, säger Ove Fehzén. Han har med båda händer huggit tag i sin kycklinghalva och sätter tänderna i det vita bröstköttet. Något sådant har Ulla aldrig sett utom på bio. Sen doppar han en pommes fritesstav i majonnäsen och stoppar in den i munnen ovanpå kycklingtuggan som han nu behandlar med sina starka tänder. Manövrarna hindrar honom inte från att tala.

– Vi vet båda två vad det gäller, säger han och går till kylskåpet och hämtar två burkar öl som heter Luxter Old Barn Ale.

214

– Jorden rör på sig. Erkänn att du är lite rädd.

– Jag vet inte riktigt hur du menar, passar Ulla på att säga medan han tuggar ur.

– Jorden rör på sig. Dom är på väg hit. Alla fattiga jävlar. Det är inte så underligt va? Att dom vill ha det här vi har byggt opp åt oss. Va? Erkänn att du är lite rädd.

– Ibland kanske.

– Du är realist. Bra. Det är jag också. Annars sutte jag inte här. Då sutte jag i nån jävla förfallen hyreskåk i Eskilstuna. Då gick jag och stämpla. Antagligen. Dom är på väg hit. Det kan du ge dig fan på. Det märker du. Dom vill ha det vi har. Ingenting underligt i det. Och Oda Arpman tycker att vi ska låta dom ta det. Visst. Välkomna bara. Varsågoda och ta för er. Alla är vi lika. Svarta gula röda vita.

– Ja, det är ju faktiskt riktigt, säger Ulla medan han på nytt fördjupar sin tandgård i kycklingen. Innerst inne är vi ju alla lika.

– Det är bara en liten jävla skillnad.

– Det tror jag inte det är, säger Ulla som hon själv tycker ganska skarpt.

– Vi har byggt opp det här.

– Oda anser faktiskt, om vi nu ska tala om Oda hela tiden, men jag förstår ju att du förargat dig på hennes åsikter och på motuppropet. Men hon menar att vi har skulden till deras fattigdom. Att vårt välstånd i själva verket vilar på den. Har den som förutsättning.

– Hur då?

Det är så underligt med Odas självklarheter. De är inte alltid så lätta att förklara för någon som inte är med i diskussionsgruppen.

– Ja, imperialismen, säger Ulla. Kolonialismen och allt det där förfärliga.

– Det där är över nu. Det finns inga kolonier. Dom är fria. Dom fick järnvägar och elektricitet och vaccin och fabriker och dom blev fria. Och vad gör dom? Dom krigar. Dom gör sitt bästa för och utrota varann. Inget nytt. Stamkrig. Det är vad dom håller på med. Det har dom alltid gjort. Det är inte underligt att dom inte har haft nån utveckling. Att dom inte klarar att sköta det dom har fått av oss från Europa. Dom håller på och skär testiklarna av varann i stället. Det är vad dom helst sysslar med.

Nu finner Ulla att det är dags att höja profilen. Att inte släppa igenom mer slappt tal.

215

– Jag brukar inte diskutera på det här sättet, säger hon. Jag uppskattar inte din jargong.

– Du är rädd, säger han. Jorden rör på sig och det skrämmer nästan skiten ur dig. Men det vill du inte erkänna.

Han ser ganska länge på henne medan han eftertänksamt tuggar i sig den ena staven efter den andra av pommes frites med vitlöksmajonnäs.

– Oda Arpman borde du akta dig för, säger han. Hon skrämmer inte mig. Men hon är faktiskt rätt farlig. Vet du vad jag skulle göra med henne om jag hade henne här?

Det svarar naturligtvis Ulla inte på. Hon har rest sig men är osäker på hur hon ska komma ut ur badanläggningen. Ove Fehzén går plötsligt in i bastun och kommer tillbaka med en lång skopa av trä.

– Jag skulle bjuda henne på bastu, säger han. Det kanske jag får tillfälle till en dag, vad vet man. Här ser du. Här är termostaten. Nu drar vi på. Så.

Han sätter det långa skaftet på träskopan tvärs igenom dörrens handtag.

– Dörrn är spärrad. Otur. Inga bultningar hörs. Inga skrik. Nu blir det hett som i helvete därinne. Kokt käring.

– Jag ska gå hem nu, säger Ulla.

– Jaja. Det var bara ett skämt för fan.

Men hon har rest sig och går ut förbi poolen. Hon kan inte hitta trappan. Det är förargligt och lite svindlande. Hon har faktiskt en yrselkänsla. Det var ett rysligt skämt. Men nu när han lufsar efter henne och helt snällt visar henne trappan förstår hon ju att det inte var så illa ment. Grovt var det i alla fall. Han bär kycklingfaten i båda händerna. Egentligen ser han ut som en tilltufsad skolpojke. Ulla är nöjd med att hon har fått honom att inse var gränsen går. När han säger att hon ska sätta sig i vardagsrummet så länge medan han ringer till Freys så gör hon det. Men hon protesterar naturligtvis mot tanken på Freys Hyrverk och tycker att det går bra med en vanlig taxi.

– Det är klart du ska ha en limo hem. Det är självklart. Det är ju jag som har hållt dig kvar och jag betalar. Va? Men ta lite kyckling.

Ulla är hungrig och det är inte så underligt. Inte så mycket som en skorpa blev det hos Oda. Kycklingen är mycket frasig i skinnet. Mikron måste ha grillelement.

– Vi ska ha nåt och dricka till, säger han.

216

– Ja, jag är faktiskt lite törstig.

Hon tycker det är bäst om denna bisarra samvaro avslutas artigt och civiliserat. Han slår upp vin. Det var inte riktigt vad hon hade tänkt sig men han ber henne på sitt pojkaktiga sätt att skåla med honom.

– Här sitter jag för det mesta ensam och käkar. Man har ju inte riktigt hunnit med den där familjebiten. Det går snett med sånt när man jobbar så mycket som jag gör. Och är man ensam så hjälper det inte att det är ett tvåtusenkronorsvin man dricker. Tro inte att det är så kul alltid.

Så skålar de med varandra och Ulla undrar om det verkligen är ett tvåtusenkronorsvin. Men hon vill inte fråga.

– Du äter ingenting.

– Jag har lite svårt...

– Vänta!

Han rusar upp och hämtar en dolk från väggen. Den är krökt och har en slida av graverat silver. Den ser inte särskilt effektiv ut men visar sig skarp. Han skär igenom hennes kycklinghalva med ett enda snitt och räcker henne lårdelen.

– Jag vet att du inte gillar mig riktigt, säger han. Du är fin. Du har växt opp på en herrgård. Jag menar, jag fattar allt det där. Jag är en rå typ – eller hur?

– Jag vet inte det, säger Ulla. Du är väl lite burdus. Och din jargong är...

– Jag vet. Jag kallar en katt för en katt och en spade för en spade. Och en hivsmittad blatte kallar jag för en hivsmittad blatte. Även om han kommer hit och säger att han är docent i afropatisk epistelogi. Du gillar inte att jag säger det. Men gillar du hiv?

– Nejnej, säger Ulla. Det är ju förfärligt. Ett stort lidande. Och en samhällsfara. Det är självklart.

– Det tycker jag med. Helt självklart. Sen hjälper det inte om killen är docent. Eller hur? Han är en hivsmittad blatte och en hivsmittad blatte ska överhuvudtaget inte in här. Han hör inte hemma här. Vi har byggt opp det här. Vi har rätt att vara lite stolta över det. Rädda om det. Har vi inte det?

Ulla ler lite för hon vet inte vad hon ska säga. Det går så fort. Hon kan inte följa hans tankar hela tiden. Hon undrar om den där mannen som de kallar Kryddan är docent.

– Jag vill att du ska förstå mig, säger han. Det betyder faktiskt en hel del för mig att du förstår. Jag är en kille som har växt opp i enkla förhållanden. Men jag är inte dum. Och jag har min stolthet.

– Men det är ju självklart, säger Ulla med värme. På sätt och vis är det som under den gamla goda telefontiden. Samtalen kunde vara mycket besynnerliga men till slut brukade Ulla och hennes klienter förstå varandra. Hon känner att hon vill att Ove Fehzén och hon ska förstå varandra innan han ringer efter limousinen.

– Då inser du vad Oda Arpman har gjort, säger han.

– Inte riktigt. Jag vet ju att hon skrivit ett motupprop. Men jag tror inte det spelar så stor roll. Kommunen lär ha bestämt sig redan. Jag tror det är formellt beslutat i själva verket. Jag menar det blir som det blir utan att Oda egentligen har gjort så mycket för att...

– Vet du vad det blir? säger han.

Hon kan naturligtvis inte veta vad han menar och dessutom har hon munnen full av kyckling och pommes frites som smakar vitlök på ett faktiskt väldigt aromatiskt och tilltalande sätt.

Då gör han något så bisarrt att Ulla sätter kycklingtuggan i halsen. Bokstavligt. Hon hostar och hon får upp alltsammans igen, som tur är. Eftersom hon inte har någon serviett får hon ta det i händerna. Det är kladdigt och hon är oändligt generad. Men det är inte han.

Han har huggit till med dolken. I soffan. Han har huggit den skarpa krökta klingan rakt genom det elfenbensvita skinnet. Där är nu en stor reva. Hon ser vit stoppning.

– Kniven i ryggen, säger han. Det är vad det är. Du ska komma ihåg mina ord.

Det kommer hon naturligtvis alltid att göra. Hon ber att få gå ut i köket och befria sig från det upphostade och sen säger hon åt honom att ringa efter en bil. Han går till telefonen utan invändningar.

– Jag ska se till att du får en bil som passar dig, säger han. Vad sägs om en Bugatti – 37? Freys har ett par gamla snygga åk. Från tiden.

– Jag vet inte om trettitalet just är min tid, säger Ulla och hon hör själv att det låter lite syrligt. Som tur är har de ännu lite tid på sig att komma närmare varandra. Hon vet från sin telefonjourtid hur viktigt det är att ett samtal avslutas på rätt sätt. När det blir dags för henne att ta på sig kappan tycker hon att allting är som från början. Han står mellan tujabuskarna och han är mycket förekommande. Men det är en komplicerad människa tänker Ulla. En kraftnatur antagligen. Själv är hon väldigt trött nu.

Det kom flera tanter till huset där hon med spräckliga kappan hade gått in. Mariella tittade på dem när de stod på trappan och när en väldigt gammal tant släppte in dem och hon har sett dem innanför fönstren nästan hela tiden. De ser vanliga ut.

Hon gick tillbaka nästan meddetsamma. Det var inte så svårt att lura Rickie. Hon gick ganska långt bakom honom och han vände sig aldrig om. Sen försvann han åt det hållet där Tigern bor. Hon begrep att hon måste passa sig så att ingen annan i Tigerns gäng dök upp. Men nu var hon på sin vakt.

Tanterna satt bara och pratade hela kvällen. Fast det hördes inte. Men det syntes genom fönstret att de pratade och viftade med händerna. Sist kom en med en hund. Hon var inte så gammal som de andra och hunden haltade. Hunden och tjejen gick först därifrån. Då hade de inte ätit nånting. Folk brukar bjuda på mat eller nåt. Men tanterna pratade bara. Mariella väntade hela tiden på maten. Att nån skulle komma in med den på en bricka. Att det skulle vara Rosemarie.

Det blev aldrig nån mat. Ute vart det hemskt kallt. Hon fick trava runt hela tiden och försöka inte tänka på hur hon frös. När de började komma ut och skulle gå hem smet hon in på gården bredvid och gömde sig bakom nåra buskar så att de inte skulle få syn på henne. Ett par av dem hade sett henne på trottoaren när de gick in. De kanske skulle börja undra.

När den gamla tanten blev ensam var det svårt att se vad hon hade för sig. Rummet låg åt gatan och Mariella stod kvar nere i den andra trädgårn. Men sen kom tanten ut i köket för det tändes där. Lyset var alldeles blåvitt. Hon stod vid diskbänken och grejade. Fast det hade väl inte blivit nån disk. Men hon kanske inte hade diskat på hela dan.

Om Rosemarie var där skulle hon komma nu. Det visste Mariella. Hon skulle komma och hjälpa henne och diska. Bara hon hörde porslinet klirra i diskbaljan och vattnet som rann ur kranen.

219

Det dröjde och dröjde. Men hon måste höra det till slut. Om hon var där.

Evigheters evighet.

Sen släcker tanten. Då förstår Mariella att Rosemarie inte är där.

Hon fryser hemskare än nånsin. Nu måste hon springa hem och hon vågar knappt. Det hade ju varit skillnad om hon kommit hem med Rosie. Eller i alla fall kommit hem och sagt att hon visste var hon var nånstans. Men nu ska hon bara komma hem och försöka förklara och Ann-Britt kommer att vara vansinnig. Det är ju klart. Hon måste tro att Mariella också har kommit bort.

När hon går genom den blöta snön på gräsmattan ser hon att det lyser på ett ställe i det andra huset. Det är i källarn. Det är ett konstigt ljus för det fladdrar och flämtar. Hon kommer att tänka på ett Luciatåg och då måste hon titta.

Det finns två smala källarfönster på var sin sida om en dörr. Hon kikar in väldigt försiktigt. Fullt med folk.

De sitter på två rader och har ljus mellan sig och framför sig. I små burkar. Ljusen fladdrar och det blir skuggor i ansiktena. Men hon känner igen flera stycken. Rickie sitter där. Och en massa folk som är med i Tigerns gäng. Fast Tigern ser hon inte.

Allihop är stela och konstiga. De rör sig inte. Det är underligt att de kan sitta stilla så länge och att de inte pratar. De stirrar rakt ut i väggen eller i mörkret eller nånstans.

Sen kommer det nån bortifrån källarn, nån som håller ett ljus i en burk framför sig. Det är nån mera med. Hon kan inte se dem riktigt men hon tycker att de kom ut genom en dörr. Sen sätter sig den ena och ställer ifrån sig ljuset och då ser hon att det är Tigern. Hans ljusa hår.

Det är nån annan också, en tjej. Hon sätter sig ner på golvet. När hon ställer ifrån sig ljuset ramlar det. En av dom andra tar opp det och tjejen faller liksom ihop. Huvet åker fram och hon slår armarna om knäna.

Mariella ser att Tigern pratar men hon hör inte vad han säger. De andra sitter alldeles stilla och Tigerns ansikte är gulaktigt i ljuset. Han pratar och pratar med upplyftat ansikte. Han verkar knäpp.

Då ser Mariella att tjejen som kommit ut genom dörren med honom grinar. Det är det hon gör. Hon håller ansiktet mot knäna och tjuter. Det är så konstigt att Mariella glömmer att vara försiktig. Hon har ställt sig på knä och med ansiktet tätt mot rutan för att se bättre. Men det skulle hon inte ha gjort. De är inte alldeles borta fast de stirrar så där konstigt när Tigern pratar.

Det går så fort sen. Hon fattar att en av dem sett henne och att flera rusar upp. Då springer hon. Men hon hittar inte hålet i häcken och måste springa runt till uppfarten. Och då är nån ifatt henne och hugger tag i jackan.

– Faan! Släpp! skriker hon. För hon är rädd. Hon vill att det inte ska vara Tigern. Det är det inte heller. Det är en tjej med hårda nyper.

– Din jävla lilla skitunge! Sparkas du...

Sen får hon lite stryk och så blir hon sparkad fram till källardörrn. Där står de allihop nu. De har stängt dörrn bakom sig. Det är ett ganska stort gäng och Rickie håller sig långt ute i kanten. Han ser skitskraj ut. Hon har först inte en aning om vad hon ska säga när de frågar vad hon gör här. Men sen tänker hon att det är läge att säga nåt om Rickie.

Det är Tigern som frågar. Alla de andra drar sig en bit bakåt. Själv har han inte rört sig från källardörrn.

– Rickie sa att ni hade nåt på gång, säger Mariella.

– Vadå?

– Det fatta jag inte, säger hon. Men han fråga om jag ville vara med. Så jag gick hit.

Nu skriker Rickie:

– Vadå! Hon ljuger! För fan hon ljuger ju!

– Håll käften.

– Jamen hon ljuger ju!

Då klipper Tigern till honom. Det tar i magen. Han viker sig och blir alldeles tyst.

– Vi ska sticka nu. Du med, säger Tigern åt Mariella. Han låter inte alls arg på rösten. Men hon vet att han är det. Han frågar inte henne vad hon heter eller var hon bor utan säger rakt ut i luften:

– Vad är det för tjej?

De är flera stycken som svarar på en gång. En av dem säger att hon är Rosemaries lillsyrra. Då sätter Tigern opp handen. De blir tysta när de ser hans handflata.

– Vi ska ta hand om Rickie nu, säger han åt Mariella. Vi kan ta hand om dig med. Om du inte är jävligt klok.

Sen går han fram till henne och bänder med fingrarna under hen-

221

nes haka och håller opp ansiktet. Hon känner att fingrarna är kalla.

– Vad gör du om du är klok, Finlandsbåten?

– Håller käften, svarar hon.

– Just det, säger han. Stick nu. Fort.

Och då springer hon. Hon tycker inte det är nånting att komma hem till Ann-Britt nu. Inte ens om hon är alldeles vansinnig. Och det är hon förstås.

Mittemellan sömn och vaka tänker Sigge på fostret. Ett ord från gårdagen verkar: livstecken.

Det var alldeles för sent. I drömmen (är det i drömmen?) kommer ordet livstecken till henne som en svag rörelse i en mycket liten kropp.

Han tog det. Den där läkaren. Han är pervers. Han har barnet som slav.

Nej, nej. Han tog det och la det i en kuvös. Det var en kvinna som fick det. En kvinnlig läkare. Hon kunde inte få några barn, han tyckte synd om henne. Nej, han tyckte om att göra så där bara. Ha makten att göra det. Han var som Gud. Han kände sig som Gud.

Men hon var för gammal. Femtiosju år. Hon stängde in sig med barnet. Det luktade gas i lägenheten.

Sen dog hon i bröstcancer. Ruttnade upp. För hon vågade aldrig gå till någon läkare. Hon var rädd för läkare, för sjukhus. Det är klart hon var. Hon var rädd för sig själv.

Barnet kom till sin mormor som ju inte var hans mormor. En gammal senil kvinna. Ingen vet om honom. Han är hemlig.

Det var en rysk tonsättare som levde så där med sin mamma, instängd. Farsan sa alltid Mussogorskij. Var det han?

När han är tjugotre lever han på sopberget. En ljus man, en gud på sopberget. Långt hår. Han är god. Jag födde honom. Aborterade honom.

Sigge tänder ljuset. Vad är det för nerbrytningar, vad är det för orena tillstånd – är det dröm? Är det vaka?

Visst var det sent. Men det var inte så sent att det var olagligt. Det var inte ens obehagligt, i varje fall inte som första gången. Ingenting som tankarna behöver spöka med i denna gråslemmiga halvt stelnade men fortfarande genomsiktliga gränszon där de inte längre är tankar. Bilder kanske. Bilder som växer under tryck och grenar sig. De kristalliserar och sträcker ut armliknande polyper och benbildningar. De ger ifrån sig livstecken fast de inte har liv i någon mening. I någon meningsfull mening.

Hon måste upp och brygga te. När hon drar upp rullgardinen ser hon att det är ljus morgon. Det virvlar snö kring gatlyktorna. Som små cykloner. Nej, det är inte snö. Det är frostkristaller i solgenomglödgad luft.

Hon hade bara gått för länge utan att begripa något. Mensen brukar hoppa över när hon jobbar hårt. Sen stod tiden stilla. Det var marsvinter och aprilvår länge, länge. Och hon ville, hon kunde inte bestämma sig. Förrän paniken kom. Då var det långt inne i maj.

Men så farligt var det ju inte. Livstecken kan det inte ha varit fråga om. Inte i nån mening som det är mening med. Ingenting att ha mardrömmar för. Såna som man aldrig skulle kunna berätta för nån. Fast drömde hon? Egentligen.

Dagdrömmar var det ju inte heller. Med sina invecklade bestraffningar och slingrande vägar till uppfyllelsen är dagdrömmar ändå konditorivaror och de spårar ur i en spritsning och efterlämnar bara torka. Ja, *törst* när man ledsnat på dem. De här synerna har en fränare lockelse, den inte helt oangenäma lukten ur det till hälften nerbrutna, det som börjar sönderfalla.

Och varför tänker hon på bilderna som om hon fött dem. Spärrat ut sig, öppnat sig och låtit dem göra ont?

Därför att hon inte alls låtit upp för dem. De är oundvikliga och ofrivilliga och de skulle ha passerat porten hursomhelst. Men kanske bara som pustar. Kvalmiga fisar. Sånt som man bortser från.

En hel värld.

Och jag tror att min värld bara är det här. Firman. Stan. Frescati. Krilon. Jag sitter som en härsklysten gnom ovanpå en obegripligt stor värld och vill utnyttja den och hålla tillbaka det som inte lönar sig.

Hon står och väntar på att vattnet ska sjuda upp. Det luktar gas, en liten aning. Hon önskar att allt hade varit som det var bara för två dar sen. Det var väl inte så helbra, men det var i alla fall inte så här. Hon hade inga mardrömmar och inte låg hon vaken heller.

Den här natten har hon legat på soffan i vardagsrummet. I badrumsspegeln ser hon att kinden är randig efter manchestertyget. Det var otänkbart att gå och lägga sig i sängen. Hon ville inte ens titta på den. När hon stängde dörren till sovrummet kände hon kväljningar.

Nu verkar alltihop bara dumt. Hon kunde gott ha sovit på sin egen sänghalva. Bytt lakan förstås. I stället kröp hon ihop i soffan under en tunn pläd och låg vaken till framåt tre. Talade aldrig med Janne. Men hon hade en känsla av att han inte sov när hon kom hem. Att han bara låg tyst och blundade. Att han inte hade mod att möta henne.

Mod.

Det är ju ett konstigt ord. Gudvet vad mod är egentligen. Det mesta som kallas så är väl bara idioti. Fåfänga. Aggressivitet. Nån sorts hormonell overflow. När man behöver riktigt mod har man det inte. Det kanske inte ens finns. Då får man göra det som är svårt och kanske farligt ändå. Pinsamt är det också. Man står i dörren med en temugg i handen och säger:

– Ska du ha lite te?

Och man hör själv att rösten låter pipig. Han är rufsig och blek och grymtar bara, av modlöshet, till svar. Då gäller det.

– Jag var hemma igår. En sväng.

Han stirrar förstås. Ansiktet är svullet och ögonlocken är svullna och det lilla hon ser av ögonvitorna är rött och grumligt och strimligt. Kan han vara bakfull?

– Det var jag som tog handväskan.

Då börjar han gråta. Det är det som är så konstigt. Han har ju ingen gråtvana så det blir inflation. Kramp och flöden. Han blir slemmig på överläppen och det rinner ner över munnen. Det går nästan inte att höra vad han säger för han lägger ansiktet djupt i den våta kudden. Men det låter som *förstört allting*. Gång på gång. Hon försöker ta i honom. Få slut på det på nåt sätt. Man ska ju inte gråta på det här viset. Han är alldeles stel i kroppen. Och hennes fingrar är kalla. Det är väl därför han rycker till. Hon försöker på nytt, försiktigare. Tar på huvudet, det mörka håret. Då slår han ifrån sig. Och nu hör hon alldeles tydligt att han säger:

– Du har förstört allting.

Janne hade också en liten härsklysten gnom inne i sig själv. Tills han träffade den där jävla Lili. Då blev hans ansikte öppet. Mun och ögon som sår. Ja, han har öppnat sig – för vad? Något som man bara får om man ger upp girigheten och maktlystnaden. Den där andra, den där jävla Lili Thorm kanske också hade gjort det. Tills hon saknade kontokorten. Då äntrade hennes gnom förarplatsen igen.

O, Janne – Gud, vad har jag gjort? Varför fick vi inte öppna oss mot varandra? Har vi gjort fel? Var vi för förtänksamma? Kärleken skulle löna sig.

Men det är väl inget fel att leva anständigt! Eller är det det? Är det bara girighet?

Stormen som tar oss, vågen som sveper oss med trodde vi var ett primitivt *trick*, en psykologisk och hormonell mekanism. Vi log åt den ända tills den tog dig och nu tar den mig och jag visste inte att den här ordentligheten och förståndigheten var mina ynkliga trick för att få slippa.

Vintermorgon och solen för hela dagen fångad mellan Danvikstornet och Sofia. Du lille Holma min, alle små holmars ära, svept i rosigt men iskallt dis, glittrande under rimfrost ännu någon timme innan solvärmen förångar kristallbyggena. Nu kommer kungens hästar! Med nackarna böjda klapprar de fram under gnistrande träd. Kusken i lång svart kappa andas ismoln och ur hästarnas näsborrar står också denna stolta ånga.

Det är deras morgonstund. Klapper och tystnad ännu. Svart läder, svartmålat trä, svarta sidensläta länder och mankar. Svarta ögon skimrar vilda eller rädda; en blå hinna över deras djup som inte är något riktigt djup, bara en spegling.

Nu klapprar de fram över Expressen från igår. De har lyckats vända tiden. Den rusar bakåt i Djurgårdsvägens fåra, en flod tät av häst-ånga, och vagnen skakar och Ulla Häger vaggar därinne i ett limbo mellan sömn och vaka.

När hon steg in i vagnen tänkte hon inte på att det kunde vara kungens hästar. Nu när de äntligen efter denna långa vinternatts färd med ett matt klapper rusade över Djurgårdsbron tyckte hon att det var de enda tänkbara hästarna.

Jag sitter i en täckt vagn dragen av svarta hästar och med en kusk i lång kappa och persiankrage. (Eller är det bara krimmer?) Jag ser hans breda rygg i en liten oval fönsterglugg och att det är veck i det glänsande och mycket svarta kappklädet och en slejf och två blanka knappar. Han har en hög svart hatt och på ett säte bakom vagnen sitter en svartklädd person till, i hög hatt och med lång kappa.

Natten har varit lång. Ibland ljus och ibland skymmande och ofta bemängd med dis eller tjock dunst. Stundom har den varit så råkall att kylan trängt in genom de otäta fönsterramarna i den gamla ska-kande och vaggande vagnen. Det har rått hetta också, instängdhet och landsvägsdammigt kvalm. Stickande, krypande flughetta har det varit.

En gång gick ena vagnsdörren upp och stod och slog. Det var i en uppförsbacke och farten var inte hög utan lunkande så Ulla hade kunnat hoppa ner från vagnen. Hon hade kunnat göra slut på resan och på något förnuftigt sätt ta sig hem. Gå till fots i värsta fall. Men det var höstligt kallt ute då och skymning. Och var låg Stockholm och Djurgården? Fanns det människor här i denna genomblåsta askgråa ödslighet och var det möjligt att få tag på dem och tala med dem? Träden som på båda sidor av vägen var nästan avlövade och de lövruskor som var kvar i kronorna slets i den hårda vinden som trasor och kvinnohår. Hon tvekade för länge och sen slogs dörren igen, mycket kraftfullt. Hon antog att det var mannen på sätet därbak som hade böjt sig fram och tagit tag i den. Han måste vara stark eftersom han kunde få grepp om dörren i den hårda blåsten. Och så var de uppe på backens krön och farten blev väldig igen.

Nej, hon blev kvar. På golvet ligger fortfarande de gulbruna, hopkrullade löv som blåste in under de där minuterna som hon nu förstår var den enda stund då hon hade en möjlighet att göra slut på resan.

Nu har de farit över Djurgårdsbron. Hon kan inte se Liljevalchs och inte Hasselbacken, det går för fort. Men träden ser hon, de svarta stammarna och grenarna med sitt glittrande isludd och hon vet att nu ska Mischas affär dyka upp och alldeles efter den kommer hennes egen gata, den vindlar upp till huset med cementlejonen och då är hon hemma och hon kommer att vakna ur den långa och besynnerliga dröm som hon haft.

När hon steg in i den svarta vagnen var hon upprymd och tog den för given precis som Ove Fehzéns överdimensionerade keramikpapegojor och den aromatiska brisen ur hans luftkonditioneringsapparat. Varför skulle han inte kunna beställa fram en täckt vagn dragen av svarta hästar om det roade honom? Hon hade nog väntat sig att kusken-funktionären som höll upp dörren skulle kosta på sig en blinkning eller ett skämt om den nostalgiska tripp som förestod. Men han vände inte på huvudet och den andre funktionären – betjänten fick man väl säga – rörde inte en ansiktsmuskel. När han slagit igen dörren och vagnen börjat rulla såg hon Ove Fehzén stå och vinka mellan sina tujabuskar och hon hade sannerligen en uppsluppen ja, nästan lite gaskig känsla. Att hon var berusad föll henne inte in förrän efter en ganska lång stund av knagglande hjulrullning och dovt hovdunk. Hon hade lullat till, vaggad i det hårdstoppade sätet. Nu var hon ivrig att se hur långt de kommit. Ljudet av de åtta hovarna hade förändrats och lät torrt, klappersmällande. Det var svart natt utanför fönstren. Där fanns varken vägbelysningens gulrosa skimmer i luften eller bilarnas vita flöden. Egentligen såg hon ingenting alls men hon hade en känsla av att mörkret inte bara var mörker; det var vatten och dis utanför fönstren. Hästhovarna smällde med ett nytt torrt ljud. Det lät som om de rusat fram på en lång träbrygga eller en bro. Ljudet borde åter ha blivit dovare efter en stund. För så långa broar av trä finns det inte, tänkte Ulla. Och vilket vatten är det? Ja, Mälaren förstås. Men var? Hur färdas vi egentligen?

Det var då hon insåg att det skulle bli en kolossalt obekväm färd i den skakande vagnen. Det var sannerligen inte som att åka bil och avståndet mellan Gamla Enskede och Djurgården blev förskräckligt när hon började fundera på vad som låg emellan. Och om de nu inte for raka vägen? För det här var inte Sockenvägen och det var inte Nynäsvägen heller, det hade hon fullständigt klart för sig.

Först då slog det henne att hon kanske var i hatten. Inte mycket förstås. Lite beschwipst på sin höjd. Tanken lugnade henne. Hon hade druckit mer än hon var van vid och av det hade hon fått svårt att se; hon såg ingenting annat än dis och mörker och i detta mörker somnade hon nu som ett barn trots att vagnen faktiskt inte gungade henne. Den småhoppade.

Det var hårda fjädrar i underredet och hård tagelstoppning i sätena. Att det var tagel såg hon därför att stråna kröp ut ur ett hål i det slitna tyget som liknade shagg. Taglet var ljusbrunt och krullade sig. Hon kände ett lätt äckel; hon hade fått en diffus bild av hästslakt och avskurna svansar. Usch, vad jag är ur balans tänkte hon. Så dumt att dricka starksprit vid min ålder. Hon slöt ögonen för att försöka somna igen och förhoppningsvis vakna hemma i Djurgårdsstan.

Då insåg hon att hon verkligen sett stoppningen av tagel krypa ut ur shaggen. Men i mörkret kunde hon ju inte ha sett någonting alls. Det fanns alltså ljus i vagnen. Hon kände det. Ögonlocken kunde inte stänga det ute.

Det gnisslade. Hjulen måste vara osmorda som de gnekade och skrek. Det knarrade i seldonens läder och vagnens trävirke skakade. Hovarna klapprade inte längre utan klafsade tungt. Ibland lät det som om de slant på stenar.

Till slut måste hon öppna ögonen. Det kändes som om ljuset bände upp dem. Och ljust var det. En black grådager. De for igenom gles och risig granskog. Vägen kändes spårig och ojämn under hjulen som ibland fastnade. Hon kände rycket när hästarna tog ett nytt tag och när hon kikade i fönstret såg hon att det var en kärrväg med stora regnvattenspölar. Hur djupa kunde man bara ana. Snart fastnar vi, tänkte hon.

Inne i vagnen var det svartsjabbigt. Hon kände nu att det luktade damm och mögel. Det här är inte trevligt, tänkte hon. Det är ett otrevligt skämt. Det går för långt. Det var någonting överdrivet med den där mannen. Jag kände det.

Nu gällde det att med behärskning och någorlunda gott humör ta sig igenom den närmaste timmen. Det var bäst att tala med kusken och se till att han vände och körde henne raka vägen hem. Hon böjde sig fram och knackade på den lilla fönsterrutan där hon såg hans rygg i den svarta kappan.

– Hallå! ropade hon.

Hon skulle ta sig över till det andra sätet men förlorade balansen när vagnen körde fast. Den började vagga i sidled som den skulle till att stjälpa. Hon hamnade på golvet och blev stående på knä tills hästarna ryckt vagnen från hindret. Det verkade vara en ovanligt djup grop. Kusken såg hon inte till nu.

– Hallå! Hallå!

Inte heller i den lilla ovala rutan bakåt såg hon till någon svartklädd funktionär från Freys Hyrverk. När hon tagit sig upp i sätet igen fick hon syn på båda karlarna utanför sidofönstren. De hade tagit tag på var sin sida av vagnen och sköt på. Men de hörde inte hennes rop och bultningar. Eller brydde de sig inte om dem? Hon måste vänta tills vägen blev bättre och de kommit upp på sina säten igen.

Utanför fönstret såg hon nu en klunga fallfärdiga hus. Taken var täckta med någonting som såg ut som ruttnande träspån. Vagnen vaggade fram på en lerig och söndertrampad byväg. Hon kunde se komockor och spår av klövar nedanför fönstren. Att de tar ut korna om vintern, tänkte Ulla. Men det var inte vinter längre. Eller i varje fall inte här. Bortom vägens välling av lera och söndertrampad kodynga växte det gräs. En mättad och fet lukt av djurspillning trängde in genom de otäta fönsterkarmarna där glaset skallrade under den knaggliga och långsamma färden.

Detta var så underligt att hon åter slöt ögonen. Kanske i hopp om att synen skulle försvinna. I synnerhet det sista hon sett: ett trasbylte

230

som antagligen skulle vara en människa. Något grått, nej gråbrunt. Något skumpande. Eller kanske haltande. Någon som var lytt och försökte komma i fatt vagnen. När hon satt där med ögonen hårt slutna och ryggen pressad mot vagnssätet visste hon att det fanns fler av dem. Hon hade skymtat fler.

Det här är inte verkligt, tänkte Ulla Häger. Det är något ryskt över det. Eller i alla fall något väldigt utländskt och främmande. Och så långt kan vi ju inte ha kört.

Hon började nu misstänka att hon var offer för synvillor. Den där för all del rätt trevlige och pojkaktige Ove Fehzén med sitt bisarra skämtlynne kunde ju inte, hur förmögen och – vad ska man kalla det? – kompetent han än var, åstadkomma förflyttningar av det här slaget. Som inte bara var osannolika utan helt enkelt omöjliga. Allt han hade omkring sig var ju egentligen väldigt banalt. Leatherland. Rent a plant. Larsens Vikingwhisky från taxfreeshopen. Och pooler finns det ju snart i varenda villa. Men det här har gått över nån slags gräns, tänkte Ulla där hon satt och blundade hårt i den starka lukten av kodynga. Nånting har skett med mig. Om det nu beror på trötthet eller på spriten eller om Ove Fehzén rentav la nånting i vinet. Det finns ju droger som ger hallucinationer. Det finns det verkligen. Det här som jag luktar och känner och inte vill se mera av, det försiggår i mitt psyke.

Hon kände sig inte riktigt tröstad eller ens lugnad av tanken. Hon tyckte inte om ordet psyke. Antagligen var det grekiska. Hon visste inte vad det egentligen kunde betyda, för grekiska hade man inte kunnat läsa vare sig i Katrineholm eller på flickskolan. Men det var väl bara ett namn. Ett namn på en nymf som gifte sig med ett odjur. Eller hur det var.

Det var åter skog på bägge sidor, hög grovstammig granskog nu. Svarta lavar hängde ner från grenarna. Det var som i Riddarholmskyrkan. Rivna fanor, segertecken. Med krusflor, usch. Multenhet. Mögellukt. Hon tyckte inte om sina egna infall. Men nu var det svårt att hålla fast vid att det var synvillor utanför fönstren för allting var så tydligt. Väldiga granar hade störtat kors och tvärs därinne i dunklet. De var överväxta med ett gytter av gröna och grå lavar. Kraftiga lövträdsskott sköt upp ur dem. Och kvastar av ormbunkar. Mossor svällde grovt borstiga eller finluddiga. Det var en frodighet som tycktes uppsvälld av fukt och vindlade iväg utan ordning och mening. Urspårat och vilt – ja uppsluppet. Rotvältor sträckte ut armsystem som gråa bläckfiskars. Halvruttna, brutna men fortfarande upprättstående stammar såg obscena ut. Svart vatten blänkte orörligt mellan vassa klippblock. Hon såg inte en rörelse därute, ingen vingskugga eller ett svart ögonblänk. Inte heller några stigar där djur och människor kunde ta sig fram mellan morasen och branterna.

Nu brydde hon sig inte längre om att bulta och ropa. Hon kunde ju inte gärna be att få stiga av mitt i en skog där granskelett spretade vasst mellan alla stammar av levande träd och där stenblock och svarta kärrhålor skulle göra det omöjligt att ta sig fram. I början hade hon trots rädslan känt nyfikenhet när hon genom de nerstänkta fönsterrutorna spanade in i det svartgrå skogsdunklet. Hon hade aldrig sett det förr. Inte något liknande heller. Tanken flög för henne att ingen hade sett det. Men kärrvägen fanns ju. Vagnar for fram här.

Det dunkade ofta till i underredet. Antagligen var det stenar. Hjulen knagglade upp och ner och för varje grop kastades Ullas kropp åt sidan eller framåt. Hon kunde inte hålla sig fast. Nu såg hon inte längre ut genom fönstren. Hon orkade ingenting. Ryggen smärtade. Det kändes som om hon blivit sparkad över njurarna. Hon grät av trötthet och hade inte längre någon uppfattning om hur länge de skumpat och knagglat fram. Till slut stod hon på knä i vagnen med huvudet lutat mot sätet och försökte så gott hon kunde ta emot och dämpa stötarna med sin värkande kropp.

Så småningom måste vägen ha blivit något jämnare. Hon visste inte hur lång tid som gått, inte om det var mörkt eller ljust ute. Hon kröp upp i sätet när hon kände att skakningarna minskat och försökte somna. Någon gång måste detta ta slut. Någonstans skulle människor komma fram och öppna dörrarna. De skulle hjälpa henne ut, förklara allting och ringa efter en bil. Det var bara att vänta.

Hon befann sig länge i en dvala som kanske var sömn. När hon vaknade upp var hon mycket rädd. Hon var säker på att det fanns någon mer än hon inne i vagnen. Nu frös hon och hade samtidigt stickningar av rädsla. Hon kunde nästan se honom. Det var en man i dammig gråsvart kappa med pelerin. Han hade en hatt nerdragen över ögonbrynen så att hon bara skymtade ett trägrått ansikte. Så såg han ut. Men hon vägrade att titta på honom. Hon öppnade aldrig ögonen, inte på hela tiden han var där. Hon kände att han var road av hennes skräck och hon fortsatte att blunda hårt och försökte andas så jämnt att han skulle tro att hon sov.

Först när han hade lämnat vagnen vågade hon öppna ögonen. Hur han hade gett sig av förstod hon inte. Hjulen hade inte slutat rulla, vagnsdörren hade inte smällt igen. Nu började hon tro att han inte funnits. Hon tyckte att hon hade ett minne av att hon läst om en vanlig, ja, en alldeles vardaglig kvinna som en mörk kväll stiger i en täckt vagn och plötsligt finner att hon har sällskap. Att det i vagnshörnet sitter en mörk gestalt, insvept i en kappa.

Tanken att mannen i pelerinen bara var ett gråskuggigt inbillningsfoster (och inte ens hennes eget) tröstade henne en lång stund. Men nu hade hon börjat se ut genom fönstren igen. Den där skogen. Det fanns ingen förklaring till trängseln och bråtigheten. Inte till röran av livsformer som kämpade om ljus och näring i detta rum. Eller snarare bildade ett rum. Eller många rum. Det fanns ingen förklaring till dess oberördhet. Det var som om denna sjumilaskog (eller tusenmilaskog!) vore oberörd av närvaron av ett medvetande. Ja, helt och hållet likgiltig för det. Ändå åkte de ju faktiskt på en väg. Eller knagglade sig fram på något slags röjd utsträckning.

Hon kände trötthet och vämjelse. Det var något extraordinärt hon upplevde, det insåg hon. Hon hade ju gåvor. Men vad hade det för slags betydelse? Det borde väl lära ut ett eller annat. Uppenbara något tyckte hon. Inte bara förmera sig som ett osmakligt och meningslöst gytter.

När hon satt hopkrupen i vagnshörnet och prövade olika ställningar för att möta skakningarna och lindra resvärken i sin uttröttade kropp kom ett minne tillbaka. Det kom lika starkt och övertydligt som synerna av den vassa, bråtiga, den dysvarta och dunkelgröna skogsmarken utanför fönstren. Vare sig hon blundade eller hon såg sig omkring med öppna ögon så tycktes hon inte ha annat val än tydlighet och skärpa: Katrineholm, en vinterdag. Långa vedstaplar. Snömodd som är brunaktig av hästdynga och grus. Var det under kriget? Eller tidigare? Hon kunde inte minnas hur gammal hon var. Men hon måste ha varit mycket oskyldig som man kallade det på den tiden. Hon kom med sin tax på gatan. En smådjursveterinär hade mottagning på Stadshotellet på samma sätt som homeopater eller kringresande försäljare av damkappor brukade ha. Ulla gick med taxen till honom därför att djuret led av ständig erektion. Han försökte alltid jucka på benen på hennes mammas väninnor. När de sparkade undan honom blev han stående på golvet med groteskt förlängd och för-

233

tjockad lem som stack ut ur sitt glest hårbevuxna hölje. Han juckade i tomme och såg verkligen lidande ut. Hon var säker på att stelheten i lemmen vållade honom lidande och hade tjatat mycket på sina föräldrar att de skulle ta honom till veterinären. Men de vägrade att låta undersöka honom. Ulla trodde att han led av en svårbotad sjukdom. Det var något genant omkring det hela. Det hade hon naturligtvis uppfattat. Var det därför hon sökt upp den ambulerande veterinären som annonserat att han tog emot folks hundar och kattor och papegojor på kvällstid? Hon hade fått femtio kronor av sina föräldrar till besöket. De var inte grymmare än andra föräldrar och ungefär lika nyckfulla i sin inlevelse. Hunden var Ullas och skulle enligt överenskommelse skötas av henne.

Veterinären tittade på taxen som verkligen fick ett av sina anfall (Ulla stack fram benet) och sa att det var normalt. Men djuret hade en elakartad inflammation under förhuden. Den skulle behandlas med Kloraminsköljningar. Han tog tio kronor i arvode och Ulla märkte att det var något konstigt med honom. Att det konstiga hörde till könslivet som det med ett outtalbart ord hette, det insåg hon så fort hon hade betalat. I ett enda slag förstod hon allt möjligt som hon alldeles nyss inte hade haft en aning om. Hon insåg vilka håriga svin välklädda och kultiverade människor som hennes föräldrar var. Vilka apor. Hon kände sig yr av allt hon plötsligt visste och hon svajade där hon stod i det kala hotellrummet där veterinären lagt upp sina instrument på sängen med handdukar under.

Normalt. Det var normalt. Ett enda juckande. Hela livet igenom.

Tio kronor. Så lite kunde det inte kosta. Hon begrep nu att han tyckte synd om henne och att han samtidigt var full i skratt. Virrig av skam snavade hon ut genom dörren utan att säga adjö. Hon drog i taxens koppel så att han snarkande och halvstrypt åkte med henne ut.

Hon hade fyrtio kronor kvar och när hon kom ut från Stadshotellet såg hon en affisch på Järnvägshotellets fasad mittemot:

BELUX TROLLKARLEN
OCH
BELINDA
"DEN SEENDE"
Inträde 25:-


234

Utan att tänka gick hon in och hon använde de fyrtio kronorna hon fått över till inträdesbiljetten. Hon var också tvungen att beställa läskedryck och en smörgås. Att en skolflicka gick in på en restaurant var otänkbart och dessutom var det förbjudet. Hon kunde bli relegerad. Men Ulla var i halvdvala efter upplevelsen på hotellrummet. Hon hade inte ens förstått vad hon lockades av när hon gick in på hotellet.

Vid den här tiden hade hon börjat fundera över sin underliga gåva. Som litet barn hade hon tagit den för given och trott att alla kunde läsa tankar. Hon skulle aldrig ha vågat tänka tanken ut att hon hörde till en särskild sorts människor. Men den här kvällen var utanför alla kategorier i hennes liv. Hon var förödmjukad, äcklad och i vilt uppror. Samtidigt kände hon sig underligt slö.

Uppe på estraden försvann armbandsur och halskedjor när trollkarlen Belux händer flaxade och trevade kring de halvberusades kroppar. Händerna blev vita och stora när han höll upp dem i strålkastarljuset och han sa:

– Ingenting här! Ingenting där! Nix! Niente!

Han lånade männens plånböcker och Belinda talade prompt om hur mycket pengar det fanns i dem. Han var klädd i svart frack, hon i blå sidenklänning med paljetter. Hon var äldre än han och starkt sminkad.

Belux kallade fram en fnittrande kvinna som fick skriva ett namn på ett block. Han rev av lappen, vek ihop den och höll den ett ögonblick mot Belindas panna. Efter en stund började hon mödosamt stava sig fram till namnet. Hon muttrade, hon sökte och tog om och kom till slut fram till det rätta namnet. Kvinnan ur publiken höll upp lappen och applåderna åskade i rummet och drev upp cigarrettröken i virvlar.

Numret gjorde sådan succé att de tog om det flera gånger med nya personer ur publiken. Vid det femte namnet ropade Ulla:

– En smal man... han är lite sjuk... hon tänker på honom... Emil... han heter Emil!

Det var alldeles dödstyst och rökigt. Alla ansikten var gråvita fläckar vända mot Ulla. Inte ett ögonblick tänkte hon på vilka kval det brukade vara när hon skulle läsa upp en dikt inför klassen eller gå fram till tavlan och bevisa två trianglars kongruens. Hon fortsatte bara:

– Emil Affer... Emil Anderf...elt.

235

Alla andades ut. Det liksom pös i rummet. Det var häpnad och skratt. Ulla kände att de beundrade henne. Utan att hon själv märkte det hade hon ställt sig upp. Belux kallade upp henne på scenen och hon lydde. Hon kände sig fortfarande dov.

– Belinda har fått en liten konkurrent, sa han.

Nu tyckte han att de skulle tävla. När lappen sammanvikt las på Belindas panna såg Ulla att hon tänkte ropa det på en gång för att inte bli besegrad. Men han hejdade henne med en gest. Han såg ut som en orkesterdirigent i sin svarta frack. På så här nära håll luktade det tobak, svett och parfymerat puder om Belux och Belinda. Han gjorde en svepande rörelse med lappen i handen och ville lägga den på Ullas panna. Men hon sköt bort den.

– Det är nån som inte lever, sa hon. Han känner honom inte. Det är bara skoj tror jag. Fast...

– Ja! Ja!

– Han tänker på en bakelse nu. Förut var det en man.

Belux höjde båda händerna över huvudet. I den ena viftade han med lappen. Han lät den singla ner bland borden.

– Läs den! ropade han. Läs den högt!

Den vandrade mellan flera händer innan en karl som var mycket röd i ansiktet vågade läsa upp vad som stod där.

– Napoleon.

Skrik och applåder. Belinda log men såg konstig ut. Ulla var på väg att svimma. Hon tyckte att hon inte var där, inte på riktigt. Hela tiden tänkte hon på veterinären och på lemmen. Taxen satt bunden ute i snön. Han frös säkert ihjäl. Hon kom att tänka på att ingenting av det här var hans fel. Den stela lemmen. Juckandet hela livet igenom. Ingen rådde för det. Alla visste det. Men ingen rådde för det.

Då rusade hon ut.

När hon nu satt hårt blundande i vagnen insåg hon att människorna på det rökiga järnvägshotellet hade tyckt att hon var löjlig. Visst hade de beundrat hennes förmåga. Häpnat över den. Men i deras bifall hade det också funnits löje, till och med förakt, om än rätt godmodigt och spritdränkt. På ett halvt sekels håll avlyssnade hon applåderna och ropen. Tänkte på hur hon kunde ha sett ut men fick sig inte till att minnas det. Alla flickor hade förstås bruna yllestrumpor under den kalla årstiden. Pjäxor och sockor med övervikta skaft. Tumvantar. Kappa av dammodell. Skolmössa av svart siden med ett silvermärke på sammetsbandet runt kullen: en lagerkrans och en siffra. Vilken?

Då visste hon åter att hon inte var ensam i vagnen. Han hade kommit tillbaka. Han satt i det andra hörnet. Hon kunde känna hans närvaro, inte som en lukt eller som den minsta rörelse. Bara närvaro lika tät som en substans.

Hon visste att hon måste uthärda denna närvaro blundande och helst utan tankar. Men övertygelsen att det var den sjabbige estradören från järnvägshotellet i Katrineholm som kommit för att hämta henne växte sig allt starkare i mörkret.

Ulla satt inte och tänkte på vad hon framgångsrikt hade uthärdat i sitt liv och hur det hade gått till. Men det verkade ändå och gav henne styrka att sitta alldeles stilla. Om det var timmar hon satt orörlig i sitt uthärdande hade hon ingen uppfattning om. Kroppen värkte. Hennes skräck stegrades när vagnen krängde eller gjorde en stöt mot ett hinder. Då visste hon att hon kunde slungas mot honom. Halvvägs upp mot taket hade hennes fingrar hittat en stropp. Det kändes som om den var gjord av grovt flätat silke och hon höll sig fast i den och intalade sig: den är stark. Den är otroligt stark.

Till slut försvann han igen lika tyst som han kommit. Krampen i hennes muskler löstes upp. Nu kände hon bara trötthet. Det var ljus i vagnen nu, det visste hon. I sin dova nästan dvalliknande lättnad och trötthet vågade hon öppna ögonen.

Det var första gången hästarna rusade in på södra Djurgården. Antagligen över bron vid Djurgårdsbrunn den här gången. Det hann hon inte uppfatta. Men hon tyckte att hon kände igen de avlövade ekarna och kullarna fast de var snötäckta. När dövskolan vid Manilla skulle dyka upp kom ingenting, ingenting och sedan vatten. Inte is utan grått vatten i korta ilskna vågor med vita skumbryn på. Och nu for vagnen genom något som måste vara en vintrig trädgård. Hon urskilde en torvbänk, halvt översnöad. De formklippta buskarna som kantade vägen hade fått vilda utväxter av snö som stelnat när tö och skare växlat. Låga buxbomhäckar bildade labyrinter tecknade i vit snö och svart kvistverk. I botten på en fontän låg löv infrusna i en bottenskyla is och puttins knubbiga kropp hade snöklattar på sig. Hopkrullade blad hängde ännu kvar i en vissen lövsal. Hon kröp ihop i vagnshörnet igen, blundade och uthärdade. Det fanns kanske ingenting att vara rädd för just nu. Om det inte vore övergivenheten i den vissnade och frusna trädgården.

Det är oförklarligt att hon upplevt hetta och stickande solljus under samma natt – för det är väl natt? – som hon frusit hopkrupen i sitt vagnshörn, att hon skakat av köld och värk, att hon varit rädd för en figur som hon inte sett, att hon rest genom en skog som aldrig ville ta slut och som ingen tycktes göra anspråk på. Det är oförklarligt och tröttande och hon kan inte göra någonting åt det, bara kura ihop sig i hörnet och känna lukten av mögel och damm. Försöka sova. Inte minnas, inte minnas.

Fast minnen kan det ju inte vara. Och vad är egentligen minnen? Nyligen har hon hört Oda – eller var det Sylvia? – tala om täckminnen. Det skulle vara en sorts minnen som psyket tillverkade för att – ja vad? Täcka något som inte hade hänt fast det var verkligt ändå. Ulla hade sett psykets verksamhet vid täckbågen, en ivrigt stickande Psyche, en liten tillverkerska av värmande och skyddande höljen.

Och det må vara, tyckte Ulla. Det är både mänskligt och förklarligt. Men en Psyche som tillverkar idel overkligheter åt sig – det är vidrigt. Det är skepticismen. Det är vad det är. Och den kommer att föra mig till vansinnets rand, Oda! Jag kanske redan är där.

Hon hade ju sett vansinnet denna natt. Hon hade färdats på randen. Den var en sorts väg som när som helst kunde förvandlas till moras. Hopkrupen i sitt vagnshörn hade hon insett att ingen och ingenting utom hon själv fanns till i världen. Skogen var ingen skog. Den var bara bilder som groteskt och förvirrat avlöste varandra utanför det smutsiga vagnsfönstret. När hon vände bort huvudet upphörde den att existera. När hon tittade på något annat, lika groteskt, lika vanställt fanns inte det heller fast det både stank och gav ifrån sig ljud. Det uppstod bara i samma stund som hon fäste blicken på det.

När hon färdats genom den frusna trädgården hade hon fått den ingivelsen att hon inte skulle se ut genom det vagnsfönster som hon hade till vänster om sig. Om hon gjorde det skulle hon få se det fasansfulla.

Ingenting. Nix. Niente.

Och samtidigt som hon visste att hon till inget pris fick titta åt det håll där ingenting finns, så kände hon att hon när som helst kunde rycka till och alldeles ofrivilligt se åt det farliga hållet. Som en reflex, en sprittning i nerverna bara.

Hon måste sitta alldeles, alldeles stilla.

238

Det är kanske hennes sista tanke för nu är hon i dvala och hon uppfattar bara svagt att de efter lång tid passerar över Djurgårdsbron. Men hon vågar förstås inte tro det.

Hon sover med öppna ögon (det är åtminstone vad hon säger till sig själv: jag sover med öppna ögon) och tror ingenting längre, inte förrän ekipaget möter 47:an som på nytt vänder floden och vrålande drar den med sig mot Djurgårdsbron, mot stan, mot dagen.

Hon får stiga ur. Den svartklädde som suttit därbak håller upp dörren åt henne. Han säger ingenting och det gör inte Ulla heller. Hon vet att det vore meningslöst att försöka tala med honom. Vagnen står nedanför gatan där hon bor. Hon ser Mischa komma ut ur affären och sopa snö framför ingången. Han tittar inte på henne och inte bryr han sig om de svarta hästarna heller. Det tycker hon är bra för hon skulle inte kunna berätta om sin hemresa för honom.

Nu är det vinter och morgon och kajorna är på väg ut till Årsta soptipp. En övervintrande koltrasthona sitter duven i snöbärsbusken utanför köksfönstret. Ulla tar sig stelbent upp för den isiga trappan där cementdjuren vaktar, det ena med en slinga torr murgröna över sitt kattansikte.

Hon tänker klä av sig och gå och lägga sig så fort hon kommer in. Kanske ta lite varm mjölk först. Hon är genomfrusen och kroppen värker. Sen ska hon sova. Och när hon vaknar är allt detta drömt. Det är hon i alla fall absolut övertygad om.

Nu röker Ahmeds och Jamins mamma sista cigarretten. Lyckat nog står hon inne i rummet och tittar på fragmenten i restaureringsbordet när hon tänder den. Och sen skrynklar hon ihop paketet. Då sticker det i Blendas armhålor.

– Godd? säger mamman vänligt och nickar mot de gula sidenbitarna. Det är inte gott att veta vad hon menar. Men Blenda håller med.

– Yes good, very good.

Nu är det bara några sug kvar. Sen måste hon gå ut i köket efter nästa paket. Som inte finns. Det känns inte bra att lura dem. Även om de är hemlighetsfulla, även om de i praktiken ser till att hon alltid är bevakad, så är de vänliga. Tanten är vänlig hon med. Fast mestadels ordlöst.

Ahmed gick vid niotiden, Jamin strax efteråt. Då var deras mamma fortfarande i sitt morgonsjok. Det såg ungefär likadant ut som det hon hade på sig om dagen men det skulle nu ömsas. Innan hon gjorde det gick hon i badrummet. Det var då Blenda med snabba och mycket tysta steg gick ut i köket, tog cigarrettlimpan ur köksskåpet, öppnade fönstret så försiktigt hon kunde och kastade ut limpan. Sen gick hon tillbaka till sitt arbetsbord.

Ahmeds och Jamins mamma röker och röker och har ingen aning om att det är sista cigarretten. Det kommer fler vänliga ljud ur henne. Möjligen en förfrågan om kaffe. Blenda nickar och ler. Hon är torr i munnen.

Nu går mamman ut i köket. Minuterna är långa nu. Blenda står i fönstret och ser Passaten nere på gatan. Det måste vara kallt. Sylvia har suttit där i över en timme. Blenda kan fortfarande skymta henne bakom diset av frusna utandningar på sidorutan. Ibland har hon startat motorn och låtit den gå ett tag för att få upp värmen.

Nu hör Blenda hur det slår i skåpluckorna. Ahmed och Jamins mamma letar och ljuden är ilskna. Nu är hon inne i vardagsrummet. Där har Sylvia och hon en svaghet i sin uträkning. Det kan finnas cigarretter på något ställe som Blenda inte känner till. Sovrummet nu. Hon slår i garderobsdörrarna inne hos pojkarna. Det låter inte som om hon finner något.

Blenda har aldrig förr varit inne i en intrig. Hon skulle nog inte ens ha kunnat hitta på den. Det är Sylvia som har gjort det. Smarta Sylvia som nu väntar på tecknet därnere i bilen, hopkurad i sin sjubb. Blenda aktar sig för att gå för nära fönstret. Hon är rädd att lura ut henne i förtid.

Om det nu blir av. Men hon tror knappast att pojkarnas mamma kan vara utan cigarretter någon längre stund. Hon vankar därute. Badtofflorna hasar. Och så blir det plötsligt tyst. Blenda skärper hörseln. Hon hör alldeles tydligt en galge klirra. Lite prassel. Till och med ett svagt stön och en liten duns. En duns till. Hon tar på sig stövlarna. Och nu ytterdörren, så ytterligt försiktigt. Knäpp, knäpp.

Det här får hon inte göra för Ahmed och Jamin och Assia. Hon får inte lämna Blenda och rocken obevakade. Men hon måste. Hon är så röksugen att hon måste.

Blenda känner sig fnissig nu men hon är fortfarande torr i munnen. Först när hon ser mamman i sin gröna täckkappa komma ut ur huset visar hon sig ordentligt i fönstret. Och Sylvia är med. Vaksamt med.

Sylvia som växt upp vid strömmande vatten visste inte att hon skulle bli förtorkad. Fast kryllande av en annan sorts liv, som ett granskelett. När hon var barn tog hon bort barkskivorna på torrgranarna och blottade skriften på insidan. Att det var barkborrarna som kröp och gnagde fram den visste hon nog. Men hon ville läsa den som hieroglyfer; där det var liv skulle det vara språk.

Som på hällan vid strömmen. Där fick hon ihop djurkroppar och hjul. Figurer. En flicka med spretande krona. Horn eller vingar.

Sen glömde hon dem. Inte förrän de skulle göra kraftverksdammen kom hon att tänka på fårorna i stenhuden. Då var det tidigt femtiotal och hon var studentska. Ett ungt geni som hette Michael Ventris hade tolkat de minoiska tecknen på lertavlorna från Kreta. Hon kom ihåg sin barndoms barkplattor. Sen kom hon att tänka på linjerna på stenhällan vid strömmen. Om de var ristade?

Mamma som nu var tjock och jordig och talade värre jämtska än någonsin gav inte skit för några ristningar. Hon var arg jämt för att hon fått ge upp småskolläreriet för barnen och affären och getterna. Pappa gjorde kommunala uppdrag och allmänbildade sig. Cyklade till kommunalstämmorna, läste Allers Familjejournal och Triumf. Han trodde det var ristningar.

Men nu skulle det bli vattenmagasin och hällan försvinna. Då rodde de dit. Strömmen var stark. Det var vårflod och stenhällan låg halvt under vatten. Som linjerna rörde sig därnere, spelade och bröts kunde det ha varit djur, skepp, män med spjut – allt. Pappa visste inte vad han skulle tro så entusiast han var.

På sommaren kom det ett herrskap. Det var en liten stadig herre, en grosshandlare från Stockholm. Han skulle visa sin fru var han gått över gränsen under kriget. Han hade varit i Norge med den illegala tidskriften Håndslag i en ryggsäck, sa han. Och det trodde man gärna. Men inte att hon var hans fru. För det var synd omkring dem. Lust och frihet kunde man ha kallat det, tänkte Sylvia årtionden senare. Hon var längre än han, talade finlandssvenska. Inte ens när de kom med bussen hade hon haft hatt. Kära Oda.

Pappa talade kommunalfint språk och rodde över dem till hällan för att de som bildade personer skulle se på den. Då hade vattenståndet sjunkit, fårorna låg torra i solen. Sylvia, tjugoårig och dögenerad, följde med fingret, visade och berättade vad hon hade sett som barn. Och det var inte svårt. Det var som om figurerna satt i pekfingerdynan. Särskilt den som hon trodde var en flicka. Oda Arpman såg vad Sylvia såg. Grosshandlarn mjaade. Fegt gick pappa över till grosshandlarsidan men lovade ändå att tala med verkmästarn på dammbygget.

Om kvällen tog Oda och hennes grosshandlare med sig Sylvia i båten och strödde mönjepulver i fårorna efter Sylvias anvisningar. Figurerna levde upp. Det var sällsamt. Stendiktning, sa grosshandlarn leende. Inlandsisen och flickan och Oda i förening hade diktat denna värld som inte ville dö.

Dagen därpå hade ett nattligt skyfall från norskfjällen fått mönjan att flyta ut i alla fåror. Det såg ut som en slaktplats och verkmästarn som varit beredd på det värsta, det vill säga Riksantikvarieämbetet, kunde lättad konstatera att det bara var barnfantasier. Men grosshandlarn var inte riktigt så där triumfatoriskt nöjd som man kunnat vänta.

Hon minns honom inte mycket. Men Oda. Hur hon bröt in i Sylvias precisa och ambitiösa studentskevärld med trots och lust och frihet. Stenhällan vid strömmen la kraftbolaget under vatten, sprängde visst också, så ingen kunde få rätt.

Sylvia började läsa arkeologi. Det blev mycket konkret och grusigt: benrester, skörbränd sten, stolphål. Om vintrarna satt hon vid laboratoriebänken. Men det hon sökte fanns inte där. Hon förstod att det hade multnat ner utan spår. Långt om länge när hon gått över till textil arkeologi insåg hon att det inte fanns i kryptorna heller. Det förlorade var förlorat.

Vi skapar det förflutna. Sylvia kände skygghet inför ordet. Skapa är att göra något ur intet. Skapa ny fil? frågade hennes datorprogram som om hon vore en gud och tilltalades av officianten.

Men hon som var en kantig och snabb människa lärde sig varsamhet och ömhet av arkeologin. Endast så kan det förflutna tyckas leva upp under våra ögon och händer. Men något ord för det hittade hon egentligen inte. Cyrus sa dikta. Precis som grosshandlarn. Att vi diktar det som har varit. Dichten sa han. Det betyder också täta. Så var det: hon tätade de glesa spåren efter det som varit, den tunna och trasiga väven.

Den första synen, som kanske bara var en fantasi, hade skimrat halvt under vatten. Är det därför Blendas sidenrock får golvet att gunga för Sylvia när hon smiter in i rummet?

Nästan hela golvytan upptas av det stora tvättbordet. Det är ett hembygge, alldeles uppenbart. Bröderna eller deras medhjälpare har använt spånplatta. Vattentätt tycks de ha fått det genom att lägga i byggplast. Under avrinningshålet står en röd plasthink.

Det är svårt att förstå att det som bär sidenet bara är destillerat vatten från någon mack i närheten. Därunder skimrar det. Smuts och styvhet är upplösta. Tyget har hittat sin form igen. Fibrerna har svällt och rätat ut sig. Det är som om de druckit. Den gula bottenfärgen är klar, mönsterfärgerna gnistrar.

Det är en dal och ett blått strömmande vatten av silke under detta nyktra vatten. Där ligger en fågel med böjd näbb och breder ut vingarna. Det är blommor och löv i vattnet. På den smala landremsan växer iris, tulpaner och liljor. Mellan dem vandrar fåglar. De lyfter näbbar, breder ut stjärtfjädrar och de kliver med högtidligt lyftade ben och små fina klor. På stenar i strömmen sitter de. På klipputsprång. I fikonträdets skugga, på dess grenar. Så mycket fåglar.

Vattnet har fått silket att glömma sin skörhet. Det lever några ögonblick så som det levde för länge sen. Sakta kommer Sylvia till sans och börjar höra ljud igen. Blenda pratar som en maniak därute. Nu vickar hon dörrhandtaget upp och ner flera gånger. Hur lång tid har gått?

Det vet inte Sylvia. De kom överens om tjugo minuter. Hon sa att det var för lite. Hon skulle inte ens hinna få en överblick av materialet på så kort tid. Men Blenda trodde sig inte kunna hålla kvinnan kvar i köket längre. De hade ju inget språk gemensamt. Godd, godd och kaffe räcker inte länge. Sylvia skulle ha smitit ut redan. Hon förstår att tid har gått därför att hon har hunnit ta in allting. Den sluttande överdelen av bordet är ett torkbord där fragmenten av framstyckena ligger på glasskivor. På en vanlig målarbock står Blendas droppflaska, hårpenseln, sugpappret och svamparna. Det finns ett extrabord där hon har sitt sysilke och crepelinet.

Hon har fixerat den nästan upplösta helheten av framstyckena mellan två lager silkesslöja och sytt med föredömligt glesa stygn och fin nål. Sylvia tittar med lupp. Stygnet vilar på få trådar.

Dörrhandtaget vickar, Blendas röst låter gäll.

I kollegieblock har hon dokumenterat. Det ligger en fågelbok bredvid. Hon har ritat av bilden på ryggstycket och beskrivit den med hjälp av EUROPAS FÅGLAR. Papegoja och påfågel har hon förstås fått känna igen ändå. Turturduva har hon skrivit bredvid markeringen av den vita duvan med ett stort halskrås. Kan det vara riktigt? Och steglits? Men ripa, sädesärla, rapphöna, vaktel och näktergal tycks hon ha hittat i boken. Det står sidhänvisningar. Falken heter bara falk. Sylvia skulle vilja kalla den aftonfalk. Härfågeln heter den lille med upprest hjässkam som sitter på en sten mitt i strömmen. Änder och andra vattenfåglar har hon skrivit som sammanfattning för dem hon inte kunnat identifiera.

Varför är alla dessa fåglar samlade?

Nu är Blenda inne i rummet. Hon har öppnat dörren så snålt som möjligt och står tryckt mot den.

– Du måste gå!

– Jag är inte klar.

– Du *måste.*

Sen viskar hon:

– Förstår du inte att jag är rädd för dom? Jag går ut i köket nu. Försöker prata och larva mig... om du visste! Och då *måste* du gå. Var försiktig när du hakar av säkerhetskedjan. Den hörs.

Och sen är Sylvia ensam igen med synen under vatten. Hon begär inte bättre. Hörseln slutar att fungera. Hon känner ingenting heller. Hon ser.

Kajan Tidström var en gång handarbetslärarinna. Så heter det inte längre. Hon är utbildad i en annan tid, utbildad till noggrannhet och fina stygn. Hon lät flickorna sy och sticka babykläder. Det är länge sen.

Men hon behärskar de nya symaskinerna. Nu ska hon låta eleverna göra applikationer. Ämnet heter inte längre textilslöjd. Hon kommer till skolan i sin trånga mockakappa (man borde inte ha kläder så länge och så borde man ha bil) och hon har en mycket diffus uppfattning om vad lektionerna kallas på schemat. Men det ska vara något konstnärligt nu. Inte babykragar, inte små stickade byxor.

Det här är inte något springvikariat. Kajan tar inte såna längre. Hon är förresten för gammal för att bli efterfrågad. Men nu har Blenda bett henne igen. Hon är så hemlighetsfull, säger att hon har fått ett uppdrag. Inte mer. Att det är brått.

Annars ägnar Kajan numera en stor del av sitt liv åt föreningar. Hennes Amnestygrupp skriver brev till presidenter och påminner dem om att fångar försmäktar i deras fängelser. Hon är med i Fred och Frihet (det var där hon en gång i tiden träffade Oda) och i Kvinna till Kvinna och så förstås i Odas samtalsgrupp.

Kajan är lite för konturskarp för att vara färglös och man kan inte säga att hon är hemlighetsfull. Ändå kommer ett sådant ord upp när man betraktar henne. Kommer upp och förkastas. Förbehållsam då? Hennes brytning till exempel. Sigge har alltid trott att det är ett talfel eller kanske gotländska. Hon är änka efter en folkhögskolerektor på Gotland. Men Oda vet. (Oda vet *lite*.)

Kanske är hon bara tillbakadragen. Icke framhävande sig själv. Som nu i uppropsfrågan. Och ingen av dem har en aning om att hon, sansad och korrekt som hon är, känner en oförnuftig rädsla. Att hon har en ficklampa vid sängen och ett paket med smörgås och en necessär med toalettartiklar.

De vet inte att hon har en mycket skarp känsla för fara. Att hon kan vädra den. De vet inte ens att de själva, i jämförelse med henne, är

246

trubbiga, slöa och avdomnade. Ändå har hon bara sagt en sak i upp-ropsfrågan: att det är bättre att det inte blir så mycket uppmärksam-het kring Krylundska villans framtid. Hon företräder åsikten att me-dia gör händelser. De sätter igång oönskade skeenden. Därför har Kajan till slut tagit ställning mot uppropet. Inte för det andra alterna-tivet, nej inte alls. Men mot Odas *uppstirrande*. Det är det ord hon har använt. Medan hennes mun torkat upp och det har börjat sticka i handflatorna och under armarna.

När hon kommer till sin lektion är hon däremot inte alls rädd. Inte på det planet. Hennes tilltro till sig själv som lärare och upprätthålla-re av ordningen i ett klassrum är obruten. De sista åren innan hon pensionerades tyckte hon att den unga lärargenerationen gav efter. Hon spårade inställsamhet hos dem.

Det gäller att aldrig ge efter. Inte ge någon bräsch.

Så fort hon kom in i klassrummet denna eftermiddag kände hon förstås att där var en obehaglig spänning. Det sitter två karlar med rakade huvuden bland flickorna. Hon måste påminna sig att de inte är karlar trots de väldiga låren och händerna. Ungdomar, tänker hon. De är ungdomar.

Flickorna är sig inte lika. De pratar gällare, deras ögon är mörka som av belladonna och glänser. De luktar parfym som vanligt men också brunst och svett. Är det möjligt? Det har hon aldrig känt förr. De duschar ju så vansinnigt.

Tänk om de inte gör det längre? Om det har hänt någonting med modet eller trenden?

Hon är inte så dum att hon genom ett upprop försöker sära ut de där två som inte hör till för att få ut dem ur klassrummet. Nej, det sitter de antagligen och väntar på. Som på en högtidsstund. Hon anar de halvkvävda flickfnissen som ska ackompanjera deras käftande. Hon har varit med förr och låter sig inte luras.

Då säger den ena av de maskinrakade att han vill sy en flagga.

– Jag med, ekar den andre.

Det var alltså provokationen, tänker Kajan. Inte värre än så. Nå – det ska vi nog klara upp. Hon tänker faktiskt i detta ögonblick på sig själv som om hon vore flera stycken. Eller i alla fall två. Ingen bräsch. Den ene av de rakade vill inte oväntat ha gult tyg och blått. Den an-dre rött, svart och vitt. Han som har det knotigaste och knöligaste huvudet vill sy en svensk flagga säger han. Det utlöser fniss. Glänsande ögon. Honorna doftar. Kajan säger att det är inte vad de håller på med på kursen. Hon är tämligen säker på att här skulle en av de unga lärarna ha gett efter och öppnat första bräschen.

Knotan börjar argumentera. Får han inte älska sitt land?

– Gult och blått har jag inte i de rätta färgerna, säger Kajan. Tyvärr inte svart. Men rött går bra. Och vitt. Det har jag i bomull.

Nu har det börjat. Det finns ingen återvändo. Men hon känner en liten svajning eller sättning inom sig. I mellangärdet. Inte riktigt fast mark. Därför vänder hon sig bort från den stora kroppen: muskler i vila, blå ögonklot, glesa ljusa hårstrån på underarmarna, gulvita tänder. Hälsa, tänker hon. Rättigheter. Hon är en aning förvirrad.

– Lever vi inte i ett fritt land? säger Knotan. Den andre verkar intelligentare. Kanske bara för att han ingenting säger.

– Jo, det är ett fritt land, svarar Kajan. Och just nu befinner vi oss på en lektion. Du för en skendiskussion som inte tillför undervisningen något. Nu återgår vi till applikationsbilderna.

Han har tystnat. Först känner hon triumf. Sen inser hon att det är den andre som talat honom tillrätta. Då blir hon osäker. Hon vänder dem ryggen för att visa ett par flickor hur de ska sy fast applikationen med den näst finaste sicksacksömmen. Men först måste de tråckla. Det är viktigt att applikationen ligger slätt mot underlaget. Att nåla räcker inte. Hon undviker att se på de två rakade. Men hon har uppfattat att den ljuse har hittat ett stycke gult tyg. Det är ylle. Men hon invänder inte att flaggduk ska vara av bomull. Hon sysslar med lappar av pastellfärgat siden. Himlar i urtvättat blått. Hon står nära en varm flicka och ser inte upp. Om han vill göra ett gult yllekors på en bit blått nylontyg så får han. Det kommer att rynka sig. Han kommer att göra en ömklig flagga.

Det här är sista gången förstår hon nu. Sista vikariatet. Vinterdagern från perspektivfönstren möter arbetslampornas vitare sken. Ibland hör hon. Men runt omkring henne är det mest tystnad och en tät lukt. Kajan vet ingenting. Det är stora fläckar av medvetande borta.

Hon rådgör med flickorna, står över deras böjda ryggar och stora schampodoftande hår och prövar stygnlängd. Föreslår att en bit tvättsiden ska stadgas med undertyg. Knotans kamrat sitter böjd över sin applikation. Han är mörk. En mörk skugga över glänsande skallhud. Han har brett ut ett stycke rött bomullstyg och på det har han

248

lagt en vit cirkel av lakansväv. Kajan vandrar vidare mellan blommotiv med pärlor och gnistrande stenar och en bild av en hund i brun sammet. En sammanbiten flicka från vårdlinjen syr figurer på ljusblå grund. Skärt siden till nakna kroppar, grönt nopprigt ylle till träd. Kajan trodde först att det var en paradisbild. Men det är en minnestavla. Någon som den här flickan kände har dött i AIDS.

Kajan är på väg tillbaka. Då ser hon. Rött. Vitt svart. Fältet. Rundeln. Viggarna. Den mörkskuggade hjässan som glänser.

Hon går fram och plockar upp de svarta sammetsviggarna från den vita rundeln och den vita rundeln från det röda, fyrkantiga tygstycket. Så säger hon:

– Detta är inte tillåtet.

Knotan råmar. Men den mörkskuggade tiger. Hans huvud är fortfarande nerböjt. Och runtomkring honom är det tystnad och syrefattig luft. Kajan svajar lite men vet att det bara är inuti. Hon samlar ihop tygstyckena under Knotans brölande krav på yttrandefrihet. Den andre rör sig inte. Han ler faktiskt lite. Hon får en absurd känsla av gemenskap med honom.

– Det är faktiskt inte tillåtet att använda stereotyper, säger hon. Det blir tyst. Antagligen förstår de inte ordet. Hon hör Knotan samla luft till ett nytt vrål.

– Förebilder är inte tillåtna. Applikationsbilderna ska vara fria och egna kompositioner. Det är tydliga instruktioner som jag har fått av er ordinarie lärare.

Det är över. Knotan säger alldeles tydligt jävla kärring, men det är över. Flickorna böjer sig över sina bilder och ett par symaskiner surrar. Det är gatlyktsljus utanför fönstren nu, suddigt i grådagern. Irrande billjus. Höghusen glimmar. Kajan går sakta i raderna. Så kommer hon tillbaka till sitt eget arbetsbord. Då ser hon den.

Den ligger på bordet. Den ligger ensam. Längre ut på bordsskivan ligger närvarolistan i sin plastfolder. Hennes eget saxetui. Handväskan. På den fria delen av bordsytan ligger den. Någon har sytt runt kanten med näst finaste sicksacksömmen.

Ingen av dem har rest sig. De måste alltså ha skickat den. Vilka? Finns det fler som skulle...

Nej.

De har skickat den mellan sig därför att de ser det som ett skämt förstås. En ploj. De kallar det en ploj. De menar det inte. Fast de gör det ändå. Själva handlingen utför de.

Gul filt. Det är inte svårt att göra en Davidsstjärna. Två trianglar utklippta och lagda på varandra. Nu rör hon vid den. Den är fastsydd vid en bit svart bomullstyg. Det sitter en säkerhetsnål på den.

Hon har ännu inte höjt blicken mot dem men hon kan känna deras tystnad och förväntan. Ja förväntan. Nu tar hon upp den gula filtstjärnan och petar upp säkerhetsnålen. Hon tänker på när hon låg under en godsvagn med järnskrot och såg ett par bestövlade ben och fötter gå förbi. Det är vad hon alltid har gjort: legat och tryckt. Hållt sig undan. Ja, hon har varit mycket försiktig. Ända tills nu. Varför hon gör så här nu vet hon inte. Hon fäster stjärnan på blusen, på vänster sida alldeles nedanför nyckelbenet. Så ser hon upp.

De är tysta. Ni är torra i mun, tänker hon. Det känns lustigt att veta detta om dem. Det är alldeles lukt- och ljudlöst inne i det stora klassrummet. Hon tycker att det är skönt.

Ja, det är skönt i rummet. Det går lätt att tala. Andningen, de små rörelserna med tunga, läppar och struphuvud går lätt. Talet vet vad det ska tala. Hon behöver inte fundera på det.

– Jag heter inte Katarina Tidström, säger hon. Jag heter Katarzyna Grossman. Jag är född i Warshau. Warschawa säger ni. Min far hade ett herrskrädderi där. Vi hade också släktingar i Sverige. I Norrköping. Ibland var jag där om somrarna.

Hon har lagt högerhanden över bröstet och fingrar på stjärnan.

– Jag bar den här stjärnan från oktober 1939. Jag gick på gatorna med den. Det hade blivit förbjudet att gå på gatorna utan den för oss. Vi var judar. Min farfar var till och med rabbin. Det gjorde mig generad att träffa honom. Jag tyckte mycket om min farfar men han var så gammalmodig. Jag hade kortklippt hår och silkesstrumpor. Jag vet att han inte tyckte om det. Men han bodde på landet. I en liten by. Jag såg honom aldrig mer. Vi fick lämna vår våning ovanpå skrädderiet. Vi fick flytta in i ghettot. Ingen visste vad som skulle ske sedan. Det talades om arbetsläger. Men vi visste ingenting. Vi bodde åtta personer i ett kök med en sovalkov. De som bodde där förut var fattiga människor och de var generade att få in oss där. Alla vuxna var rädda. Men jag var inte så rädd. Jag tänkte mycket på en pojke som jag var förälskad i. Allt blev annorlunda. Jag tyckte om det. Det var en sorts frihet också. Vi träffades ute. Det hade inte gått för sig förut. Mina föräldrar var mycket rädda om mig. Men nu var de upptagna av alla rykten och all oro. Ja, jag tror man kan säga skräck. Det kom folk utifrån till ghettot, de stod vid stängslet om nätterna och berättade vad de hade hört. Jag tror aldrig jag har sett så bra ut som de där månaderna. Jag tänkte mycket på kläder och på kamning och jag hade fått tag på puder.

– Ööööh...

Ljudet lossnar ur Knotan. Som ett stenras. Sen lutar han sig tillbaka med sin tunga kropp. Jeansen åker ner en bit. Det syns en hudvalk mellan t-tröjan och byxlinningen. Vitrosa. Som på ett spädbarn.

Han är ett barn. Han har ett barns tankar. Nu låtsas han gäspa. Jag var också barnslig, tänker Kajan och är i den tid hon berättar om. Jag var nästan vuxen i min kropp men mina tankar var barnsliga. Jag kände spänning och förälskelse och förväntan och lust när jag borde ha anat dödsfara. Jag var full av koketteri. Kanske var jag som en liten fisk eller en harunge. Jag ville leva. Jag ville verkligen leva. Inte sitta som min mor, tung och full av skräck. Kanske vill han också leva bara. Som ett barn.

Men den andre är inget barn. Nej.

Hittills har hon inte alls behövt tänka på vad hon berättar och hur hon gör det. Men nu inser hon att den första häpnaden inte längre finns därute i rummet. Utandningarna låter annorlunda. Ett fniss skuggar Knotans utbrott. Hon ser den mörka mannens ansikte. Ja, hon vill kalla honom en man. Det finns något i de fina mörka dragen som är mer än skiss. Hon skulle känna igen honom om tjugo år, om trettio år. Och hon måste välja vad hon berättar nu.

De vill ha spänning. De vill ha chock. Om de inte får det kommer de att gå därifrån. Eller sy på maskinerna. Prata. Om de inte får vad de vill ha kommer deras blickar att förvandla henne och allt vad hon har sagt till något ömkligt.

– Fan vad hemskt det var när hon stod där, kommer de att säga. Men de kommer att mena: hemskt för oss. Kajan har börjat och kan inte sluta. Hon är i berättandets villkor. När hon väljer har hon inte ens överblick. Minnet flackar över döda fält. Men hon förstår att det knotiga, rakade barnet och den där mörke ska hon överge. Dem kan hon ingenting berätta för. Men hon har unga kvinnor framför sig. Varma och beredda att älska. Må vara att deras kroppar doftar därför att fina doser av hormoner stöts ut i deras blod. De längtar efter doften av skjortkrage och nyrakad kind. Efter barnpuder och fjunig hjässa. De är programmerade. Som jag var. Men kärleken finns ändå som ett anlag i dem. Den kan bli verklig. Den kan göra sig verklig; den skimrar redan genom hormondiset, genom slöjan av blod, slemhöljet. Därför väljer hon, utan att egentligen veta att hon väljer, berättelsen om barnet. Den har hon aldrig kunnat berätta för sig själv. Men den finns i henne.

– Jag kom till Oświęcim, säger hon. Vi reste i många dagar. Ibland stod vi stilla på spåren. Vi var åttio människor från början. Det var en godsvagn. När vi kom fram mönstrades vi. Det var SS-vakter. Jag var ung och stark och fick gå åt ett annat håll än mina föräldrar. Jag hann inte ens säga adjö. Jag trodde vi skulle ses till kvällen. Någon sa det. En tysk. Det fanns sådana också. Som ville lugna. Jag var bara där i fyra månader. Sedan reste jag igen. I samma sorts godsvagn. Jag hade blivit av med mina kläder. Jag hade fått en rödbrun kjol, en jumper av bomull och ett par underbyxor.

Nu hyssjar flickorna. I alla fall ett par av dem.

– Jag hade dem hela kriget. Under alla åren hade jag de där kläderna, ingenting annat. Och papperssäckar. Det var när det var kallt på vintern. Vi stoppade opp papperssäckar med annat papper som vi hittade och vi knöt dem på oss. Det fick vi inte. Men vi var tvungna. Under uppställningarna stoppade vi pappret under kläderna. För att de inte skulle se det. Jag kom först till en fabrik där vi sydde en sorts läderbeslag. Vi visste inte vad de skulle vara till men vi trodde att det var till fallskärmar. Det var vinter. Det var före papperssäckarna. Det var inte så farligt. Vi fick en soppa varje dag. Det var till och med köttrester i den. Eller bitar av hinnor. Vi sydde och sydde. Jag kom till en annan fabrik senare. Där sydde vi fårskinnspälsar till ostfronten. Vi visste det. Det gick många rykten. Till slut kom jag till Essen. Det hade varit många resor kors och tvärs. Väntan. Det var alltid godsvagnar. Man kunde se i det lilla fönstret med galler för: fält med potatisblast. Lagårdar med dynghögar. Bangårdar. Och så Essen. Det var ett stålverk vi kom till. Jag skulle dra in järnskrot på en skottkärra. De smälte ner skrot nu. Det var tunga bitar. Järnbalk. Gammal räls. Plåt också. Då hade man tur. Men det var mycket balk. Och maten var bara tunn potatissoppa. Från kylan till hettan. Man drog. Man skulle lyfta också. Man måste orka. Ni förstår nog. Jag tror ni också skulle ha förstått vad som var meningen. Men jag ville leva. Det var nog för att jag var ung. Man har livsvilja. Nån sorts blindhet kanske.

Att man ser bara en bit i taget. Den biten som man kan överleva på. Den som berättar är utlämnad åt berättandets konsekvens. Berättandet föder berättelsen. När tungan ljuger berättar fötterna eller ögonen eller ryggen. Man måste. Och man måste orka. Kajan berättar om hur hon fick bröd. Det var konservburkar också. Någon sorts blandning av kål och kött i dem. Så överlevde hon i stålverket. Men om slaget med gevärskolven som tog på örat och gjorde det dövt berättar hon inte. För hon har valt. Och nu är hon i följderna av sitt berättande och berättar för unga kvinnor, inga andra.

– Jag fick göra honom till viljes. Jag kände kanske tacksamhet också. Det var inte våld. Det var många känslor som var slocknade, kanske egentligen att tacksamhet var en av dem. Men något var det. Kanske hopp om mera. Och att glömma sen.

Hon berättar att hon födde ett barn på britsen i baracken. En svältande och uttorkad växt försöker överleva genom att blomma. Hon hade inte förstått att hon kunde få ett barn för hon hade inte menstruerat på åratal. Egentligen är det som om barnet föds först nu när hon berättar det. Förut har det fötts i en slöja av gråhet och tid. Även då stod människor, kvinnor, runtomkring henne och barnets liv berodde av dem, så som det gör nu.

– De tog det till ett spädbarnshem. Jag måste fortsätta arbeta. Jag trodde att jag skulle dö av blödningar. Men jag var ännu stark. Varför?

Hon ser att någon gråter. Vatten flödar. Vatten är liv. Det är liv i den unga kvinnan som gråter. Hennes kinder är våta av liv. Hon sitter fortfarande med händerna på sin applikation. Det är sammetshunden.

– Jag hade hopp om mitt barn. Jag tänkte att de ville ha slavar. Barnet skulle få mat för att bli en slav i deras stålverk. Bra. Jag tänkte så. För det gick rykten att det snart var slut. Ryktena kom in med brödet. Surt svart bröd. Inga mer konservburkar. Ingenting, för nu svalt alla. Och sen började bombningarna på allvar. Jag tänkte på barnet som var en flicka. Det var en annan kvinna, ung som jag, hon arbetade i köket på det där spädbarnshemmet. Jag träffade henne i baracken. Hon sa att hon kunde släppa in mig en kväll. Jag skulle få se mitt barn.

– Helledudane, säger Knotan. Det är fler som hyssjar nu. Han lutar våldsamt tillbaka på stolen och väger och väger på den. Om han faller kommer de att skratta. Så är det. En av dem gråter. Flera hyssjar. Det är spänning. Det blir chock om han faller. Då kommer de att skratta.

– Jag fick gå in där. Det luktade urin. Det var surt och smutsigt i sängarna. Det låg barn där och dog. Mitt barn också. Hon hade nog aldrig öppnat ögonen. Men hon sög på en trasa. Det var en smutsig blöja. Hon hade sår i ljumskarna, stora sår.

– Snyft, snyft, säger Knotan och reser sig. Vicken asbra snyfthistoria! Det är som på bio. Snyff, snuff, snuff!

Han går nu. Den mörke kommer efter honom. Ett ögonblick ser Kajan och den mörke på varandra. Det är som om ett småleende fanns i hans ansikte, nästan synligt. Som om hon och han hade en hemlighet tillsammans. När de har stängt dörren – Knotan låtsas att han rapar först – hör hon att en annan flicka gråter öppet.

– Ja, säger Kajan. Det var vad jag fick se. Sedan gick allting egentligen mycket fort. Det blev flera bombanfall. Jag försökte inte längre skydda mig. Men jag överlevde. Det fanns något starkt i mig. Jag tror inte att det var nånting psykologiskt. Utan liv. Hälsa och krafter från åren före 1939. Som ni har krafter och hälsa i era kroppar. Det fanns liv i mig. Jag tyckte att det var otäckt.

Hon vet att hennes berättelse är slut nu. Den har slutat av sig själv. Gråhet och tid som en stund varit sönderrivna sluter sig åter om minnet.

– Liv kan vara otäckt. Men det kan också vara som när du gråter, säger hon åt flickan som har våta kinder.

Sen tystnar Kajan och sätter sig vid sitt arbetsbord med händerna på skivan. De trevar inte efter saxetuiet eller efter plastfoldern med papper. De är i vila och när hon ser på dem tänker hon på att det är en gammal kvinnas händer.

Flickorna ser på varandra men säger ingenting. Efter en stund börjar någon plocka med sitt tyg. De är rädda för mig, inser hon. Ja, de är rädda. Hon hör en sax klirra. Hör hur den dundrar fram genom tyg över en bordsskiva som ger resonans åt ljudet. En symaskin börjar surra. Hon kan höra hur försiktig flickan som styr den är på foten. Ett nästan omärkligt sysurrande. Nu förstår hon att det är för sent för någon av dem att säga något. Det kommer inte att bli några frågor. Men när det ringer. Då blir de individer.

Det går lång tid tycker hon. Kanske är det tjugo minuter, kanske mindre. Sen ringer det ute i korridoren. Då reser sig alla. Som änder eller rådjur.

Flickan som förut var våt om kinderna snubblar förbi Kajans arbetsbord. Hennes huvud är nerböjt. De är på väg ut. Det är nog inte ens flykt. Det är bara som när änder lyfter. De ser en annan ands vita vingspegel och då lyfter de.

Först kommer Jamin hem. Sen kommer Ahmed. Då börjar Blenda gråta. Hoppet att Sylvia ska kunna smita ut oförmärkt tar slut i henne. Rädslan tar också slut. Allting. Hon bara gråter.

De är så snälla mot henne. Är hon trött? Har det varit för mycket? Eller är det pengarna? Ska de hämta hennes handväska så hon får ta fram en näsduk? NEJ! Mamman kommer med Kleenex från badrummet. Hennes badtofflor slapprar tillgivet och med inlevelse mot linoleummattan och ljudet får Blenda att skaka av snyftningar.

Hemma är det ingen idé att hon gråter. Därför har hon inte gjort det på många år. Men hon kan gråta. Hon kan gråta så det flödar och blir mjukt och vått och uppsvullet. Egentligen har hon samma anlag för gråt som hon har för orgasm. Just nu är det nästan lika skönt. Det är en lång våt befrielse. Hon är nere i urgrunden, i det mjuka våta där varje beröring bara får henne att flöda ymnigare.

Då ringer det. Ja. Det är helt otroligt men det ringer från arbetsrummet. En liten pipig signal, som snabbt upprepas. Jamin har rest sig. Ahmed har släppt underkäken i sitt lyssnande.

– Har du telefon med dig?

– Nej!

Hur kan hon svara något så dumt? Ahmed är på väg ut i hallen nu. Blenda börjar skrika. Hon driver upp sin gråt till hysteriska höjder. Men det är horiskt, det är spel. Där står han med tungt sänkt huvud.

– Svara då, säger Jamin.

Men det kommer ingen mer signal.

– Äsch, säger Blenda, det var nog inget.

Då öppnar Ahmed dörren till arbetsrummet och Blenda som sitter i vardagsrummets hörnsoffa kan se Sylvia. Hon sitter på pallen framför restaureringsbordet och håller sin bärbara telefon till örat. Slutar inte prata heller. Tyska. Det låter för illa. Det låter helt enkelt konspiratoriskt. Ahmed är framme med ett långt språng. Tar luren. Han letar efter knappen på sidan och stänger av telefonen.

– Vem är du? säger han.

Varje människa har ett visst mått av kraft. När den är förbrukad kan man inte få den tillbaka eller få ny kraft. Den är slut. De flesta människor förbrukar sin kraft jämnt och lugnt genom hela livet. Det är åtminstone vad vi vill tro. Men en del människor gör av med fruktansvärda kvantiteter kraft vid ett eller ett par tillfällen i sitt liv.

Nu är Kajans kraft slut och hon vet det.

När hon kommer in i hallen ser hon att den är mörk. Hon inser att hon skulle ha haft en starkare lampa och en ljusare skärm. Kanske en helt annan takarmatur, en med två lampor. Alldeles i onödan har hon haft en mörk hall.

Inte förrän nu har det synskifte inträffat som kommer henne att se hur mörk hallen är. Hon ser också det prydliga men trånga sovrummet, hon ser fotografierna på byrån. Det kunde vara främmande människors ansikten. Men det är det inte. Det är Herberts ansikte och hennes eget. Hon ser också köket med de blåmålade stolarna och bordet som hör till. De kommer från Herberts barndomshem. Han var bondson. Svensk. Så underligt.

Krusbärskräm på det där bordet minns hon. Det låg en vaxduk på skivan. Flugor surrade under en taklampa med vit porslinskupa. Då. Och trasmattorna. Sådana hade hon aldrig sett. Men vattensån av koppar liknade en som hon sett som barn. Hon hade varit i en litauisk by med sina föräldrar. Där hade hon sett orrar i en björk också. Ibland under den första tiden i Sverige tänkte hon på Litauen. En bysnickare i Julita socken i Sörmland i Sverige hade gjort den rejäla fast ganska klumpiga köksmöbeln. Egentligen har hon inte sett den förrän idag. Vid tidens och kraftens ände.

Det är inte särskilt intressant att se det hon ser. Det finns inte mycket att säga om de blanka ytorna i vardagsrummet. Ingenting att anmärka på i köket heller. Det var så här det kom att se ut. Hon har valt och ordnat, hon har ofta behållt, ibland något motvilligt, sådant som hon fått. Slumpen hade också strött in något. Ja, inte obetydligt förresten.

En handfull löv över en krattad grusgång.

Ett fönster stod öppet och en snövind la ett snabbt smältande flor av iskristaller på en blå linneduk. Fukt. Snart borta. Men det hade funnits.

Slumpen var också en arrangerare, fast av en annan, en främmande ordning. Hon snuddar ett ögonblick vid detta. Sen är hon åter Katarzyna Grossman i sitt liv, i ett mönster som blivit hennes genom att verkan följde på orsak, genom att hon valde, vårdade, avstod och tog emot.

Det andra, det som kom ur ett öppet fönster har det ett namn? Som en vind kom det. Ur ett fönster. Eller ur öppningen till en godsfinka. Ur hennes egen kropp.

En vind som inte är någon vind har den något namn? Andas någon?

Hon undrar om den handling hon nu tänker utföra kommer att öppna dörren ut i det där. Ut i det som andas. Öppna för vinden som kanske inte har något namn. Men det är bara vad man kallar ett ögonblick hon undrar så. Det är mindre än en tanke. Det skär in bara. Och är borta. För hon är i sitt liv och sin ordning och den handling som hon nu ska utföra hör till hennes liv liksom alla andra handlingar har gjort det.

Jag slipper skämmas, tänker hon medan hon äter en smörgås. Hon tycker att det är underligt att hon äter. Men hon måste ha lite krafter. Hon ska upp på vinden. Där har hon en flagga och en flagglina. Stången ruttnade inifrån. Hon lät ta ner den från sommarstugetomten på Gotland tio år efter Herberts död.

Jag har haft mycket skam. Ja, mer än de flesta. Skam över hungern. Jag skämdes att jag inte kunde vara så som jag ville vara. Ung och ren. Jag kände mig som om jag ätit människokött. Fast det var bara fårkött. Fårfett. Fårslamsor. I kål. Nu behöver jag inte skämmas mer.

Då ringer telefonen. Hon förstår inte ljudet. Först när det börjar prata förstår hon. När hon gick lämnade hon telefonsvararen på. Nu pratar Oda. Det är viktigt säger hon. Hon pratar och pratar. Hon pratar sitt viktiga prat. Kajan famlar över knapparna på apparaten. Det finns en som heter STOPP. Men Oda slutar inte prata om allt som är viktigt för att hon trycker på den.

Kajan faller på knä framför hallbordet. Hon trevar in mot väggen och får tag på sladden. Så rycker hon ur kontakten och Oda hörs inte längre.

Monica som är Mariellas fröken har sagt till att hon ska gå till skol-sköterskan och väga sig. När hon kommer dit och har blivit vägd säger skolsköterskan att hon måste komma varje vecka och göra om det. Sen frågar hon om hon har ont nånstans och sen om hon kan sova. Mariella säger att hon inte hade ont nånstans och att hon sover om nätterna. Nästa dag säger Monica att hon ska gå och prata med en som kan hjälpa henne.

– Med vadå? säger Mariella.

Men det får hon inget svar på. Den där andra sitter i rummet innanför skolsköterskans och på bordet framför sig har hon en massa teckningar som Mariella har gjort. Dem har Monica sparat och gett henne. Det är teckningar från timmarna. De skulle rita allt möjligt och Mariella har inte tänkt på att hon inte har gjort det, inte förrän hon ser alla teckningarna ligga där. Hon har bara ritat en sak. Det känns taskigt. Hon har ritat en tjej med mörkt hår. Det ska vara krusigt men ser borstigt ut. Håret sitter ihop med en hårsnodd med nylon omkring. Det är olika färg på snoddarna på varenda teckning, nästan. Och olika kläder på tjejen. Svarta stövlar på en bild och joggingskor på en annan, fast det syntes nog inte att det ska vara det. Och en lång klänning med blommor och rosetter. Alla ansiktena är samma ansikte.

– Vad heter hon? säger den andra fröken.

När Mariella inte svarar säger fröken:

– Rosemarie?

– Hon står likadant hela tiden, säger hon sen. Kan du inte rita henne när hon gör nånting.

– Varför det? Varför ska jag rita här? Vi har väl inte teckning heller.

– Jag tänkte jag skulle hjälpa dig, säger käringen. Hon borde ha borstat tänderna. Det sitter keso mellan de två största framtänderna.

– Jag är psykolog, säger hon. Vet du vad det är? Det är en som hjälper folk när dom är ledsna. Vill du att jag ska hjälpa dig? Vill du rita här? Rita Rosemarie när hon gör nånting.

Hon är inte klok, tänker Mariella. Eller också är hon från polisen. Då låtsas hon bara att hon är så där larvig. När tanten börjar fråga henne om vad Rosemarie hade gjort på Luciakvällen när hon lämnat affären och sagt hej hej då till Sascha, blir hon övertygad om att hon är från polisen.

– Det var ingenting du bad henne om, säger hon.

– Vadå bad?

– Ja, att hon skulle gå och köpa nånting åt dig eller så?

– Nej.

– Ingenting?

– Nej.

– Men om du trodde det...

Det är alldeles varmt inne och elementena susar. I rummet utanför hör hon vågen skramla när nån stiger upp på den. Skolsköterskans röst hörs också men inte vad hon säger. Men Mariella vet det. Hon väger såna som är tjocka och säger att de inte ska äta så mycket. Om de gör det ska hon tala med deras föräldrar. De får inte äta godis. En del får väga sig varje dag. Mariella tror att hon är den enda som fått väga sig för att hon är för mager.

– Bad du henne om nåt som du tror hon gjorde sen?

Mariella svarar inte.

– Jag menar då kunde du ju få för dig att det var ditt fel att hon kom bort.

Suset kommer inte från elementena. Det kommer från luftintaget.

– Tror du att det var det?

Det är helt klart att käringen är snut. Vilken typ. Mariella säger inget mer och hon ritar inget. När hon kommer hem har fröken ringt till Ann-Britt. Hon är uppskärrad förstås, alldeles hysterisk.

Oda har inte kommit längre än till Kajans telefonsvarare. Flera gånger har hon lagt på när hon har hört det mycket korrekta svarsmeddelandet. Men det känns fegt. Så till slut har hon talat fast hon avskyr den där apparaten. Hon har sagt sig att det inte är med apparaten hon talar, att Kajan *hör* fast hon kanske inte gör det just nu.

Nuet har blivit lika opålitligt som historien. Det kan blixtra till eller surra igång först om en stund eller om några timmar. Men att hon aldrig skulle nå fram till Kajan med sin röst det tror inte Oda på. Så hon försöker tala. Men sen kommer en sorts dovhet. Stumhet. I själva apparatlyssnarförmågan. Hon blir helt enkelt övertygad om att ingen hör vad hon säger. Inte ens apparaten. Kanske är bandet slut. Det vore ju inte så underligt för hon har talat länge fast hon vanligtvis inte talar till telefonsvarare.

Hon vill fortsätta. Det finns något inom henne som inte vill ge sig. Hon vill tala om Johan Krylund, hon kom just in på honom. *Johan Krylund gjorde faktiskt flera resor till Tyskland*, sa hon när den där dovheten inträffade. För hon är övertygad om att Kajans oanträffbarhet har med Tyskland att göra, med minnen. Det är minnen som Oda inte vet någonting om. Bara att de måste finnas.

Han var anglofil, säger hon. För hon kan inte sluta. Men han besökte aldrig England. Tänk. Men till Tyskland reste han flera gånger under tjugo- och trettiotalen. Hans grosshandel hade förbindelser med en stor importfirma för kryddor och kakao i Berlin. Det var den egentliga anledningen till hans besök ser du, säger Oda fast hon lagt på luren och man knappast kan säga du till en barometer. Dess runda ansikte av glas och siffror inom en mahognyram är det som till slut får henne att tystna. Det är en gammal barometer. Odas far hade den i sitt arbetsrum. Den kan visa oro. Men utslagen är grova. Längst ner står det JORDBÄFVNING.

Jaja. Ich hab' noch einen Koffer in Berlin. Sånt flams. Hest, sensuellt flams. Det var inte precis hans melodi. Men Berlin i sin hålögda, falskt glittrande hungertid kom i alla fall att prägla hans livssyn. Han

261

blev inte cynisk och han gjorde såvitt Oda vet inga stora vinster, spekulerade inte i den svindlande valutaskillnaden. Inte direkt i alla fall. Fast om man tänker på det så måste han ju ha tjänat på den ändå. Men han prövade vare sig de halvsvältande flickorna eller det kokain som fick deras ögon att glänsa.

Själv beskrev han ju resultatet av sin första Berlinresa som en tillnyktring. Underligt egentligen för någon svärmare var han ju inte alls i sin påtvingade köpmannasyssla. Men han blev efter Berlinresan aktsam om sådant som förut varit självklart för honom. Så sa han. Sådant som hälsa, ordning, pliktuppfyllelse och regelbundna vanor.

Oda vet förresten att han hade en allvarlig förälskelse därnere. Det gör ännu lite ont. Vilket det inte skulle ha gjort om jag hade fått gifta om mig med honom. Va?

Ont. Ont. Men bara lite. Han låg svårt sjuk också. Kanske var han på väg att falla över kanten. Det vet hon faktiskt inte. Hon vet bara att han återvände i ett tillstånd som han betecknade som tillnyktrat.

Och sen på trettiotalet. Om aktsamheten som blev så viktig för honom den första gången hade gällt det personliga livet, så avsatte hans trettiotalsresor ett annat resultat: den kom att gälla demokratin. Han överförde sin respekt för hälsa och goda vanor till det offentliga livet. Det som hände i Tyskland såg han som en utbredning av en infektuös och hetsigt uppblossande sjukdom. En pest uppsminkad till att likna sundhet och kraft.

Oda befinner sig under barometern nu, vänder den ryggen där hon sitter i korgstolen.

Epidemisk, endemisk, tänker hon. Käre Johan. Och så inser hon att hon aldrig skulle ha kunnat fortsätta att tala på bandet till Kajan. Sigge har rätt. Hela den där pestvokabulären är förlegad. Det är nånting annat vi borde vara rädda för. Allmän blodförgiftning?

Och oron är så stor att vågor av illamående drar genom hennes kropp.

Sylvia stretar i vinterblåsten på Skeppsbron. Hon är på väg mot Slussen och tunnelbanan. Hon går Blå gången för att slippa den råkalla vinden. När hon kommer upp på gatan alldeles vid 46:ans hållplats lyfter hon ansiktet för att befria sig från trafikdånet och den sprutande modden och tänka på den lilla trädgården vid Mosebacke en afton i början av maj. Men då får hon syn på något, ser det verkligen med sina ögon: en grön tova på Katarinabergets svarta och skrovliga yta.

Det är underligt. Mitt i vintern.

Den gröna tovan följer med henne när hon sitter i tunnelbanevagnen, fast som ostadig inre bild nu. Sylvia är på väg ut till Rinkeby. Det blev för brått sist. Hetsigt trots att timmarna gick. Telefonsignalen avslöjade henne. Hon satt vid restaureringsbordet när den mörke mannen kom in och i örat hörde hon fortfarande Erikas malande på tyska. Hur hon kunde komma på idén att ringa henne där och just i den stunden. Men hon visste förstås ingenting om vare sig platsen eller stunden. Hon ringde till – ja vad? Till en fritt kringsvävande Sylvia Fransson-Bleibtreu. Till henne mer eller mindre skrek hon på schweizertyska att nu var det *genug*, samtidigt som den mörke mannen som hette Ahmed (sa Blenda sen) frågade henne vem hon var och vad hon gjorde där och Erika skrek (faktiskt) att hon hade svikit Cyrus, mein Vater sa hon förstås. Gud vad det där språket kunde låta som om jultomten talade, och så Ahmed: *vem är du?* Sen stängde han av telefonen om Erikas röst och hans rörelse när han gjorde det var snabb och full av kraft och den skrämde Sylvia fast hon försökte att inte visa det. Hon kunde alltså inte tänka ostört på Erika och borde väl ha ringt henne när hon kom hem till Frejgatan igen men då var hon dödstrött, utmattad faktiskt. Och alltihop var så obegripligt.

I det där Rinkebyhuset stod de omkring henne sen, det var i vardagsrummet. Hon satt i en ofantlig hörnsoffa med sjubben över axlarna. Inte för att det var kallt. Hon använde den att markera oåtkomlighet med eller den osårbarhet som följer en stabil övre medelklasstillhörighet och som hon brukar flina åt (inuti) men som nu visade sig skön att vila i. På helspänn. För de var illa ute, hon och Blenda. På något sätt var de det.

Där var en ganska tjock kvinna som var karlarnas mamma (sa Blenda) som bara rökte och stirrade på henne och så var det han som hette Jamin som telefonerade. Han talade ett främmande språk, mycket främmande faktiskt. Hon tänkte på en tid då man förstod de främmande språk som talades omkring en, tyska, franska, engelska. Det här var obegripligt. Turkiska, kurdiska, persiska? Arabiska? Sen var det väntan och väntan. Där satt Blenda i soffan och svalde. Skitskraj, alldeles uppenbart. Gråtsvullen också. Sylvia önskade att de skulle bjuda på te eller nånting men det gjorde de inte. De väntade. Mamman slappade fram och tillbaka på flata sulor. Det kom matlukt från köket; det luktade stekt kött och kanel, faktiskt.

Sylvia försökte vara förnuftig. Hon vädjade till dem att hon skulle få använda tiden till att examinera materialet därinne i restaureringsbordet. Men de svarade inte ens. Hon talade om ansvar. Att hon krävt av Blenda att få se materialet. Att hon som textilarkeolog inte stod till svars med att ett unikt material blev amatörmässigt och oprofessionellt konserverat, kanske förstört.

Då satte den yngre av dem på TV:n. Det var bisarrt; de satt alla och stirrade på ett UR-program om supraledare; det var antagligen en fysiklektion. Rummet var rökigt, mörkt och opersonligt. Hon hade ingen känsla av att där bodde en flyktingfamilj med minnen från en annan tillvaro. Inga fotografier såg hon. Inga såna där mattor som de brukade ha. När man såg dem på TV i alla fall. Hon mindes att det stod Åhlström på dörren. De hyrde väl i andra hand då. Precis när hon tänkte det blev hon rädd; vi vet ändå för mycket om dem for det genom skallen på henne. Hon måste ha smittat Blenda med en rörelse eller rentav ett luktstråk av skräcken hon kände, för nu började Blenda snyfta högljutt. Och de väntade. Men på vad visste hon inte och det var ingen idé att fortsätta fråga heller. Hon såg hur nervösa de var. En lång stund försökte hon tänka förnuftigt på det där konstiga samtalet hon haft med sin vad ska man kalla det – styvdotter? Det blir löjligt när det inte är så många år emellan en. Erika är en kall fisk. Jojo. Men det är klart att hon höll på sin mamma i skilsmässan. Erika och Sylvia har inte haft så mycket med varandra att göra. Lite civiliserat på födelsedagar och jul så där. Men det här utbrottet var ju inte civiliserat. Skulle hon ha svikit Cyrus? Genom att vistas så länge i Stockholm sa Erika. De där psalmerna kunde Sylvia: hon skulle helt hausmütterlich ha hållt sig hemma.

Arbetets ära.

Om du visste vad det är, Erika. Du med din snörpiga giriga inskränkta kvinnlighet. Som du tror är naturlig. Men när kvinnor äntligen får fylla sitt liv med arbete, med arbetets innehåll, då ska vi börja leva för fritiden. Eller återigen för en man. Eller för barn som snart slår för sista gången i dörrarna och sen under stön och gnäll kommer hem till jul. Jag går inte med på det. Bli en säck som Blenda. En säck fylld av tårar och bekymmer.

De talade inte ens med varandra Blenda och hon. Det var så ursinnigt tråkigt att sitta i denna kalla spänning. De hade inte en aning om vad de väntade på (eller hade Blenda det?) och när de för några ögonblick var ensamma i rummet sa Sylvia att det var som Komplotten mot Roger Rider eller Smak för döden men Blenda såg oförstående och uppsvullen ut. Det var så tråkigt att det surrade i öronen. Eller hjärnan.

Till slut kom hon. Med vinterluft i en mycket dyr kappa av ljusbeige ylle, kantad med – ja vadå? Mink, mård? Det var Assia förstås, den där smarta Assia. Handgnuggat getskinn under yllet, det slickade knän och vader. Effektiv och oberörd såg hon ut. Men Sylvia tyckte plötsligt att hon fått någon jämbördig att tala med, någon som skulle förstå hennes synpunkter. Så hon började, ganska högbrynt, tala om Ansvaret. Den arkeologiska moralen. Det var alldeles uppenbart att Assia gav fan i den. Det enda hon var intresserad av att veta var om de hade talat med någon om vad Blenda hade för sig. Det var många frågor på samma tema: institutionen? Någon anhörig? Ingen väninna – så där i förbigående? Inte? Säkert? Ingen man? Till slut blev Sylvia vansinnigt irriterad, hon tyckte helt enkelt att smarta Assia körde med dem, och sa:

– Vi har ingenting sagt. Var snäll och ta in det nu. Inte för att jag begriper vad det skulle spela för roll. Det är ju ute i alla fall att ni har det här materialet.

– Ute?

– Ja, ambassaden…

Då började Blenda stortjuta. Och sen kom den där historien med drivna syrener och ljusgrön linnedräkt och allt. Det var som om hon

265

bara kunde berätta den på ett enda sätt fast alla, även Sylvia, var utom sig av irritation.

Sen slutade alltsammans så snopet. Assia var kallvänlig. Tog adjö av dem. Sa att hon utgick från att de fortsatte att ingenting säga. Så stod de ute i trappfarstun. Innan hon stängde dörren sa hon vänligt:

– Jag utgår som sagt ifrån att ni håller vår överenskommelse.

Kyss mig i arschlet tänkte Sylvia.

– Ni får bara en varning. En.

Sa den där varelsen ur Komplotten mot Roger Rider eller Uppdrag i Berlin. Att de verkligen gav sig av därifrån tycktes Sylvia så fort hon kommit hem så utomordentligt taffligt, så inkompetent och faktiskt larvigt att hon inte fattade att hon gjort det. Det är därför hon är på väg tillbaka nu.

Det är inte så lätt att hitta gatan framför huset där hon dagen före suttit hopkurad i Blendas Passat. Hela Uppland eller om det är Sörmland ligger som en våt grå filt omkring huskropparna och himlen smådryper ur lågtrycksvirvlarna. Det här är inte ett ställe hon skulle åka till om hon slapp. Men hon slipper det lika lite som hon slipper gymnastiken eller Betakarotinet eller Rapport för hon är en disciplinerad människa och kan visserligen bära sig inkompetent åt av ren förbluffelse, men i längden gör hon vad hon ska och det har hon gjort sedan hon bestämde sig för att skubba av sig getlukten och dialekten och börja gymnasiet i Östersund. Nu tänker hon uppsöka den exotiska familjen på nytt och börja förhandla. Hon tänker förklara för dem att de sönderfallande spåren av det förflutna är en dyrbarhet som hon är beredd att offra hedern eller en njure eller fosterlandet för, att hon faktiskt skiter i vem som tar hand om det sköra safavidiska sidenet till slut bara det görs kompetent. Det land som hon lämnat därför att lagårdslukten och landsbygdsförfallet inte gick ur ens när de började tala datorprogrammerameramerikanska har inget till övers för skört persiskt siden, inte om det kostar pengar att förvara och bevara det och forska på det och visa det i skymningsljus; detta tänker hon tala om för dem. Hon är ingen representant för Domussamhället, hon vill hellre ha dyra, invecklade och praktfulla teateruppsättningar som ses av hundrafemtio människor i stöten än hon vill ha OS i Stockholm. Hon är pålitlig. De kan anförtro henne sidenet, hon ska preparera det, dokumentera och förpacka det. Hon anar att de har stulit det (fast det tänker hon inte säga) och att de tänker sälja det dyrt och det betyder väl USA och att de antagligen kommer att köpa vapen för det till en eller annan befrielserörelse (på med slöjan!/ av med slöjan!) och hon åtar sig inte att avgöra vilken som är den rätta, den hederliga, den demokratiska, hon vet bara att 1521 skulle hon inte ha satsat på reformationen. Sidenet är inte förstört, Blenda har inte gjort någonting oåterkalleligt. Hon har slaskat och blaskat lite med vanlig Modokoll E från Mo&Domsjö och när lösningen klarnat har hon tillsatt polyglykol. Inga plaster, ingen skarp eller hård kemi. Hon har lakat ur sidenbitarna i destvatten som Ahmed och Jamin åkt och köpt på mackar där folk antagligen trott att de sysslar med hembränning. Från ett gammalt förråd har hon fått tag på vätningsmedel, men hon var ändå livrädd när Sylvia tvang sig till att få se resultatet av hennes amatöriska mödor. Därför la hon hela materialet i vatten för att det skulle se levande och friskt ut. Men hon måste ha haft det uppe för att sy i det och det kommer att torka igen. Färg och glans kommer att slockna och det blir torrt och sprött. Kanske kommer det att avge ett stoft, ett förfallets, åldrandets, smutsens, ja, själva trötthetens pulver när man rör vid det. Då ska Sylvia vara där med sin fuktspruta och sina varsamma fingrar och försöka förlänga den synlighet och glans som hon kallar liv. Hon ska uppehålla det och locka det att stanna en stund ännu, fast hon så väl vet att allting slocknar. Det blir brunt och det rötas och multnar. Först så småningom eller efter såar av grå tid och av brun tid i helvetet, får det kanske ljus igen, får liv och glimmar någon annanstans.

Nu har hon i alla fall hittat dörren som det står Åhlström på (varför det?) och sätter pekfingret i nappahandsken på knappen till ringklockan. Det klingar bara en gång så hon får upprepa manövern och hon gör det med tillförsikt och väntar på toffelslappret över linoleummattan. Blenda var larvig och bara grät i går, alltså har Sylvia inte ringt till henne. Hon har förklarat att hon aldrig tänker sätta sin fot i det där huset mer, hon ska försöka glömma alltihop och leva *vanligt*.

Det händer ingenting därinne. Då erinrar sig Sylvia Blendas härmning av dörrklockan, PING PINGELINGPING PING! och försöker i sin tur härma den. Men det är lika tyst på andra sidan. Hon petar upp brevlådelocket och lyssnar inåt. Tystnad droppar genom ett avlägset ljudfilter: motorer, ventilationsfläktar, kylskåp. Men det finns ingenting mänskligt i den. Hon ser en bit av hallgolvet och det är skräp på det. Papper, frigolitbitar. O Gud, hon vet. Men hon vill inte

tro det och börjar hojta in i brevlådeöppningen, kvävt och ihärdigt:
– Hallå! Hör ni! Det är jag – Sylvia Fransson-Bleibtreu! Hör ni!

På många ställen, i banken till exempel, och i försäkringsbolagets hus på Skeppsbron, och på institutionen i Zürich och i huset där hon och Cyrus bor och där det inte finns några namnskyltar på dörrarna men en portvakt i uniform, ja, till och med vid passkontrollen på Arlanda skulle Sylvia Fransson-Bleibtreu utan vidare bli insläppt; hennes namn har validitet och det finns alltid någon innanför sådana dörrar. Tillvaron i en bank eller i ett bostadskvarter för välbärgade schweizare eller i ett land som Sverige är stabil. Den utplånas inte på en dag utan att efterlämna mer än lite skräp och en opersonlig hyreshuslukt.

Det blåser en vind, det drar ett drag genom den här ödsligheten och det är inte andens vind, det är glömskans och förfallets. Nu vet hon (fast hon inte vill att det ska vara sant, det *får* inte vara sant) att det safavidiska sidenet är förlorat för henne, att hon aldrig ens kommer att få det bekräftat att det var ett halv årtusende gammalt, att de bilder som Blenda pusslat samman med klumpig, amatörisk kärleksfullhet (*helvete* – det var inte kärlek! Det var okunnighet och desperation!) snart kommer att vara utplånade också i minnet; de är det redan. Hon minns inte det blå vattnet och de blixtrande fåglarna bättre än hon minns den gröna tovan vid Slussen nu. De finns inte i nuet. Hon är bestulen på det. Det har aldrig funnits något nu. Hon föraktar denna tid som tuggar och tuggar sina egna spyor och kallar dem Nu.

Ett föremål är någonting annat. En liten hög med siden. Det finns. Men inte i hennes tid och inte i hennes rum. Hon vill tjuta som hon aldrig tjöt den där gången då kraftbolaget dränkte och sprängde hällan med bilderna i strömmen, som hon inte begrep att tjuta då. För hon hade ingen aning om att nuet inte finns! Hon trodde att hon levde i det och att det var förmer än varje skugglik åtbörd i det förflutna. Hon var övertygad om att det var det rätta, det sanna, det hederliga tidsskiktet, det som *gäller*.

Därför tjuter Sylvia rakt in i brevlådeöppningen så att dörren till våningen intill öppnas och sen petas eller skjuts upp på något sätt. För den svänger ut i trapphallen och det sitter en liten gubbe där, i rullstol. Hon frågar honom om han vet vart hans grannar tagit vägen. Han nickar och nickar och sen petar han till en liten spak på armstödet och rullstolen surrar och rör sig bakåt in i hans hall. Han vinkar att hon ska komma med. För det är en lång historia, säger han och hon tar ett par steg in i hallen, otålig. Sen måste hon flytta på sig för rullstolen ska fram igen, surrande, ända till dörren och där låser han sjutillhållarlåset och stoppar nyckeln i fickan.

– Varför gör du så där? säger hon och det svarar han inte på. Var är dom? Vart har dom tagit vägen? Dina grannar.

Då ser hon att hon hamnat i ett kyffe, ett mögbo, och att det är fullstuvat med flaskor och gamla skor och kläder och det luktar lumpor därinne.

– Stig in, stig in.

Hon har inte mycket att välja på, det är bäst att ta det med lämpor. Det liknar byn hemma, i avlägsna barndomen. Öppna en dörr och stiga in i en värld av underliga och oförklarliga lukter. Det fanns en gubbe som hette Hunn-Aron. Han var skäggig och hårig och hade nån sorts päls på vintern. Namnet hade han fått av att en huggare som sett honom komma ner från kojan hade trott att det var en hund han såg, en stor en. Ebba med skägget förresten, hon var inte sämre hon. Fast hon blev hyfsat snygg när modisten som kom med bussen lånade en rakhyvel ur pappas lager och rakade henne och provade en hatt på henne inne i affärn. Och mamma i charmeuseunderkjol och tröja och trasiga gummistövlar på väg till lagårn; i översta byrålådan hade hon ett av de finaste betyg som skrivits ut på seminariet. Och pappa som sov middag på disken i affärn. Nej gud, den där världen finns inte längre eller också finns den *härute* nuförtiden och Sylvia vill inte ha någonting med den att göra.

– Tala om vart dom har tagit vägen nu, säger hon och står kvar i den trånga hallen. Gubben har surrat in i rummet, det enda såvitt hon kan se. Möblerna och kartongerna och skorna och travarna med kläder är upptornade kring väggarna och som ett altare står sängen och sväller över alla bräddar med oaptitliga täcken och fläckiga kuddar.

– Jag är trött, säger han. Fast han ser inte ett dugg trött ut. Det är en liten mörk man med låg panna, böjd smal näsa. En höknäbb. Hakan är skarp. Ingenting är utsuddat av fett eller ålderdom. Fast blek är han, vitgrå. Och ögonen är som svart glimmer.

– Jag vill bara veta vart dina grannar har tagit vägen. Och jag tycker inte alls att du ser trött ut.

– Men jag är trött av livets bördor, säger han och flinar. Var så säker: den som lever så länge som jag blir trött.

– Jaja. Men nu får du släppa ut mig.

– Jag har hört ödesgudinnorna stampa som kameler i mörkret. Den som dom träffar dödar dom. Den som undgår den stampande hoven blir så gammal som jag.

– Nu tar jag din rullstol här i ryggen och skjutsar ut dig i hallen så du får öppna åt mig. Tack ska du ha.

Men den går inte att rubba. Det finns någon sorts broms inser hon. Han håller ett finger på en knapp. I drömmen händer det att man slår gamla, bräckliga människor, sparkar djur och knuffar undan barnkroppar som är i vägen. Men man *gör* det inte; man drömmer att man gör det. Och naturligtvis gör inte Sylvia något sådant. Inte försöker hon komma åt hans ficka och ta nyckeln heller. Det äcklar henne att tänka på hur hon skulle behöva treva över det fläckiga byxtyget.

– Åk ut i hallen och öppna åt mig.

Det är Sylvia i banken eller i passkontrollen när det inte har gått bra. När något måste ordnas upp.

– Hördudu, säger han. Det brukar ta bortemot ett år att få företräde hos mig. Det har du inte tänkt på. Vet du vem jag är?

Naturligtvis svarar hon inte. Han är nån sorts Hunn-Aron eller Skägg-Ebba. Det står en telefon på en stol. Sylvia sträcker sig efter den och får tag på luren. Då är han framme utan ett surr och slår handen om hennes överarm. Det gör ont. Som om ett järn slagit till och slutit sig om musklerna och benpipan. Ja, hon har en mycket tydlig känsla av ben därinne, av att det finns och hör till hennes kropp. Och han säger:

– Jag bröt lätt av en arm tjockare än den här i min krafts dagar.

Det finns förmodligen sätt att prata sig ur såna här situationer, men Sylvia känner inte till dem. Det ingår inte i hennes utbildning.

– Du behöver inte ta det så våldsamt. Vi kan väl prata med varandra.

– Jag kan slå vad om att du tycker illa om mig som härskartyp, du tycker bättre om Ingvar Carlsson. Grå kostym. Inte så mycket som en pennkniv på sig. Jag kastrerade själv mina slavar. Det gillar du inte?

– Nej.

– Men jag gjorde det sakkunnigt. Du tänker dig ett blodigt slakterihelvete och att jag hoppa opp och ner av nån sorts grym förtjusning. Men så var det inte.

– Nej, det förstår jag.

– Nej. Det förstår du *inte*.

Han klämmer till om överarmen igen.

– Carlssons slavar är lika kastrerade.

– Kan vi öppna balkongdörren lite? frågar hon.

– Nej. Det kan vi inte. Kan man säga om Carlsson att hans ledarskap varit kraftfullt och hänsynslöst briljant? Att det har varit slugt? Att han använt diplomati så långt han kan för att spara militära och polisiära resurser?

– Nej, det tror jag inte.

– Men det har sagts om mig! Jag skapade trygghet. Vet du varför? Jag fick slut på stamhövdingarnas välde. Men han kunde inte ens sätta stopp för LO-förbundens utpressning. Va?

– Du är väldigt välorienterad, säger Sylvia.

– Och det förvånar dig. Du tror knappt på det. Du säger så där för att hålla mig på gott humör. Innerst inne tror du inte att en som inte kan läsa och skriva kan ha kunskaper och makt. Du tror fel.

Det slog henne först nu att vad som fattades i hans mögbo var tidningstravar.

– Skönhet, det är något för dig va? Ja, inte för egen del. Du är ju vissen och mager. Jag vet inte ens om jag skulle ha velat haft dig som sjuttonåring. Jag hade mest blonda kvinnor. Kristna flickor.

– Fängslade förstås.

– Fängslade! Du skulle veta vad fängslad är du! Nej, purdah var det frågan om. Ett rätt liv. Men nu talar jag inte om den sortens blödande skönhet som vissnar så snabbt. Utan om Maidan-i-Shahs kupol av keramik. Den känner du till?

– Ja. Och jag vill säga, utan att försöka smickra, att du har stora kunskaper.

Från stadsbibliotekets filial, tänker hon. Fast var är böckerna? Det finns inte någonting i detta rum och inte i denna hall med bokstäver på.

– Skönhet i keramiskt gods. Skönhet i ciselerat stål. Skönhet på siden. Jag skapade skönhet.

– Skapa är ett vanskligt ord. Det betyder att göra ur intet. Du var ändå ingen Gud?

Hon är faktiskt angelägen om att höja tonen på slutet, göra den lätt frågande. Artigt frågande.

– Nej, men jag härstammar från Guds profet. Mina förfäder räknas till Shiamartyrerna. Jaja, allt det där hör till. Högste Sufi också. Sånt hör till.

Han såg plötsligt melankolisk ut. Han hade dragit sig in i sig själv. Det lilla gråa sköldpaddshuvudet var veckigt.

– Skönheten, säger Sylvia. Vill du inte tala om den? Carlsson har inte skapat skönhet – eller hur?

– Nej, varför skulle han det? Ingen vill ha den. Han har inte skapat trygghet heller. Fast alla vill ha den.

– Nej, det tror jag inte. Inte dom som åker på tunnelbanetågens tak.

Fast just dom vill ha den mer än dom vill ha någonting annat, tänker hon. Undantagandes möjligen skönhet.

– Jag dödade en man i hans sömn en gång, säger han i sin melankoli. Jag var på jakt. Området var utrymt. Så skedde alltid. Det rymdes ut innan jag skulle jaga. Så kom jag på hästen. Han låg där och sov. Det var blommor.

Sylvia ser blommorna. Lotus på dammen. Svärdslilja i strandkanten. En hare trycker under en pionbuske. Och där sitter han själv i turban med utsträckt hand. Falken på handsken har huva.

– Jag dödade honom med en pil. Den stackars idioten som lagt sig att sova under en jasmin. Det låter så enkelt det där. Men det var flera omsorgsfulla rörelser och viktiga moment. Överräckandet av falken. Mottagandet av bågen. Upptagandet av pilen. Ansättandet. Höjandet av bågen. Spännandet. Och, slutligen, det sjungande starka skottet. Tycker du att jag tog någonting ifrån honom?

– Nej, svarar Sylvia och inser hur lätt man lär sig att svara som man måste svara.

– Nej, ingenting. Han sov och han fortsatte att sova. Under den jasminbuske han själv hade valt.

Han sitter och pillar med fingrarna vid byxfickan. Kanske tänker han ta upp nyckeln och åka ut och öppna åt henne. Kanske kan han tala om vart grannarna tagit vägen. Det här var nog bara priset hon fick betala. Kanske.

– Men ödesgudinnorna stampade som kameler i mörkret kring honom, säger han efter en stunds funderande. Jaja. Dom stampade ut

272

honom. Mig har dom skonat. Eller missat.

Han flinar till.

– Nu har jag lyssnat till dig. Med stort intresse, säger Sylvia. Jag uppfattar också att audiensen närmar sig sitt slut.

– Där har du fel.

– Jag vill att du släpper ut mig nu.

– Tycker du jag tar någonting ifrån dig?

– Nej nej.

– Nej, alldeles riktigt. Vet du att dom kunde få vänta ett år på företräde? Sen varade audiensen – sa du så? – i några minuter. Du kom utan att vara anmäld i förväg. En sådan närvaro kan komma att vara i ett år. Eller mer.

– Ånej.

Och det är det första hon säger med övertygelse.

– Själv rörde jag mig mycket. Att kunna röra sig fritt, det är kungligt. På marknaden, i basaren. I mina jaktmarker. Jag rörde mig som ett vatten, som en iller, som vinden rörde jag mig. Och när det roade mig tog jag med mig mina besökare ut och satte dom i rörelse. Ambassadörer du. Jag minns den spanske särskilt väl för han hade samma min som du. Artig slughet. Håll med, håll med för all del. Men han var utmattad av väntan. Då tog jag honom ut i basaren. Han fick snaska konfekt. Jag tog in honom på ett kaffehus. Det blev tyst en stund när jag steg in, tyst som om en tiger hade kommit in där serdu. Och sen åter alla de beskäftiga ljuden, klirret, skramlet, kvarnens malande. Och vi drack sött tjockt kaffe som doftade anis och jag matade honom med konfekt och drog honom i öronen och kallade honom Baba som om han varit en gammal farfar med mossa i öronen. Baba. Baba. Titta nu Baba. Här är vad du längtat efter i hela ditt liv. Och jag lät pojkar dansa för honom, vicka på sina små rövar serdu. Såna pojkar som han kunde köpa sig som man köper konfekt. Och Baba fick snaska och dricka och kleta med sin gamla veckiga hud mot ung hud, ja han fick allt han drömde om innerst inne och sen fick han skriva hem och beklaga sig. Bättre kan man väl inte ha det?

Då ringer det. Pling pling plingeling. Mycket likt Blendas inlärda signal. Inte ett dugg tveksamt. Sen hör Sylvia en nyckel sättas i låset och sköldpaddan får melankoliska veck i ansiktet igen och hänger med sitt torra lilla huvud.

– Hallå! Det är jag!

Det blir hemsamariten som släpper ut Sylvia. Bararmad när hon fått av sig kappan, full av muskelkraft. Så Sylvia vågar dröja i dörren och fråga om han möjligen nu kan svara henne på vart grannarna tagit vägen. Han hänger med huvudet därborta i mögboets skymning, i dammet och kamelstampet, och hemsamariten svarar åt honom:

– Äsch, han vet ingenting. Han sitter bara här och trycker. Eller hur? Men borde du inte åka ut lite idag? Tänk att du fick besök. Det var väl kul, Abbas!

Ulla Häger har hållit sig undan från Oda sen den där kvällen som slutade så makabert. Hon har handlat julklappar åt systerdöttrarnas barn och skrivit alla korten och bakat fruktkakorna och packat dem som presenter i aluminiumfolie med röda sidenband om. Det ska vara en dekoration vid rosetten, en silverkotte eller en knippa flugsvampar, men dekorationerna har blivit både dyra och vulgära. Hon har letat i Gamla Stan, för där trodde hon verkligen att någon affär ännu höll stilen. Men det var otroligt smaklöst även där och en trängsel av finnar från färjorna. Till slut köpte hon helt enkelt silverklockor, sådana som ska hänga i granen. Det var på Sveavägen, den affären var en chock, men det fick bli silverklockorna fast de egentligen var alldeles för ömtåliga.

Nu har hon åkt runt med fruktkakorna. Det var ett förfärligt åkande i tunnelbanan och Oda skulle ha haft sin. Men det fattades en. Ulla kommer inte att orka med fruktkakorna nästa år och då spelar det ju inte så stor roll om inte Oda får någon nu. Hon blir bara den första som får känna på indragningen. Att hälla rom i dem har Ulla redan slutat med. Hon reser ju inte längre och kan inte köpa den 80-procentiga rommen som Carl Carlsson tipsade henne om. Tänk att han fortfarande kallar sig Carl C:son Häger. Det är underligt att han har rätt till det. Hon har ringt, anonymt, till Patent- och Registreringsverket (hon var inte den som ringde anonymt egentligen) och det är otvetydigt så; han har rätt att kalla sig Häger även efter skilsmässan. Men hon tycker det är ett övergrepp; det är som den där kväljande heta natten på paradoren då hon inte kunde andas och i bilen – nej!

Alla har sitt, sannerligen. Det brukade hon säga förr under telefonjouren, men nuförtiden säger hon det åt sig själv.

Julafton har hon trott att hon som vanligt ska fira hos sin systers familj i Ängby och på juldagen brukar hon äta middag hos sin andra syster och hennes man i Henriksdal. Men sen ringer systern från Ängby och meddelar att de kommer att ha en alldeles ensam och stillsam jul, bara familjen, för Dittan, det är systerdottern, har varit på

275

sjukhus och gjort, pressar systern fram, en liten gynekologisk korrektion. Ulla som anat att Dittan varit med barn säger inget. Sen visar det sig att svågern i Henriksdal fått väldigt svårt med sin reumatism och att de ska fira jul på Madeira där det är varmare. Då tänker hon på Oda en stund, hon blir väl ensam hon också, i varje fall på kvällen. Men hon har styrt oss med *järnhand*, jag vill helt enkelt inte!

Ullas systerson kommer och säger god jul med en chokladask, en Paradis. Han har säkert köpt den i Pressbyråkiosken vid tunnelbanan. Unga människor har sitt. Men lite oengagerat är det. Han har en hel kasse med likadana chokladkartonger ute i hallen. Kanske har han köpt dem på firman och fått rabatt.

Under den här bråda tiden har Oda ringt flera gånger. Hon har tjatat om Kajan, att hon inte får tag på henne. Men Ulla har faktiskt inte haft tid. Det är svårt för Oda att förstå att familjen i alla fall går i första hand när det är jul, för Oda har så lite av familj, en sorts invandrare som hon ju faktiskt är. Varför reser hon helt enkelt inte över till Helsingfors under julen? Hon har ju sin son där och hans familj. Och varför oroar hon sig för Kajan? Det vet väl alla att Kajan är tillbakadragen och vill vara ifred.

Men hon ringer själv flera gånger till Kajan utan att få något svar och fast hon inte vill låta Oda stirra upp sig igen, så känner hon ett visst obehag. Till slut ringer hon Ruth Anser som är van att ta ansvar och ta hand om saker och ting. Hon är så expedit också. Redan samma eftermiddag meddelar hon att det inte är någon fara med Kajan. Hon har haft ett vikariat och önskat god jul när hon lämnat skolan och antagligen har hon åkt till något pensionat. Hon är ju så livrädd att besvära och tränga sig på när det blir helg och hon vet att alla har sitt.

Nu blir det i alla fall så att Ulla åker ut till Oda. Hon tar helt enkelt den där asken med Paradischoklad som hon fått av sin systerson och ger sig iväg. Det är snart kväll och mörkt sen länge. Julstjärnor och elljusstakar brinner i fönstren i Dalen och det står granar med belysning på gårdsplanerna och kring garageportarna sitter det ljusslingor. Fast inga som blinkar och inte några mångfärgade lampslingor. Man håller en viss stil i Dalen. Men hos Oda ser det ut som vanligt. Hon har sina idéer. (Jag behöver inte förvandla huset till en bensinmack bara för att det är jul.) Det lyser gult ljus därinne hos henne, men punktvis, sparsamt i de vågor av tid och mörker som ligger sammanpressade i villan och Ulla får ta sig samman för att ringa på. Det känns som om hon stör något, en mörkerprocess. Det hörs i alla fall ljud, musik, fast inte särskilt jullik. Den är skärande och det är obehagligt att tänka på att Oda sitter därinne vid någon svag lampa och lyssnar till den skärande och disharmoniska musiken. Inte hör hon ringning-en heller. Ulla får stå på trappan och vänta och frysa om fötterna tills det blir tyst. Då trycker hon snabbt på knappen och ringer länge för hon förstår att det bara är pausen mellan två satser.

Oda stänger visst av grammofonen för det blir så tyst att Ulla kan höra hennes steg. Herregud, hon *stultar*. Hon är verkligen ohjälpligt gammal nu. Och så slår hon upp dörren. Hur många gånger har de inte sagt åt henne att hon ska fråga vem det är först eller kika genom köksfönstret ut på verandan. Men det gör hon inte.

– Är det du?

Hon verkar inte ett dugg nere eller tagen eller nånting. Hon är som förut och Ulla blir ganska förargad inuti. Men nu är hon ju här i alla fall och hon hänger upp ulstern och lämnar ifrån sig chokladkartong-en. Men hatten behåller hon på. Det är en markering och det ska Oda ha klart för sig.

– Ska du ha den där hatten på dig? säger hon och Ulla ser sig ofri-villigt i spegeln. Det är faktiskt inget fel på hatten. Det finns ingen anledning för Oda att uttrycka sig så där. Själv går hon alltid barhu-vad. Utom när det är för blåsigt, då har hon en sjalett och när det är smällkallt en stickad mössa som ser ut som en tehuva. Ulla tar av sig hatten. Nu har hennes förargelse gått över i oresonlig vrede. Men bara ett ögonblick. Vi är ju vuxna människor, tänker hon. Åtminsto-ne jag. När man blir alltför gammal är det nog si och så med den sa-ken.

– Jag sitter och lyssnar på Sjostakovitj, säger Oda. Vill du höra sis-ta satsen?

Ulla vet inte var hon får sitt mod ifrån men hon säger i alla fall klart och tydligt:

– Nej, tack ska du ha.

Sen talar hon om att det inte är någon fara med Kajan, att hon har åkt till ett pensionat över jul och att Ruth Anser tagit hand om saken. Oda stabblar ut i köket för att göra te åt dem. När hon rört sig en stund tycks hon gudskelov bli smidigare. Hon är klädd i långbyxor och tunika och fårskinnstofflor och har glasögonen i en snodd. Håret

277

är platt bak. Hon ligger nog mycket och vilar, tänker Ulla. Det är en fläck på tunikan, på magen. Den gör Ulla generad. Hon kommer att tänka på den stickade tekannevärmaren igen och Odas stultande och hon blir lite varm om hjärtat. En värmekänsla flämtar till i alla fall, nästan en ansats till gråt – herregud, om inte Oda varit som hon är bara och förstört alltihop, nästan ögonblickligen. Det börjar när hon kommer in med tebrickan. Det är den där mystiska morotsmarmeladen som hon påstår att det är aprikoser i och så Digestiveskexen. Ingenting som har med jul att göra, nej, för ingen del! Det vore väl att förvandla huset till en ICA-affär, tänker Ulla och ångrar sig meddetsamma.

– Vi ska väl se på Aktuellt, säger Oda och slår på TV:n som har så liten ruta att det är ofattbart att hon ser något alls. Men att ha en riktig TV vore väl att göra huset till ett hotell? När frågan uppstår blir Ulla illa berörd. Jag är ju ingen elak människa, tänker hon. Varför kommer sånt här? Det är som uppstötningar. Det är obehagligt. Jag har ingen inre disciplin, jag är för trött, jag vet inte vad det är med mig.

Oda ser på hela Aktuellt. Hon har slagit upp te men glömmer att ta socker och röra om. Det är nästan underligt hur uppmärksam hon är. Det handlar om strömavbrott. Tung snö på ledningarna. Fyrtio grader kallt i Norrbotten. I Tyskland är det översvämning. I vackra gamla städer är gatorna fyllda med vatten som Venedigs kanaler och man ror till de populära krogarna. Då säger Oda:

– Det var Europa det.

Sen kommer ett långt avsnitt om delfinerna i Kolmårdens djurpark. De är så ledsna när det blir jul. På julen saknar de personalen som brukar leka med dem. Och en flicka berättar:

– Dom blir så glada när vi kommer tillbaka. Då gosar vi dom. Vi pussas och har det mysigt.

Nu kommer det ett ljud ur Oda. Hon låter som en häst och Ulla blir nervös och säger:

– Ja, det är lite larvigt. Jag menar ordvalet. Men delfiner är visst oerhört intelligenta djur och känsliga.

Då stänger Oda av TV:n. Man kan säga att hon klipper till den, rakt över knappraden, och så svär hon mycket rått. Finskt på något sätt.

– Jul i Europa, säger hon. Värsta skjutningen i Sarajevo på måna-

278

der. Di vet hur många som har dödats. Di vet precis hur många barn som har dött. Hur många som har skjutits, skadats och dödats av krypskyttar och granater. Av krypskyttar på höghustaken som ligger och siktar däroppe där di hämtar vatten, siktar på deras kroppar. Di vet inte riktigt hur många som har dött av kylan, av lunginflammation och svaghet. Husen är utkylda. Di har inga mediciner. Di kommer till sjukhus och ligger i kylan där. Ingen bedövning, inget penicillin. Maten är slut. Det vet di. Men di pratar om delfiner och jul.

Ulla känner sig mycket illa till mods. Hon känner sig som om det är hon som har satt ihop inslagen i Aktuellt och skrivit texten till delfinreportaget. Hon önskar nu att det i stället varit hon som kommit på idén att slå av TV:n. Nu sitter hon som en anklagad fast hon själv tyckte att det var lite larvigt när flickan talade om delfinerna.

– Ja, det är ju snart jul, säger hon.

– Det är ju det jag säger.

Oda ser arg ut.

– Dom räknar med att folk inte orkar höra om hur mycket elände som helst, säger Ulla. Inte hela tiden.

– Inte *orkar*. Vad menar du med orkar?

– Jag menar bara att man blir som förlamad. Man tar inte in mer.

– Tänk om det vore så väl för dem som ligger på sjukhusen i Sarajevo. Att di blev *som* förlamade i stället för förlamade och att di inte *tog in*. Det vore en bra ersättning för di bedövningsmedel som inte finns. Tänk om di inte *orkar*. Inte orkar smärtan, inte orkar kylan. Vad händer då? Kommer det delfiner och löser av dem?

Nu är hon osammanhängande, tänker Ulla. Det här måste jag ta förnuftigt. Brukar hon inte själv säga att man måste resonera. Ta reson.

– Jag tror att det kan vara förnuftigt att ransonera informationen, säger hon. Åtminstone en smula. Man riskerar helt enkelt att folk stänger av annars.

– Så man tar lite delfiner för att di ska orka. För att det utmattade och liksom förlamade svenska folket ska orka med di bosniska muslimernas lidanden, bära dem lite bättre – är det det som är tanken med delfinterapin?

Hur har vi hamnat i det här? tänker Ulla. Det är ju vansinnigt. Jag tyckte inte om delfinreportaget och inte det där med att tyskarna rodde till de populära krogarna. Men det är för sent att säga det nu.

Oda är vansinnig. Hon har en hemskt konstig blick. Jag önskar Ruth Anser vore här. Hon är så förnuftig. Hon arbetar socialt. Ingen kan säga om henne att hon inte tar sitt ansvar. Det kan man faktiskt inte säga om mig heller. Eller i varje fall inte förut när jag hade telefonjouren. Jag har ju fått kort efteråt. Människor tackar. Oda ser vansinnig ut. Nu har hon spillt marmelad framtill.

– Di äcklar mig, säger Oda.

– Jaja, säger Ulla som nu är utmattad. Jag vet att folk är bättre i Finland. Dom har ju haft kriget. Allting är bättre i Finland. Utom möjligen ekonomin.

Gudihimlen vad säger jag?

– Jag menar inte folk, säger Oda. Jag vet ingenting om folk. Jag menar di två, tre fyra stycken som valde inslagen till Aktuellt idag. Di äcklar mig.

Ändå har hon börjat äta skorpor med marmelad nu, stora knastrande tuggor. Nu ska jag ta det här förnuftigt, tänker Ulla. Oda är så emotiv. Det är hennes eget ord. Ja, inte om sig själv men om andra som ger sig över. Hon är gammal också, jag måste tänka på det. Gamla människor blir blödiga i psyket. Det är vackert av Oda att engagera sig. Hon rår inte för att hon slår över och blir emotiv. Det är en sorts åldrande precis som inflammerade stortåleder. Ett åldrande i psyket.

– Jag förstå precis hur du menar, säger hon väldigt lugnt, precis som i telefonjouren. Precis som vid en sådan förrättning, som är ett socialt reglerat och faktiskt på slutet arvoderat (fast mycket lågt, närmast symboliskt) försök att resonera med våldsamt upprörda, inte sällan hatiska och av sina starka känslor rentut sagt förryckta, sårade, katastrofalt desillusionerade människor, säger hon nu:

– Det *finns* en annan synpunkt också.

– Vilken då? ryter Oda.

– Ja, det är den psykologiska som jag antydde.

– Jag ger fan i psykologin! Jag tycker det är ett jävla svek av di där människorna som sitter inne med all möjlig information – den öser ju in i deras datorer – di *vet* och ändå jollrar di och småpratar och duttar med delfiner! Di borde köra ner det i halsen på oss, di borde aldrig stoppa! Di borde tala om hur det är.

– Men Oda, vad skulle det tjäna till om människor bara stängde av?

– Di borde ge fan i att vara så psykologiska! Di skulle bara säga som det är och di skulle säga det oupphörligt tills det gick in: vi kan inte ha det så här, vi kan inte låta barn bli mördade. Man underskattar folk – du sa människor nyss men du menar folk – man underskattar dem om man tror att di aldrig kan få några idéer om nånting. Men om man åtminstone säger som det är och säger det oupphörligt så kanske nån, kanske några får idéer. Alla kanske inte är lika oppstoppade i hjärnan som jag som inte förstår hur det ska kunna bli ett slut på det här. Det finns kanske ett slut, det finns kanske en lösning. Ingen vet var den vilar, var den sover just nu. Journalisterna borde säga som det är. Men di är så psykologiska. Författarna borde säga som det är, men di är så estetiska. Di påstår att di kom av sig efter Auschwitz men då gick di i Kindergarten eller var inte födda. Di borde säga som det är med risk för att spela över estetiskt – vänta ska jag visa dig...

Och Oda stultar iväg, hon stultar verkligen nu, stora långa människan, för hon har suttit stilla ett bra tag och stelnat till. Hon är inne i biblioteket nu och river i hyllorna. Det är ingen vidare ordning där. Böckerna åker ofta ut och in och många har kreperat för att de är häftade.

Kommer hon med Krylundkommentaren så tänker jag inte hålla tyst längre, säger sig Ulla. Då säger jag ifrån, sen får hon vara hur gammal hon vill. Om hon kommer med den där grågula fullständigt hopplöst urtråkiga pappersluntan, för mer är det inte fast en boktryckare lät trycka och binda den. Dåligt häftad är den dessutom och sönderbläddrad. Hon lever ju inte i verkligheten. Krylund var specerihandlare eller möjligen livsmedelsgrossist. Det är löjligt, det är erbarmligt. En beskäftig, självbelåten, kvasiintellektuell *grosshandlare*. Havregryn och vetemjöl och kakao och salt. En person från en annan tid då folk satt framför radioapparater och lyssnade på föredrag och sjöng allsång på fester och spelade piano hemma. Jag kommer att säga det åt henne: hemmatänkare! Specerihandlarfilosof. Herregud Oda, kom inte med Krylundkommentaren, ber Ulla nu på fullt allvar inom sig, för hon börjar bli rädd för vad hon hade försvurit sig åt. Det har börjat svalla, det är storm inom henne. Hon är rädd att alla fördämningar ska brista: *kom inte med Krylundkommentaren!*

Det gör inte Oda heller. Hon kommer med *Krilon själv* och han står på sin klippa, kort och fyrkantig, nog så självbelåten han också, tänker Ulla vilt. Men det svallar inte så hårt mot fördämningarna som det skulle ha gjort om Oda kommit med den där avskyvärda luntan som de alla har tvingats sitta och dyrka i åratal. Eyvind Johnson var i alla fall författare och han blev nobelpristagare sen. Han behärskade det intellektuella. Han var behärskad också, behärskat intellektuell.

– Nu ska du se, säger Oda. Så här skriver han 1942: I Dagens Nyheter hade Hjalmar Gullberg en dikt, där strofer av hög skönhet och som skulle läsas många år framåt påminde om dagens allvar:

Nu sinar jordens brunnar
och folken lider nöd.
Vem mättar våra munnar
vem ger oss bröd?

Vem fyller våra magar
och ger oss återväxt?
Vi ropar och vi klagar
i dagens text.

Vad säger du om det?

– Det är mycket vackert, säger Ulla. Mycket högstämt. Det är ju som Sarajevo också. Brunnarna sinar och folket lider nöd. Han var en stor författare.

– Vem?

– Gullberg. Ja, Eyvind Johnson också. Det är ju han som skriver – ja, hur var det? Strofer…

– Strofer av hög skönhet.

– Ja, just det. Gullberg skriver som det är i strofer av hög skönhet.

– Jaså. Jag tycker det är ett jävla pekoral jag. Eyvind Johnson var en lurig jävel. Antagligen är det här ironi. Mot beredskapslyriken.

Om hon inte svor hela tiden skulle det vara lättare att följa hennes tankegång. Hon svär och hon är förvirrad, tänker Ulla och säger ganska avmätt:

– Jag förstår dig inte. Jag tycker det är strofer av hög skönhet.

– För hög. Jag tror att Eyvind Johnson visar på riskerna här. Han var medveten om dem. Men han var inte rädd.

– Vad skulle han vara rädd för?

– Det fanns en hel del att vara rädd för när han skrev di här böckerna. Men nu tänkte jag närmast på att han kunde ha varit estetiskt rädd. Det är riskfyllt att säga som det är. Hans Krilon är en livsfarlig figur.

282

– Livsfarlig!

– Ja, estetiskt livsfarlig. En självbelåten småhandlare. En besserwisser. Vad är det Sigge kallar oss? En do-gooder. En kvasiintellektuell...

– Nu vill jag inte höra mer, säger Ulla och reser sig. Inte ett ord till om Krilon. Eller Gullberg. Du river ner. Du petar sönder allting. Nu får det vara nog.

Men Oda har inte en tanke på att sluta. Hon har pratat sig varm, hon är riktigt uppåt nu. Trots Sarajevo.

De där fruktansvärda utbrotten av gott humör, var kommer de ifrån? Är det körtlar? Eller psykologi? Nån förkrigspsykologi, en övergiven mentalitet. Gå Riksmarschen. Leka frågesport. Steka äpplen vid brasan. Jag vill hem, tänker Ulla. Det här är misslyckat. Jag gjorde det av sentimentala skäl. Jag tyckte synd om den här groteska gamla kvinnan med fläckar på blusen och håret som står åt alla håll och är platt därbak. Jag tycker synd om henne och så retar hon upp mig så hänsynslöst.

– Han var aldrig rädd, säger Oda. Aldrig estetiskt feg. Och ändå kände han riskerna. Och så var han ironiker – av födseln tror jag. Hade han skildrat något från en utgångspunkt så måste han vända på skildringen. Vicka på den. Låta den kantra. Det var likadant med Johan. Det kunde låta lite högtidligt ibland och man hörde att han var nöjd med sig själv då.

– Oda, jag vill inte höra mer!

– Vadå? Du tycker att jag river ner. Men det gör jag inte. Johan var sån, på ett sätt. En liten, liten aning viktig. Han kände sin betydelse. Men så fanns ironin där. Skojet.

Hon följer pratande Ulla ut som om det vore ett ordinärt avskedstagande, inte ett avtåg. Hon ser henne ta på sig ulstern och pratar hela tiden:

– Vi måste veta vår betydelse också. Den hade han klart för sig. Jag är *viktig*. Det jag gör och säger är viktigt. Ja vet du, han ville att vi alla skulle se oss själva som statsmän, tänk dig det, statsmän vars gärningar och ställningstaganden har stor betydelse. Tänk dig det idag! Redan på den tiden låg det väldigt nära det viktiga i en annan bemärkelse – ja, som man sa: en liten viktig person. Han visste det. Han visste det serdu. Det var det som var ironin!

Hon pratar. Hon är het av prat. Chokladasken har hon inte ens tittat åt och hon borde byta den där blusen, lägga den i smutsen.

– Men han var viktig, säger hon. Tung. Fullvärdig. Livet vickade honom hit och dit. Som en näve grus i en vaskpanna. Grumset och skräpet och sanden sköljdes ut med tiden. Men guldkornet var kvar. Han *var* viktig.

– I sin krets, Oda. I sin krets.

Och så stänger Ulla ytterdörren och går försiktigt nerför den isiga trappan. Det är egentligen en hel del som hon skulle ha velat säga till Oda, några sanningar faktiskt. Men Oda är svår att nå. Nej, hon är härsklysten. En härsklysten gammal kvinna som absolut ska leda alla samtal och bestämma vad de ska handla om. Man kan få tänka så. Man behöver inte alltid tycka synd om henne.

Dalens villor glimmar, alla utom den Krylundska. Den är svart. Men alla andra lyser som lyktor. Det ser rart ut och skyddat. Odas villa glimmar också som en liten behållare för trevnad och gemenskap. Men Ulla är säker på att Oda går därinne i halvmörkret och pratar för sig själv nu; hon orerar om att vara viktig. Ulla kunde ha talat om för henne att om specerigrossören Johan Krylund kallade sig en statsman så hade han en narcissistisk störning. Hon har läst om sådant och har utomordentligt väl reda på vad det kallas när folk tror att de är stora statsmän: megalomani. I värsta fall. Gult ljus glimmar och sipprar ut på snövallen nedanför fönstret. Men därinne går Oda och är lika hänsynslös och uppblåst som när Ulla anlände. Som sina gamla risiga äppleträd är hon. Det skulle förstås inte falla henne in att låta tukta de vildvuxna kronorna. Grenarna med sitt kvistverk står ut som Odas hår fast något dämpat av snön. Hon kunde ha talat om för henne vad det heter när en människa får för sig att hon kan verka utanför sin egen krets. Orera och påtala. Magnifik narcissism heter det.

Precis när Ulla Häger ska lämna Odas tomt (det är inte skottat, hon får kliva högt) tycker hon att det lyser i ett källarfönster i Krylundska villan. Men det är ett svagt och flackande sken och dessutom är det ju knappast möjligt.

Klockan tio på kvällen blir det sena Rapport. Jag är en sjuk människa, säger sig Oda. Sjuk av sugenhet. Det kunde lika gärna gälla ostbågar. Jag kan inte låta bli att titta. Jag öppnar två tittgluggar. Jag tittar på när Kronos äter sina barn. Det tar lång tid.

Damen bakom glaset är inte vacker. Hon är normal. Hon talar och talar och gröten som var Kronos barn rinner ut ur hennes mungipor. Hon betonar. Det har kommit svaj i betoningarna. De åker upp och ner. Hon betonar uttrycksfullt och sen betonar hon något mindre uttrycksfullt och därefter mycket uttrycksfullt för att klämma till med en utomordentligt uttrycksfull betoning och sen åter gå ner till en lagom uttrycksfull. Hon trycker och klämmer. Ut kommer Kronos barn.

Det går inte att tänka sig vem hon talar till. Oda försöker i alla fall. Vem svarar damen?

Måsarna svarar henne.

Det är sommar och televisionsapparaten har av havets vågor kastats in i en liten vik. Där är drivor av tång som ruttnar i solen. Där är en skoterkänga och en filmjölksförpackning. Där ligger televisionsapparaten på sned. Den är skavd och saltvattenfrätt men glaset är helt. Och damen talar. Frigolitbitar guppar utanför tångbältet. Måsarna svarar. Det kommer en glassburk. Det kommer en blå repstump. Krabbskalen flyter i sina pölar. Damen talar och fyra miljoner havstulpaner vädjar om ostbågar med sina små böjliga fångstarmar.

Sylvia behöver vila. Hon behöver brygga te och sätta sig med sin te-kopp och se ut över Vanadislundens trädkronor. Det behöver skym-ma. Men mitt i detta lugna behövande bryter telefonsignalen in. Där är Erikas röst igen. Hon befinner sig på Arlanda; hon har Cyrus med sig och hon säger att hon tänker överlämna honom. Eller leverera. Hon använder ordet überliefern på kontrollerat upprörd schwyt-scherdütsch.

Det går fyrtiofem minuter under vilka Sylvia inte hinner omfatta eller förstå något annat än att batterierna måste ha varit dåliga när de talades vid sist. Sen ser hon dem från balkongen när de stiger ur flyg-taxin och får den bisarra idén att Cyrus är påklädd av någon annan. När de kommer in i hennes lilla hall står det två stora resväskor bred-vid honom. Det är eleganta väskor i grön smärting med hörn och remmar av läder. Ändå kommer hon att tänka på flyktingar. Fast inte Erika förstås. Men Cyrus har en så underligt ödmjuk min, en min som överhuvudtaget inte hör hemma i hans ansikte.

– Ja, vi skulle väl äta, säger han.

– Du har ätit, säger Erika. Du åt på planet och du åt på flygplatsen. Ta av dig rocken nu.

Men han blir stående. Sylvia går fram och lägger armarna om ho-nom. Det är som att ta om ett träd. Det stora trädet står där och de hjälps åt att klä av det.

– Vill du nu äntligen erkänna hur det står till? säger Erika. Man kan säga att hon väser fram orden. Det är inte meningen att Cyrus ska höra dem men antagligen gör han det fast han inte ser ut att bry sig om dem.

– Här var ju väldigt trevligt, säger han. Men nu ska vi väl äta.

Med kantiga och ilskna rörelser slår Erika i skåpdörrarna ute i Syl-vias lilla kök. Hon ger sig inte förrän hon finner frukostflingor och ett paket mjölk, tallrik och en sked. När hon slagit upp flingor och mjölk i tallriken ropar hon att Cyrus kan komma och äta. Detta är en oförskämdhet mot Cyrus. Sylvia känner en krypande ilska. Men han sätter sig och han ser nöjd ut. Erika drar ut henne i hallen och stänger dörren till köket.

– Vill du nu äntligen erkänna vad du har försökt smita ifrån! I två år! Det är bekvämt. Eller hur? Komma och åka igen. Låtsas ingenting märka. Slippa undan alltsammans utan att ens tala om det. Vet du att han har börjat tala om mamma? Han vill tillbaka. Han talar om Emma. Ack, Emmchen. Nu passar det. Det vore väl bekvämt för dig.

Bequem säger hon. Gång på gång. Bequem, bequem. Är jag bekväm av mig?

– Vad har hänt?

– Ingenting! Ingenting särskilt har hänt *nu*. Det har hållt på länge. Och du har mycket väl vetat om det. Men du har smitit. Du har svikit honom. Du har hoppats att min mor ska ta hand om honom åt dig.

Hon stirrar på Sylvia. Vänder hästansiktet mot henne. Den långa näsan. Det välvårdade och diskret färgade håret. Nej, Sylvia tycker inte om henne, hon har aldrig tyckt om henne.

– Din make är senil!

Sverige är en västlig demokrati. Maskrosorna tillhör korgblommesläktet. Cyrus Bleibtreu är senil.

Nu har Erika farit i en taxi. Hon har frågat vilka butiker som har taxfree försäljning och Sylvia har svarat att NK har det, alldeles säkert. Erika är bokad på ett kvällsplan till Zürich. Hon tänker inte äta middag med dem. Någon hycklare är hon i alla fall inte.

Förstår man en maskros genom att benämna den som en Compositae? Ja, det gör man faktiskt. Man famlar kring maskrosen. Något förstår man ändå om tillhörighet, om likheter och karakteristika. Nu dreglar Cyrus lite på hakan. Det har han gjort länge. Det har förekommit små osnyggheter, en viss hjälplöshet. Och rätt mycket glömska. Men de har inte hetat någonting. Det har däremot felsägningarna gjort. Emma. Emmchen. Och den likgiltiga vänligheten, grund som ett strandvatten. Dem har Sylvia kallat svek. Hon har inte nöjt sig med mindre.

– När går mitt tåg? frågar Cyrus.

– Kära du, det var ett flygplan du kom med. Och nu ska du väl stanna hos mig. Fira jul.

– Jaså.

Han sitter i soffan i det lilla vardagsrummet nu. Hans fingrar

287

plockar med duken på bordet. Sen börjar de dra i den. Vasen med jultulpaner vacklar.

– Oj! säger Sylvia. Det där kan gå illa ser du.

Men han drar och drar.

Det kommer att ta lång tid men Sylvia ska så småningom lära sig att han vill ha en duk eller en handduk att plocka med. Helst vill han lägga tyget på bordet framför sig. En soffkudde i knät duger också som underlag. Så vill han sitta och vika och vika på tyget. Försöka få det snyggt vikt. Han lägger ner ett stort tankearbete på hur detta tyg ska vikas för att bli vikt på rätt sätt. Men det blir mest små hörn och små veck. Ibland blir det knölar av tyg.

När hon varit hemma i Zürich hos honom under de senaste två åren har han suttit vid sitt skrivbord. Han har lagt papper där de borde ligga, flyttat på dem igen och lagt dem på ett annat sätt. Hon har kallat det trötthet. En emeritus har rätt att vara trött och förströdd. Särskilt när någon är närvarande i rummet och hans koncentration rubbas.

Nu är det ingenting som stör honom. Tulpanerna är undanflyttade. Sylvia sätter sig bredvid honom i soffan.

– Käre vän, säger hon. Kan du inte hålla lite grand om mig?

Han ler och viker. Hon lägger armen om de kraftiga skuldrorna, den lätt böjda ryggen. Det finns inget svek hos honom och ingen fientlighet.

Nu skymmer det äntligen. Hon har inte tänt några lampor i rummet. Det här är inte en stund då hon behöver fatta några beslut. Det är trädkronor därute, svarta grenverk, och det är ljudet av bilar i modd. Det kunde lika gärna vara undervattensskogar. Bränningar vid en strand.

Inga svåra avgöranden ryms i denna täta havsskymning. Ingenting kallar på henne, hetsar eller pockar. Hon har fått tag i en liten bit verklighet.

Somliga tider händer det att man har något bestyr som inte ligger i fokus för livsintresset och inte slukar mycket kraft. Det är snarast som att sköta en liten krämpa. För Sigges del är det detta att fara ut till torpet vid Löfsta och hämta Janne.

Det är klart att han kan ta sig hem själv. Men det tar tid. Han krånglar sig ut dit kommunalt och kan ju knappast ta sig hem på annat sätt. Han har ärvt stugan. Eller kåken. Det är ingenting särskilt romantiskt med den. Brädfodrad, rödfärgad med en gång vita fönsterfoder som nu fjällar grått. En förstubro kring vilken det växer hundloka om sommaren. Det var lite sumpigt nere vid stranden i höstas. Nu ligger Mälarvikarna under is; Brofjärden, Näsfjärden och Görväln. Stugan är naturligtvis utkyld. Hon har känt det ett par gånger redan. En råvass köld som luktar unket. Råttskit. Mögliga madrasser.

Vad gör han där? Gudvet. Janne är inget naturfreak. Så det är inte det. Han kanske funderar på vad han ska göra med stugan. Sälja? Bostadsområdena tränger sig på. En gång var Sigge tvungen att stanna bilen och titta på en ekorre som försökte dra fiberduken från ett trädgårdsland. Hon hade ingen känsla av att han ville åt det som växte i landet. Han ville snarare ha bomaterial. Men han drog och drog och fick för mycket. En tvåhektos ekorre med tio meter fiberduk efter sig. Det såg urspårat ut. Men i villaförråden förvarar de giftsäckar för att utrota ögontröst, så varför kan inte ekorrar få bli småperversa?

Det är klart att så länge det var höst kunde ju Janne ströva omkring och fundera. Eller vad det nu var han gjorde. Det bekymrade henne inte. Men hon gjorde honom gärna den tjänsten att hon for ut och hämtade honom när hon förstod att det var dit han åkt. Men vintern, kölden, isen har gjort det här bestyret lite mer laddat. Lite.

Det är inte skottat heller. Och han har inte trampat upp någon stig. Det verkar som han kliver rätt planlöst i snön. Runt stugan. Förbi den. Den här gången mot förstubron dock. Och ut igen, runt knuten.

289

Ett litet bestyr. Ta hem Janne. Bara det att hon egentligen åkt ut till Löfsta av en annan anledning nu. Kolla. Att det är där han är och inte med Lili Thorm.

Den här gången hittar hon honom inte. Han har varit kring stugan. Spåret vindlar. Det korsar sig självt. Snön är inte så hög. Hon kliver omkring efter honom, småpulsar. Men det är alldeles omöjligt att få någon reda i spåret. Det är som att försöka följa efter ett djur.

När Sigge åker tillbaka till stan möter hon rusningstrafiken. Hon utgör snart en av dess potentiella förtjockningar, en plätt på väg att förena sig med andra framströmmande plättar. Men så länge det flyter på Löfstavägen och Bergslagsvägen susar hon i den ensamhet och frid som råder eller åtminstone kan råda i vart och ett av de plåtrummen. Musik inne i dem och fixerande meddelanden; sju till åtta minuter omfattar ett mänskligt medvetande som ett nu. För säkerhets skull kommer meddelandena en aning tätare. Men mest musik därinne. Kanske också tankar. Dock inte gnistor. Bilar har inga strömtagare. De slår inte blå överslagsgnistor som spårvagnarna gjorde, de majestätiskt framrunkande, trägnisslande, plingande glasverandorna som rörde sig förbi öppna vatten och stränga husrader.

Hon tänker naturligtvis på det möte, den knuff, gnista och i sinom tid värmande livseld som uppstod när en spårvagn en septembereftermiddag 1930 med en knyck passerade Tegelbacken. Hon är klar över att ett sådant möte inte kan ske här och att hon inte heller skulle vilja det. Hon vill vara ensam under ett elektroniskt och vindlöst skyfall av musik. Eller med några dyrbara, randomiserade infall. Kopplingar som aldrig skulle kunna bli av om där stod en mustaschprydd medmänniska och lyfte på hatten och vädjade om vänskap som, till stor del, är tid.

Hon tänker mycket på ensamhet, på att gå in i den. Att hantera gemenskapslivet som en praktisk angelägenhet. Vara en urban varelse i en mer självklar kultur än den här. Som i stora medelhavsstäder. Inte detta nordiska trevande i dimmor och dusk. Inte råkyla av ensamhet. Utan självklar, ytlig gemenskap och ärvd insikt: är du ensam så var det. Du kan ha väldigt trevligt med folk ändå.

Du behöver inte predika. Inte hitta lösningar. Inte uppfinna en ny andens gryning. Beställ in cappuccino och en konjak och uppför dig som folk. Hitta *tonen*, den gemensamma. Och den kommer inte ur någon vasspipa vid en frusen Mälarstrand.

Det förvånar henne att hon minns det där spårvagnsmötet så tydligt. Egentligen är det sällsynt att romantexter flyttar in i en människa och gör sig hemmastadda där som minnen av erfarenhet och levt liv. Inte ens texter som angår oss djupt. Efter ett tag är de varken tydliga eller framkallningsbara längre. Minnet fladdrar som en markör, inte mer. Det är en idé om texten, ett stämningsläge och några beskrivningsfragment som är kvar ett år efter läsningen. Efter tio år har en total nervittring skett. Minnesflaggan är sönderfallen. När jag läser om texten, inser Sigge, är igenkännandena få. Egentligen är det mest mina egna känslor jag minns. En halvblind varelses panikreaktioner. I nuet däremot är jag alltid intelligent, sensibel och har förträfflig minneskapacitet.

Jag ville kunna de texter som angick mig djupt. Några andra vill jag inte läsa. Att kunna är att minnas aktivt. Ta fram på beställning och ha kontroll över lagret. Men det är förfärande få saker i livet som jag verkligen minns som kunskap. Då handlar det mest om det innötta. Som att jag har passerat Tranebergsbron nu och att allt är grått och brunt och rör sig och att det är ingen årstid eller alla eftersom jag mest ser med minnet. Bilden är överlagrad. Jag har passerat här många många gånger och lagt minnesbilder över minnesbilder: därborta, alldeles invid leden, *här*, bor Kajan, fönstren ligger i höjd med vägbanan, en balk av betong skär av hennes utsikt. Där är det tyst, gråbrunt i en storm av ljud. Jag minns som dröm och jag ser som dröm. Läsning, liv strömmar genom oss. Men vi är glesa nät.

Säkert blev jag litteraturvetare av girighet och grosshandlarinstinkt. Som med Janne. Få kunskap. Lära känna. Ha i lager. Och nu följer jag honom som jag följer spåren av ett husdjur som har förirrat sig och ska infångas.

Hon tog av sig halva Armanikostymen när hon bestämde sig för att fara ut till Löfsta. Det är som om gammal grubbelsjuka sitter i de svarta tightsen. När hon kommer till Fridhemsplan och får en möjlighet att pressa Golfen in i en fil mot Norr Mälarstrand och kommer ut och ser med sidsynen konglomeratet av hus och berg som glimmar och klättrar på Söder och ser att det är en mörk ränna i Riddarfjärdens is och att Stadshusets kropp närmar sig det frusna vattnet för att dricka ur rännan, då bestämmer hon sig för att fara hem och byta till kostymbyxorna och de nya bootsen och måla ögonen och gå någonstans, på Frippes, på Prinsen, och dricka ett glas vin och läsa en kvällstidning och vara en människa bland andra, en gemenskapsvarelse. Men på gatstumpen invid Katarina kyrkogård står en liten vit Alfa, och i den sitter Lili Thorm. Smidig och laddad lämnar hon bilen så snart hon ser Sigge och glider in genom porten innan den slår igen. Hon stannar i nedre trapphallen tills Sigges steg upphör och hon sätter nyckeln i låset, går in och stänger dörren. Då är Lili Thorm där med uppdragna läppar och sätter tummen på titthålsglaset och ringer på. Lite muntert, halvbekant. Det låter faktiskt som en överenskommen signal. Fast Sigge kan naturligtvis inte erinra sig vilken. Hon öppnar bara.

– Handväskan. Korten, säger Lili.

Hon knäar Sigge. Det tar på blygdbenet. Men egentligen är det bara en stöt för att få henne undan och komma in i hallen. En klubba av ben mot ett städ med alltför tunt, nervgenomdraget lager av hull. Hon upprepar *handväskan, korten* och Sigge ser hennes tänder som flödar av saliv. Om hon vore karl skulle jag bli rädd, tänker Sigge. Sen måste hon backa inåt för Lili föser henne med knäknuffar framför sig in mot sovrummet.

– Var har du den?

– Kastat bort, svarar Sigge. Hon får en sorts tonlöst gupp på rösten som tar bort de första orden.

– I vattnet din jävel?

– Nej. I en trapp. Birger Jarlsgatan... Eriksbergsgatan. Ovanför där nånstans.

– Kortena?

– Slängde jag.

– Så fan heller. Du har tjackat opp dig på kläder. Tror du inte jag ser det? Din lilla slemfitta.

– Inte med dina kort. Slängde allting.

Då blir Lili Thorm stående, funderar kanske, smälter informationen, bestämmer sig för om den ska införlivas eller stötas ut med en ny knäknuff, tänder under tiden en cigarrett. Hon har en annan handväska förstås, av tunt sidenliknande svart läder med två rosa ränder på. Hennes ansikte är så nära att Sigge kan se att hon inte har någon makeup. Bara läppstift och mascara och en sorts pensling över ögonbrynen som till största delen är bortplockade. Rouget sitter direkt på kindbenet, brunrött, ett kraftigt stråk. Hon drar djupt på cigarretten som om den vore en joint men det verkar vara vanlig Marlboro.

– Jag tror dig, säger hon.

Hon skruvar cigarrettglöden mot nattygsbordets yta och slår till Sigge i ansiktet, ett slappt slag med vänster handrygg. Sen knuffar hon henne framför sig tills hon hamnar mot väggen och där ger hon henne två örfilar, en på vardera kinden. De är inte fullt så slappa och de svider tydligen också i Lilis handflator för hon står ett tag och stryker händerna mot varandra och slickar sig på överläppen. Sigge passar på att ta sig bort till sängen, till hörnet vid det andra nattygsbordet. Lili Thorm flinar till när hon ser henne där och Sigge inser för sent att hon stängt in sig själv. Hon håller ut händerna framför sig när Lili närmar sig, viker huvudet åt sidan och neråt. När det första slaget faller blundar hon redan. Det är knytnävar nu. Över läpparna med tänderna under som städ. Över det ena ögat. Det blir varmt. Sen måste hon ha krupit ihop mot väggen med armarna över huvudet för det kommer en serie slag som tar på själva skallen och underarmarna och ryggen. Det är ryggsparkar också. Nävarna och fötterna i boots hamrar. Det är serier, en sorts rytm. Så kommer ett uppehåll då hettan och det våta i munnen blir verkligt, men inte smärtan. Den kommer efter ett tag och på ett nytt ställe; en skodd fot sparkar till rakt över svanskotan och Sigge hör ett tjut som kommer ur henne men inte hör ihop med hennes kropp, lika lite som allt som rinner tycks göra det. Sen är det stilla länge. Hon är hårt hopknuten i sitt kött och sina ben. Armarna över huvudet. Det första hon känner är inte smärta utan strävhet mot läpparna. Matta? Överkast? Sen en mycket lös spark i ändan.

– Opp med dig.

Men hon ligger som en knut. Då hör hon klicket av cigarrettändaren igen och röklukten kommer till henne.

– Opp din lilla skit. Det är över nu. Du har fått stryk. Fan vad du tog emot! Du verkar gilla det.

Det kommer ljud ur Sigge. Hon vet inte själv vad det är. Gråt eller en sorts grymtning.

– Jaså, inte gillar. Tar emot bara. Slappt. Du är sjuk.

Hon är mycket närmare nu. Sigge kan höra hennes andning. Foten, en tå av läder, petar på hennes rygg och den drar ihop sig.

– Du trodde jag tog den där lilla skiten Janne ifrån dig. Så sorgligt.

Tänk om du inte fick fortsätta och försörja honom! Vilken tragedi va? Och den trodde du jag skulle vilja ha. Han som har Lazars syndrom. Långt gånget dessutom. Det är lite häftigt i början att ligga med en som har Lazar. Djurlukten. Men sen blir det bara trist. Fortsätt du. Vi är kvitt.

Stegen avlägsnar sig. Hon står och tittar – kanske? Nej, hon är ute ur rummet nu. Ljuden hörs på längre avstånd. Det är en sorts hasande och smällar. Så krossas något. En enda sak av glas eller porslin. Inte mer. En dörrsmäll. Den välkända. Är det ett trick? Står hon kvar därute?

Nu gör det ont i våg efter våg. Blodet driver smärta ut i musklerna, i huden. Sigge försöker räta på sig. När hon fått ner de stelnade armarna och tar sig över ansiktet blir det vått på händerna. Hon är så rädd att hon inte vågar försöka ta sig ut i hallen. Hon tänker bara på det, tänker hela tiden att hon ska ta sig ut och lägga på säkerhetskedjan men vågar inte.

Till slut är det som om själva tiden som faller med ljuset i rummet förändrar henne. Huden stelnar över ögat. En smärta bultar i ryggen, hamrar långt inne. Någonting händer innanför läpparna. Det blir klistrigt i stället för vått. Och rädslan rinner ut och tycks torka upp som om den vore ett sekret. Hon lyckas ta sig upp på knä och vända. Halva vägen ut i hallen kryper hon stultande. Sen reser hon sig med hjälp av hallbordet och får se sitt ansikte i spegeln och blir förvånad att det är så igenkännligt. Men smetigt.

När hon tagit sig upp mot dörren och rivit ner draperiet i det första försöket lägger hon kedjans ände i sin lilla hylsa. Men hon känner ingen trygghet efteråt. Hon måste ta sig runt. Det tar lång tid. Köket. Städskåpet. Garderoben i hallen. När hon känner Jannes lukt ur hans kläder börjar hon gråta. Det blir bara ett par hulkningar. Det känns som kramp och hon måste vidare. Kolla. Inne i vardagsrummet som är mörkt och trångt ligger en massa böcker från bokhyllan på golvet och benjaminfikusen har hamnat över dem och spritt jord från sin krossade kruka på omslagen och de uppfläkta sidorna.

Fikusen är stor. Ett träd. Hon blir rädd på nytt när hon ser den ligga där. Rotklumpen med jord som fallit av. Hon börja ösa upp jord på rötterna för att den inte ska torka ut och känner att hon inte orkar ta hand om den nu. Kanske kan hon lägga en fuktig frottéhandduk över klumpen. Hon måste titta ut på balkongen först. Sen vet hon att det är tomt. Att hon är ensam. Och aldrig någonsin mer i hela sitt liv ska hon öppna dörren om inte den som ska komma har ringt först. Ringt nyss. Från en mobiltelefon. Aldrig mer.

Hon ligger på sidan bredvid fikusen och tänker på allt hon ska göra. Försöka tvätta sig. Ta upp böckerna. Det värker mycket nu. Överallt i ryggen och i ansiktet. Hon ska ta Alvedon, tre stycken. Sen ska hon lägga sig. Men hon måste få upp fikusen. I nån hink kanske. Hon ligger bredvid benjaminfikusens stora orediga lövverk och tänker på hur feg hon var. Att hon inte försökte försvara sig. Nu minns hon alla sina uppstyltade och invecklade tankar i bilen. Men bara tjugo minuter, bara en halvtimma senare låg hon här och tog emot. Sjukt. Slappt. Som om hon alltid fått stryk och inte väntade sig nåt annat.

Sjukt och slappt är Lili Thorms ord. Hon låter henne benämna sig. Hon tar emot. Och är beredd att ta Alvedon och börja städa.

Den tomma isiga Högbergsgatan. Ingen himmel, bara lysande grå massa. Ovanför all den där frusna halvt genomlysta vattenångan finns stjärndimman i ett tidrum som är som en gropig landsväg som går åt alla håll samtidigt fast ingen kan se groparna.

Över Strömmen vid Riksdagshuset lutar sig i detta ögonblick en pil. Hela kronan är klädd med is, varje kvist glacerad. Så elegant. Och vilket fint dimmigt ljus i den där glasyren. Strömmens svarta virvlar och ljusblänket och de höga gamla husen; täta massor av tid och sten. Sånt där kan man ligga och tänka på. Att pilen står kvar därborta. Att den glimmar isigt.

Göran hade influensakänningar eller om det var biverkningar av den antidepressiva medicinen, så det var nödvändigt att prata lite med honom innan de la sig. Anne på Grönkulla sa att alla människor svettades och Lilla Solstrålen hävdade att Tryptizol var ett pålitligt beprövat medel och att testiklarna inte skrumpnade av det. Till slut erbjöd sig En bussig kamrat att sätta sig på honom och knulla en liten smula vilket han avböjde, kanske genomskådande bussigheten som solig men i alla fall egoism.

Naturen strävar efter utjämning så Blenda får nu betala med sömnlöshetens stick och vridningar och surr i benen och avbrutna tirader inne i huvudet. Tills hon vägrar och tar kommandot, blir sjutton år och åker konståkning.

På silveris. I sammetskjol över en lagom knubbig rumpa. Med paljetter. Och en kavaljer med samma sorts paljetter fast med hårdare rumpa. "Han är tjugofem år och hon sjutton." Och hon ramlar och drar med sig sin kavaljer och gråter ett helt badkar fullt efteråt i boxen inför kameror. Det är enkelt. Allt är cerise och blankt och poängberäknat. Och han tröstar henne. Hon är inte ett dugg bussig. Ingen solstråle alls.

Men sen börjar surret igen och stickningarna. Assias röst, Sylvias. De där välklädda och högutbildade kvinnorna. Vad vet de om rädsla? Och kan man nu lämna alltihop som man lämnade sin första kärlek:

*nu är det slut.* Fast det där var då inte riktigt sant för hennes första kärlek (kärlek?) skedde (skedde?) i en sommarstuga. Pappa hade en Opel då och for in till kontoret varje dag. En gång i veckan, ibland två, for mamma med för att handla och då kom han. Han var fyrtiotvå år när det började och hon var fjorton. I augusti fyllde hon femton så då var det väl inte olovligt längre. Han var en umgängesvän, godsägare från trakten. Storbonde i alla fall, med herrgårdsliknande huvudbyggnad och en käck fru och stövare och taxar och två söner som var mycket äldre än Blenda. Det var hett på vinden, det var dit de drog sig ifall någon skulle komma. Älskling, älskling du är så len... jag tittar på dig jämt, vet du att din lukt förföljer mig i drömmen, jag vaknar av den. Vi sitter och spelar bridge och du går förbi, jag får tillbaka din lukt sen på natten. Jag är styv vet du, känn, precis som nu. Och du går där och är så len och jag får inte röra dig. Jag ska sitta där med korten och passa och dubbla. Och han var på lårens insida och hon kunde själv känna sin lenhet. Hettan och i takspringorna den gnistrande solen och orgasmerna, små små först, små flämtningar i blodet och sen dyningar genom hela kroppen. Han kunde få dem vara i långa minuter och han lärde henne hur hon skulle göra det själv och han lät henne göra det åt honom. Hon tyckte nästan det var *för* lätt, inget besvär alls. Det var som om alltihop bara gällt henne, hon blev bortskämd. Ja, hon blev väl behandlad, smekt och lärde sig att vara full av förväntan. Bara mamma tog den där shoppingväskan så blev Blendas blygdläppar överfulla av blod och det pulserade i låren och hon var rädd att han skulle missa tillfället. Men det gjorde han sällan för han såg bilen från sitt fönster i kontoret som han kallade det, såg att mamma var med. Och sen kom han och det var aldrig någonsin några palavrar eller något onödigt pratande, inget pratande alls annat än om lenhet och det var så skönt att hon lärde sig att det finns saker som det inte går att säga nej till eller avstå från – det *går* bara inte. Om det så vore ett brott eller... ja gudvet... något brott var det väl i alla fall inte? Det är väl mest det att folk pratar så mycket om vad de gör, stöter och blöter det med varandra. Men de två pratade inte om det, aldrig någonsin med någon. Det man gör i hemlighet och i solgnistrande hetta på en tid av dagen då ingen egentligen tänker på sånt och det man aldrig någonsin talar om, det har ju inte hänt i den vanliga verkligheten. Det har hänt i en annan verklighet där det är lent och ljuvt och styvt och ingen stör en och det doftar gammalt trä och multen vaddmadrass och getingarna surrar ut och in. Och sen får man skölja sig över hela kroppen med det ljumma sjövattnet. Simma, flyta. Dra i näckrosstjälkarna, känna den blomlika lukten av insjövatten. Men då hände det att han stod kvar i skogsbrynet och tittade på henne och inte kunde gå därifrån utan de gick upp igen på vinden och hon blev torr och våt igen fast på ett annat sätt.

Men en sak gjorde han aldrig. Nej.

Därför vet hon inte om detta kan kallas hennes första kärlek. För hon hade en sådan *riktig* upplevelse sen, det var den vintern hon hade fyllt sjutton. Men det var i en bil och det var kallt och hon hann aldrig bli riktigt våt så det skavde. Men det var ju på riktigt, det var fråga om penetrering. Jaja.

Hon styr in sina tankar på insjövatten igen, på lenhet och små, små vågor och sömnen kommer en stund efter vågorna, efter de små flämtningarna och den är snäll mot musklerna, mot surret och stickningarna i dem. Den lenar ut, den är som mörkt doftande sjövatten.

Nere på den isiga Högbergsgatan är det tomt fortfarande. En gud eller Gud har kanske gjort det tomt. Sen vaknar hela gatan av ett dunder i väggarna och inne i själva sömnen, ett bangande dovt muller som får fönsterglasen att skälva – ja, de närmaste går sönder och därinne låter explosionen skarp och brakande och plåtaktig. Några tror att huset har störtat ihop över dem. En gammal dam tror att det är åska, men hon är döv.

Sen är ansikten i fönstren, tveksamma i de trasiga. De drar sig tillbaka fort där. Men Blenda bor högre upp, hon och Göran stirrar ner i gatan och ser ett hål och skrot och rök. Det är Passaten. Det förstår hon inte först.

Det måste ju vara fråga om en namnlikhet bara. BELUX – det kan väl uppfinnas på nytt? Han måste ju vara död, säger sig Ulla Häger när hon läser Svenska Dagbladets nöjesbilaga. Jag tyckte han var förfärligt gammal redan den där gången på järnvägshotellet. Men jag var bara en flickunge förstås. BELUX. Det är konstigt. Lite långsökt att någon skulle hitta på det igen. Det *betyder* ju ingenting. Eller gör det det?

BE-LUX?

Så underligt om hon skulle träffa på honom också. För Belinda har hon träffat för många många år sen. I Paris. Ulla for dit med en charterresa. Man strövade, organiserat, på Montparnasse. Bussen väntade. Det var ett litet torg som hette Edgar Quinet. Där gick Den Seende, där gick Belinda. Med en nätkasse för övrigt. En sån där liten praktisk sak som de franska husmödrarna har i fickan, hopkramad till en boll och som de fyller med grönsaker och köttpaket. Hon hade blivit husmor, fast hon fortfarande reste. Förr hade hon bott på hotell och pensionat. Nu var hennes hem en husvagn.

Hon var oerhört glad att Ulla känt igen henne. Våldsamt och generande glad. Som om hela hennes konstnärliga liv (hon kallade det så) hade fått mening och betydelse genom att en svensk charterturist i Paris känt igen henne och berättat att hon som skolflicka sett en av de seanser Belux och Belinda Den Seende hade på järnvägshotellet i Katrineholm.

Hon arbetade numera med en clown från Bulgarien. Han hade frack med långa, vida byxor och stora lackskor som flapprade mot kanvasen och en fluga som surrade runt under hakan.

– Det är mycket nytt nu, sa Belinda. Mycket mekaniskt och så.

Hans trick var att han trollade och hela tiden misslyckades eller blev genomskådad. Hon var hans assistent som snubblade och räckte fram fel saker. När hon klämde sig ner i lådan som han skulle såga itu, stack först fötterna ut och sen ändan och folk skrek av skratt för hon hade blivit ganska fet. Ulla såg allt detta. Hon tog med stor bävan métron ut till Porte d' Orleans och skaffade biljett till cirkusföreställningen och satt alldeles ensam i en box och såg den bulgariske clownen försöka trolla med en hatt ur vilken det bara rasade kaninlortar. Själva kaninen stod Belinda och höll bakom ryggen och försökte smuggla ner i hatten medan folk skrattade, dock inte så mycket som de skrattat åt hennes ända.

De var mycket skickliga artister bägge två och de arbetade på hög nivå. Kanske går det inte att göra det, anade Ulla, förrän man slutat ta sig själv på allvar. När det bara är tricket som är allvar, när det bara är det som gäller och man inte litar på sladdarna i någon apparat eller ens på sig själv. Då är det allvar.

Hon drack vin med dem efteråt i en husvagn. Där var mycket pyntat och fint och samtalet bekräftade Ullas aning: Belinda hade nog aldrig varit så allvarlig i sin konstnärliga karriär som nu. När Ulla frågade henne om Belux skrattade hon bara och sa att han hade haft en Alinda före henne och sen en Celinda och nu var han väl förbi både Delinda och Elinda och Felinda – vad visste hon? Kanske var han död förresten.

Men vem är i så fall BELUX? Det verkar mera som en firma nu. Han – eller den – har något som heter PANTOP på något Old Munic. Det står i annonsen om disembodied dance och flytande arkitektur, om navigerbar musik och worldmaking och the ultimate universal environment. Det är ju obegripligt. När hon tittar efter adressen så förstår hon att det är fråga om Münchenbryggerierna. Där har hon varit många gånger på konstutställningar, så det måste väl ändå vara något seriöst. Hon blir inte klok på om det är en installation eller nån sorts föreställning. Mitt i julbrådskan åker Ulla i alla fall dit. Det är väldigt imperativt eller vad Oda brukar kalla det. Hon kan inte låta bli helt enkelt; hon måste få veta vem eller vad Belux är.

När hon kommer dit står det att nöjespalatset Old Munic är öppet dygnet runt och allting är sig väldigt olikt. Hon måste fråga sig fram för det är många lokaler i den stora byggnaden. Biografer, discon som står tomma och nersläckta nu, spelhallar med blinkande elektronik och flera barer och en restaurant. Det finns sauna också och därifrån kan man sända fax och e-post; det går visst från de flesta av barerna också. Men nu har hon glömt vad den här lokalen eller som hon trodde utställningen hette och hon försöker minnas vad som stod i tidningen om den – disembodied architecture kanske? Det är en ung

300

man där i nån sorts vaktmästarfunktion, fast i t-tröja förstås, och han säger jaha, du ska upp i cyberspace va? Han berättar hur hon ska gå. Det finns små skyltar och det är högt upp, många trappor, och det är faktiskt tomt. Det kommer två unga män i en trappa och nästan knuffar ner henne. Inte i ond avsikt, det märks så väl att de bara går på oemotståndligt av all kraft som de har i sig. När hon kommer upp ser hon skylten med namnet PANTOP som hon förargligt nog hade glömt. Men om det är fråga om cyberspace så är det väl som en film. Hon har varit på Cosmorama med Kajan och sett galaxer i universum och andra otroliga saker. Det är bara det att det här kostar hundrafemtio kronor. Det tänker hon absolut inte lägga ut. På Riksmuseet vet man i alla fall vad man får, det är vetenskap bakom. Så hon frågar efter Belux, hon säger att hon känner honom. Nåja. Men det gör hon. Den unga flickan, i t-tröja, går efter honom. Och det är Belux!

Visst har han blivit äldre. Han ser ut som count Bronowski i Juvelen i kronan nu, fast utan svart lapp för ögat. Han reagerar precis som Belinda gjorde för mer än tjugo år sen; han blir oerhört, generande smickrad och glad. Han påstår dessutom att han minns henne: flickan från Katrineholm med de naturliga anlagen! Men Ulla tror inte att han minns henne, fast det säger hon inte. Hon säger bara att hon egentligen inte var från Katrineholm. Hon kom från en liten herrgård utanför stan.

Det blir aldrig tal om att hon ska betala några hundrafemtio kronor. Han bjuder in henne helt enkelt. Ulla har en känsla av att det inte beror så mycket på att hon kommit ihåg honom och att hon kunnat berätta om sitt sammanträffande med Belinda (som han skrattar åt, på ett sätt som inte är riktigt trevligt faktiskt) utan att han längtar efter ett *samtal*. Han vill umgås på en annan nivå. Kunderna tycks vara unga män mest, i jeans och t-tröjor. Han är ju så korrekt, ja, det är som med count Bronowski faktiskt: han hedrar riket med en ovanligt snygg kostym. Hans rike är det som kallas cyberspace. Ulla förklarar på en gång att hon inte vet riktigt vad det är. Det är så mycket termer och ord nuförtiden. Belux (ja, han heter förstås inte Belux, han heter Bénédict de Luz säger han, fast det tror hon inte att han gör eller i varje fall inte att han gjort från början) säger att människan alltid har önskat kunna sätta den fysiska världen i rörelse och påverka den med tanken. Och nu är den drömmen uppfylld! Vetenskapens mål är uppfyllt i cyberspace. Definitivt. Människor, säger han, nöjer sig inte längre med en enda personlighets trånga gränser, de vill vara multi-pelpersonligheter med potentialer åt alla håll *som dessutom förverkli-gas* och till yttermera visso vill varje människa vara utspridd på flera platser, och nu är det inte fråga om charter och taxfree sprit och trånga flygplanssäten, utan hon vill vara på flera platser *samtidigt.*

De sitter i ett litet provisoriskt kontor och han bjuder henne på kaffe ur en pumptermos som han inte riktigt kommer överens med. Ulla måste visa honom tillrätta med mekanismen. Hon tycker att hans talande är intressant och hon inser att hon kunde ha råkat på honom mycket tidigare för han tycks vara välkänd. Han har haft enorma framgångar, berättar han. Det var ingen mindre än han som för tjugofem år sen arrangerade de stora TV-showerna med tankeläs-ning och böjning av metallföremål medelst tankekraft, ja, andekraft hade han kallat det faktiskt. Det var enormt populärt. Han ville fort-sätta på andelinjen. Men Sveriges Television hejdade sig vid dödsri-kets gräns, gnäggar han, vilket gör Ulla osäker. Det är en aning vul-gärt, men han kanske låter sig föras med av sin egen entusiasm bara. I varje fall blev det ingen medverkan av avlidna andar fast Bénédict de Luz kunde garantera seriös kontakt av första graden. I stället började han producera för ett tyskt bolag och nu har han förbindelser i Ryss-land. Men han är också på väg tillbaka in på den svenska marknaden som inte längre är så trångsynt som den var på den tiden. Bolaget he-ter EDEN SPACE, ett dotterbolag till en multimedia- och kommu-nikationskoncern som heter GLOBECOM.

Han har lyckats, det är inget tvivel om den saken. Det var andra tider när han träffade henne första gången. Då var det sjaskiga stads-hotell, jaja, han sticker inte under stol med det. Det var som det var och det berodde på *opinionsbildarna* som på den tiden egentligen bara var en enda person med en löjlig röst och monopol på åsikter och dessutom landets största morgontidning till sitt förfogande. Ja, det fanns författare också, men de har marginell betydelse för det är mest fruntimmer som läser dem. Hursomhelst, hans bransch sjaska-des ner och förvisades till stadshotellen.

Men nu är det annat. Nu är vetenskapen framme vid sitt definitiva mål, vid den ultimata människan i hennes universella miljö och detta ska nu Ulla få se och uppleva som multipel personlighet *vid sina yt-tersta gränser.*

Så när hon slutligen blir införd i PANTOP är hon full av förväntan. Det faktiskt sticker i handflatorna. Han har talat mycket om den *isiga* cyberspacerymden men det luktar lite damm därinne och det är ganska trångt. Det finns en stol eller ska man säga bädd – den går att svänga på alla möjliga ledder. En sorts tandläkarstol som han spänner fast henne i. Det är en liten aning otrevligt faktiskt. Som om hon skulle undergå någon behandling och förväntas försöka fly ifrån den. Men han försäkrar henne att det är bara för att hon kommer att bli så ivrig och göra så snabba impulsiva rörelser att hon måste vara fastspänd i stolen. Hon ska ha en hjälm på sig också, en hjälm med stora kameraliknande glasögon och hon får sticka händerna i stela handskar och prövande vicka på fingrarna.

När de steg in i själva PANTOP-rummet såg Ulla Stockholm utanför i isig solgenomglödgad dimma men i det innersta rummet med stolen ser hon ingenting. Hon är i en svart box som just nu är upplyst av ett enda lysrör. Hon ska ha skor på fötterna också, det är viktigt. De ser ut som moonbootsen Armstrong hade på sig för trettio, fyrtio år sen. Hon måste ta av sig stövlarna först och hon skäms lite för dem för de är så gamla. Men Bénédict de Luz tar dem elegant i nypan och för undan dem någonstans, hon vet inte var, och så är hon plötsligt ensam i boxen. Hon ser ingenting och hör hans röst mycket nära, i hörlurarnas snäckor. Så kommer ett ljus och hon blir faktiskt väldigt rädd för hon kommer att tänka på att alltsamman är elektriskt, stolen också, och hon har en känsla av att om Belux gör någonting lika... ja klumpigt som han gjorde med pumptermosen så kan det gå illa här.

Hans röst låter i alla fall lugnande. Han ger henne de sista instruktionerna och talar om att hon sedan ska bli ensam med sina upplevelser. Att hon själv ska bestämma över dem och framkalla dem. Det räcker med mycket små rörelser inuti handskar, hjälm och skodon: det är till största delen tankekraften som arbetar. En liten, liten rörelse med bröstmuskeln (bröstmuskeln? var sitter den då?) räcker till exempel för att hon ska kunna flyga. Hennes tankar uppfattas och uppfångas inne i hjälmen, elektroniskt. Det vill säga inriktningen av dem, färgen, temperaturen. De kommer att översättas till tredimensionella bilder. Det blir helt unikt. Det blir hennes egen värld, en värld som ingen annan människa upplevt före henne.

Hon häpnar över innehållet i sina egna tankar när hon får se det framför sig på alla håll i ett rymdrum vars gränser hon inte förmår omfatta. Stjärndimmor, röda sandstormar – neej. Hon har faktiskt inte ord för det och sitter alldeles stel. Men minns så småningom att hon ska röra sig och det försöker hon göra: hon rör med höger hand vid rött vatten i en – bäck? Och då flyger det upp – möjligen eldflugor eller ispartiklar eller – ja, det är över nu och nu vajar klarblå bandtång ner från om det nu är himlen och tång kan det förstås inte vara.

Men så här kan jag ju inte tänka, tänker Ulla. Hon tänker det mödosamt. Ord för ord faktiskt. Så här har jag ju aldrig tänkt förr.

Då minns hon någonting som är lite pinsamt. Det är Oda förstås. Hon kan ju vara grov ibland. Det är väl nåt finskt. Hon berättade en gång om ett par pojkar, ja unga män var det väl, i en korridor på någon skola. De hade inte en aning om att någon stod en trappa ner och hörde allting, det var inte Oda, för hon hade bara läst det här i en bok och de hade diskuterat hur man skulle kunna – vad kan det heta? *hålla sig* – fast det är väl nåt annat. I varje fall: hur de skulle kunna hejda utlösningen. Fast Oda sa säkert något grövre. En av dem sa: jag tänker på snö. Och så hade Oda gjort nån utläggning kring det där och gud vet om det inte var nån mening med den i alla fall och inte bara en klådig lust att vara fräck. För Ulla tänker nu att hon ska tänka på snö.

Hon tänker på snö. Hon tänker intensivt på snö.

Bilder väller fortfarande fram, landskap med sprutande gejsrar som är purpurvioletta och sandstormar som gnistrar grönt. Men de överensstämmer inte alls med hennes envisa tankar på snö. Hon tänker: det är 1942, det är en lördag. Det är i februari och det där som sprutar nu, eldsken och rökmoln, det är Ragnarök. Den ger dom på Operan, så det stämmer. Ja, så är det. Fast Dramaten ger Claudia. Claudia? Vad är det för pjäs? Men det är lördag, det är februari och snö, snö, snö och förfärligt kall vinter. Långa vedstaplar hela Strandvägen ut. Färgerna är inte crimson och magenta utan grått och lite brunt, hästlortsbrunt och sjaskigt vitt. Det är som ett brus i luften, det är bifallsstormarna när Jussi Björling sjunger. Han sjunger på Konserthuset till förmån för finska barn, det är hon helt säker på. Ja, hon tycker att hon är alldeles hemma i Stockholm denna februarilördag fast det rinner silvervioletta strömmar framför hennes ögon och hon ser ett hav som försöker ta efter henne med långa, liksom vemodiga tentakler som är en sorts lemmar.

Hon blir så uppåt av denna absoluta säkerhet på att hon vet hur det var, då, i februari 1942, att hon vågar bestämma sig för att inte tänka bara på snö längre utan lyfta blicken ut över Europa där det ju visserligen är kallt men inte snö, inte överallt. Hon är förresten inomhus. Hon ser en radioapparat och den är omgiven av två agaveliknande kaktusar som blommar med skära blommor ur de vitaktigt gröna bladstrutarna och hon vet att det är rikskanslern Adolf Hitlers röst hon hör ur radioapparaten. Den knattrar elektriskt på tyska och säger: *i detta krig kommer det inte att finnas segrare eller besegrade utan endast överlevande och förintade.* Och Ulla tycker det är underligt att något så klokt kan sägas om krig och med ett så egendomligt hysteriskt tonfall. Det har ingenting med det skimrande havet omkring henne att göra, ingenting med velden med dess lejon eller med de heta bäckarna som brusar fram över röd jord. Hon drar sig tillbaka till snön igen, det vill säga den inre snön, den lite hästlortsfläckade, av spårvagnar nermalda modden på Strandvägen i Stockholm och gör några rörelser för hon kommer ihåg att hon skulle gripa och flyga och allt vad det var. Nu minns hon vedskutorna också, trasslet av tåg från riggarna med de stora grå seglen som de brukade fälla ner utan att vika ihop (det såg slarvigt ut). Skutorna är nog infrusna denna februaridag. Den rödsvullna himlen och hetvattensbäckarna ersätts nu med en färgrik isblommedjungel, den ser verkligen het ut, och där blommar vulvaliknande munnar, ser det ut som, säkert karlar som har ritat det där. Liljor med hajtänder, jojo, med gnistrande tungor, ja, tungor av sval eld över vulvorna. Träd finns det med fantastiska månghändiga armar, med lungor som silvriga simblåsor. Fast Ulla håller fast vedskutorna i tankarna och synen får syssla med vad den vill. Det har sin tjusning att se träd med liksom släpande fötter på pelarlika silverben och hon vet att hon ska göra rörelser nu för att gå in i skogen och gör det också som hon blivit tillsagd. Men hon är så uppfylld av att Jussi Björling sjunger på Konserthuset. Och Claudia och Ragnarök. Det är ju fantastiskt! Denna närvaro!

Hon är alldeles fylld av den näst sista lördagen i februari 1942 när hon kommer ut ur boxen och blivit befriad från sin hjälm och sina handskar och de tunga bootsen. Men Bénédict de Luz ser lite skeptisk ut. Han tror inte hon har sett vedskutor och hästlort och en radioapparat med kaktusar vid sidorna. Och det har hon ju inte heller! Hon förklarar det för honom. Hon har *tänkt* det bara. Men det fantastiska är att hon har tänkt rätt, att hon vet det, att Ragnarök faktiskt gick på Operan den där lördagskvällen för så länge sen – och *hur* kan hon veta det? Är det inte fantastiskt?

– Jag har kvar mina gåvor! ropar hon för hon är – som Sigge skulle säga – ganska hög nu. Bénédict de Luz ser lite trött ut nu, sliten faktiskt. Han medger att det är roligt för henne att ha kvar sina gåvor. Men för hans del så gäller nog att det publika gensvaret inte alltid är vad han skulle ha rätt att hoppas. Förvånande många människor avvisar nya världar. Ja, de vill helt enkelt inte ha några nya världar. De vill ha speglar, säger han med ett snett, trött Bronowskileende. Han talar till henne som om hon vore en i branschen och det tycker hon faktiskt att han bör göra med tanke på de gåvor hon har. Han säger att det är mest unga män som kommer in här och de vill ha suggestion och chocker. Om man nu ska säga som det är.

På sätt och vis önskar Ulla att han låtit bli att säga som det är. Det var roligare förut, innan han blev trött och började tala så här kollegialt med henne.

– De vill inte ha några mirakler, säger han. De vill ha sånt som ser ut som mirakler. Jaja. Det vet vi sen förr. Och dessutom är vi ju helt klara över att mirakler inte kan upprepas – eller hur? Så det skulle aldrig bli några turnéer.

– Nej Ulla, säger han helt intimt, vi är kloka, vi är erfarna. Vi vet att vår konst endast kan åta sig att härma miraklet.

Men han hade nog hellre velat tala på ett annat sätt. Ulla har gjort honom besviken och det är hon ledsen för. Men hon är fortfarande upprymd av sin stora lördagsupplevelse i februari 1942 och tänker inte ens på att skämmas för sina urmodiga och ganska slitna skinnstövlar när han lämnar över dem. Först när hon sitter på bussen kommer hon på vad Oda sagt om mirakler.

Konsten kan göra miraklet. Men den kan aldrig upprepa det. Den har ju en annan uppgift också, en blygsam och nyttig. Den är till för att påminna oss om miraklet. Att det finns.

Jaja. Den kära gamla Oda med sin snö.

Varje år och alltid en söndagsmorgon strax före jul, kommer Heikki (som Oda inte längre envisas med att kalla Henrik) på besök. Han kommer med färja och det har hänt att han varit en smula mosig, för ibland sammanfaller hans resa till Oda med en firmautflykt. Han har handlat både i Saluhallen i Helsingfors och på båten. Stommen i hans inköp är alltid Gröna Kulor, vodka, basturökt skinka och mörkt bröd. De utgör Odas julbord. Kulorna äter hon inte. Dem bjuder hon på om någon skulle titta in. Förra året gav hon hela asken till flickan som brukar komma med varor från den lilla affären i Tallkrogens centrum. Nu har hon inte sett till henne på några dar. Hon beslutar sig för att lägga kulorna på lut.

Heikki ska fylla sextio. Han är tung. Han talar finska betydligt bättre än svenska. När Oda träffade hans far kunde hon i stort sett bara hälsningsord och barnramsor på finska. För att vara rolig (det är lite tungt i början med Heikki) säger hon nu taktfast Hevonen häst! och dunkar julskinkan i köksbänken. Pappi präst! och gör samma sak med osten. Suola salt! med marmeladkulorna, taktfast, och Mallas malt! med vodkan, något försiktigare, och Kaikki allt! Men det är inte allt. Det är lenrimmad laxsida också. Och nejonögon. Och det är rökt ål. Nu gäller det.

Det är nämligen så med Oda att hon har börjat tröttna på mat. Filmjölk kan hon äta och potatis och bröd. Men det som är rökt, spritsat, flottyrkokat, lenrimmat, vinmarinerat och chokladöverdraget äcklar henne. För att inte tala om pepparsockersaltad rå oxfilé och de fiskslamsor med alger omkring som kallas sushi. Samt det glacerade och souterade och blancherade och emulgerade. Ja, i synnerhet det sista. Majonnäs betraktar hon som utsöndringar.

Hon tycker att majonnäs är väldigt svenskt. Liksom hovmästarsås och falukorv. Något som Heikki har med sig och som Oda verkligen tycker om är mörkt, nästan svart eestniskt bröd. Det heter eestniskt fast folk här säger esstniskt.

Men hon kan ju inte med att säga till Heikki att hans julkassar ger henne kväljningar. Hon ser bara till att han äter upp så mycket som möjligt ur dem själv. Och skinkan kan hon äta. I varje fall efter ett par snapsar. Det får gå lite muntert till. För nu frågar han som vanligt hur det blir för henne på julafton. Hon sitter väl inte ensam?

– Ensam är jag som hedens ljung, säger Oda.

Stora tunga Heikki som basar för flera arbetslag betonggjutare har redan kommit igång att äta. Supen tar han utan något svenskt fjantande. Det är inte fråga om att ljuset hinner bryta sig i glasets innehåll som om det vore vin eller att se varandra fast och högtidligt i ögonen. Han knycker som en storlom på halsen och så är den nere. Nästa följer snart. Oda hänger med.

Hon har klart för sig att Heikki dricker mycket. Han arbetar mycket också. Han är vad som i Sverige förr kallades patentingenjör. En stor tung hanne, tänker hon och så tar hon en sup till med honom för det är konstigt att tänka så om sin son. Hon har barnbarn, två medelklasskvinnor med god utbildning. Den ena är auktoriserad revisor, den andra är platschef på en resebyrå. Hon har barnbarnsbarn också, tre pojkar som hon mest sett som sommarfotografier i stark färg. Den falnar dock ganska snabbt. Oda har märkt att även hennes intresse för pojkarna har börjat tappa färg och kontur. Det är inte så att hon har förlorat intresset, ja, våndan för den framtid hon vet att hon inte kommer att uppleva. De där pojkarnas tid. Deras verkliga, verksamma tid, den som de kommer att få ta ansvar för. På ett eller annat sätt.

En gång talade hon med Sigge i just det här rummet om framtiden och hon förstod att Sigge undrade varför Oda egentligen skulle tänka på den. Hon som inte har någon framtid att tala om. Det sa inte Sigge. Men hon utsöndrade det. Fem eller tio år till med tilltagande astmabesvär, ledvärk och minnesförluster. Det är Odas framtid. Så varför väsnas om den och våndas över den som en stor politisk och högmänsklig angelägenhet? Varför kan hon inte bara vakna på morgonen och känna sig belåten att hon finns till och har överlevt? Att hon än en gång har överlistat Slumpen. Brygga sig lite te och sätta på P2. Hennes framtid skulle ju, sa Sigge, befolkas av främmande och likgiltiga människor. Vad hade hon med dem?

Sigge gillar att polemisera så där. Att göra sig själv cynisk och ironisk. Hon är en godhjärtad och plikttrogen varelse. Fast hon kan fråga så: inte tror du väl innerst inne att du har nånting gemensamt med en hel massa människor? Hela befolkningar? *Mänskligheten.* Att livet är som en söndag i Hagaparken där alla hade ungefär samma mål och samma mening för ögonen: lite solvärme, några trastrop mot kvällen, en matsäck med grillad kyckling och vin, lekfull gemenskap: bollar och barn och hundar och korsord. Nog vet hon att de flesta inte nöjer sig med det?

– Jodå, sa Oda. Det är så. Di flesta nöjer sig med det. Men di flesta får det inte. Det finns några som hindrar dem. Di är inte många, men di är effektiva.

Det var då Sigge blev arg. Det är fint. Sigge är ärlig. Sitter inte och jamsar med som om Oda vore senildement. Hon for ut och sa att det där var bara den gamla vänsternojan. Proggarnas och socialisternas läxa som dom kan rabbla i sömnen. Hon sa att hon faktiskt en gång skulle vilja komma åt det där, komma under och *bena opp Oda*. Hon ville få hennes övertygelser uppsmetade på preparatglaset och lagda under granskning. Peta bort hela krapotkin- och bakuninskiktet, rousseaulagren och den ädle vilden och den lilla och vanliga människans inneboende godhet. Sanningen är att det är vanliga människor som skär och stympar varandra och tvingar varandra till otänkbar förnedring; dom gör det för att hämnas. Ont föder ont. Det finns inga oskyldiga och det finns ingen annan framtid än den som vi ser här. Nu.

– Oda! nästan ropade hon, vad är framtiden? Är det nästa barnbarnsgeneration? Eller barnbarnsbarn... Det går fort. Tänk dig en kvinna som heter Sigrid. På femtonhundratalet till exempel. Inte dum. Tänker. Hur tänker hon på framtiden? Hon tänker på sina barn och på sina barnbarn och önskar dom allt gott. Redan när hon tänker sig själv som gammelmormor åt små barnbarnsbarn och försöker föreställa sig dom som vuxna så har intresset svalnat. Barnbarnsbarn och deras barnbarn. Nej, Oda, då har känslan *slocknat*. Om vi nu tänker oss att jag är matrilineär ättling i rakt nedstigande led till den här tänkande och kännande Sigrid på femtonhundratalet så kan jag tala om för dig att hon sket i mig. Totalt. Jag var inte ens en fläck i hennes medvetande. Vi finns på vår ö i tiden och vi har ingenting med de andra öarna och deras innevånare att göra.

– Montaigne då? säger Oda.

– Vadå Montaigne?

– Ja, han var ju samtida till din Sigrid i så fall. Och han tänkte på

309

dig. Han var intresserad av dig fast han kunde inte föreställa sig dig. Han riktade sig till dig, fullt medvetet. Och han la upp ritningarna till det som skulle bli ditt tänkande.

– Jag ska säga dig en sak alldeles ärligt, sa Sigge morskt. Jag har aldrig läst en rad av Montaigne.

– Jodå. Det har du inte undgått. Citat hela tiden. Citat och referat och anspelningar. Dessutom själva ritningen som sagt. Montaigne insåg precis som du att vi lever på en ö, inte bara i tiden utan också i rummet. I världsrummet. Han föreställde sig, lättsinnigt lekfullt, att det fanns folk med hundhuvuden långt borta i världen. Folk med bara ett öga i pannan eller ett enda bröst framtill. Visst insåg han att din ö i tiden låg mycket långt från hans och att den måste ha innevånare med ännu konstigare huvuden. Men han tänkte ofta på den. Han tänkte på framtiden. Han kommer till oss med sin ö. Han lyckades få den att lyfta som den där ön i Gullivers resor höjde sig och färdades med sina tidsbundna varelser.

– Vart fan är pirogerna!

Det visar sig att Oda har missat dem. De ligger kvar i kassen från Stockmans som hon stoppat bland soppåsarna. Men paketet är intakt. Upp kommer riktiga båtformade små rågpiroger med nätt veckad kant och en liten last av risgrynsgröt. Oda värmer på ugnen och hon hårdkokar ett par ägg för att hacka dem och göra äggsmör. Heikki får äta lax till pirogerna. Själv börjar hon tala om mujkor. Hon är lite yr av den båtlast hemlängtan i tid och rum som de små pirogerna bar med sig. Och fast hon har bestämt sig för att inte tala om kriget, att under inga förhållanden börja tala om kriget med Heikki, så säger hon att det var mest sådant man längtade efter då: det enkla, det finska.

– Nå nå, säger Heikki, det fanns väl lite annat på Kemp och La Ronde också. När du hade din lilla romans med krige.

Med Arpman menar han. Som hade feber. Jo, nog hade vi feber. Alla. Inte sårfeber som löjtnant Arpman den ärofullt sårade. Utan fosterländskhetens feber och de stora händelsernas. Mörka gestalter rörde sig inne i oss, växte. De hade pannbindlar och uniformer. Det fanns ingen godmodighet, inget *sås, min gud! då vi ätit rida vi ut!* Sådant var det inte längre möjligt att säga vid borden på Kemp och La Ronde. Skämten såg annorlunda ut. De var febriga. Storhet och mörker och feber erövrade oss inifrån.

– Och di små barnen skickade ni iväg, säger Heikki.

Det är otroligt att en så tung, vuxen, *färdig* man kan få ett sådant tonfall: ett sårat och övergivet barns.

– Men bomberna Heikki! Att du aldrig vill förstå att jag måstade.

Han knycker i sig en sup till och blåser ut luft genom näsan.

– Det var ändå privat! Vi kände dem ju. En lektorsfamilj, snälla människor. En villa i Södra Ängby. Det kan inte ha varit helvetet, Heikki.

– Jag har aldri sagt att det var helvetet.

– Nej, men det enda du nånsin har berättat om den där tiden är om avlusningen i Maria skola. Om svenska lottor i uniform. Gråsalva och sabadillättika och hårda händer. Och jag har sagt till dig: värre ändå för dem som verkligen hade löss. Men det vill du inte förstå.

Det här har de varit igenom förr. Det liknar en förjulsnatt här i villan i Dalen för ganska många år sen. Första gången jag såg honom ordentligt dragen, minns Oda. Och han pratade om sin far. Vi tittade på fotografier. Ett där jag står i Esplanaden, framför Kemp. Det är sommar. Alltså är det efter vinterkriget. Måste ha varit alldeles innan Lars och jag vigde oss och for till Stockholm. Alldeles innan det andra kriget bröt ut, det som var en annan sorts sjukdom, en utdragnare och skamligare, en som Lars var smittad av. Jag står där i gul klänning, fast den ser vit ut på fotografiet, gul med små vita prickar. Livet är draperat ner mot en midjelinning som går upp i en trekant. Det var så modernt då. Och kilklackade vita skor med korksula. Bredvid mig står Lars, civil i mörk kostym. Och Heikki började skratta när han såg det. Inget fyllskratt men besläktat. Säger:

– Dä va alltså krige!

Jag har kappan på armen, hatt på lockarna. Ler mörkt, liksom utskuret. Jag minns de där stora, blodröda, rätt torra läppstiften. Jag håller Lars under armen och Heikki skrattar elakt åt oss och är lik Harjalintu, väldigt lik honom en stund.

Heikki blev inte kvar i Sverige hos mig längre än han behövde. Först var det de långa somrarna i Finland, hos Juhas föräldrar. Det är därifrån den kommer, konsten att njuta som han har och kan. Som inte ens är någon konst som den skulle vara för mig, för oss alla hemma som levde med yngre lektorns traditioner (och skulder föralldel). Det var havresoppa och sill. Kuverttallrik hade vi när det var fest och knypplat spetsunderlägg mellan tallrikarna. Men soppan var tunn.

Julienne. Små grönsaksstrimlor. Heikki kan äta och supa och han är sensuell också, det är jag säker på fast sånt ska mödrar inte tänka på, det är inte snyggt. Jag tror di njuter i arbetarklassen, tänker Oda och unnar honom det. Di njuter när di kan och har lite pengar och Heikki har fått bra med pengar och är väl inte arbetarklass längre. Men inte är han precis pappas dotterson heller. Som han gorma den gången:

– Dä va alltså krige! Så bra att du fick undan mig innan bomberna börja falla på Kemp och La Ronde. För det gjorde di väl? Va?

Krig är en sån underlig sak, skulle jag vilja säga till Heikki. Men vi pratar inte längre om det. Krig är så mycket. Det går också till hjärtat. Inte bara som feber. Utan som tillförsikt och god vilja. Det är också uppfinningsrikedom och goda önskningar serdu. Svampen och äpplena och lingona. Radiotalena. Jaha, läppstift också och kilklackade skor. Att lägga håret på papiljotter när man kommer opp ur källarn och hade sutti hela natten och lyssna på krevaderna. Krig är goda människor som visar sig därnere i källarn som di är. Mitt i ondskan, i förnedringen och barbariet visar di sig.

Men för barnen är kriget svek, ingenting annat.

Hur många gånger har jag inte hört dig berätta om kamraterna som fick stanna kvar i Helsingfors. Att di inte ens var rädda. Att di lista sig kvar oppe när alla andra gick ner i skyddsrummena för di ville se märkena på bombplanena. Di fick vara med. Men hur ska jag kunna säga dig att barn inte är hundar som har det bäst om di får vara med, hur det än är?

– Du sitter med facit du, säger hon plötsligt fast hon har beslutat sig för att inte tala om kriget. Men vi var mitt i och det var inte lätt att bestämma sig för nånting då. Att det skulle bli krig visste vi. Men hur skulle ligorna dela opp sig? Hur skulle de stå mot varandra? Franco segrade efter tre års inbördeskrig. Det var i mars det vart slut och järnlocket las på det blödande Spanien.

Heikki flinar till. Hon behöver inte fråga varför. Hon vet att han tycker att hon har så lätt för att finna ord.

– Nu blev Tjeckoslovakien tyskt helt och hållet också. Det var nämligen lite kvar att ta för Hitler efter prisgivningen i München, den som skulle garantera oss fred. I april ockuperade – eller ska man säga koloniserade Mussolini Albanien. Det romerska imperiet skulle återupprättas. Skål du, Juha Harjalintus son! Jag tänkte på min pappa latinadjunkten då. På hans Pax romana och Mare nostrum och andra ädla emblem på – ja, på vad? Merkantil råhet, merkantil våldtäkt, merkantil plundring. Totalitära järnlock över levande källor. Ordning och reda. Eller ordning och civilisation. Gudskelov var han död och slapp ta ställning till historiens parafraser på sig själv. Vi hade inte tyckt att Mussolini var så farlig först. Det där korporativa skrämde oss mindre än bolsjevismen. Att inte tala om judehatet och hetsen i Tyskland, uppiskat av der Teppichfresser med skum i mungiporna. Vilka skulle gå ihop med vilka? Det anade vi ännu inte när hästhoven började blomma gult i vårens diken 1939.

– Det luktade rök från gränsen, säger Oda. Jag var hos mormor. Vi bodde den sommarn på Lindholmen. Minns du? Nää...

Han ser mjuk ut. Snäll. Han är snäll också. Stor och tung och snäll och hade velat vara med i kriget och se på bombplanena.

– Di ryska villorna var tomma, alla utom en. Där satt gamla Surkova och sydde linnesöm. Hon trodde att det försörjde familjen. Men döttrarna, spektaklen i hattar från början av tjugotalet... dem minns du väl ändå? Di var från flyktens år och Petersburgs sista modeaffär... fröknarna Surkov sålde tjinuskikola på torge. Och kvass du. Råttorna sprang fräckt och i fullt dagsljus över di där gungande brädgolvena och det lukta rök ända in i rummen. Det var det jag skulle säga. Vi visste inte vad det var som brann. Vecka efter vecka denna brandstank från öster. Jag vet än idag inte vad det var. Det var krige sa vi. Krige som skulle komma. Sommaren var havande med krige och den stank redan.

– Nå, den där lukten...

Heikki suger liksom drömmande på orden, kanske minns han. Lukter är något särskilt. Barn bär dem med sig utan ord, kanske till och med utan bilder.

– Den tjugotredje augusti, det var mammas födelsedag, fick vi läsa i tidningarna om Molotov-Ribbentroppakten. En del av oss var naiva nog att tro att det var nåt bra.

Nu blänger han tungt fast hon inte alls tänkt på hans pappa.

– En del av oss tyckte i alla fall att det var nånting tydligt, säger hon trotsigt. Di förslavande och extrema politiska rörelserna – och regimerna – hade förenats och visade sina rätta ansikten. Men vi såg inte det riktiga döskallegrinet, inte än. En vecka eller så levde vi i naiv förvirring. Kväljningar minns jag. Fysisk oro. Rastlöshet. Vi drack mycket på kvällarna, men utan glädje.

313

Han skålar allvarligt med henne. Han är med. Han var med då också. Hon minns hans blus i kadettyg och det solblonda torra håret.

– Så marscherade Hitlers armé in i Polen, rullade, dundrade in, tjöt i luften antar jag. Den tredje september var det krig. Storkrig. Jag satt och skalade äpplen. Svamp, äpplen, lingon. Sånt hade vi börjat tänka på och samla ihop. När statsministern höll sitt radiotal den tionde oktober har jag också ett minne av äpplen som långsamt blir bruna. Skalringlorna. Vattnet med citronsyra som jag skulle lägga frukten i. Det glömde jag. De mörknade och hans röst bad oss vara lugna. Tror jag. Lugnare förhållanden minns jag. Vi skulle helst uppsöka såna. Då, den tionde oktober, satt jag mitt i Helsingfors och skalade äpplen som blev alldeles bruna. Sovjet hade hotat Estland, Lettland och Litauen. Förhandla kallade di det. Hot var det. Di ville ha pakt med dem. Löften om militärt bistånd. Och baser förstås. Och di gick med på det. Omedelbart. Men för oss var allt förvirrat och utdraget. Serdu, krigen är så långa i alla sina skeden. Så fyllda av väntan och ovetskap. Historien skriver sig framåt trevande och klottrande. Den slirar och far. Man vet ingenting om vilken väg den tänker ta. Man skalar äpplen och känner den otäcka rökstanken. Kanske dricker man för mycke och man undrar hur man ska göra med sitt barn. Om det blir allvar. Eller om det inte... Vi vaggade in oss i det utdragna. Hösten lång. Läste hetsade alla tidningar. Det var så: hets och utdragenhet. Tills di bombade.

Hon tystnar och ser ner i glaset. Det är som om kriget låge där. Hon vickar glaset så att den färglösa vätskan rör sig.

– Då var lille Heikki iväg till Stockholm. Och det ska jag ångra, det har jag lärt mig. Den läxan. Men hur skulle man veta? *Vad* skulle man veta?

– Nå, skål, säger Heikki.

Han ska åka med en kvällsfärja. De har inte mycket tid på sig. En julklapp har han också. Han lämnar över den med ett leende i sitt stora röda ansikte. Han ler som om hon vore ett barn. Och Oda går efter sin julklapp åt honom, en sidenslips som varit yngre lektorns. Från en av Viborgs finaste herrmodeaffärer. Violett med brunblå ränder och ett nästan osynligt broderat monogram. Detta siden har vandrat över kontinenter och ett århundrade. Hon vet inte riktigt vad hon vill att han ska göra med det. Ha det kanske. Vara Johan Henriks dotterson.

– Ära vare Gud i höjden, denna har jag gjort i slöjden, säger hon
för hon känner sig sentimental av snaps och krig och bristfull moder-
lighet. Det blir nästan för mycket när han ber henne öppna sitt paket
medan han är kvar. För det är skivor i det. Ett album. Hon ser de två
korsade duellpistolerna och namnet som borde ha varit ett annat.
Tatjana borde den ha hetat.

– Det är den med Solti, säger Heikki. Som du hade spelat sönder.
Di ger ut dem som CD nu. Restaurerade.

Eugen Onegin, något som för honom måste likna ett konstarbete i
handsytt siden eller en pendyl av en maître d'horloger från Viborg
eller en byrå med intarsia av lönn och päron eller ett linnebroderi
med hålsömmar och knypplad spetskant. Men han tycks veta vad den
är för henne. Och nu vill han att hon ska öppna asken och spela en
stump, som han säger, innan han måste åka. Han tänker ta en taxi så
de har någon timme ännu.

Det råkar bli den långa natt då Tatjana drillar i det mjuka mörkret
med löv och vingprassel utanför fönstret. Då hon är öppen och sår-
bar som aldrig någonsin förr och aldrig senare. Då hon vågar. Och
när brevscenen och Tatjanas ensamhet är slut och Heikki har stängt
av CD-spelaren, med ett leende, är Oda kvar i det öppna. Hon häller
upp lite Pernod i ett glas, för han har sådan med sig också, och fyller
på med kranvatten som tyvärr inte blir så värst kallt. Heikki har
whisky i portföljen visar det sig.

– Jag tror du har rätt med krige, säger hon. Hela krige gick utan att
jag rätt förstod mig på det. Utan att jag rätt förstod vad det kunde
vara. De var fred då, jag var i Stockholm – ja, här i Dalen – och det var
fortfarande ransoneringar och en gråhet var det, mycket värre än
krigsårens. Bilderna hade börjat verka. Lägergatorna. Kropparna.
Högarna av tegel och murbruk och brustet virke som varit hus. Bar-
nen, hungerbukarna.

– Då gick jag på bio, säger Oda. Pjäsen som filmen byggde på var
finländsk. Av Runar Schildt. Den hette Galgmannen. Edvin Adolfs-
son spelade en officer från Napoleonkrigen och satt demonisk och
bitter med en vargbössa på en liten enslig finsk herrgård som påmin-
de om Lindholmen förresten. Han berättade sitt liv för husmamsel-
len. Han berättade hur han enrollerades i den ryska armén och han
sa: *jag kastade mig ut i kriget som en utter kastar sig i vattnet.*

Så är det. Och jag hade nog förstått det. Men nu fick jag ord på det.

De unga männens element är det. Och de tunga gamla hannarnas. Men framförallt de unga männens. Uttrarna och vattnet. Där finns livslusten stegrad. Handlingskraften, modet. Leken och döden.

Kriget är lust. Det är livslust och lusten att döda. En svart amerikansk FN-soldat vid den italienska NATO-flygbasen hörde jag säga: *Patience – hell! I want to kill somebody!* Hans jaktplan hade gjort insatser i Bosnien. Hon har markeringar, sa han. Titta. Och han visade märken på flygplanets ytterplåt, precis såna som Edvin Adolfsson hade på vargbössans kolv. För varje nedskjutet serbiskt plan hade han ett märke. *Hon* sa han kärleksfullt om sitt jaktplan. Eller lustfyllt. Kanske till och med brunstigt. *Henne* behärskade han. *Hon* bar honom genom hans element. Själv lekte han som en utter i vatten. Otålig, full av brunst eller lust.

Jaja. Kanske är jag orättvis. För det är så många unga män som känner vämjelse. Remarques bok handlade om det. Vi läste alla På västfronten intet nytt när jag var ung. Och vi läste det gråa slutet i Thomas Manns Bergtagen där Hans Castorp ska gå ut i leran och bli ett lik i en skyttegrav. Också under mitt krig skrev de fina och sensibla männen om vämjelsen och om våndan. Det var inte dig, madonna, skrev Ralf Parland. För det var inte madonnans kropp och inte barnets han ville träffa med sina stålsplitter. Men han var bombflygare.

Men jag tycker nog att deras sensibilitet lurade mig. Först med di där orden om uttrarna och vattnet, som sas i en svensk film, ett slags kostymupptåg med den gud så virile Edvin Adolfsson – först då begrep jag vad kriget kunde vara för unga uttrar: lust, livselement. Nu ser jag dem överallt för nu är jag inte längre smittad av utterhonornas rastlösa inlevelse – på Kemp och La Ronde – jo jo du hade rätt.

Patience – hell! I want to kill somebody! Vem vet hur det gick för Hans Castorp. Om vämjelsen och vankelmodet höll – om den besvärliga humanismen stod sig. För det är arbetsamt att vämjas och vackla och aldrig få tillåta att en hel och full känsla sprider sig i kroppen. Kroppen ser du. Krig är en ganska rimlig lockelse för en ung kropp. En otålig kropp.

– Rimlig? säger Heikki. Hans röst är raspig, ja, kanske till och med lite grötig. Vad vi dricker, tänker Oda. Som på kvällsverandorna den där tiden. När vi kände rökstanken.

– Ja, rimlig för att den svarar mot lusten att handla, att röra sig – att behärska. Kropp och värld. Mot lusten att sluta förbund, att känna gemenskap i hatet. Mot driften till fiendskap. Krig ger tillåtelse. Krig *är* tillåtelse. Det är det livliga rörliga vattnet, livselementet. Det reducerar kvinnligheten till ett bärande element. Jorden du trampar. Jorden du öppnar och genomtränger. Territoriet.

– Du kan inte mena det där, säger Heikki. Du har haft dina bröder i krige. Jag vet ju själv vad mina morbröder är för ena. Och din man. Den fine Arpman.

– Ja, mina bröder var sensibla och intelligenta. Di kunde skriva under på Remarque och på Parland. Di fick betala dyrt. Men di såg det som öde. Sitt öde och landets och di levde med det. Di hade fina utbildningar som di fortsatte att bygga på så snart det var slut. Det var arbetet som blev deras egentliga liv. Läkarens. Bergsingenjörens. Det var bränt i känslorna, i lusten. Allt som har haft med, ja, förlåt att jag säger det, *passion* att göra var liksom bränt i rökstanken. Var liksom söndernött av fenedrinet di fick för att orka sitt krig, dygn efter dygn utan sömn. Di blev snälla karlar. Tungsinta. Sömnlösa ofta och med dåliga lungor.

Med Lars var det annorlunda. Han dog av krigseuforin, fast efteråt. Det var ju en motorcykelolycka under manöver. Han dog av farten. Men visst hade Lars haft plats i ett arbetande efterkrigssamhälle om han överlevt. Han var officer i ett fredligt land, ett slags lärare kan man säga. Lärare och administrativ tjänsteman. Om han levt. Nu dog han. Lusten tog honom. Jag säger inte att Parland och Remarque hade fel. Eller Norman Mailer eller Joseph Heller eller Väinö Linna. Vi läste dem allihop, men som facit. Helvetet hade äntligen stängt sina portar för ett tag och där satt vi och läste om hur di hade haft det därnere. Men det var ingen som läste dem i själva krigshelvetet.

Unga uttrar läser förresten inte mycket. Di vill leva.

Arbeta kommer få av dem att få göra. Det vet di. Men leva vill di, mer än allt annat. Därför ska så många av dem dö. Därför ska så många bli stympade. Di ska bli svagsinta efteråt. Sopor. Så blir det med di unga uttrarna som kastar sig ut i vattnet.

Det blir för mycket. Polisen kommer och frågar om de har några fiender som de vet om eller om de är skyldiga någon pengar och på försäkringsbolaget låter de konstiga och säger att det kan nog dröja. Det är Kjell som ringer för han vill ha ut pengar till en ny bil. Blenda är stel inuti, stel i käkarna. Alldeles stel. Hon kan inte prata. Hon vill inte ha nån bil. Hon vågar inte handla på sitt ICA-kort. Och Kjell tar allihop så naturligt, han pratar med grannarna och med vänner i telefon och säger att Blenda hon har fått en chock. Gång på gång hör hon orden *chock* och *meningslöst dåd*. De står i tidningen och de hörs på ABC-Nytt och det blir helt enkelt för mycket. Sylvia ringer. Hon har läst i tidningen att en röd Passat sprängts på Högbergsgatan och hon frågar skarpt: har det hänt något? Men Blenda säger att hon inte kan prata, inte nu. Sen ringer Sylvia när Kjell svarar och han berättar alltihop och att Blenda är chockad. Då ringer inte Sylvia mer. Varje gång telefonen ringer kissar Blenda på sig lite. Det är verkligen lite, en obetydlighet, men hon måste ha trosskydd. Och hon tänker på den tiden, bara för några veckor sen, då hon kissade på sig bara när hon skrattade.

Blenda skulle vilja ge sig iväg från allihop men det gör man ju inte (och *vart* förresten?), det är ju jul snart också. Hon har inte köpt en enda julklapp. För ett par dar sen var allt bara Rinkeby och sidenlagningen. Det var som förälskelse eller en sjukdom. Det fanns ingenting annat i hennes huvud. Nej, man ger sig inte iväg, det finns ingen som rymmer på det viset som hon skulle vilja, ingen kvinna i alla fall och i synnerhet inte vid jul.

Ändå gör hon det. Kall av förvåning.

Det börjar på morgonen. Hon vet inte om hon ska våga läsa Dagens Nyheter och kompromissar med På Stan. Där står det en annons. Hur får hon ögonen på den? *Varför* läser hon sånt? Nu. Aldrig förr. Finns det nån sorts gud eller halvt illvillig demon som petar i hennes liv? För det står så här:

318

# KLUBBAR OCH FESTER

*ASFALT premiärar. Partyfixarna Åsa och Balthasar släpper loss DJ-eliten övervakade av bunnyflickor. HOUSE, EURO, TECHNO. I dörren vaktar teaterchef Veronica Uvhult och stå-uppmästaren Zacharias Pontén (låter inte så litte uppåt). 22 – 05. Kungsgatan 18.*

Att bunnyflickorna är ironi (fast dom finns) förstår Blenda. Men "litte", är det tryckfel? Sen blir hon förbannad. Det brukar hon inte bli. Men det stiger upp i kroppen som ett lustgasrus. *I dörren vaktar...* Hon trodde att den skottsäkra västen som Veronica släpar omkring på var till en teateruppsättning. De satte upp något på Teater Slakthuset på Skeppsholmen. Blenda och Kjell var där. En stor karl kissade på en annan. Alltihop var väldigt ont och dystert. Men Blenda hade faktiskt trott att det var allvar. De möblerade världen med frigolit som skulle vara blodiga slakthusväggar och som de körde i hennes bil och så kvaddade de bilen. Allt elände började *där*, i Tungelsta var det visst. Hon skulle aldrig ha sagt ja till Assia om hon haft bilen kvar.

När hon sitter med På Stan framför sig hör hon Kjell prata med försäkringsbolaget och hon inser att han trivs. Han pratar i telefon, han pratar och pratar och trivs. Han är inte ett dugg deprimerad nu. Och Veronica! När hon var sju år var hon blåklocka på skolavslutningen och Blenda sydde själv den gröna capen och den blå hjälmen. Hon har låtit henne paja Golfen för konstens skull. Livsmålet. Världen skulle ju bli bättre. På något konstigt vis skulle den ju bli det om Veronica fick köra frigolit till Teater Slakthuset och framställa den så blodig och skorrande och grym som den faktiskt är. Frigolit med rödfärg. Veronicas *projekt*. Blenda hade alltid översatt det med världsförbättringsprogram. Men hon förstår nu att det inte är och inte någonsin har varit det. Veronica skiter i att försöka förbättra världen. Hon vill vara i den som den är. Hon trivs.

Därför sitter Blenda på tåget och ska åka till Alvesta och där ska hon bli hämtad i bil, för hon har ringt i förväg och varit väldigt kall och planerande mitt i ruset. Inte ett ord har hon sagt till Kjell.

Men tågresan är lång och den mörar upp henne. Man gör ju inte så här. Hon hittar på att hon ska köpa alla julklappar på en gång och att det är därför hon har åkt. Det är så praktiskt. Och så ska hon ringa Kjell när hon kommer fram, för telefonkort på tåget vill hon inte köpa, det blir för dyrt. SJ tar femton kronor för en liten burk Ramlösa. Hon ska säga honom att hon behövde komma bort för att hon är så chockad. Och att hon köper alla julklapparna på en gång hos den där krukmakaren han vet.

Fast han vet inte. Hon har aldrig sagt något om honom. Hon brukar stanna till vid hans torp och köpa muggar och vaser. Han är mycket äldre än hon. En gång kom hon honom nära och kände att hans andedräkt var sträv som äldre mäns andedräkt är. Den tunga upphetsning som fyllde henne då har legat långt nere på botten sen dess. Hon vet precis vad hon gör fast hon sitter på tåget och resonerar praktiskt med sig själv.

Till krukmakarn ska hon förstås också säga att hon tyckte det var enklast att köpa alla julklappar på ett ställe. Men hon är nervös över hur hon ska ha råd. För hon måste ju köpa ganska mycket om han ska finna det lönsamt att både hämta henne vid stationen i Alvesta och köra henne tillbaka igen. Men när hon väl träffar honom där i den lätta snöyran på stationen finner hon att ingenting behöver förklaras. De börjar helt enkelt tala småländska.

– Mönna mönna tackar för att du kom och hämta mig, säger Blenda.

– Det är kärt att du kommer, svarar han.

De åker genom hög gammal granskog som nyss ruskat av sig snön i ett blåsväder. Hans stuga ligger och trycker under storgranar. Men de bildar bara en skärm, det är ett hygge därbakom. Men han är inte så rädd för kalhyggen i grannskapet längre. Tyskarna tycker inte om dem.

Det blir ingenting talat om julklappar när de kommer in i hans blåa kök. Hon säger som det är bara:

– Jag tyckte jag ville komma och se dig en gång te.

– Ett gammalt skrå som mig är väl ingenting och se på, säger han leende.

Då ber hon att få tvätta sig lite. Hon ser ruskig ut efter den långa tågresan och känner sig trött och nersjaskad. Men det är en mycket äldre trötthet och hon tror att han förstår det. Hon längtar efter vattnet från hans källa, hon vill dricka det och känna det mot ansiktet. Hon minns detta vatten så väl.

Han sätter fram handfat åt henne och häller upp vatten, lika delar varmt från spisen och från kallvattensån. Det finns ingenstans att ta vägen med tvättningen annat än här i köket. Hans duschrum är en friggebod som bara fungerar på sommaren med en grön nästan genomskinlig slang från källan. Medan hon tvättar sig känner hon kaffelukt från spisen och hon vänder sig om och ser honom skära upp en mörkbrun rågbrödsbulle med sina sprickiga och torra krukmakarhänder. I den lilla spegelbiten ovanför kommoden ser hon att all henna är borta nu, att håret är strimmigt och lockigt. Hon brukar klippa bort de där lockarna, hon vill inte se ut som någon tokig åldrande mö. Men det gör hon inte. Hon ser ut som en trött kvinna med stort mörkt silvrigt och lockigt hår och han ser på henne med ett leende. Han har satt sig i kökssoffan och väntar på att få slå upp kaffe i sådana muggar som hon borde köpa till julklappar. Men hon tar av sig blusen också och tvättar sig under armarna och tänker på att hon gör detta utan genans fast han sitter därborta.

– Nu får du vända dig bort, säger hon, för jag vill tvätta mig på ett visst ställe serdu. Jag kissar på mig ibland. Jag tror jag gör det av rädsla.

– Är det nån som vill dig ont? frågar han.

– Ja, jag tror det.

Hon förstår att han tar det på allvar för när hon är färdig med sin tvättning och har kammat håret går han fram till henne och tar hårtussen ur kammen och lägger in den i spisen där den sprakar till och blir aska. Hon känner hans omtanke, för Blenda är inte den som är i Småland utan att veta varför man lyser i ny eller risar för de döda och att man måste vara aktsam om avkammat hår.

Sen äter de hans mörka och sötsyrliga bröd med prästost på och dricker kaffe. De pratar nästan inte alls. Han ser ut som i somras, fast solbrännan är borta. Runt den blanka skallen ligger en krans av nästan vitt hår. Han har kisrynkor, borde kanske ha glasögon. Men blicken är bleknat blå när han ibland visar den öppet. Hon undrar om han har egna tänder och vart hans fru tog vägen. För tio år sen fanns frun här, hon vävde bildvävar. Han är klädd i snickarbyxor. Blenda har aldrig sett honom i annat. Ollen som han har på sig är nog från fruns tid. Det är en bildstickning framtill i Kaffes stil. Men den håller på att tovas ihop och bli dov i färgerna. Han sköter den nog inte så särskilt aktsamt. Det verkar som om allting som kom till härinne på den tiden då hon träffade dem första gången håller på att blekas ut och försvinna. Han är kvar. Han har blivit kvar.

Hon är så trött. Efter kaffet får hon lägga sig på sängen i kammarn. Den är högt uppbäddad. Hon ligger och gungar på den tycker hon. Han donar lite därute. Diskar i en plastbalja och går någonstans och häller ut slaskvattnet. Han har ingen brådska, hon hör att han gör allting invant och lugnt. Av rörelserna förstår hon hur hans liv är.

Sängen gungar till när han kommer och lägger sig bredvid henne. Hon halvsover. En liten stund somnar hon riktigt, sjunker neråt; medvetandet svirrar som en slant tappad i vattnet. Hon hör skenskarvar dunka och röster men inga ord. Den lilla stunden är djupt vederkvickande. Hon tar hans hand och lägger den på sin mage. Han klappar magen lite. Då makar hon hans hand längre ner.

Han rör henne bara utanpå tyget. Tre lager tyg förresten, fast ganska tunna. Ändå går det för henne. Han pratar ingenting. Och begär inget vederlag i form av smekningar eller kyssar eller ord.

– Sov du, säger han.

Men nu är hon faktiskt lite generad.

– Det går så lätt för mig, säger hon. Det är som att nysa.

Hon funderar en stund på allt hon inte bör säga och tillägger:

– Fast jag menar inte jämt. Det ska va på ett visst sätt. Då är det lätt som en nysning.

– Skäms du för att det går att göra det sådär? frågar han. Utan pådjupetsökande känslor? Som man framkallar nysningar med snus.

– Jag nyttjar min lilla dosa, säger Blenda. Fast jag skäms inte. Inte inuti.

Även om nu inga livsvarigt tänkta, uppslitande och pådjupetsökande känslor (bevare mig, tänker Blenda, det sista jag skulle vilja ha nu är något *sånt* elände) är inblandade i denna eftermiddagsstund utan den är lättsam som kaffe med dopp eller varför inte finmalet kvalitetsgott snus, så kommer man varandra närmare av sådan hantering, av ömheten och lättheten och intresset i den. Hon har tänkt på honom som krukmakarn men nu kallar hon honom Bengt och han börjar plötsligt berätta om tiden före torpet och krukmakeriet. Det har hon inte bett om. Men hon anar att han denna gång kanske vill ha något litet i utbyte. Och så ser han till att hon ringer till Kjell. Han har alltså förstått att hon nästan har rymt. Nu hade hon ju tänkt ringa i alla fall men hon behöver den där knuffen och är glad när det hela är över. Kjell är fylld av starka känslor från sina förhandlingar med försäkringsbolaget. Han är lika upptänd och levande som när han för två år sen hade sin stora uppgörelse med taxeringsmyndigheterna om avdrag för arbetsrum i lägenheten. Av allt hjärta unnar hon honom detta. Han kommer inte att sakna julskinkan, tänker hon. Den borde ha lagts i blöt som idag om den skulle hinna vattnas ur. Hon tycker det är märkligt att man bara genom att resa en fyrtio, femtio mil och hamna i skogen, omgiven av frusna mossar och isbelagda vatten, kan börja se med en sådan kyla på julskinkan och den elektriska granbelysningen. Ingen mer än jag vet var belysningen ligger, inser hon med klarhet och full sinnesjämvikt. I samma kartong som påskäggen och kräftlyktorna. Det står BOSCH KÖKSMASKIN på den och så har jag skrivit SEGLARSTÖVLAR med en märkpenna. Det klarar dom aldrig. Hon hör, utan kyla men med ett slags lätthet, hur Bengt berättar om sin skuta vid Nybroviken där han för tjugofem år sen ordnade jazz- och poesiaftnar.

– Det var då det, säger hon.

Hon känner honom bara från ganska sen torptid inser hon. För när hon första gången kom hit och hans fru satt vid bildväven hade konstnärskolonin vid sjön skingrats.

– Jag var inte ens nån drejare då, berättar han. Jag hade aldrig tagit i lera. Jag övertog grejorna från min frus förra kille bara.

– Men du måste ha lärt dig bränna. Och glasyrer och färger och allt sånt där.

– Ja, på ABF-kurser i Alvesta, skrattar han.

Ja, han kanske är en charlatan, en glad fuskare. En utklädd amatör. Men hon tycker i alla fall att hans muggar och kannor är påhittiga. Han visar henne muggen som har en ormslå på handtaget. Att ta över ryggen på en ormslå ger fruktsamhet. Kvinnliga tyska turister köper den mycket.

– Är de sterila? frågar Blenda.

– Det vet du väl att allt flera kvinnor i Europa är.

Så har hon aldrig tänkt det. Själv aktar hon sig för att ta i muggens handtag. Han har en tillbringare som heter Sebilja och har formen av urkon med tunga juver. Hon står där hon står nu, i Tjärgaberget. Men hennes fångenskaps tid är utmätt. När hon slipper lös ska hon föröda världen. Och det vet de nog, när de häller upp ur henne, säger han om sina turister. För hon har blivit ställd i berget utmjölkad och förbi. Men hennes horn är vassa och hennes klövar tunga och fruktansvärda.

323

Sen äter de igen. Hon frågar hur han gör för att få den där bruna söta skorpan på rågbrödet och han säger att hon ska få veta det om hon stannar hos honom.

– Ja, här skulle man ju i alla fall inte behöva banta och hålla på. Det kanske inte är så dumt att gömma sig i skogen.

– Du skrattar du, Blenda. Men som det nu är, är det inte så dumt. Fast man måste klä ut sig. Och tala teatersmåländska. Som du antagligen allaredan har tänkt fast du inte har sagt det. För tjädrarna och hjortronen och de stora gäddorna är inte alldeles slut än och jag ska visa dig mitt kräftvatten, osmittat en stund på jorden ännu. Och vitmossa och pors och ängsull och odonris finns det, och skvattram du. Och mannablodet som man kan krydda brännvin med.

Hon sitter med en liten rundad skål i handen och frågar vad man ska ha den till.

– Det är en offerskål, säger han. Jag visar dom skålgroparna i berget vid sjön och sen köper dom en sån här liten grå stengodsskål som är rundad i botten. Ser du hur fint han ligger i handen? Och så får dom en ulltott med och lite fett. Jag brukar ta fårtalg.

– Ska dom offra sen? Hemma i Düsseldorf. Osar det inte förfärligt illa om bränd ull?

– Jodå.

Han vill visa henne sitt kräftvatten som ligger bakom alridåer, svarta nu och med små kottar i grenverket. Det är is på vattnet och i isen har sprickor slagit ut från något centrum som de inte förstår sig på. Kastar någon sten på isen? Eller kommer kraften som skjuter ut vita strålar underifrån? Är det stjärntjuren själv som stångar därnere? När isen smälter och vattnen blir ljumma och doftande förvandlas han till en spräcklig fågel med lång hals ur vilken det ropar ihåligt. Som ur en pilsnerflaska, säger Blenda, för hon har hört honom många gånger i sin barndom. Hon kallar detta kräft- och mört- och skinnbaggevatten för isblommekärret, för sprickorna ser ut som vita blommor. Något kärr är det inte, men han medger att det är ett mycket grunt vatten. Det är fullt av öar och vikar. Det är ett helt rike om sommaren. Men ändå inte så stort som nu då isen också har intagit mosslaggarna och sankängarna, när den har slagit ut stjärnor bland grästuvorna.

– Det finns blommor här på sommarn, säger krukmakarn. Vita blommor som flyter på vattnet.

– Näckrosor?

– Nej, en annan sort. Vita stjärnor som heter vattenaloë.

Innan de går in igen kastar de sten ut på sjön och ser stenarna hoppa som poltergeistar eller glida om de är tunga, som strykjärn eller curlingklot över blankisen. Då hör Blenda rop i skymningen. Fåglar ropar högt uppe och ljudet svävar oroligt över isen.

– Det är sångsvanar, säger Bengt. Dom söker öppet vatten.

De står så länge och lyssnar till fågelropen att det är mörkt när de kommer hem till stugan igen.

Hon hjälper honom att göra i ordning middagsmat som varken är mörtsoppa eller tjäderpaté utan korv och potatis med pepparrotssås. Man skulle kunna göra någonting åt maten här, tänker Blenda. Få den i stil med brödet. Brödet är verkligen hans grej. Men att klämma pepparrot ur en tub är bra trivialt. Till korven dricker de hennes rödvin, det fina som Kjell börjat köpa sen hon kom hem med sidenpengarna. Som han inte efterforskat. Hon stoppade två flaskor i kassen när hon skulle ge sig av till Centralen i morse. I morse!

När de bara har rödvin och en bit lagrad Hawarti framför sig vill han veta mer om henne, det finns ingen nåd nu. De har kommit till den punkten och genom att ta hans hand och lägga den på ett visst ställe under magen har hon försvurit sig åt detta. Hon tänker lite på hur enkelt det var när hon var flicka. Nästan utan prat. Fast hon var väl ointressant förstås. Oskriven, osolkad. Ett litet vitt rosenblad bara. Men gudars om man kunde få vara tyst nångång, tänker Blenda. Bara vara. Inte ens som man *är* utan vara oskriven och oomordad. Och så börjar hon berätta.

– Jodå, du har rätt, säger hon. Jag är en riktig småländska. Fast min mamma bor i Stockholm nu, i en tvåa i Gröndal. Det var jag som tog henne till Stockholm när pappa dog. Han var lanthandlare och mamma var skolkökslärarinna. Om du har sett Tänk om jag gifter mig med prästen så förstår du ungefär. Ifall Viveca Lindfors hade gift sig med Albin. Fast mamma har nog aldrig tänkt så för hon ser inte gamla svenska långfilmer. Hon tycker dom är larviga. Hennes tid är nu. Det har den alltid varit. Hon älskar att gå på stormarknader. Bara för ett par år sen åkte vi till Ullared varje sommar. Men nu börjar hon få dålig ork. Pappa kom från ett litet hemman som hette Uvhult, så det är riktigt det med. Hederligt och småländskt. Faktiskt.

– Och du då Blenda?

– Jaa… jag har en son och en dotter. Pojken är adopterad. Han är från Korea och han är schizofren. Så han är inte hemma så mycket. Och så har jag en dotter som är… ja, jag trodde hon var skådespelerska. Men eventuellt är hon dörrvakt. Och så har jag en man. Förstås.

Nej. Jag kan inte berätta om Kjell.

– Ja?

Han väntar. Blenda tar rödvinsflaskan och häller upp i sitt dricksglas. Hon dricker ur det i långa djupa klunkar. Krukmakarn ser lite förvånad ut. Sen ställer Blenda ifrån sig glaset, stjälper sig bakåt och sträcker ut sig på kökssoffan.

– Ja, min man, säger hon. Han är med i en klubb. Det är väl de flesta män? Jag har för mig att ni gillar sånt. Klubbar. Ordnar. Pappa var med i Älgklanen och W6 och Odd Fellow. Men han blev aldrig frimurare. Han var ju bara lanthandlare. Vilka klubbar är du med i?

– Inga alls, säger han men erinrar sig sen att han är med i Ängbypojkarna. Och så Luffarklubben.

– Vad gör den?

– Fotvandrar, säger han.

– Och dricker öl?

– Jo, det blir väl en och annan bärs under vägen. Din man då, vad är han med i för klubb?

Blenda sluter ögonen. Hon är tyst länge. Sen säger hon:

– En motorcykelklubb. Den heter Black Devils.

– Gör den?

Han skrattar till, faktiskt. Men hon ska nog lära honom.

– Jodå. Och nu ska jag berätta för dig nåt som jag inte har berättat för nån. Så du förstår varför jag är här och varför jag har anledning att vara rädd.

Hon ligger och blundar en lång stund innan hon fortsätter.

– För några veckor sen åkte Black Devils opp till Gävle för att göra upp med en annan klubb.

– Men Blenda… din man måste ju vara bortåt fyrtio, femti. Inte kan han väl vara med i ett sånt där gäng? Han har ju ett arbete och är vad ska jag säga… anpassad. Jag menar det ser man ju på dig.

– Han är fyrtiotvå. Dom andra är rätt gamla dom också. Dom är feta. En del är magra för dom är alkoholister allihop och tappar musklerna när dom har slutat fetma. Och tänderna. Och håret. Dom har långt hår så länge som möjligt. Flottigt. Dom är fula och elaka och dom tvättar sig aldrig. Min man har skabb och flatlöss. Han har aldrig lagat tänderna. Han tar amfetamin när han får tandvärk. Han är rädd för tandläkarn som ett barn. Han har en torkad tjurpenis i en snodd på bröstet. Den har han fått tag på i en hundaffär. Ge mig lite mer vin är du snäll. Nu ska jag berätta om när dom åkte till Gävle. Vad som hände hemma då. Dom har en lokal. Det är högt stängsel och kedjor och hänglås. Och så är det två schäfrar. Men det hjälper inte. Varenda gång dom far bort för att göra opp med ett gäng så kommer det ett annat gäng och bryter sig in och stjäl där. Fina grejer förstår du. Till motorcyklarna. Och sprit och CD-apparater och bil-högtalare och sånt som dom har stulit eller tagit emot från smårövare. Vi är trötta på det där. För det blir vi som får lida. Dåligt med pengar. Grinig stämning. Stryk.

– Vi? säger han. Du är väl inte med i klubben.

– Nej, naturligtvis inte. Jag är ju bara kvinna. Men vi fruar, deras tjejer. Det är vi som blir trötta på det. Så jag beslöt mig för att sätta stopp för det. Det är alltid skåningarna som kommer opp. Black Balls. Så vi tjejer åkte ut till lokalen och jag låste opp med nycklarna som jag kopierat och vi gav Pigge och Gnidde korv och gick in och tände opp och började greja. Vi hade mat med oss. Och dricka. Fantastisk mat: säckar med pommes frites praktiskt taget. Blodig, fet, stark mat. Ölbackar. Ett helt batteri med vodkaflaskor. Vi satte opp kulörta lyktor också. Men vi tände dom inte förrän vi hörde motor-cyklarna. Och sen kom dom.

– Vilka?

– Black Balls. Och vi låtsades förstås att vi var överraskade och rädda för dom och sa okej okej ni får som ni vill – vi bjuder! Vi kan ha lite kul när ni i alla fall är här. Djävlarna kommer inte tillbaka förr-än på söndag morgon. Skål grabbar! Och vi åt med dom och stoppa-de i dom knackwurstar och entrecôter och dessertostar och kalkon-klubbor och räksallad med majonnäs och lökchips och...

– Blenda, lugna dig lite, säger krukmakarn. Du har hjärtklappning. Du är så röd i ansiktet.

– Nej, jag mår fint. Och dom fick allt vad dom ville, vi tog av oss jeansen och satt på dom och dom var precis lika skitiga som våra djävlar och dom rapade och dom mådde gott och efteråt låg dom med huvena i våra knän och vi klia dom och då gjorde jag tecknet.

– Tecknet?

– Jag höjde min kniv. Och alla tjejerna tog fram sina knivar och sen stack jag in min mellan två revben på presidenten i Black Balls och han såg oerhört förvånad ut och lät som en bölgroda. Alla tjejer var inte så flinka. En del var rentut sagt lite sjåpiga och vi som var resoluta fick gå runt och skära halsen av dom som bara var halvdöda och låg och gurglade. Sen var det gjort.

– Sen var det gjort, ja, säger krukmakarn med liten röst. Ska du inte svalka dig lite nu Blenda. Jag öppnar fönstret.

– Jag är inte rädd för polisen, säger Blenda. Dom kommer aldrig in där. När våra djävlar kom tillbaka så hitta dom dom svarta ballarna på golvet därinne och dom har aldrig sagt ett ord om saken och jag antar att dom har skaffat undan dom. Så det är inte det. Men lite rädd är jag att Malmötjejerna ska haja vad det är frågan om och att dom ska komma opp. Eller vad tror du? Våld föder våld, är det inte så? Jag börjar tycka att det var dumt gjort.

Sen ber han henne om hjälp med disken och säger att de ska gå och lägga sig. Kanske vill hon ligga i kökssoffan? Men det vill hon inte.

Den apofatiska beskrivningsmodellen. Vad den passade oss som bara stammande kunde vittna. Brummande, pipande. Med hinna mot hinna och blossande, doftande hud. Med hårt slutna ögonlock. Med vidöppna ögon. Med pupill utan botten. Nu sjunker du mot min botten. Som inte finns. Nu sjunker jag mot din botten. Vi stiger. Vi virvlar mot zenit eller nadir.

Vi står i. Vi står i med orden: Du. Du. Det finns ingen som är – nej! Det var de ord jag sa mest: ingen, nej. Pep. Du brummade. Nej! nej!

Sen var vi tillbaka. Vi hittade genast våra ord igen. Fanns där ett ögonblick utan dem? Fann vi Gud? Kände du det bottenlösa i mig? Var vi nära döden? Steg vi ner i den som i en brunn?

Det finns ju mellanrum mellan orden. I vilket mellanrum var detta mörker som bländar och är utan namn och som vi döper till alla högtidligheter och spetsfundigheter vi känner? Ska vi någonsin finna det igen hos Gud eller i det som de kallar Naturen eller i något annat... något annat... något annat... NÅGOT.

Se opp i backen! Sju skott i nacken! Det är också döden. I ord. Och nu har du snart glömt alla ord. Käre, käre gamle trötte Cyrus som frågar om det är mat snart.

När Sylvia har kokat färsk pasta från METRO Baronen och rört ner skinkstrimlor i den och grädde och lite bladspenat säger hon till Cyrus som sitter förväntansfull vid köksbordet att han ska hålla fram sin tallrik. Och då gör han det och så säger han:

> Barfuss auf dem Eise wankt er hin und her
> und sein kleiner Teller bleibt ihm immer leer.

Och fast han läser orden som om de vore en ramsa kommer de till henne med Schuberts musik, bittra och förfärliga.

– Käraste, säger hon, minns du verkligen Die Winterreise! O, kära kära du.

329

Han ler och äter. Hon rusar in i vardagsrummet och letar bland sina CD-skivor. Fast hon vet att hon inte tagit med sig Die Winterreise hit till Stockholm, så hoppas hon i alla fall att den ska ha smugit sig med och att hon ska finna den och spela den för honom och den ska vara porten in till minnet som är allt; som är kärleken fast den är bitter och vintrig och kanske förrådd. Fast inte av honom, inte av honom.

Han stapplar omkring på isen med bara fötter som den gamle förkomne musikanten och han är också mannen som har återvänt till sin kärlekssommars översnöade ängar och frusna bäckar och lyssnar till surret och vevningarna från ett skorrande instrument. Det måste vara något han vill säga henne med dessa ord, med minnet av dem som kanske är minnet av musiken och av kärleken. Och hon vill spela Die Winterreise för honom och gå in i den, där tonspråket blir ljuvare och mindre strängt, i Frülingstraum med dess graciösa rörelse och dess löften om förnyelse, om lekfullhet och slump som kan ha en vass och vintrig udd men som mildras av nåd. Denna musik kommer tillbaka inuti henne med hans ord. Han har rört vid henne och han måste ha velat det fast han nu äter med nedböjt huvud.

Hon ska genast ge sig iväg till Sterlings och försöka finna Die Winterreise på skiva. Först ska hon be damen med de små shihtzuhundarna sitta härinne hos honom. Hon hade parfymaffär förut men blev rånad så hon har slutat nu och hon har satt ut en lapp på anslagstavlan i affären att hon åtar sig blomvattning och andra lätta uppdrag. Cyrus gav sig ut på Döbelnsgatan igår när Sylvia for in till Skeppsbron ett par timmar och han kom ända ner till Odengatan, mitt i trafiken, innan någon förstod att det inte var bra med honom. Hon fick hämta honom hos polisen på Tulegatan.

Hon finner Die Winterreise och när hon stiger av bussen ser hon en gjutjärnspanna i en affär för begagnade saker och hon köper den utan att pruta. Och sen köper hon kål och spiskummin och lök och små tyska korvar som hon tycker är bra lika några som hon minns, precis som gjutjärnspannan är lik en annan panna i ett österrikiskt Gasthaus som de bodde i under molnlätta duntäcken i det som fick vara deras brådskande och hemliga bröllopsresa. Eller rymning.

När hon kommer hem måste hon först dricka lite kaffe med damen och ge de tibetanska tempelhundarna hundgodiset som hon köpt på METRO. Damen berättar om rånet, egentligen berättar hon för Cyrus som ler. Hon har nog inte riktigt klart för sig att han inte förstår svenska.

– Jag fick ett sår här under ögat och ett till opp mot örat, säger hon förtroendefullt. Han kom så nära med tårgasen. Det värkte och sved, som ett brännsår. Man är ju ingen skönhet precis men man kan ju mejka sig. Fast det kunde jag inte göra på tre veckor och det värsta var med mamma, hon var inne i affärn då, för hon bruka gå ut med hundarna åt mig, hon fick en sån chock att hon inte hämta sig mer. Hon dog i våras.

Sluta, sluta, sluta *nu*, ber Sylvia inom sig. Jag måste få vara ensam med honom. Jag har hittat nyckeln in till hans minne. Kanske till hans själ. Hon följer damen med hundarna till dörren och ger henne pengarna och tackar henne och är äntligen av med henne. Hon kan höra de små hundarna bjäbba i trapphuset. Sen ställer hon sig och bryner kål i gjutjärnspannan.

För ett par dar sen var jag bara en gammal gravplundrerska som hade fått vittring. Idag skiter jag i det där sidenet. Dom sprängde Blendas bil fast hon knappt vill tro det. Allt det där är över nu. Det är som om det aldrig har varit. Nu känner Cyrus lukten av kål. Det sägs att lukter ligger djupt nere i minnet. Präglade. Outplånligt. Och det måste ju lukta på ett särskilt sätt när man bryner kål i en riktig gjut-järnspanna. När kålen är färdig och korvarna stekta lägger hon Die Winterreise på skivtallriken. Då är han otålig.

– Vi ska väl äta nu, säger han.

Sen kommer musiken, den fyller henne med bilder och dofter och ljud från en annan tid. Palmer i en konsertlokal. Alpängar med snö. Den där lampan med rosa sidenskärm som de har invid fåtöljen hemma. Där brukade hon sitta och lyssna.

Han är alldeles tyst när han räcker fram sin tallrik, hans blick är koncentrerad på träsleven som är fylld med kålstrimlor.

– Ist denn dein Teller ganz leer? säger hon.

Då lyser han upp och läser:

> Barfuss auf dem Eise wankt er hin und her
> und sein kleiner Teller bleibt ihm immer leer.

– Känner du igen musiken? frågar hon.

Men han äter nu. Sen kanske. När de sitter inne i vardagsrummet.

Själv kan hon inte äta av kålen och korvarna. Hon får inte ner någonting. När han ätit upp tar hon honom med sig in i vardagsrummet. Han sitter i soffan och bläddrar i en tidskrift. Hon sitter i sin läsfåtölj och lyssnar till musiken. Den har nu kommit fram till Der Lindenbaum. Hon längtar efter mörkret som är i dess krona, mörkret utan namn.

När det blir julafton måste Sigge fara till Sal. Hon har hållt sig hemma med sina svullnader och tänkt ge fan i Adams mamma och julklapparna. Smärta och rädsla är undantagstillstånd. Nästan som rus eller i alla fall en dimmig bedövning. När värken lägger sig begriper hon att hon måste vara rädd om jobbet.

Janne har tittat på henne. Han har till och med rört vid den blågröna svullnaden över höger öga. Men han har inte sagt något, bara skakat på huvudet och sett ledsen ut. Så han måste väl ha klart för sig vad som hänt. De ska äta jullunch hos farsan som de brukar och hon säger till Janne att farsan tror att hon blivit rånad på Katarina kyrkogård när hon gått kvällspromenad med Sickan.

– Har du ljugit? säger han barnsligt.

Ja, och för vems skull? tänker Sigge. Och varför egentligen? Men hon har inga svar på det och på varför han sitter där med dem och äter färdigstekt skinka och bakad leverpastej och inlagd sill som hon köpt på Konsum. Han har inget med oss att göra, slår det henne. Vi bara låtsas. Han har bara med nånting längst inne i mig att göra, nåt som jag inte vet vad det är och som jag är rädd för och får stryk för. Hon undrar om han kommer att sitta här nästa jul och om han i så fall kommer att fråga om till exempel ljusstakarna som är små dalahästar, bleka, gamla. De borde vara på museum men hon stoppar varje år julgransljus i dem och varje år bränner ljusen lite av trät nere i botten på hålet. Utom i år för Sigge ska köra bil till Sal och tar ingen snaps. Han borde ha det i sig i alla fall, tänker hon, och berättar att hennes mamma kom från Dalarna från början. Farsan sitter och blinkar. Han tycker inte om när man blir personlig. Han vill prata om nåt han läst. Och Janne säger jasså gjorde hon det.

– Hon kommer från Dalarna, rättar sig Sigge för mamma lever ju, sitter vid ett annat köksbord nu, i Gävle, med en annan man. Sigge ska ringa sen och hon har skickat ett paket med en CD-skiva, en roman och en chokladask.

Farsan håller på och läser om Krilonsviten säger han. Efter Sigges föreläsning på Whitlockska.

– Min flopp på Whitlockska, rättar hon.

Och han tycker att Eyvind Johnson är *ganska* tydlig och *ganska* underhållande. Ska det vara kritik? Han har fått storhetsvansinne.

– När man skriver en roman måste man ju lägga opp det hela som charkuterier, säger Sigge irriterat. Det kommer man inte ifrån. På nåt sätt ska det inbjuda till konsumtion och det ska vara omväxling också. Rena råa köttsmeten kan ingen få i sig. Och så ska det gärna vara pikanta brytningar. Självironi, självbespegling och självreflexion. Hela metaköret.

– Så där har du aldrig talat om romaner förut, säger farsan sorgset.

– Sen måste man ju välja mellan mimetisk och diegetisk framställning, säger Sigge, för att platta till honom. Man blir inte snäll av att få stryk.

– Hurdå?

– Antingen lägger man fram hela korvbrickan utan kommentar eller också står man bredvid och trugar som en beskäftig hovmästare.

– Men vem är det man försöker övertala?

– Det vet man inte.

Dig, tänker hon. Fast så lyckligt är det väl inte alltid. Eller Oda. Hon fick en gång i världen tag på tre romaner i svit. Hon ärvde dem kan man väl säga, inte bara i en hundårad och vid det här laget ganska gulnad materiell form. Utan som ett andligt arv och det håller hon fast vid som en hund som huggit tänderna i husses toffel.

– Du till exempel, säger hon, eller Oda Arpman. Ni skulle kunna vara verklighetens svar på den textimmanenta, abstrakta och ideala storhet som föresvävar författaren av romanen: den implicita läsaren.

– Föresvävar?

Svävade verkligen någon före författaren Eyvind Johnson när han utarbetad så att han hade blodsmak i munnen strävade på vägen mot tryckning och korrekturläsning? Antagligen inte. Han kröp in i något som heter romanformen som en eremitkräfta i ett lånat skal. Som en husmask byggde han åt sig ett litet romanrör av lika delar skräp och gnistrande stenar. Varför gjorde han det? Han stod inte ut med livet. Han stod inte ut med livet år 1941. Det var för grisigt. Det var blodstank och gaslukt. Skalet gav ett tillfälligt skydd. Han boade därinne medan Mladic och Karadzic kysste varandra på kinderna, medan Hectors lik åts av hundar på en gata i Grozny och den amerikanske soldaten i Song My tömde sitt magasin i den sönderslitna vagina där han nyss tömt sig själv. Han stod inte ut. Han måste uppfinna en ädel man. Han laborerade med ädelhet som ostmögel på vissa mognande människor. Svek, påstod han, föder inte naturnödvändigt ondska. Det behöver inte ens föda elakhet. Svek kan inleda en mognadsprocess hos en människa. In går en spritflabbig, hormonpulserande ung kropp. Ut kommer en ädel själ i Homburgerhatt.

Jojomensan.

Men dra ut eremitkräftan ur skalet så ska du få se på en skev, vanskapt och hudlös foetus. En inälva i ett främmande skal.

Fast hon inte säger detta, ser hon att farsan ändå är ledsen. Hon har just nu på julafton inte mage att tala om för honom att hon ska lägga av med doktorerandet och att hon aldrig tänker ta i Krilonböckerna mer.

När hon ska åka inspekterar hon sina svullnader i hallspegeln och tänker att det är konstigt att man skäms när man får stryk. Sickan lämnar hon hos farsan. Hon står och äter skinka och potatis när de går. Janne följer med i bilen. Han vill åka med till Slussen för han ska ta en av Värmdöbussarna och hälsa på sina föräldrar i Nacka. Men Sigge undrar. Hon säger inget. Fast hon tror inte längre att han får vara med Lili Thorm.

Han har magrat. När han kom hem från torpet luktade han lite fränt. Hon ser bara olika bitar av Janne och kan inte få ihop dem till ett helt: arkitektstuderande, före detta reklamman. En välklädd, mörk, smal man.

Den här är lite luggig och vass. Främmande.

Sigge har aldrig varit på Sal. Eftersom det är ett slott har hon väntat sig tinnar och torn. Men hon finner en stenlada. Förfärande stor tycker hon när hon kommer närmare. Oprydd. Om man undantar järnen som sitter inmurade i väggarna och på ytan reder ut sig som bokstavstecken, fast otydbara. Fönsterraderna är stränga. Huset är högt.

Det är medeltid, det inser hon. Hur kan någon bo här? Hon tänker på stenkyla. Avlägsenhet trots bruset som kanske är från E4:an. Eller finns det en fors? Landskapet blev så snabbt tidlöst urgammalt. Vägen vindlade hit i krökar. Hon såg en hare bland enbuskarna.

Hon har alltid trott att Adams mamma, Ginette Oxehufvud, som från början var en rik ung amerikanska gifte sig med hans pappa för att få ett europeiskt slott och en grevinnetitel. Men hon syns inte till i några nöjesronder eller I vimlet-spalter och inte har hon vad Sigge vet några fancypartyn för kungaparet i sitt slott heller. Hon bor ensam med ett äldre par som tjänstefolk.

Hur knackar man på i ett slott? Det finns två stora ringar av järn, en på varje porthalva. Men de verkar fastrostade. Hursomhelst har hon hört hundskall länge. Sen kommer en liten gumma kutande runt stenhörnet. Hon har händerna instuckna i tröjärmarna. När Sigge säger att hon ska lämna julklappar från Adam Oxehufvud till hans mor visar hon henne till en ingång på gaveln. Den har en påbyggd förstubro av trä.

– Grevinnan är nere i svinstallarna, säger hon. Men det kanske går an och vänta så länge.

Hon kanske är en ruschig lantbruksgrevinna, tänker Sigge. En sån där som sitter på traktorn när höet ska in. Nu hörs det skrik också och ett skott. Hundarna skäller värre än någonsin. För det måste vara fler än en.

– Vad är det som händer? frågar Sigge.

Men gumman rultar på uppför en baktrappa och sen öppnar hon en tapetdörr och så står de i en övre trapphall. En stor ärgig ljuskrona tycks sväva i skumrasket under taket. Men det finns väl en kedja till den och glödlampor är nog inmonterade fast de inte lyser nu. Det är knappt dager. Hallen luktar som en stengrotta. På väggen nerför hela trappan syns svartklädda figurer i förgyllda ramar. Deras ansikten och händer skymtar svagt, gulaktigt. Kragarna lyser vita. Gumman går före henne in i en korridor där väggarna upp till knappt halva höjden är klädda med mörkt trä. Ovanför sitter ljushållare av järn. Det finns en och annan tavla. Men här är det bara kopparstick. Svullna ansikten, peruker, järnbröst, draperade fanor. Det går fort. Den gamla verkar angelägen om att bli av med Sigge.

– Här är biblioteket, säger hon. Varsågod. Det kanske går an och vänta här.

Och så är hon borta i en fart. Hon har inte ens brytt sig om att titta på Sigges blåmärken. Såg hon dem överhuvudtaget? Något händer här. Något som gör henne arg och förströdd. Eller rädd?

Det är kyligt i rummet. Men det är i alla fall ljust. Gumman har tänt två stora takkronor. De lyser på en stor porslinsfigur och på ett biblioteksbord. På den mörka skivan ligger två böcker uppslagna, den ena med en gammal karta, den andra med sirliga akvareller av frukter och träd. Päron. De är till och med tecknade i genomskärning.

Porslinsfiguren skulle hon vilja kalla en staty för den är lika stor som en människa. Fast den avbildar en apa. Den står i hörnet vid fönstret och tittar på henne. Blicken är mörk och vänlig och den glimmar. Det är väl ljuset. Och porslinets blankhet. Men apan tittar. Den står upprätt och håller sig fast i en stubbe av porslin. Från stubben utgår några grenar med blanka mörkgröna löv och små orange-gula frukter. När Sigge ser närmare efter märker hon att grenarna inte är fristående. De är bara modellerade på stammen liksom apans ena hand (tass?) som klamrar sig fast vid en av dem. Den andra handen plockar med en av de små frukterna. Liche? Men blicken, den porslinsblanka, till synes svartfuktiga blicken är riktad utåt mot rummet. Den ser på henne.

Väggarna är helt och hållet klädda med bokhyllor. Ända upp till taket. Det finns en fristående bibliotekstrappa av samma mörka träslag som bordet. Nedanför hyllorna på långväggen står en soffa klädd med grårött ylle, två fåtöljer och ett litet bord med askkopp och cigarrettlåda av matt tenn. Det är förhållandevis moderna saker. Trettiotal kanske. Tygklädseln är blekt och hårt sliten. Det finns ett grammofonskåp också. Hon gissar att radiogrammofonen i den är från femtiotalet. Den har automatisk skivväxlare och fack för lackskivorna.

Sigge försöker hålla fast känslan av avlägsen tid i rummet. Men det är svårt. Det är för många tider. Hon hittar inte ens den tid där tjänarinnan sprang i stentrapporna tills hon blev urgammal. Springer. Vet sin plats? I den slutna värld som Sal är tycks många ting, omärkligt, långsamt, ha skiftat betydelse. Vem är längre tjänarinna åt vem härinnanför stenväggarna?

Har någon skrivit sällskapsspektakel vid det här biblioteksbordet, brådskande och upprymt som när man gör bordsvisor till firmafester. Att uppföras samma kväll. Bakom gastyg. Hon har hört talas om att Adams morfar sköt sig. Han sköt sin tax samtidigt. Var det härinne? Stod apan och tittade på honom då med sin mänskligt varma, sin vänliga blick?

Inga böcker i bokhyllorna tycks ha köpts in efter första världskrigets utbrott. Hon kommer fram till tidpunkten genom att leta fram titlar av Levertin, Heidenstam och Söderberg. Efter Almqvist tycks nyheterna bara sparsamt ha droppat in. Av Strindberg hittar hon Gamla Stockholm och den bisarra Antibarbarus. Ingenting annat. Kanske tyckte den som ägde biblioteket vid sekelskiftet att han var obehaglig. En rå, hänsynslös skandalskrivare. Sigge börjar leta efter Crusenstolpe. Men han tycks ha varit dem för magstark. Råheten inom dessa väggar har säkert länge varit pompöst draperad. Militärisk.

När Sigge sätter sig i en av fåtöljerna får hon syn på Nathan der Weise. Den står i en bokhylla i ungefär samma höjd som ett pojkhuvud i elva- tolvårsåldern. Så enkel var alltså förklaringen till att Adam kände till den och kunde säga namnet. Hon drar ut volymen ur hyllan och undrar när det skedde sist. Den kanske aldrig har blivit läst eller bläddrad i sen den packades upp i en sändning och ställdes in här.

Det är en bok med rygg och hörn av brunt skinn. Omslaget liknar ett fotografi av mikroskoperade bakterier eller en datorskärm med något fraktalprogram. Hur kände de till sådana mönster, tänker hon först för boken är tryckt 1813 i ett tyskt klassikerbibliotek. Sen inser hon att mönstren bildats någonstans. Med färgad vätska. Fast det är ju tryckt. Men hur?

Pappret är av dålig kvalitet, gulnat och skört och tryckt med frakturstil. Mödosamt läser hon några rader:

> Der Forscher fand nicht selten mehr
> als er zu finden wünschte.

Det är som apans blick. Lur naturligtvis. Slumpeffekter. Men det verkar som om orden talades till Sigge. Till henne och ingen annan. Och hon vänder på dem innan hon begriper deras mening. Negationerna är så svåra. Fann forskaren inte mer än han ville finna? Det är ju förfärligt. Nej, han fann, inte sällan, *mer* än han *ville* finna. Lurigt, verkligt lurigt. Men nästan kall och nopprig på skinnet blir hon när hon läser nästa rad:

> Ist es doch als ob in meiner Seel' er lese?

338

Det är som I Ching eller Nostradamus. Man kan läsa in vadsomhelst. Jag måste komma ihåg att jag inte är någon forskare längre, tänker hon. Så det stämmer inte. Dessutom vet hon knappt och jämt vem Gotthold Ephraim Lessing var. Hon kände sig överlägsen Adam när han sa titeln på ett drama som han inte visste ett dugg om. Men när hon ska försöka erinra sig ur någon avlägsen kurs vad det handlade om minns hon bara att Lessing var upplysningsmänniska, att han skrev Nathan der Weise om tolerans. Humanism. Såna högmänskliga saker, kringflygande i tid och rum. Ädelhetsgirlanger. Lessing var en dogooder i rokoko. En sirlig proggare. Han gjorde Saladin till en nobel, humanistisk och tolerant muslimsk furste. Rena uppvisningen.

Men när hon bläddrar i boken och läser replikerna verkar de fulla av ångest.

Ich soll mich stellen; soll besorgen lassen;
Soll Fallen legen; soll auf Glatteis fahren.
Wann hätt' ich das gekonnt? Wo hätt' ich das
Gelernt? – Und soll das alles, ah, wozu?
Wozu? – Um Geld zu fischen; Geld!

Det underligaste med detta utbrott om de föraktligaste sätt att tjäna pengar är att det är förstruket. Någon har dragit ett betydelsemarkerande streck i marginalen av detta Saladins utfall mot list och beräkning och girighet. Vem? Han som sköt sig? Någon blek informator som halvsvalt i Uppsala under terminerna? Hela boken är ju full av understrykningar! Någon har läst den. Någon har verkligen läst den.

Gumman dyker upp igen, småmuttrande. Hon går snabbt i trapporna när hon följer Sigge uppåt i stenladan och tycks vara arg. När hon öppnar en dörr och säger varsågod, grevinnan väntar, har hon inte den lätta ton av salongskomedi som skulle passa till orden. Från rummet kommer en mycket sammansatt doft. Det är parfym i den, sval, diskret eller hur man nu ska karakterisera en sådan dyrbarhet som hon flera gånger för Adams räkning köpt åt Ginette Oxehufvud. Men det luktar också otvivelaktigt hund. Från hanhundslukt. Och blod tycker Sigge. Men det kan väl ändå inte vara möjligt. Kakor, sötsaker luktar det också. Det är te framdukat på ett litet glasbord. Där sitter Ginette i en rottingfåtölj med grönblommig chintzklädsel. Det är en sorts konstgjord sommar av ljus, dofter och möblering i rummet. Sommar från Harrods i London. Behaglig – om det nu inte vore för det där fräna inslaget i luktbilden. Det kommer från tre stora hundar som ligger på en isabellafärgad eller snarare helt enkelt skitig, vit matta mitt på golvet och som reser sig när Sigge kommer in och börjar ett oroligt kringsvansande, kloklirrande tassande, svansdunkande och halvmorrande.

– Tyst, säger Ginette. Välkommen! Så idiotiskt av Adam att skicka hit dig på julafton.

– Nejdå, säger Sigge. Det är mitt eget fel. Jag har inte kommit iväg förrän nu. Och jag är ledsen att jag stör så sent.

Ginette är klädd i en kjol av ostronfärgat grovt råsiden. Hon har tunn jumper i samma färg. Pärlor. Hela gestalten är gråvit, skimrande. Yngre än Sigge trott så här på nära håll. En obegriplig varelse som fött Adam när hon kanske bara var nitton tjugo år och sen blivit sittande här i ett främmande förflutet. Som hon förresten tycks läsa om, för på soffan ligger Ingvar Anderssons Erik XIV-biografi. Hundarna har lagt sig igen eller snarare låtit sig ramla ner som stora skinn- och benhögar på mattan. De är glest gråbrunraggiga och har långa huvuden.

– Det är hjorthundar, berättar Ginette. Jag hoppas du vill dricka lite te med mig? Är det här presenterna? Ojojoj. Adam är en idiot.

Det tycks vara hennes genomtänkta uppfattning om sonen.

– Affärer med Kina! säger hon. Där är potatisen så giftig att råttorna inte äter den. Ta en kaka till teet.

Sigge blir nu bjuden på smörblad, mandelmusslor och eklöv. Hon antar att de bakats i någon underjord av den där halvilskna eller i varje fall mycket upprörda gumman. Eller också är alltihop lur, som det här modernt inredda, ljusa, varma och komfortabla rummet mitt i den råa stentid som råder i byggnaden. Gumman kanske tar en Volvokombi och rattar till stan och köper dem på Tösses.

Sigge kan inte ta ögonen från hundarna. Deras råstyrka och lojhet. Eller är det utmattning? De hässjar faktiskt. Och så är det blod på mattan. Otvivelaktigt. Och ännu lite ljust som om det vore färskt.

– Har det hänt nåt? frågar hon. Med hundarna? Jag hörde skall. Det verka vara väldig fart på dom. Och ett skott.

– De har varit ute på äventyr, säger Ginette. You naughty naughty naughty boys.

När hon ska jollra använder hon sitt modersmål. Adam kanske är uppjollrad på amerikanska.

– Det tog sig in i svinstallarna och det gick lite illa.

– Onej! Inte till Adams etiska grisar!

– Du är verkligen lojal, skrattar Ginette. Fast är dom inte genetiska?

– Jo, jag sa fel. Visst. Transgena tror jag det heter.

Men hon har alltid kallat dem Adams etiska grisar för han påstår att organfarmer, där djur används som donatorer av transplantationsmaterial, är etiskt högstående institutioner som visar vägen in i framtiden. Men Ginette tycks dela Sigges vämjelse. Hellre döden än att gå med ett bultande hjärta från en gris. Eller med huvudingrediensen till julleverpastejen i buken. De fördjupar sig i dessa perspektiv ett tag, sen Ginette försäkrat att det var ett par av de alldeles vanliga och inte alls så dyrbara men ätliga svinen som råkat illa ut. Hon säger glatt att Adam borde heta greve Grishjärta. Tycker inte Sigge att namnet hade passat honom bättre än hans eget som ändå syftar på en kroppsdel som han inte använder till överdrift?

– Det finns visst en ätt som heter Svinhufvud, mumlar Sigge och det är så långt hon vågar gå i illojalitet.

Nu öppnar Ginette sina paket.

– För du vill höra vad jag tycker om dom? Jag antar att det är du som köpt dom? Adam skulle inte...

– Adam vet precis vad han vill ha, säger Sigge diplomatiskt och nästan strängt.

Ginette gillar i alla fall alpackatröjan och blusen. Uppriktigt verkar det. Frågar om Sigge kanske hade velat ha några smörgåsar. I så fall ska hon säga till. Men Sigge tackar nej och hon säger också att det är onödigt att kalla på den gamla hemhjälpen.

– Jag hittar ut själv.

Det är på något vis som när hon lämnade farsan. Hon vet att den här silverostronfärgade människan kommer att tillbringa kvällen med Ingvar Andersson. Totalt ohysteriskt. Kanske med radiomusik. Det kommer henne att undra om den gamla radiogrammofonen i biblioteket fortfarande går att spela på. När hon ska gå förbi biblioteksdörren i korridoren stannar hon. Därinne har någon suttit och läst Nathan der Weise. Streckat för, strukit under. Varit djupt och kanske lyckligt försjunken som Ginette nu i sin Erik XIV.

341

Hon vill inte gå förbi. Därinne står boken sluten om sin värld. Sigge får en panikkänsla. Att den sjunker sluten. Med sin konstiga frakturstil, sitt tyska sjuttonhundratal. När hon öppnar biblioteksdörren är lukten redan förtrogen. Gamla böcker tycks avge en dammdoft som är en aning skarp. Syrahaltigt papper? Vad är det i trycksvärta? Det vet hon inte.

Hon sätter sig i fåtöljen igen och tar ner Nathan der Weise ur hyllan och börjar sakta läsa från början där tjänarinnan Daja springer emot Nathan som kommer hem från sin resa.

Att huset är nerbränt vet han redan. Men Recha, hur har det gått med hans älskling Recha?

När det ringer på dörren rusar Mariella dit.

– Men jag öppnar ju, säger Ann-Britt. Ska du inte se på Kalle Anka?

Mariella är redan framme vid dörren. Men det är inte Rosie som kommer. Det är Eilert. Han har paket med sig och han försöker hålla om henne. Hon har bråttom nu för det är precis när Musse har parkerat sin husvagn. TV:n är inte på så högt. Hon kan i alla fall höra honom prata med Ann-Britt i köket. Hejdu. Ja, hejdu. Lagom så där. Nu fäller Musse Pigg ihop skärmarna kring sin husvagn och allt det snygga försvinner. Solen och palmerna och havet. Dom står på en sophög.

Eilert frågar efter Rosemarie och det hörs på Ann-Britts röst att hon tycker det är så dags. Du kunde ha ringt om du var så intresserad; ungefär så. Fast Eilert är inte pappa åt Rosemarie.

I alla fall tänker han stanna. Det hörs. Långben glömmer bort att köra bilen när dom ska äta frukost i husvagnen. Majskolvar: klapper-klapper-klapper med alla tänderna. Undrar vad Kalle har för tänder?

– Ställ den i kylskåpet.

– Den är ganska kall.

Han har nog haft med sig den där flaskan till Akalla också. Bjudit henne. Han åker kommunalt. Törs inte åka bil när han tar nåt. Det är för körkortet. Sving, sving, sving runt krökarna. Det är ingen som kör bilen. Musse, Långben, Kalle – ingen fattar det. Förrän om en stund. Vem KÖÖÖÖR?

*Nu* fattar dom.

Det börjar lukta äckligt. Det är lutfisk i ugnen. Så tidigt, säger Eilert för han har ju ätit hos sin morsa. Han säger jämt att Mariella ska säga farmor om henne. Men vadå?

– Det är klart vi ska äta, säger Ann-Britt. Mariella kan inte vänta hela kvällen på sina julklappar.

Det är Åhlénskartonger. Hon har sett dem i garderoben. Inga sidenband. Det är fåglarna som lindar på sidenbandena på Askungens klänning. I näbbarna. Och en råtta trär på en nål. Askungen slår med ögonlockena. Det knäpp-pyser när Eilert öppnar en ölburk.

Sen efteråt när Benjamin Syrsa har sjungit och det är slut kommer Eilert in och pratar om allt möjligt.

– Ska du inte åka med hem till farmor i morgon, säger han. Hon har skicka med en julklapp till dig. Du kan få ta opp den före om du vill.

– Nej.

– Vadå? Vill du inte?

– Låt henne vara nu, säger Ann-Britt.

– Låt henne *vara*? Har jag gått på henne på nåt vis?

– Vi ska äta nu.

Sen äter de lutfisken som luktar i hela köket och Mariella får prinskorv. När Eilert röker säger Ann-Britt att det kan börja brinna.

– Vadå brinna?

Hon är rädd för att pappersgirlangen ovanför bordet ska ta eld. Då blir han sur.

– Jag går väl ut och röker då.

Han är ute på balkongen ett bra tag. Ann-Britt diskar och det går långsamt. Sen börjar det lukta kaffe och Eilert kommer tillbaka in i rummet. Ann-Britt har ångrat sig, det hörs på rösten. Mariella tycker också det var larvigt med pappersgirlangen, för det var ju i alla fall ljus som brann i stakar på bordet. Men Rosemarie tycker inte om att Eilert kommer och röker hos dem. Nu sitter han i alla fall i soffan och Ann-Britt sätter fram kakor. Eilert tar fram flaskan ur kylskåpet och två flaskor med Grappo men Ann-Britt säger att hon inte vill ha.

– Du kan väl ta en, säger Eilert. Det är väl inge kul och sitta här och grogga ensam.

– Vi ska dricka kaffe.

– Måste du vara så torr? Det är i alla fall julafton.

– Jag är som jag är, säger Ann-Britt.

Det är sista gången på adventskalendern nu och Mariella får en stor Pepsi. Den har Eilert köpt och då ångrar sig Ann-Britt. Det hörs att hon tycker att han är snäll i alla fall.

– Jag kan ta lite likör, säger hon. Jag har kvar flaskan.

Hon har fått den av Eilert när han hade en körning till Köln. Den heter Bärenjäger. Men den är ju tom.

– Den är tom! säger Ann-Britt.

Då glömmer Mariella bort att titta på kalendern.

– Ser man på, du är inte så torr jämt i alla fall, säger Eilert.

– Det är inte jag som har druckit opp den!

Hon ser alldeles konstig ut. Mariella blir rädd. Om hon börjar fråga. Om hon får veta att den där killen i Pumaskorna var inne. Då blir hon också rädd.

– Men jag begriper inte det här, säger hon.

Om hon får veta att killen har en nyckel så blir hon också rädd på nätterna. Då vill hon flytta. Hon har sagt att de måste flytta för de har inte råd med tre rum. Men Rosie kommer ju tillbaka! Då kan hon betala på hyran för hon har ju jobb hos Sascha. Man kan inte mista jobbet för att man har varit sjuk och fått lov att ligga nånstans borta och inte har kunnat ringa. *Men om vi flyttar kan hon inte hitta oss.* För att Ann-Britt inte ska bli rädd säger hon:

– Det är jag som har tagit den där likören.

– Du!

– Ja. Jag slog ut den i slasken.

– Men varför gjorde du det?

– För jag var rädd för att du skulle börja supa, säger Mariella.

– Lilla gumman, säger Ann-Britt. Lilla, lilla gumman.

Och Eilert säger att det var ganska dyr likör från Tyskland. Då säger Ann-Britt att hon kan ta en grogg i alla fall och det märks på rösten att hon säger det för att de ska vara sams. Sen delar Ann-Britt ut julklapparna. Eilert säger:

– Ska du inte tända nåra ljus?

– Visst ja.

Han vet inte om det. Han vet inte vad hon tänker på hela tiden. För de talar inte om det. Men Mariella vet ändå vad Ann-Britt menar när hon säger:

– Nu blir det bara nyttiga julklappar, du blir väl inte ledsen?

Men Mariella *vet.* Fast Eilert kan inte veta att det var Rosemarie som skulle köpa de balla julklapparna, de som inte var kläder och sånt. Och att det ligger några som hon har köpt redan i hennes garderob men att de inte har rört dem. Det är det som Ann-Britt menar. Hon sitter alldeles stilla. Det är för att hon inte ska börja grina. Eilert går och letar på nya ljus och sätter dem i adventsstaken. Han sätter ljus i tomtestaken som står på TV:n också.

– Inga ljus på TV:n, säger Ann-Britt. Den kan explodera.

– Den exploderar väl inte av det, det kommer ju inifrån. Det kan den göra närsomhelst i såna fall.

– Tur att man inte sover härinne då, säger Ann-Britt och Mariella vet att hon tänker på tvårummarn. Men det låter i alla fall som om hon fattar att det vore dumt att flytta. *För Rosie skulle inte hitta oss.*

Mariella får en häst med blå man av Eilert. Han tror visst att hon är fem år fortfarande. Och så får hon en köpvideo, det är Askungen.

– Men den kan hon ju inte se på, säger Ann-Britt.

Då går Eilert ut i hallen och hämtar en låda. Det är videon.

– Jag spelar i alla fall inte in så mycket, säger han.

Ann-Britt ser inget glad ut. Det är deras gamla video som de hade när de bodde ihop. Mariella har en låda med rullar. Fast de är ganska larviga, Saltkråkan och såna, för hon var ju mindre då. Eilert vill komma tillbaks, det märks. Han har köpt en bh och trosor åt Ann-Britt.

– Ja, tack ska du ha, säger hon.

Det är spetsar på dem och trosorna är som ett par band med en liten påse på bara.

– Jag får nog byta, säger hon. Har du kvittot?

– Gillar du dom inte?

– Bh ska man nog helst köpa själv. Det är olika kupor, A B och C och så där och så är det vidden. Den här är bara sjutti.

Mariella har fått en bok av mormor som hon läser i och en ask med hemgjord kola. Det har varit kex i asken. Mormor har klistrat på vitt papper och en ängel. Det där som Eilert hade med sig från Akalla är en stickad mössa.

– Ska du inte prova den?

– Det är klart hon gör. Ann-Britt nickar och rynkar ögonbrynen.

Men det hjälper inte att det är rätt storlek på mössan, hon kan ju inte ha den. Fast det säger hon inte. På landet, om man bodde där, kunde man kanske ha en sån mössa.

Eilert säger att han vill ringa till sina barn. Fast de är ju gamla. Det låter dumt när han säger barn. Ann-Britt säger ifrån.

– Vi ringer aldrig fjärrsamtal.

– Jag betalar, säger Eilert meddetsamma.

Men Ann-Britt säger att han får ringa hemifrån i alla fall. Då går Mariella och sätter på TV:n och säger:

– Nu är det snart Jönssonligan.

Men det är inte sant, det är minst en halvtimme dit.

– Du bara tjurar, säger Eilert åt Ann-Britt.

– Jag har inte råd, det är bara det.

– Vad ska du ha det så här för då? Vi kunde leva på två löner så slapp du hålla på så här.

– Jag vet hur jag ska göra för att klara mig, det är inget och diskutera.

– Du blir ju socialfall, säger Eilert. Tror du det blir kul?

Då blir Ann-Britt arg. Mariella går in i sitt rum och läser i Majkenboken som hon har fått. Men det hörs i alla fall. Det är tjugotvå minuter till Jönssonligan.

– Aldrig, säger Ann-Britt. Inte en enda gång. Och jag tänker inte gå dit heller. Jag klarar mig för att jag kan spara. Mariella vet. Hon håller aldrig på och tjatar om att hon ska ha allt möjligt. Vi klarar oss.

– Utan Rosemaries lön då?

Då blir Ann-Britt vansinnig. Fast hon försöker låta bli att skrika. Hon säger:

– Vadå *utan* Rosemaries lön!

– Ja, om hon har stuckit.

– *Stuckit!*

Sen säger Ann-Britt nåt som inte hörs. Det är lågt och väldigt argt. Mariella får ont i magen. Det kommer på en gång. Sen hör hon Ann-Britt säga med alldeles vanlig röst:

– Du har ju inte jobb jämt heller. Men du har samma vaner när du inget har. Du ska gå ut och ta en öl och en massa grejer. Ringa och köpa sånt som inte behövs. Video. Vi klarar oss bättre på min lön för jag *vet* precis.

– Men livet går väl inte ut på att klara sig bara. Fy fan va trist! Märker du inte hur du har blivit?

– Jag är som jag är, säger Ann-Britt. Jag tänker inte bli nåt socialfall.

Fast Mariella vet att hon måste ha tag på pengar nu. Till hyran. Rosemaries lön fattas ju. Sascha har väl det som hon hade jobbat in till den trettonde. Men Ann-Britt kan ju inte få ut det. Det blir inte mycket heller. Och så måste hon betala telefon. De får inte stänga av *för då kan Rosie inte ringa hem.*

Ann-Britt har varit på Frälsis och fått sjuhundra kronor. Det kan man få *en* gång. Hon hade med sig tidningsurklippet om att Rosemarie var försvunnen. De förstod precis. Nu är det frågan om hyran och det är det som är så otäckt. För det verkar inte riktigt som Ann-Britt fattar att Rosie inte skulle hitta dem om de flyttade nån annanstans. Hon tar det inte på allvar. Hon säger bara: vi får ju veta om hon kommer tillrätta. Det förstår du väl.

Eilert vet ingenting, han fattar inget. Han säger bara att det är onödigt att bo på två ställen.

– Du har fått för dig nåt bara.

– Jaha du, säger Ann-Britt.

– Det där, säger Eilert och Mariella vet att han menar det där med tjejen som jobbar i hundcentret, det var ju bara en fyllegrej. Det var ingenting.

– Nehej du.

Då låter Eilert alldeles grötig på rösten:

– Du passa på. Du ville att vi skulle flytta isär. Men du borde tänka på Mariella. Hon får ju inte ens säga pappa åt mig.

– Det gör hon väl som hon vill. Det är inte ofta hon säger mamma åt mig heller.

– Det är onaturligt. Hon behöver väl en farsa, hon som alla andra.

– Alla andra?

– Nu börjar Jönssonligan, säger Mariella.

Sen ser de på den. Fast mitt i ringer mormor och Mariella måste gå och tacka för julklapparna.

– Tack för boken, säger hon. Och för godiset.

Ann-Britt puffar på henne och säger utan att det kommer något ljud: mössan!

– Det var ju inte från henne. Det var från den andra.

– Javisst ja.

– Och så har jag ju en fleecemössa.

Då tar Ann-Britt luren och Mariella går in och ser på filmen igen. Det blir ganska roligt nu. Ann-Britt gråter ute i hallen, det märks. Det hörs lite. Mormor pratar nog om Rosemarie, frågar en massa. Men när Ann-Britt kommer in slår hon upp mera kaffe ur termoskannan och ser på Jönssonligan och pratar med Eilert. Han är ju snäll fast han inte fattar allting. Hon pratar aldrig med honom som hon gör med Mariella, hon förklarar inget för honom. Fast det skulle nog inte hjälpa. Han skulle köpa öl och sånt i alla fall och cigarretterna kostar en massa.

De hänger i klockvisarna på slutet. Det finns ingen sån klocka på Stadshuset men det är spännande i alla fall. De dinglar med bena och Ann-Britt skriker lite. Hon har blivit gladare sen hon pratade med mormor, fast hon grät först.

När filmen är slut pratar Eilert med Ann-Britt, lågt. Det enda som hörs är: troserna kan du väl prova i alla fall. Sen vill Eilert se Little shop of horrors.

– Du är inte klok. Den slutar halv två. Vi ska gå och lägga oss. Och du ska åka innan det blir för sent.

Men Eilert *fattar* inte. Han vill se filmen. Eller också fattar han och vill se den i alla fall, för att det ska bli för sent så han inte kan åka hem till sig. Mariella går i alla fall och klär av sig. Dörren till Rosies rum står lite öppen. Det gjorde den inte förut. Ann-Britt har varit därinne. Hon pratade inte i telefon hela tiden. Det är en grop i Rosies säng. Hon har suttit där.

– Borsta tänderna nu, säger Ann-Britt.

När Mariella kommer ut från badrummet har de börjat bråka på riktigt.

– Du kunde ha sagt det från början då! Så hade jag hunnit hem till filmen.

– Det var aldrig tal om nån film.

– En del saker är väl i alla fall självklara fast man inte pratar om dom. Är det så här du ska ha det då? Ensam med tjejen. Sitta och räkna ut vad allting kostar.

– Jag måste veta precis.

– Man kan aldrig veta precis, säger Eilert.

– Nej, inte när du är med.

– Vadå? Vad har jag gjort egentligen?

– Vi talar inte om det nu. Släck det där ljuset är du snäll.

– Men vad har jag gjort för fel? Har jag gjort nåt fel i kväll? Du kan åtminstone säga vad det är!

– Det är inget fel. Men släck det där ljuset, det kan börja brinna i manschetten annars.

– Jag kommer med julklappar...

– Då gör jag det själv. Det är plast. Om det börjar brinna slutar det aldrig.

– Då går jag, säger Eilert. Men han rör sig inte. Då går jag så får du sitta här och *veta precis.*

De samlar ihop hans grejor.

– Ta videon, säger Ann-Britt. Du behöver inte ge oss videon.

– Så kan man väl inte göra! Man kan ju inte ge henne videon och sen ta tillbaks när hon sover.

Mariella sover inte. Hon tittar på de små hålen i rullgardinen som är mörkblå. De ser ut som stjärnor.

– Gå försiktigt, säger Ann-Britt. Se dig för vid tunnelbanan.

– Tror du jag är full?

– Nej. Men du kan se dig för ifall det står nåra...

– Jaha, nu ska man ut och åka tunnelbana. Kul.

Stjärnorna rör sig lite. Dörren slår igen efter Eilert. Nu går nog Ann-Britt och lägger sig. Det är nog många som går hem nu. Går till tunnelbanan. Vanliga pappor.

Ann-Britt går inte i badrummet. Det blir alldeles tyst. Och sen efter en lång, lång stund blir det ett svagt, konstigt ljud. Det är från TV:n. Men det kan inte vara Little shop of horrors. Mariella väntar på att hon ska komma in och titta på henne när hon sover. Fötterna har blivit kalla och det örat som hon ligger på gör ont.

Vissa riken utvidgar sig när de fryser. Eller också är det så, att det är först när det blir is på dem som man ser hur långt de i verkligheten når.

Blenda gungar mellan sömn och vakenhet. Hon känner den sträva krukmakarhanden mot huden på magen. Talade han om kärret som han kallar en sjö? Talade han om de isbelagda pölarna långt uppe i ängarna och om mosslaggarnas glastunna ishinna som visar att de hör ihop med sjön? Att det finns vatten som lever långt uppe där vi trodde det var torka och utmattning och att det har förbindelse. Eller menade han några andra riken? Nyss gjorde han ett gyttjigt ljud inne i henne som de måste skratta åt. Det var lera under den tunna isen i strandkanten också. När de vandrade i skymningen tjickade det under stövlarna.

Det finns ett gungande neråtsvirrande tillstånd före sömnen som hon skulle vilja vara i länge. Att sova fast man inte sover. Att tappa bort sig, singla neråt och falla, falla länge och vara i fallet, svirrande. Går kanske att framkalla det också. Precis som nysningar. De kan ju lockas fram med snus. Och orgasmer kan man få genom en knappt märkbar beröring genom tyg. Då utvidgar man sig. Då lever man upp i de avlägsnaste hörn, i skrymslen som legat hoptorkade och inklämda. Långt uppe i huvudet når svirrandena. Till hjärnan i själva verket. Hjärnans vindlingar är ju fett eller liknande. Tête à veau – något krämigt. Är kropp. Varför skulle inte de där pulserande och till slut svirrande lustförnimmelserna nå in i tankeförmågan, i själva begreppsbildarapparaten, och göra tankarna lätta och syrerika och solguldbelyst spädgröna eller tunt rymdblåa i stället för järn- och stenhaltiga, varaktigare än koppar, systembyggande och epokgörande. Usch. Varför kan inte tankar, ja, idéer om man nu ska gå in på Odas område, vara lätt uppflygande och snuddande och luftskiktsföljande? Man måste kunna ta ner dem igen som pappersdrakar som flyger dåligt. Upp igen med en annan. Pröva. Pröva om. Se dem singla och knycka mot det tunna rymdblåa.

Inte sova, inte sova nu. Det här är för skönt.

Hon känner sig törstig och dricker ur hans lerkruka med dubbla väggar som håller nattvattnet svalt. Nu tycker hon att hon hör sångsvanarna igen. Det är inte möjligt i den svarta vinternatten. De borde sova vid något ännu öppet, vinterligt iskransat vatten, sova med huvudena under vingen. Men de flyger över isarna och ropar.

Förresten är det så vidunderligt ljust för att vara en vinternatt. Kan snöljus tränga genom rullgardinerna? Det gnistrar i texturen på det blå tyget. Blenda blir nyfiken på snöljuset som är så starkt att det tycks blända fast det är natt. Hon tar på sig tröjan över nattskjortan som hon fått låna av krukmakarn och går ut i farstun. Där har han lagt ett fårskinn mot dörren för att hålla kölddraget ute. När hon öppnar dörren är det som om en stor varelse andas mot henne. Och det är solljust. En varm och doftrik vind möter henne. Barfota tar hon steget över tröskeln och ner på kvarnstenshalvan som är hans stugtrapp och nu har hon glömt vinternatten.

Hon går barfota stigen fram. Det är lent under fötterna. Hårdtrampat. Gräset är nernött. Hasselbuskarna på båda sidor har mycket löv och inne i dem prasslar fåglar. Det är morgonljus. Det kan inte vara annat, fast hon har dåligt reda på väderstrecken här. Nu kommer alridån och hon kan skymta vattenspeglar. Svanarna måste ha funnit öppet vatten. Kommer hon att få se dem om hon går ner till stranden?

Hon har trott att krukmakarns Isblommekärr skulle vara en ganska beskedlig vassjö när isen gått upp. Men hon hade fel. Detta vattenrike är större än hon någonsin kunnat föreställa sig. Hon kan inte se slutet på det. Träden böjer sig ner och skymmer: al, pil och sälg, sådana träd som gärna dricker vatten med rötterna och som ser sig själva speglade i vattenbilder med djup som kanske inte är sanna och som kanske är det.

Hon ser inga svanar, inga fåglar alls. Men hon hör många ivriga pip och mycket gnisslande och knittrande. En hel värld av sysslor och bestyr skyms av vassruggarna. Kaveldunen gungar när någon liten kropp som hon inte hinner urskilja lämnar ett vassrör. Ett ögonstreck, ett blankt öga. Svirr av vingar.

Vatten och gyttja tjickar och tjackar om hennes fötter. När hon kommer fram till en fri vattenyta ser hon att hon skrämt upp en grå fågel med lång hals och lång näbb, ja, långa ben som släpar när den skyggt lyfter och försvinner. Hon tycker att hon har slagit sönder fågelns värld och ordning med sitt klafsande. Hon gör intrång och känner en häftig och oväntad smärta över att det måste vara så.

Det är något som rör sig ute på vattnet. En människa sitter där. Glider fram. Nej, stakar. Det måste vara en flotte. Den är så låg att hon först tror att han glider på själva vattnet eller sitter på ett stort blad. Han har en stör som han stöter ifrån med. Det måste vara grunt under flotten.

Nu närmar han sig. Hon känner stark spänning. Ska han avvisa henne? Hon kanske gör intrång? Så fort han kommer inom hörhåll säger hon:

– Det är väl inte privat?

Han svarar först när han kommit så nära att hon kan se hans ansikte.

– Nej nej, säger han med ett leende som ser ut som ett nät av sprickor i solbrännan. Det är allmänt. Det är för alla.

Blenda känner sig generad för att hon bara är klädd i nattskjorta med en tröja kastad över axlarna. Men egentligen är det onödigt att bekymra sig om klädseln. Mannen på flotten har inget annat än ett par gråblå långkalsonger på sig och en flanellskjorta med utnött krage. Tyget i skjortan är så utblekt av solen att det blå och det bruna och det som en gång varit grönt har gått samman till en mild dovhet.

Hans flotte är gjord av rörvass, blanka gröna stänglar. Den liknar flottarna som hon själv gjorde som barn. Hon minns hur hon lärde sig att linda rörvass i en oval form, lager på lager, och sticka spetsade pinnar igenom för att hålla fast vassröret i dess stela slingor. Här är vassen hoplagd i tjocka buntar som är sammanfogade till en stor mandorla.

Det är en gammal man ser hon när flotten glider närmare stranden. Hur gammal är alldeles omöjligt att gissa. Han är mycket mager och har en lång skäggreva som växer ner från hakspetsen. Den ser ut som en sjögrässlinga. Håret är lika tunt och blekt grått som skägget och det ligger spritt över skallen som är blank och solbränd. Det finns fläckar på skallen och de syns genom det glesa håret. Hon tycker att han ser lite kinesisk ut. Hans leende får ansiktshuden att bilda ett sprick- och veckmönster som bilden av ett fossil över en stens varma hud i solen; det är ingen tvekan om att han vänligt bjuder henne att stiga ombord. Han håller staken nerkörd för att flotten ska stå sta-

353

digt. Blenda sköljer av den ena foten och sätter upp den på flotten och gör så likadant med den andra. Hon vill inte dra med sig gyttja upp på den blanka vassytan.

Han stakar ut och de glider ut på vattenriket eller längre in i det. Det vidgas, det trängs ihop. Ibland möts de skuggande alarna över flotten och den glider fram i som en tunnel. Han stakar försiktigt men slår ändå sönder vattnet så att det doftar. Det doftar näckros tycker hon. Men hon ser inga näckrosor. Det slår henne att det kanske är tvärtom: näckrosor doftar vatten.

Flotten rasslar genom vassriken utan sikt. Nu kan hon höra buteljblåsaren från en rugge. De ler mot varandra, den gamle mannen och hon, och Blenda säger:

– Det är rördrommen. Och så tror jag att jag såg en häger. Men han flög bort så snabbt. En gråblå fågel, väldigt skygg tror jag han var.

– Ja, det var nog hägern. Han vaktar här vid utposterna. Sätter gränserna.

– Men då måste dom flytta sig?

Han nickar. Så visar han henne ett stånd med blomvass och låter flotten närma sig de tunna skarpa stänglarna och bladen. Blenda försöker röra vid blomflockarna som är svagt rödaktigt ådrade. Pilblad visar han henne närmare stranden och svaltingens vita blomstänglar som också har en liten rödaktighet som tycks höra morgonljuset till.

– Bor det människor här? frågar Blenda förskräckt. Mitt i vassriket med de speglande småvattnen och de tusentals fågelrösterna har det dykt upp en byggnad. Sned och konstig, tänker hon. En till därborta. En hydda eller skjul eller nånting.

– Nejdå, det är bara mina bodar, ler han. Hon förstår att han har lite roligt åt hennes hastigt påkomna skygghet. Kanske liknar den girighet. Själv är han så förekommande.

– Men titta, säger Blenda och visar honom den gråa boden som hon såg först. Den är på väg bort. Den rör sig.

– Ja, här är starka strömmar fast vattnet är så lugnt på ytan. Det är förflutenheten. Mina bodar, mina förvaringsbodar ska jag väl säga, rör på sig och flyter omkring. De rör sig strömmande. Allt förflutet vill flytta på sig. Jag tycker om att ha en viss uppsikt över det, så jag brukar ge mig ut på morgonen och titta till dem.

– Så du bor alltså på land?

– Javisst. Det gör ju alla.

354

Han skrattar lite åt henne igen. Hon känner sig som ett barn som frågat. Och det är klart han bor på land. Det gör alla människor. Han är bara ute och tittar till sina bodar.

Han är så mager och torr. Skinnet veckar sig. Fast han har gråa långkalsonger av den sort man brukar ha under arbetsbyxor är han förekommande och vänlig, nästan ceremoniös. Händerna är fulla av leverfläckar av samma sort som hon såg på hans skalle när hon klev ombord. Gravrost kallas de, erinrar hon sig. Hon undrar vad han har i sina bodar men vill inte fråga. Det vore kanske ogrannlaga. Nu visar han henne runda små dyblad som flyter på ytan och säger att längre bort – de är snart där – ska hon få se vattenpest.

Det är ett fult namn på en så spröd liten blomma tycker Blenda. En blekviolett krona kommer upp vid kransade bladgirlanger som tycks sväva under vattenytan.

– Här i Norden känner vi bara honblomman, säger den gamle mannen. Hanblomman tycks ingen kunna leta upp. Jag söker den här varje sommar. Men hittills har jag bara funnit honblommor. Liksom av vattenaloën.

– Det är ju inte möjligt, säger Blenda. Hon vill inte gå närmare in på befruktnings- och förökningsområdet för det finns något sirligt och finkänsligt omkring honom. Men han kommenterar själv det besynnerliga förhållandet.

– Den här sjön var ju en gång en offersjö, säger han. Hit kom varje år Frejs hustru på orten för att bada och bli offrad till. Om det nu kan ha något samband. Man vet inte.

– Nej, man vet så lite, håller Blenda med. Sen tycker hon att det var dumt sagt. Slappt. Lite pratigt medhållande utan tanke bakom. Så hon tillägger:

– Fast man utvidgar ju hela tiden gränserna för sitt vetande.

Hon rodnar djupt. Så här har hon inte rodnat sen hon var ung flicka. Det är som förvänt. Hur hon än bär sig åt så säger hon en platttityd. Men han låtsas taktfullt nog inte om det. Han säger dröjande att han har tänkt på det. Han tänker på det var gång hägern flyger upp.

– Varför det?

– Helt enkelt därför att han ofta flyger upp på ett annat ställe än jag har tänkt mig. Än jag har kunnat föreställa mig. Gränsfågeln.

Blenda låter handen släpa invid flotten och i porlandet stiger det upp vattendoft. Hon ser ner i vattnet som är brunaktigt men klart och därnere finns det stela bladstjärnor. De påminner henne om isstjärnblommorna som hon och krukmakarn sett på sin promenad och hon kommer ihåg att det är vinter. Det snuddar i alla fall vid henne. Lite vasst. En stjärnaktig kyla i sinnet som drar förbi. Det porlar kring handen. Här finns något för alla sinnen. Blenda säger sig att hon inte behöver tänka. Man behöver inte göra det jämt. Och vinterförnimmelsen är nog möjlig att mota undan.

– Finns det isstjärnblommor? frågar hon.

– Neej, säger den gamle mannen fundersamt. Det är som om han i tankarna inventerade dessa floror och vattenvikar och deras tillflöden. Nej, isstjärnblommor tror jag inte att det finns.

Men egentligen är det vinter. Och jag vet det. Jag ska till Stockholm. Jag måste vara hemma innan kvällen. Det är vinter. Fast tiden och den ljumma vinden. Nej, blåser gör det ju inte. Sommarmorgonen andas på mig.

– Tiden är ju en konstig sak, säger hon till mannen som stakar flotten.

– Mycket.

– En del håller fast vid den som vid svenska grammatiken, säger Blenda.

Han nickar men svarar ingenting. Hon har en känsla av att de är alldeles överens när det gäller tiden. Och som denna morgon andas. Så milt. Men jag måste be Bengt sätta på motorvärmaren meddetsamma jag kommer opp till stugan.

– Det kan jag göra när jag går förbi, säger mannen. Jag ska ändå gå opp nu.

Han sitter och tittar vänligt, intresserat på henne. Har hon verkligen tänkt högt?

– Vill du låna flotten? Du kanske vill fara omkring ensam?

– Ja tack. Det skulle vara roligt att utforska dom här vattnen.

– Det kan man knappast, ler han. De är så föränderliga. Men färdas på dem kan man. Röra sig. Och titta gärna på mina samlingar i bodarna.

– Samlingar?

– Ja, det är ett alltför anspråksfullt ord egentligen. Jag har ju inte samlat dem heller. De har ryckts loss. De flyter här. Men det går an att bese dem om de råkar dyka upp. Jag har en hel del som är gömt och glömt här. Ja, även sådant som är undanfört. Fört i säkerhet. Räddat kan man säga. Och det finns mycket stolthet och ära som driver omkring här.

Det sista förefaller Blenda mycket uppstyltat. Men kanske har någon hemvändande karolinsk officer bott i en herrgård vid sjön. Har han trumpeter, multna fanor och läderkanoner i sina bodar? Hon tackar ja till hans erbjudande att låna flotten och stören som han stakat med. När han tagit flotten in till stranden och lämnar henne ser hon honom gå snabbt och lite knäande på stigen. Alarna skymmer honom snart. Han har gett farkosten en kraftig knuff så att den har kommit flott och börjat röra sig igen. Ibland är vattnet stilla och då måste hon staka sig fram. Hon glider omkring utan att kunna hitta de där bodarna där han har sina samlingar. Det susar genom bladvassen långt borta, en liten vind som inte når henne. Men den vattrar ytan. Det går rysningar över den, häftiga småkårar och kast rynkar ihop den blanka ytan.

Då får hon åter syn på den där boden. Den första hon såg. Men nu är den på ett helt annat ställe. Den driver under tunga mörkgröna algrenar, vaggar med vindkasten. Nu ser den faktiskt komisk ut. Ett litet halvruttet hus på väg att stjälpa. Hon stakar och försöker hinna ifatt. Vad kan han förvara därinne? Det finns stolthet och ära av många slag. Kanske är den gömd i gamla manuskript och noter här. Skörnat papper, bläckskrift som blivit brun som gammalt blod. Akvareller i förtunnade färger. Bräckliga träinstrument.

Både flotten och huset är ute på djupt vatten nu. Blendas stake når ingen botten. Att försöka paddla med den är lönlöst. Men hon sätter den som ett roder ut från aktern och lyckas gena i ett gynnsamt vindkast. Hennes rygg tar emot vinden som ett råsegel. Huset ligger i ett annat vindskikt. Hon vinner på det och kan plötsligt nå det med staken. Men hon får kava mycket innan hon kan hålla fast det.

Det driver halvstjälpt med öppen dörr. Det är för ljust ute. Hon kan inte se något därinne. Hon måste klättra över och ta sig in i den lilla byggnaden. Det finns en repstump på flotten som hon förtöjer den med. Sen klättrar hon upp och kryper in genom dörröppningen som lutar uppåt mot himlen.

Det är svalt och skuggigt därinne. Solen gnistrar genom springorna mellan väggbräder och glest takläggningsspån. Det är som att befinna sig i en bur av ljusspjälor i en mycket mörk natt. Det luktar

357

gammalt torrt trä men under golvet porlar vattnet.

Hon trevar sig fram till en träbänk och ögonen vänjer sig långsamt. Hon får ett trälaggat kärl, nej, ett stort kar under handen. Nu börjar hon se i skumrasket. Ljusbländningen är borta. En pannmur. Hon vet att de kallade dem så, de stora bykgrytorna som hade en liten eldstad bakom en lucka under sin buk. Det ligger klappträn på golvet. Och två tvättbräden. Huset är inte så värst gammalt. Ett halvsekel kanske. Tvättbrädena är klädda med veckad zinkplåt som har blivit grå och matt. I skräpet på golvet ligger det tomma lutburkar. En trätapp till karet med en klut omkring. Det ser ut som om tygtrasan har förenat sig med trät till slut fast den från början slagits om tappen för att det ska bli tätare i hålet.

En bykstuga som kommit på drift i någon vårflod. Vad finns det mer? Blenda får inget sammanhang. Hon förstår inte riktigt vad som samlats här. Hon känner till och med en svag rädsla för mörkret och strängheten inne i det lutande huset, för smutsen som har runnit över dessa bräder, som har bultats och gnuggats och sköljts och lakats ur här. Flockar av smuts, grötiga strömmar av uppblött orenlighet.

Mina samlingar. Han måste vara en gammal tok.

Hon kryper ut ur boden igen och når sin flotte. När hon gjort loss flyter den först iväg i en ström och en vind som förenar sig. Men sen blir den liggande och hon märker att det inte går att staka på det här djupet. Hon ångrar nu att hon inte var förtänksam nog att bryta loss en bräda att paddla med. Nu är bykstugan utom räckhåll. Hon är ute på riktigt fritt vatten och fåglarna hörs bara avlägset. Blenda måste vänta. Hon lägger sig på rygg i det gyllene solskenet och känner ibland en rörelse som om varsamma händer bar flotten och sköt iväg den. Hon sover nog lite för hon blir förvirrad när hon känner lukt av blommor och dy. När hon öppnar ögonen drar en ridå av blomvass förbi på mycket nära håll. Hon lägger sig på magen och tittar ner i vattnet. Nu är det grunt igen. Hon kan se botten och vattenväxternas slingor som rör sig upp från den.

Då får hon syn på stjärnrosetterna. Det är bara blad, men därnere på botten står de. Styva, vasstandade. Hur kan hon se dem så tydligt? En av dem stiger. Ja, en av dem är på väg upp mot ytan. När den kommer upp och lägger sig på ytan ser hon en vit blomma i bladstjärnan.

Det dröjer inte lång stund innan ännu en bladstjärna flyter upp och en vit blomma slår ut. Den är inte riktigt lika stor som den första. Och det kommer fler. Kanske går det tid. Men Blenda märker den knappast. Hon märks inte heller själv så mycket för hon ligger platt på flottens vasskransar och rör sig inte. När hon vågar lyfta blicken från ett av de flytande blomstånden ser hon hägern på en rugge i vassen. Orörlig ser hon honom böja sin långa hals och söka med näbben i bröstfjädrarna.

Nu har nya stånd flutit upp kring den första blomman. De är alla en smula mindre och liknar uppvaktande tärnor kring en drottning. Blenda ser och ser. Tänker: här är jag. Här får man inte vara länge. Hägern ser så sträng ut. Nästan som en varning när han rätar ut den långa halsen. Nu lyfter han ena benet helt skolmästaraktigt.

Nej, här får man inte vara länge.

En ström tar flotten utan att Blenda gör den minsta rörelse och hon förs sakta inåt i de trånga vattnen. Hon är trött nu. Så trött. Och stranden närmar sig som ville den komma till henne.

Ruth Anser ljuger inte. I varje fall inte ofta. Men någon enstaka gång måste man få värja sig. En enda människa, hur välorganiserad hon än är, orkar inte allting. Åtminstone inte på en gång.

Ruth håller på att hon vill göra rödkålen själv. I alla år har hon dessutom fyra dagar före jul lyssnat till radioutsändningen av Svenska Akademiens högtidssammankomst. Men leverpastejen har hon fått ge upp. Den tiden är förstås förbi då hon och Nils satt i vardagsrummet med en kopp te och några smakprov på julbaket och lyssnade till talen i Börshuset. I år fick hon göra det när hon brynte rödkålen. Mitt i direktörstalet kom Oda Arpman.

Det var så taktlöst. Har man hamnat på kollisionskurs så har man. Då ska man inte som Oda komma tjafsande med en julblomma. Man ska inte försöka återknyta när man inte längre har någonting gemensamt. Att som Oda inte låtsas om att man skrivit ett motupprop är svagt. Det är ogenomtänkt, dimmigt och antagligen helt oplanerat. Ruth undrar om Oda fick någon annan än Sune Kyndel att skriva på det där uppropet. Hon gör sig löjlig. Och nu kom hon med en julstjärna. Ruth stod alltså i köket och brynte rödkål när Oda bankade på. Svenska Akademiens kvinnliga direktör talade och Oda sa att hon absolut inte ville störa. Hon slog sig ner vid köksbordet och lyssnade med huvudet på sned, helt klart inställd på jävulskap.

– Jaså, hon talar om språkförsumpningen, sa hon. *Språkförsumpningen.*

Det verkade som om Oda njöt av ordet på något okänt vis.

– Språkförsumpningen och den dåliga skolan. Roligt för alla lärare att höra.

– Om du ursäktar mig så lyssnar jag, sa Ruth. Jag har inte så många tillfällen.

Oda förmådde verkligen vara tyst en stund. Men inte så länge.

– Brusande högervind!

Hon glodde nästan lystet på radioapparaten. Och efter en stund:

– Vilket mod att tycka som den härskna majoriteten!

– Ursäktar du om jag tar ner julstjärnan till kontoret, sa Ruth.

– Du får göra vad du vill med den. Jag tycker di är fula.

Efter detta gåtfulla och, om man skulle bry sig om att efterforska tanken bakom det, antagligen kränkande uttalande, sa Oda:

– *Organism!*

Sen påstod hon att språket inte var någon organism längre.

– Språket är väl vad det är, sa Ruth strävt.

– Tror du att nordiska lingvister blir hänförda när dom lyssnar till det här? sa Oda. Organismmystiken. Som språkvetenskaplig term är organismen utdöd.

– Det är då egendomligt, sa Ruth med en viss skärpa nu, vad du *vet* allting. Så kunnig du är, Oda.

– Hä!

Antagligen hörde hon inte. Hon såg ut att lyssna andäktigt till radion.

– Hon talar om lag och ordning! *Märker* hon inte när det börjar lukta rutten fisk?

Då stängde Ruth av.

– Hon talade just nu om vikten av att barnen i skolan fick lära sig sentenser och dikter utantill. Är detta *fel*? Brukar du inte själv citera? I tid och otid skulle·jag vilja säga. Brukar du inte ständigt ha någonting att anföra ur litteraturen à propos det ena och det andra? Blir det *fel* bara för att hon säger det?

– Ja, helt rätt känns det inte, svarade Oda som om hon verkligen funderat på saken.

– Jag tror att dikten kan verka livsuppehållande. Det tror jag. Nu talar vi inte om det här mer. Jag måste strax åka till affären förresten. Och vad ska du göra i jul?

– Ligga soffan, 'potta take, dricka sampankalja...

– Kommer din son och hans familj hem?

– Hem? Di bor ju i Espo.

Sen kom den där beklagliga nödlögnen som skulle gnaga på Ruth. Den halkade ur henne för hon visste inte hur hon skulle ha kunnat orka och hinna göra mer än gjort. Oda sa:

– Egentligen kom jag för att fråga om Kajan. Jag får inget svar. Ulla Häger sa att du visste vart hon tagit vägen.

– Oroa dig inte.

361

– Men det är väldigt viktigt att vi håller kontakt med Kajan. Att vi vet precis var hon är.

– Hon firar jul borta, sa Ruth. Hon ville inte bli störd.

– Livsuppehållande dikt, sa Oda med en sorts luftutstötning som inte var nådig. Den tror jag förresten di hittar på själva. Alla ungar pissar utom Lotta. Hon har spräckt sin lilla potta.

– Nu har jag inte tid mer, sa Ruth.

– Alla ungar pillar utom Kalle, han har stött sin lilla balle.

– *God jul*, Oda.

En beklagansvärd gammal kvinna. Och om det inte vore för den där lilla lögnen så skulle Ruth inte tänka mer på hennes besök. Innan hon hann iväg till affären ringde Ulla Häger för att önska god jul. Hon pratade så länge att Ruths ytteröra till slut hettade mot telefonluren och började värka. Hon hade kommit in på herrgårdsliv om julen: harjakt och långfärdsskridskor och promenader med taxar och slädfärder till julottan. Också hon frågade om Kajan. Då var Ruth närmast panikslagen av brådska och flera moment av hennes planering måste helt enkelt hoppas över om hon skulle få någon ordning på sitt julfirande. Så hon sa:

– Kajan firar jul borta. Hon vill inte blir störd.

Kvällen innan julafton ringde Ruths sonhustru Birgitta och sa att de skulle komma till jullunchen som avtalat var men att de inte kunde stanna till kvällen. De hade fått en sista minutenresa till Kreta. Ett återbud. Så de måste hem och packa.

Så mångordig hon var.

Det blev mycket över av rödkålen och det blev fruktansvärt jäktigt. De åkte hem klockan två för att hinna till Kalle Anka.

En liten snövirvel drar över Dalen. Det lyser i Odas köksfönster, det blåvita lysröret har varit tänt hela kvällen. I vardagsrummet glimmar det gulrött. Ingenting julaktigt. Bara den gamla pergamentskärmen på läslampan. Att den hänger ihop fortfarande. Sprucken och stel.

Sune Kyndels lampor lyser också. Vad gör de där människorna? Själv har Ruth sett på Jönssonligan. Det skulle hon inte ha gjort om Birgitta och Hasse och pojkarna stannat. Då skulle hon ha krävt att de firade julafton så att den blev något för barnen att minnas. Familjesammanhållning. Skapandet av gemensamma minnen. Som humlor samlar honung. Sa hon. Det var ett trevligt uttryck. Men det föranledde ett av de vanliga bisarra utbrotten kring bordet: feta gula larver som proppades med honung i ett humlebo. De var så naturvetenskapligt inriktade allihop. De såg Vetenskapens Värld och prenumererade på Forskning och Framsteg. Och de gycklade med allt. Utom njutningen, tänkte hon. Den tar de på allvar. Hon är nästan övertygad om att Hasse och Birgitta efter tio års äktenskap fortfarande har ett tillfredsställande sexualliv. När de skojar och är cyniska kan blickarna ibland bli simmiga. Som sillake tänkte hon en gång. Faktiskt.

Ruth är inte uppgiven. Hon vet att grundvärderingarna överförs i alla fall. Som insamlad honung. Men hon ska inte använda den bilden mer. Det är cyniskt av Birgitta att säga till sina egna barn: nog är ni feta som humlelarver allt. Låt bli chokladen nu. Cyniskt men kanske riktigt. Så Ruth tog aldrig fram glassen.

Hon tror inte på återbudet. Den där Kretaresan har de antagligen beställt månader i förväg. Det är vad hon tror. Men hon har inte tänkt så förrän nu. Inte förrän hon ser Sune Kyndels lampor lysa och Odas och tänker på att lamporna i hennes eget hus lyser på samma sätt och att hon har sett på Jönssonligan. Hon fäste inte så mycket avseende vid den när hon såg den. Hon var så trött. Men efteråt minns hon den som blixtar och skrik. Hennes huvud är fullt av blixtar och skrik och tjatter. Och grumligt sillspad och Stilla Natt och sönderrivet julklappspapper.

Hon tror inte alls att de var tvungna att åka hem och packa. Hon tror att de åkte hem för att spela datorspelet. Det kräver 1.4 megabytes RAM-minne, sa Hasse. Och VGA med tvåhundrafemtiosex färger. Det går inte att köra på din gamla harv. Dom måste åtminstone få pröva det innan vi sticker till Kreta.

Hon hade föralldel också gett dem ett datorspel. De skulle bygga en civilisation efter ekologiska principer. Helst. Det gick att göra på annat sätt också. Men då vann man inte. När hon tänker efter verkar det inte särskilt lockande som spel. Couronne, tänker hon. Halma. Monopol. Fia. Allting blir gammalt. Man måste hänga med i utvecklingen. Herregud.

Ruth är på väg att somna i stolen. Gula feta larver. Thou little town of Bethlehem. Lysande Sickan! *Nej.* Dessutom är hon hungrig. Det mesta av maten kom aldrig fram i brådskan. Och så var det det där vidriga skämtet om humlelarverna. Hon har inte den minsta lust att duka fram någonting av julmaten åt sig. Rödkålen är inmängd med

Odas sarkasmer och julskinkan får henne att minnas parkeringen utanför OBS. Vad hon skulle vilja ha är julgröt. Vanlig risgrynsgröt. Med lite kanel på och russin som dyker upp allteftersom man äter. Varm gröt med kall mjölk. Men det är flera år sen hon fick ge upp gröten. Pojkarna ville ha glass efteråt.

*Glassen.*

Hon har glömt den ute i bilen. Det är faktiskt så. När hon ställde in kassarna i bagageutrymmet tog hon ifrån glasspaketen så att de inte skulle bli klämda. De ligger i baksätet. Det är inte så värst kallt ute. Antagligen rinner de nu.

Hon får så bråttom att hon inte hinner ta på sig kappan och hon springer i bara tofflorna till carporten. Upptäcker att hon glömt bilnycklarna och får rusa tillbaka in igen. Och sen halkar hon i snön utanför bilen och ramlar inåt mot baksätet och måste ta stöd och kör ner handen i påsen med glasspaketen. Det är som en mardröm eller som Jönssonligan. Påsen har gått sönder och glassen har hon själv smetat ut på bilklädseln med den hand som hon tog emot sig med.

Det är klart att hon ordnar upp det. Det är till och med så att katastrofen får henne att tänka klarare och handla effektivare. Inte först. Hon är faktiskt på väg att köra ner paketen med halvsmält glass i brevlådan. Men hon vaknar till. Fast hon mår illa nu. Det är tanken på hundbajset i den brevlåda hon kastat. I soptunnan. Herregud. Är världen bara avfall och elände?

Ja, hon mår illa. Men tar sig samman och organiserar upp räddningen av bilsätets gråblå klädsel. Det tar tid. Först skrapa upp med en stekspade. Sen tvätta med ljummet vatten. Det som eventuellt syns i morgon ska hon ta med textilschampo.

Hon fryser. Hela tiden har hon arbetat utan kappa och i bara tofflorna. När hon kommer in drar dyningar av illamående genom kroppen och hon känner sig på en gång svettig och genomfrusen. Hjärtat har börjat slå väldigt fort.

Det dröjer länge innan hon förstår att hon är sjuk. Hon har värk i vänster arm. Jag måste vara stilla tänker hon. Alldeles stilla. Det gäller bara att ta sig opp för trappen. Komma i säng. Vara alldeles stilla.

Ingen växt har väl så mycket sällskap som ljungen har. Av sig själv nämligen. Ljung ljung ljung överallt.

Zachris Topelius sitter i sin lilla blanka hatt med spänne fram. Han gungar i en båt. Vattnet är troskyldigt blått.

Få växter blommar så sent som ljungen gör. Långt in i augusti. En god diktare kan få vilka dumheter som helst att fastna. Man borde kanske byta ut ordet god. Men mot vad? Bilden av Topelius sitter på väggen i Runebergs hem. Vilken veneration de hade för varandra. Har PC Jersild någon bild av Lars Andersson på väggen? Nej.

Det där ensam-är-jag-som-hedens-ljung-blommar-tidigt-och-vissnar-ung har centrifugerats länge nu. Blir man kanske lite rörigare i huvudet med åren? Ånej.

*Vad är en gammal kvinna? Ett grand i ögat, en sticka för foten. Hur skall den gamla giva glädje? Hon skall tiga, hon skall försvinna. Då när ingen blir henne varse, ger hon den bästa fröjden.*

Runeberg låg och teg i sin värld, stirrande i skvallerspegeln. Men hans stela blick var inte fäst på fruntimren som promenerade förbi på Borgågatans kullerstenar utan på småfåglarna. Fredrika läste för honom. Timma ut och timma in, i tjugo år. Godhet. Här ett outbytbart ord. Var den äntligen över nu den godhetsblandade, den samvetskvalda bitterheten?

*Varför har även den gamla känslor, varför vill även hon leva, varför vill hon titta ut om sin dörr? Där inne ljuder glatt tal, där ljuder glättigt skratt. Det är de unga männen, som talar varmt om livets stora drömmar, om det vackra, om det sköna. Icke skall den gamla kvinnan gå dit för att skrämma bort deras glädje.*

Hut går hem. Toddarna är tömda till sista slatten. Det är slut med skålarna och deklamerandet. Den store har fallit raklång. Nu kryper

den gamla kvinnan fram. Du tittade kanske till en början efter lock-
ande, gungande, blossande unga fruntimmer i din slagrördhets skval-
lerspegel. Men nu ser du små gråa fåglar. Och den gamla gråa och
goda och kanske ännu något bittra kryper fram vid din axel. Hon lä-
ser och läser och läser för dig.

Jag tror att hon äntligen vilar när hon läser. Jag tror hon lever.

Det här har jag ju läst förr, tänker Oda och lägger ifrån sig Teck-
ningar och drömmar. Det må vara. Men jag har också tänkt det förr.
Det är värre. Topelius drev vi med redan i Fruntis. Fredrika fick vi
aldrig läsa. Oda hade Ida Strömborg som lärare. Idas far var rektor
för Fruntimmersskolan. Hon kan inte minnas att Ida egentligen nå-
gonsin talade om något annat än Runeberg. Strömborgs hade bott i
samma hus som skalden. Ida märkte aldrig det där, tänker Oda. Man
märker inte att man mal om.

Förr trodde hon alltid att de som skrev eller målade eller kompo-
nerade eller spelade eller sjöng eller rörde sin kropp i dansmönster
kom ur det där livsmalandet, ur omtagningarna. Kom fram till nån-
ting. Att det blev ett resultat. Hon trodde att Johan kom fram till nå-
got när han satt och skrev sina protokoll över samtalsgruppens över-
läggningar sent om kvällarna.

Jag beundrade Johan för att han samlade sig. Sina tankar till en
livsåskådning. Jaja. Han var värd all beundran. En enastående märk-
värdig människa. Själv kände jag mig fladdrig. Kanske tänkte jag
verkligt allvarligt över nånting en viss dag, då nånting verkligen
också hade hänt, som – ja första provsprängningen efter kriget. Men
nästa dag hade något nytt inträffat, ibland bara i mitt eget liv, mitt
begränsade Odasynfält i Helsingfors eller på Lindholmen eller i
Dalen, och det upptog mig helt och jag glömde bort det där jag
tänkt ut och nästan hade kommit fram till. Sen kom nåt annat. Och
nåt annat. Det var en sån blandning jämt. Det var kärleken och det
var sorgen efter Lars, den fine men sig själv vilseledande, det får man
nog säga, och det var mamma och hennes oblyga, ja, oanständiga
livsvilja och det var Heikki och hans surmulna övergivenhet och det
var Atlantpakten och ljugandet och tittandet bakom gardiner (om
Aina stod där, bakom sin) och sen blev det ju sorgen efter Johan och
miljöförstöringen och den här nya rasismen, fast det kanske är att
överdriva, och det är en väldig blandning och ett flimmer. Ibland
blir huvudet en centrifug och nånting far runt därinne som en glömd

strumpa och det är antagligen min livsåskådning.

Men så är det en sak som jag har tänkt nu på senheten. Rastlöst är det ju. En väldig blandning. Svårt att hålla ihop. Men man förstår ju till slut att fast man rör sig över stora områden så kommer man tillbaka.

Jag kan inte säga att jag byggt mig ett altare i någon Mamres terebintlund – som Johan faktiskt gjorde, fast inte till en gud förstås. Mera till demokratin och det fria tankeutbytet. Sådana saker. Något att återkomma till för koncentration och kontinuitet under det rastlösa strövandet. Religion kunde det förresten inte bli fråga om för min del heller. För den bygger man inte, åtminstone inte den äkta, med vilje. Men som Johan: livsåskådning. Eller varför inte program.

Något eget program fick jag aldrig ihop. Men det var till slut i alla fall en sak jag förstod: det rastlösa strövandet leder inte rakt ut i intighet eller utbytbarhet. *Man rör sig över områden som har blivit ens egna.* Men varför blev just dessa bitar öken, dessa blommande sköna dalar och skräpbackar och krokiga vägar mina?

Se, det vet jag inte. Egna har de blivit i alla fall. Mina genom återkomster. Ändå är detta inre landskap inte olikt drömmens, det som man kallar det omedvetna. Drömlikt är det långa, långa sträckor och ödsligt kan det verka i sin brist på fast punkt. Altare av något slag. Men ändå igenkännbart. Precis som det man läser faktiskt. Så de som skriver och dansar och spelar och gör bilder med sina kroppar och sina röster och sina händer de är kanske inte så olika oss andra. De återkommer till det som är deras. Men varför det blev deras, det vet de inte.

Kanske hör de här ständiga uppbrotten bara till ålderdomen? Minns jag fel? Var det rastlöst förr också? Johan var ju en stadig man. Ingen kan säga annat. Fast han blev inte så gammal. Han fick inte leva länge och behövde inte revidera sin syn. Han blev inte ens sextio år. Han var i sin fulla kraft och han trodde på denna kraft och på sin stadighet.

Han såg Östeuropa förslavas under en dödsbyråkrati. Den nukleära kraften, den som vi i början aningslöst och jargongigt kallade att klyva atomer, såg han som ett dödsredskap, de sinnessjuka maktmänniskornas möjlighet att stråla massdöd från en giftig sol. Där var han mycket bestämd. Jag vet inte vad han skulle ha sagt om den civilisation som inom sig, i varje liten energiförbrukande process, om det så bara är fråga om att rosta två skivor franskbröd, bär denna giftiga potential inom sig, dödens miniatyrsol. Han beundrade mycket Krilonböckernas och månfärdernas författare. Men han dog innan Lunik hade landat på månen och han fick aldrig se den värld om vilken hans store författare skrev den bok om minnet och döden som han kallade Några steg mot tystnaden. Där arbetar sig en förgiftande och förlamande tanke fram: världen, historien och människomassorna förändrar sig inte. Hatet, girigheten, ledan, lusten att plåga och döda följer människorna i våg efter våg av tid och historia. Lidandet, summan av all smärta vi tillfogar andra och som den grymma och likgiltiga existensen tillfogar oss, är konstant. Därinne, i denna väldiga vågrörelse av mörker och smärta, kan ljus och barmhärtighet glittra till. Individerna förmår ibland befria sig, åtminstone i stunden, från plågan och från lusten att plåga varandra. Men den mörka vågen, den grymma men likgiltiga, smärtfyllda, den okänsliga existensen är sig alltid lik.

Det var en mörk tanke, en mörk livsfond ska man kanske säga, för den hade alltid funnits hos denne författare.

Jag måste minnas att Johan sa att de motståndsmän, ja han kallade dem så, som inte hade den mörka livsfonden inte heller hade någon riktig tro på människans höghet och värdighet. Sådana ord användes på den tiden. Jaja. Nu kan man säga dem till julgranen. De som utan insikt om livets grymma smärtmörker försökte göra motstånd mot ondskan, de var bara självförgyllare och charlataner sa han. Motståndet vilade på en paradox.

Quand même.

Sådana ord användes. De var grunden. Han ansåg det under människans värdighet att låta sig uppslukas och tystas av den mörka vågen. Ja, han gick så långt att han ville se livets mening i detta motstånd mot död och mörker och plåga.

Han visste naturligtvis innerligt väl att döden och smärtorna skulle få sista ordet också med honom och att han skulle bli tvungen att underkasta sig. Men det skedde relativt tidigt i hans liv. Han var i sin fulla kraft. Han kom aldrig till ålderdomen och därför fick jag aldrig veta om också i hans liv den mörka vågen skulle ha vällt fram eller sipprat in som tidvatten och tagit hans motstånd och hans glädje.

Johan har varit närvarande hos mig som en man i sin fulla kraft och därför har jag kanske längre än vad som annars varit möjligt kunnat dämma mot den mörka insikten, mot kylan och förlamningen. Jag lever på sätt och vis i det förflutna. Jag lever i en bevarad kärlek.

Den är ju inte levande, för den förändrar sig inte. Den har inte varm blossande hud heller, den har inte ljuva vätskor som rinner till och blandar sig; den är bevarad och därför är den kanske inte heller levande.

Det var allt en otäck stund den där på Skogskyrkogården. Jag har inte velat minnas den. Nej. Jag trodde att tiden och döendet hade hunnit ikapp mig. Jag hade starka smärtor i bröstet. Jag satt ihopsjunken. Jag visste inte ens om att jag sträckte upp armen. Då sa en röst: kära nån! Hur är det?

En alldeles okänd människa böjde sig över mig och allt blev uppskjutet. Men ändå nära. Jordens heliga eller oheliga, men den här gången kanske milda infall döden blev uppskjutet en stund.

Men kvar i munnen var smaken av aska och tanken som jag inte vill tänka: jag har gått i ett dödens landskap och jag har haft en spökälskare. Det här är inte levande kärlek. Nu tar den mörka vågen mig till slut och jag får leva vidare och i bitterhet se på en ond värld.

Var det därför jag spelade pajas hos Ruth för några dar sen? Sigge har inte ringt. Kajan har inte ringt. Ruth skulle jag inte ha hört ett ord från om jag inte gått dit själv. Ulla Häger var här men hon lämnade mig i otålig ilska. Inte ett ljud från Blenda. Sylvia – en förströdd röst i telefon. Det var någon som ropade på henne hela tiden.

– Nu er jeg saamaend kjed af dette, säger julgranen till Oda. Varför den talar danska förstår hon inte. Men eftersom det är julnatten så är det väl full fart nu; thepotter og metalsvin och nattergaler rör på sig.

– Du er meget agtvaerdigere end din Tale, säger julgranen. Jeg kjender dig bedre end du kjender dig selv.

Sigge kommer aldrig någonsin att få veta vem det var som satt härinne i biblioteket på Sal och läste om den vise Nathan. Hon anar inte ens när det skedde. För hundra år sen eller hundrafemtio? Någon har suttit här och i djup koncentration läst om hur förnuft och rättsinnighet och kärlek besegrar vidskeplig bokstavstro och maktgirighet och grymhet. Han (eller hon?) har dragit mjuka blyertsstreck vid just sådana ställen.

Ord. Blankvers. Tyska frakturkrumelurer. Men också något annat. En närvaro. Nästan som en andning. En spänd uppmärksamhet på just de ställen där förnuftet och rättsinnigheten och kärleken kommer till tals i versens vackra och naturliga lopp.

Nu är Sigge i läsandets rum. Hon är ensam. Hon är till och med befriat ensam och bryr sig inte mycket om var hon befinner sig med sin kropp. I denna ensamhet har hon sällskap. Till att börja med är det inte stort. En äldre, ädel herre. En ung dam blossande av förälskelse. Det är europeisk rokoko förstås. Men det är också medeltid och orient. Och det är Sigges tid: hon undrar om branden i Nathans hus var anlagd och vad det var för pöbel som i så fall kastade in flaskorna med bensin. Om den var ung. Om den kallade sig kristen eller vit eller möjligen asatroende. Hon finner tjänarinnan Daja något inskränkt och beskäftig. Men snäll. Och hon tänker på hur alltför fasta övertygelser kan samsas med en sorts hygglighet och till och med snällhet och kanske godhet. Fast hur länge? Ett par damer ur Odas diskussionsgrupp har nu sällat sig till sällskapet. De håller sig i utkanten liksom Emil Hovall gör. Han står och snor sin slokande mustasch när Al-Hafi, dervischen ska göra ett drag på schackbrädet. Ja, hur lätt blir inte visionerna obehagliga och hur insnärjd är man inte fast man vill vara en fri, dervischiskt virvlande ande. Och klosterbrodern är ett diktaturens kreatur men som sådan ganska beklagansvärd och han undviker faktiskt att direkt förråda Nathan. Ja, det finns meleringar, nyanser och skiftningar. Man undrar bara – hur länge?

Hur länge står sig vanlig hygglighet? Vanlig mänsklig ouppstyltad godmodighet. Han (eller hon?) som dragit blyertsstrecken och som andas här alldeles intill Sigge i hennes ibland bråda, ibland eftertänksamma och gång på gång omtagande läsning, tycks inte tro på den utan letar efter något annat. Förädlad hygglighet. Genomtänkt. Han letar antagligen efter program och principer.

Men är inte principer farliga? Bildar de inte ett fundament för skurkar som patriarken? Kan inte sådana mörkmän vars skicklighet, ja, intelligens inte ska underskattas använda sig av den barnslighet som vi tycks återfalla i så snart vi tror oss ha fast mark under fötterna?

> Der Auberglaub', in dem wir aufgewachsen,
> Verliert, auch wenn wir ihn erkennen, darum
> Doch seine Macht nicht über uns. – Es sind
> nicht alle frei, die ihrer Ketten spotten.

Det där borde han ha strukit under, men det gjorde han inte: övertygelserna som vi växer upp med har makt över oss fast vi tror att vi är fria och skojar med dem och till och med kallar dem för vidskepelse. Förstod han inte att det var viktigt? Övertygelsen kan ju vara mycket barnslig. Skelettet av en tro på tvång och makt. Så blir revolutionären lydig. Och en vanlig hygglig människa börjar säga att det måste finnas gränser ändå för hyggligheten. Någon ordning får det vara.

Varför gjorde han inte ett blyertsstreck vid det här? Levde han i en idyllisk tid? Finns det idylliska tider? Sigge ska i alla fall stryka för det här, hon ser sig om efter en penna. Då får hon syn på apan; man kan säga att den ger henne ett mycket forskande ögonkast. Brunt, glimmande.

Sen inser Sigge att det inte kan vara apan. Hon tittar igen. Det är verkligen de mörkt bruna och mycket uttrycksfulla ögonen som ser på henne. Vackra nu därför att de sitter i ett mänskligt ansikte. Det står en figur alldeles intill apan, snett bakom den. Kikar fram bakom apan och tycks ta dess blick med sig. För porslinsfiguren är nu bara blank och dum i uttrycket.

– Guten Abend... schönes Fräulein... darf ich?

Och först när Sigge nickar, förstummad, stiger han fram. Så förskräckligt ful han är! Stackars karl. Ja, det finns sannerligen fula människor. Bortom alla resonemang om smak och stilar och tider och raser.

Men ögonen. Han har så vackra ögon.

Nu bugar han på ett invecklat sätt. Högra foten sätter han bakom den vänstra, vänster arm ligger mot mellangärdet, den högra gör en fenrörelse i luften för att slutligen hamna mot kroppen så att handen ligger mot hjärtat eller hjärtats plats under den grå rocken. Samtidigt böjer han överkroppen och huvudet så att hon ser en söm på hans huvud. Han har inte eget hår. Han har en ganska vardaglig gråaktig peruk och benan är en söm. Han har tjocka slitna läderskor med ett anlupet metallspänne och vita eller snarare gulnade strumpor, något sladdriga. Byxorna är av samma grå ylletyg som rocken och de når till knät där de är åtdragna med en spänntamp. Av skjortan syns bara ett ganska skrynkligt krås, resten är dolt av en svart väst med en lång knapprad. Hans vänliga ansikte lyser i fulheten. Men av vad? Det är ju ganska mörkhyat och fullt av gropar och ärr. Näsan är groteskt stor. En riktig kran. Det sitter snuskorn i näsborrarna. De har fastnat i de mörka hårtussarna. Han har köttiga läppar och tänderna som blottas när han drar isär dem är starka, bengula och långt upp befriade från tandkött.

– Vem...

Han bugar igen, inte fullt så djupt och invecklat nu. Men tillräckligt. Det tar en stund.

– Mitt namn är Moishe Ben Menachem Mendel, säger han. Människovän och filosof. Jag vågar i all anspråkslöshet kalla mig så.

– Va?

– Ni kan kalla mig Moses Mendelsohn om det behagar er.

– Jag ska gå hem nu, säger Sigge. Jag menar jag ska åka hem.

Han ler och de bruna, nästan svarta ögonen är nu det enda hon ser i hans ansikte.

– Jag ska åka bil, tillägger hon.

– Jag stör kanske? Saken är den att julgästerna på Sal brukar få en liten bischoff så här dags.

Han knäar när han går.

– Den där apan, säger Sigge.

– Ja?

Han drar i en snodd som hänger invid dörren. Det pinglar någonstans.

– Jag bara tänkte på att den är så stor. Som en vuxen människa faktiskt.

– Ja, det är groteskt, säger han. Det har ingenting med konst att göra. Men givetvis med skicklighet.

Allt som har hänt de sista minuterna, och det är ju inte så mycket egentligen, har förefallit Sigge privat. Någonting dem emellan. Han och hon. En bugning. Några ord. Men nu går dörren upp och den gamla hushållerskan eller vad hon kan vara slamrar in på ett allt annat än privat eller drömartat sätt. Hon bär en bricka med glas och ett fat med kryddor och torkade starkgula skal och en kanna varmvatten och en facettslipad karaff med rött vin i och en sockerskål. Hon muttrar och mumlar och sätter ner servisen hårt i bordsskivan. Fulingen med de bruna ögonen ber henne om ett glas till. Sigge vill protestera. Inte för att det vore helt fel med något att dricka. Men hon tycker det är hemskt att gumman ska behöva springa en vända till i de branta stentrapporna. Och gudvet hur långt. Hon har bara tofflor på fötterna. Konstiga båtliknande tofflor. De slutar i en smal uppåtböjd spets och de är broderade. Men när glaset kommer har Sigge glömt henne. För nu talar fulingen med sin varma och melodiska röst och det han säger intresserar henne på det djupaste.

Han berättar att porslinsapan tillsammans med många andra lika stora figurer på sin tid tillverkades på direkt order av kungen av Preussen. Det fanns en stor konstskicklighet vid den kungliga porslinsfabriken. Man kunde naturligtvis tillverka djur av olika slag. Men det blev apor.

– Det var en särskild *point* att välja apor förstår ni. Darf ich?

Han slår ångande vatten i vinet. Hon känner lukten av pomerans.

– Medlemmar av min församling tvingades köpa porslinsfigurerna. De var groteskt stora och därför mycket dyrbara.

– Er församling?

– Den mosaiska.

– Jaha… så de tvang rika judar att köpa porslinsfigurerna. Und wozu?

Han ser på henne med sin varma intelligenta apblick. Den är uppfordrande. Och Sigge svarar sig själv:

– Um Geld zu fischen.

Han gör en aldrig så liten bugning, bara med huvudet nu.

– Ja, det var ett slags tvångskontribuering till staten. Ett förfarande som antagligen föreföll konung Fredrik II och hans hov mycket spirituellt. Ni kan tänka er att aporna väckte munterhet.

373

Han säger det utan skärpa. Han ser faktiskt sorgsen ut.

– Men hade inte Fredrik den Store sagt: Die Religionen müssen alle toleriert werden?

– Toleransreskriptet! Det lever alltså än!

– Ja, säger Sigge. Ord har en alldeles mirakulös överlevnadsförmåga. Det är värre med människor. De dör som flugor.

Han sitter tyst. Det är omöjligt att avgöra om han är illa berörd eller om han helt enkelt inte förstår. Han måste tycka att jag är grov. Kanske äcklig. Att dö som en fluga. Är det så han tänker? Han ser en fluga som ligger och rör benen i trög kramp. Försöker sprattla. Han förmår inte sätta den rätta förstavelsen framför ordet. Vårt århundrades.

– Massdöd, säger hon på prov.

Hans ögon är alldeles öppna, tomma.

– Tjugosextusen obeväpnade indier sköts av engelsmännen vid Jaillianwallah Bagh i Amritsar år 1919. Men orden överlevde.

– Vilka ord, gnädiges Fräulein?

– Västerländska värden. Demokrati. Tolerans. Humanitet.

Nu sitter han och snurrar på sitt glas med det mörka tunga huvudet på sned och de tjocka läpparna putande. Han ser lite sorgsen ut, men egentligen alldeles för lite med tanke på Sigges utbrott nyss. Lätt beklagande bara. Då slår det henne att han är generad. Jag var för rakt på sak, inser hon. Sa som det var. Det fanns något här, det höll på att bli till; han försöker upprätta det. En viss ömtålig trevande samstämmighet, kanske ett tankeutbyte. Eller bara en stämning. Men jag är för grov. Massdöd. Massbeskjutning. Massvåldtäkt. Det är för rått.

– Ni påminner mig faktiskt om någon, säger Sigge i en ton som hon försöker göra lätt. Rokokograciös.

– Och ni, unga dam, påminner mig plötsligt, just i detta ögonblick när ni låter blicken vila på mig på det där sättet, om en förtjusande kvinna jag en gång kände. Hon hette Henriette Herz. Ni utövar väl inte heller något författarskap?

– Nej, säger Sigge förbluffad. Författarskap? Hurså?

– Jag tänkte det. Henriette ägde en djup bildning men hon utövade inget författarskap. Hon talade kan man säga. Konverserade. Och vem påminner jag er om? frågar han nu den djupt rodnande Sigge.

– Jag tänkte på Lessings figur... den här judiske... ja, den vise Nathan alltså. Kanske.

Hon blir rödare och rödare för det här är inte riktigt sant. Hon ger komplimanger. Hon bidrar till den lätta och graciösa stämningens uppbyggande. Detta är privat. Inga massor indragna. Han och hon. Några ord, lätt förflygande. På sätt och vis påminner han henne om Nathan. Visst gör han det. Men den groteska fulheten kommer man inte ifrån. Den mörkbruna, ärriga, tjockläppade, grovporiga. Det finns ögonblick då hon befrias från att se den. Men det är lögn, lätt, graciös, kanske till och med spirituell lögn, men i alla fall lögn att han liknar Nathan der Weise.

– Den vise Nathan är en ädel gestalt vars mantel vännen Lessing låtit snudda vid min skuldra, säger han leende. Ni vet säkert hurdana författarna är. De förädlar oss. De bygger upp oss till heroiska mått. Själva är vi – så här.

Han slår ut med händerna och böjer huvudet så att hon återigen ser sömmen i den dammiga eller möjligen pudrade peruken. Sen reser han sig och bugar lite. Han håller ut armbågen och Sigge förstår inte varför.

– Gnädiges Fräulein, darf ich wagen?

Han vill att hon ska ta hans arm.

– Jag vill gärna visa er någonting.

Så fort de har lämnat biblioteket känner Sigge ett obehag som liknar rädsla. Hon vill inte hålla honom under armen. Hon vill överhuvudtaget inte röra vid honom men han anser sig behöva stödja henne i trappen. Öppna dörrar för henne. Bugande visa henne vägen. I en trång passage befriar hon sig från hans arm. Hon känner den där stenlukten igen. Krypta. Tunga valv. Kanske fossileras gamla hus så småningom; stenarna smälter molekyl för molekyl ihop med murbruk och järn och trä och huset blir berg igen, blir grotta. Han går snabbt nu. Hon ser hans sneda rygg som drar tyget i rocken så att det rynkar sig. Den mattpudrade peruken slutar i en hårpiska som är så hårt ombunden med ett svart band att det ser ut som om den låg i ett paket.

– Vart är vi på väg? frågar hon fast hon egentligen inte vill tala med honom för nu har hon en känsla av att gå bredvid en död i grottans gångar. En tom representation av en människa, sammanhållen av klädesplagg, gestik, ord.

– Vi passerar, vi passerar, mumlar han. Det går fort. Jag försäkrar er. Det går mycket fort. Men hon förstår att det är en besvärjelse; han tycker det går för långsamt. Korridorerna och trapporna är mörka nu. De måste treva på gropiga stenväggar. En dörr slår upp och jämrar sig: järn mot järn. Så kommer nattljuset från snön och en kylig våt luft mot Sigges ansikte. Han går före henne genom nysnö.

Det ligger en flygel snett bakom huset. Det är en envåningsbyggnad med en enda ytterdörr. Han öppnar den med en nyckel som han trevar fram ur en ficka i ena rockskörtet och ber henne vänta ett ögonblick. Det blixtrar svagt och ett par ljusglimtar flämtar till därinne i mörkret. Sen fladdrar ett osäkert gult sken över brädväggar. Det är en farstu. Han visar henne genom ytterligare en dörr och blixtrar på nytt med ett litet don som han måste ha burit på sig som en cigarrettändare. Härinne är väggbrädorna spontade och grönmålade. Det sitter mässingshållare med ljus på den småblommiga tapeten ovanför dem. Rummet har fönster med grönrutiga bomullsgardiner och det står en stol med trasigt överdrag i samma tyg invid dörren. Ett käppställ. En spottkopp. Ett stort skåp. Annars inga möbler. På skåpets överkant ligger buketter med torkade smörblommor, mörkgula i det flimrande ljuset.

— Jag skulle vilja utbe mig nöjet av ert sällskap, säger han i samma stund som han öppnar de dubbla skåpdörrarna. Ytterligare en bit in i...

I vad? Han tystnar medan han tar fram kläder. Det verkar mest vara tygsjok. Och tofflor.

— Vi måste förändra vår representation en smula. Om det behagar er?

Vad ska hon svara? Hon står med en börda vitt siden i famnen. Det känns lätt och skört som om det vore mycket åldrigt. I det vita finns det blå och gröna stråk – skuggorna fladdrar. Det är egentligen inte lätt att säga vad det är för färg. Silvervitt. Det är spetsar infällda i det. Han har stigit långt in i mörkret därborta men hon ser att han tar av sig rocken och då gör hon det också. Varsamt för att inte skada sidenet drar hon plagget, vad det nu är, över huvudet. Därborta har den mörke aplike mannen svept sig i något vitt han också. Och nu tar han av sig peruken och hänger den på en spik bredvid skåpet. Den säckar ihop, saknar skallens form.

Då ser hon att han inte bara har vackra ögon. Han har vackert hår också. Det är mörklockigt, inte så långt. Utom vid tinningarna. Där har han långa korvskruvslockar. Han lägger huvudet på sned och ler mot henne. Han är överhuvudtaget mycket mer tilltalande nu. Näsan är inte så grotesk. Läpparna stramare. Och ljuset är snällt mot hans hy.

Han kommer fram till henne med ytterligare en börda tyg. Men molnlätt. Det är en lång slöja. Han visar henne hur hon ska bära den. Över huvudet, ner över ansiktet. Det blir varmt därinnanför. Tyget är genomskinligt, glest broderat med blommor och fåglar. Ett nät bara som de tycks ha fastnat i. Hejdad flykt, förvandlingar. Tygkänsla. Egentligen vill hon inte. Men han säger så vänligt vädjande att det är nödvändigt.

Sigge har tagit av sig bootsen. Hon stoppar ner fötterna i platta lädertofflor som ser ut som båtar och är broderade med blommor framtill och utdragna i en lång böjd spets.

– Herr Mendelsohn, viskar hon. Jag kan inte få den här klänningen att hålla ihop.

Han ler och ger henne ett stort ärgigt grönt spänne att fästa vid axeln så att den vita sidenklädnaden följer med när hon rör sig. Själv har han det besvärligt med några långa sjalar med tofsar och bokstavstecken på. De ska tydligen ligga i mycket bestämda veck och omtagningar runt axlar och liv. Nu ser hon vem han är.

– Herr Mendelsohn, viskar hon. Ni är ju alldeles förvandlad. Är ni Nathan nu?

– Så gott det går, så gott det går. Was sind wir Menschen? säger han leende och med alldeles normal röst.

Hon förstår inte varför hon själv har viskat. Men rösten känns hes och konstig. Helst skulle hon inte vilja prata alls. Hon undrar vem hon själv är. Jag kan ju inte vara Henriette Herz, tänker hon. Eller kan jag det? Att gå innanför den lätta slöjan och i det svala sidenet gör henne upphetsad. Det är som när hon provade Armanikostymen på NK och såg hur lik Lili Thorm hon var. Faktiskt. Om hon bara ville.

Fast här är det förstås han som vill. Och vad vet hon inte riktigt. Nu öppnar han en tapetdörr och visar henne in. Eller snarare upp. Det går en brant trappa mot en annan dörr. Mendelsohn eller Nathan, som han kanske vill vara eller är nu, bär en malmljusstake i handen och ljuset droppar och rinner och fladdrar i draget. Sigge blir rädd för vådeld. Det är så mycket trä överallt. Torrt gammalt trä och tapeter som spruckit mitt i de glesa blomsterbuketterna.

Det är en port däruppe. Och det underliga är att den ljuder som en stor kyrkklocka när han slår på den. Kopparport. Det är vad det är. En dubbel port av en svartrödskiftande metall som har spår av grön ärg i de teckenslingor som pryder den. Bokstäver. Fast otydbara. De flyter som i sand.

Sigge stirrar på teckenslingorna och mönstren på porten som ännu ljuder och frågar vad det står, fast hon nu är så hes att hon knappt kan tala. Då läser Nathan med stark och stadig röst:

> När solen förmörkas
> När stjärnorna fördunklas
> när bergen börjar skälva och röra sig –

Hon förstår ju att det står på ett annat språk och att han översätter. Extemporerar skulle han kanske säga själv. Hon undrar om det är hebreiska eller grekiska som står där eller något ännu åldrigare språk men vågar inte fråga, inte just nu, för hans röst är så annorlunda. Den har ingenting av det där förekommande och älskvärda och trevande som hon kommit att uppfatta som dess essens. Och bakom hans ord ljuder porten fortfarande svagt som en kyrkklocka en lång stund efter ringningen.

När kamelstona som ska föda inte får någon vård
När vilddjuren flockas
När haven sjuder
Och själarna förenas

När flickebarn som blivit levande begravda
får svara för den synd som de blev dräpta för

När skriftrullarna öppnas
När himlen flås upp
och helvetet flammar upp
När paradiset är nära

Då ska var och en få veta
vad han har uträttat.

Att himmelshuden flås av och rullas undan på det där sättet tycker
hon sig minnas från Bibeln och hon vill fråga honom om det är Jesaja
men nu får hon inte fram ett ljud. Det verkar i alla fall som han för-
står henne för han säger att detta är Profetens ord. Men nu har port-
halvorna börjat gnissla och svänga upp och till sin förvåning ser hon
Nathan krypa ihop och han säger något med besynnerligt gäll röst.
Han gnäller faktiskt.
    – Salla allahu alaihi wa sallam! låter det.
    Hon tycker det är obehagligt. För en halvtimme sen var han fri och
lätt i sina rörelser och hans röst och ord var graciösa och tilltalande i
alla meningar av ordet. Nu tycks inte det här heller vara så allvarligt
menat, för ganska snart reser han sig och går in genom porten utan
att titta på de två stora karlar som har dykt upp. Han går före henne
och det tycker Sigge är besynnerligt för hon har vant sig vid hans fö-
rekommande gester och den ständigt erbjudna armen. Själv är hon
alldeles förstummad. Hon är inte rädd. Men hon har kommit av sig.

Karlarna är svarta, blanka, stora. Den ene liknar Ben Johnson och den andre liknar den förste. De luktar svett och parfym och olja. De måste ha gnidit in huden. De står bredbenta i korta påsiga byxor med båda händerna på ett svärdsfäste. Allting hos dem är likadant: svärd, ansikten, turbaner. De stirrar rakt fram. De tycks inte se henne och inte Mendelsohn eller Nathan som nu är reslig i sin långa och tunga linneklädnad med tofsar och vävda bårder på. Det mörka håret har blivit silvrigt. En lång glänsande silverlock darrar vid båda öronen. Ögonen är sig lika, den bruna varma blicken söker hennes. Men den groteska näsan, den grova käken och sneda köttiga munnen, tänderna som trängs om utrymmet – det finns inte ett spår av dem. När han ler mot henne ser han lika snäll och klok ut som förut. Men nu är han vacker. Vi är förvandlade tänker Sigge. Som fåglarna och fjärilarna och blommorna på den spindelvävstunna, guldinvävda, glittrande slöjan som han svept om henne. Konstigt nog luktar det cirkus härinne. Och jag hör oroliga ljud. Fnysningar och stampningar.

– Vi är på väg upp genom hans furstliga höghet Sallah-Al-Dins palats, säger Nathan. Därnere är hans stall.

Djupt nere under trappans virvel ser hon raggiga och puckliga djur. Vispa drömvaniljen hårt läste Sigge nyligen på ett paket i snabbköpet. Jag ser kameler. Vad ska det bli härnäst? Hon kan inte prata med honom. Men det gör ingenting. För hon vill inte prata. Hon vill inte ens fnissa som hon gjorde nyss. Jag har pratat oavbrutet i hela mitt liv, inser hon. Så känns det. Nu vill jag vara tyst. Jag vill vara i denna förundran.

Det högtidliga ordet – som hon bara tänkt, men mycket tydligt – gör henne ett ögonblick generad för Nathan-Mendelsohn. Hon är nämligen säker på att han har hört det fast hon inte fått det över läpparna. Munnen och käkarna känns stela. Tungan är klumpig och vänder sig under gommen. Den far över tänderna som verkar knöliga. Så mycket kropp man har. Hela tiden. Alltid denna sårbara, tunga, klibbiga kropp. Man är inte nån kolibri precis. Fast man helst skulle vilja flyga nu, svirra runt.

Trapporna är långa. De luktar damm och spannmål. Och sedan mat, oljiga och kryddiga dofter. Avsats för avsats tar de sig uppåt genom skikt av ljud och lukter som hon förstår är palatsvåningar därinne bakom portar och galler. Det finns många oljeblanka Ben Johnsons i sidenbaggies med händerna på svärdsfästen. De följer inte ens

Sigge och Nathan med ögonen. Vi är två flugor som klättrar upp i tårtan, tänker Sigge. Upp i det söta.

För det luktar sötare, vaniljaktigare hela tiden. Men också rökigare. Stalldoften har inte alldeles försvunnit. Men den är nästan utplånad ur minnet när de står på en avsats som Nathan säger är den sista och där återigen två högresta män, lika varandra som ett par svartblanka sjölejon, vaktar en ingång utan dörrar. Det första ljud Sigge hör när de kommit hit upp är det fina porlandet av vatten. Sen hör hon röster, intensiva och lågmälda. Ett samtal. Låga skratt. Men alltid samma människa som skrattar först. Sen kommer de andra, som ett efterporl, ett syrerikt bubbel ur en fontän. Snart kan hon också urskilja musik på långt håll. Det är spröda ljud och de tycks komma ur silver och bambu och lätta träslag och från strängar så tunna att de nästan brister under tonföljderna. Hon kan inte se dem som spelar. De står nu i själva öppningen in till en sal och Sigge har god tid på sig att räkna dess hörn som är åtta stycken.

En väldig sal – eller är det en trädgård? Ljuset faller in från fönster i en kupol. På sidorna finns väggar, genombrutna och med tunna tyger i öppningarna och blomspaljéer och griljerade med tunna galler av utskuret och profilerat trä. Hon förstår att åtta rum är byggda kring oktagonen i vars mitt det finns en fontän och ett upphöjt viloläger med sidenkuddar och glänsande mattor. Där sitter män. Det finns också ett träd vid vattenkonsten som porlar upp ur en cirkelrund marmorcistern fylld med klart vatten.

Trädets grenar springer så regelbundet ut från stammen att hon kan räkna dem: arton stycken. Kvistarna är mer svårräknade och löven är inte otaliga men förfärligt många och alla anbragta med samma noggrannhet. För det är inget tvivel om att det är ett konstgjort träd. Det finns också fåglar i det. Men de tycks sitta fast på kvistarna. De sjunger och piper och kvintilerar på ett behagligt och omväxlande sätt. En del av dem är av silver, andra av guld och de färgrika löven glittrar också metalliskt – silvrigt, gyllene.

Det luktar mysk och rosenolja och nejlikor och lätta fläktar rör de tunna tygerna och guld- och silverlöven och får fåglarna att darra. Det är rörelse hela tiden; tjänarinnor ser hon nu, barfota springer de med fat och skålar. De böjer huvudena därframme vid sittlägret så att deras ansikten inte ska synas. Men de har väldigt lite kläder på sig. Om det här är paradiset, vilket Sigge inte längre håller för otroligt, så

381

är det inrättat med smak. Någon har drömt smakfyllda drömmar här, kanske liggande på en lave i herrbastun för femtio år sen. Och den egyptiske härskaren av kurdiskt ursprung som nu residerar i detta jerusalemska Sturebad har haft råd att förverkliga det in i minsta guldgraverade, fint utpenslade, silkesbroderade och på elfenben ristade detalj.

Saladin heter han. Han gav sin sårade motståndare persikor och lät kyla hans sår med snö. Han skänkte den avhästade ärkefienden två arabiska fullblod att fortsätta striden med. Allt möjligt kan sägas om honom. Han kan kläs i våra mildaste drömmar om härskandets ceremonier. I dessa salar tar han emot strömmar av människor från Jerusalems gator: de ber, de gråter, de berättar för honom om sina olyckor i en grym och likgiltig värld. När han dör kommer han inte att ha några hemliga skattkistor efter sig. Detta kan sägas om honom. Nathan talar mycket lågt nu. Han har sagt till Sigge att de ska dröja vid ingången.

– Vi får vänta här hos mameluckerna. Vi får invänta den nådiga vinken, viskar han. Och under tiden berättar han om fursten. Att han någon gång lättar sin härskarbörda med bollspel på smaragdgröna ängar. Att han ibland jagar med pil och båge bland pionbuskar och låter sina jaktfalkar lyfta över mandelträd. Att han spelar schack. Eller för samtal med lik- och oliksinnade, som nu på detta sidenläger, uppslaget under ett spelande träd vid en klar och porlande källa. Eller brunn. Eller cistern med pumpverk, vill Sigge säga. Men hon kan inte röra sin stela käke. Hon tycker bara att hon har en massa tänder i munnen, inga ord. Lyckligtvis, eller förargligt nog, tycks Nathan ändå veta vad hon vill säga.

– Vi har tillåtelse att föreställa oss ett milt härskande. Och källor som porlar. Låt vara att vi inte träffar på dem ofta. Om någonsin. Men vi har inte rätt, skulle jag vilja säga, att utrota dem ur vår föreställning.

Han talar milt och fast. Men Sigge är okoncentrerad. Det är något – kanske cirkuslukten igen? Ånej. Men någonting har skymtat. Och hon vet vad det är. En apfot.

Är det så illa? I smyg sneglar hon på Nathans fötter medan han talar. Men hans fötter är faktiskt mycket ädla. Det man ser är utan tvivel delar av högt mänskliga fötter. Vristens höjning, den vita ådrade fotryggen som försvinner in i toffeln är nobel. Hon kan se formen av stortån under det mjuka broderade skinnet. Det är ingen griptå. Den ligger snyggt an mot de övriga tårna.

Men Sigge är säker på att hon har sett en apfot skymta. Hon tittar på mameluckerna som står bredbenta i sina baggies av råsiden. De är barfota och de har kraftiga svarta fötter. Människofötter. En tjänare springer förbi på avstånd med ett fat med frukt. Det ser ut som nektariner eller lichefrukter. Sigge blir fruktansvärt sugen. Och samtidigt vansinnigt nyfiken. Hon är nära att kasta sig framåt mot fruktfatet och glömmer att hon skulle se på hans fötter. Konstigt nog sätter hon sig ner. Bump. På ändan. Och så börjar hon riva sig i huvudet. Inte för att det kliar så farligt, utan bara för att hon får en sån vansinnig lust att göra det. Nathan lägger sin fina vita hand på hennes arm i slöjan och då kommer hon på fötter igen och skäms för att hon spelat över. Tjänaren kommer för övrigt snabbt tillbaka bärande ett silverfat med utspottade kärnor. Hon har gott om tid att se på hans fötter när han ilar förbi över marmorgolvet. Plattfotat, mänskligt. Sigge har rest sig och tar ett steg framåt. Nathan lägger leende handen på hennes arm igen. Det är som om han tror att hon tänker ge sig in i salen där fruktfatet står på det låga åttkantiga bordet mellan divanerna. Han klappar lite uppmuntrande, tröstande.

Men det är för sent. Hon har sett foten. Den syns nu. Den är glest svarthårig. Den har en utpetande griptå och långa bruna naglar. Den är vidrig. Nathan klappar och klappar.

Den där foten sticker fram under hennes egen vita klädnad. Sigge särar på händerna och låter armarna komma fram ur slöja och siden. De är håriga. Händerna också. Fast inte på insidan. De knotiga långa fingrarna har naglar som kupar sig. Brungula.

Nej – detta är vämjeligt. Hon känner med tungan på tänderna igen och låter fingrarna med de starka naglarna treva på hjässan. Hon hittar en liten mössa. Den visste hon inte om. Hon tar ner den och plockar med sidentofsen. Nathan skakar småleende på huvudet och sätter tillbaka mössan ovanpå slöjan.

Jag är en apa. Det är en tanke att vänja sig vid. Jag är en apa som plockar med saker, som plockar med ivriga klor. En stor en. Ingen liten rhesusapa eller silvermandrill. Jag kanske är en gorilla. Nej, jag är nog en schimpans utklädd i sidenkläder med en lustig mössa på huvudet.

Hur kunde han göra så? Sigge gråter. Hon känner hur tårarna rinner genom den glesa pälsen på kinderna. Nathan ler mot henne. Det är ett snällt leende. Men hon förstår ändå att det ser dråpligt ut när apan gråter.

– Det var nödvändigt, gnädiges Fräulein, viskar Nathan. Jag försäkrar er. Det hade inte gått för sig annars. Som kvinna, som mänsklig kvinna, skulle ni inte ha fått tillfälle att följa det samtal som jag snart genom en nådig vink hoppas bli delaktig av. Ni hade blivit ledsagad till kvinnoavdelningen i palatset, till den store Sal-Al-Dins harem. Där hade det blivit sötsaker, gnädiges Fräulein. Men en sällskapsapa, det är någonting annat. En lustigt klädd apa kan på sin höjd ådra sig ett flyktigt furstligt löje. Vi får i alla fall hoppas det. Schönes, liebenswürdiges Fräulein – håll ut!

Gud vet hur det hade gått med Sigges uthållighet om inte något inträffat nu: Saladin i sin vida sidendräkt ger tecken åt sin emir och emiren ger tecken åt en hög mameluck och mamelucken åt en lägre, barfota mameluck som gör tecken åt en tjänare som ilar – plaff plaff – över golvet och hämtar dem. Nathan vänder sig leende mot Sigge och precis som förut bjuder han henne armen.

– Schönes Fräulein, säger han. Darf ich wagen?

Och så vandrar de fram mot rummets mitt och den med silkesmattor klädda divanen där Saladin vilar på armbågen. Och han ler verkligen, han ler inte bara furstligt, fördragsamt och högst milt utan också verkligt uppskattande åt paret, åt den vise Nathan och hans beslöjade apa med den lilla tofsförsedda mössan. Men för Sigge är denna vandring över marmorgolvet svår och den smärtar i knän och höfter.

Nathan släpper hennes arm när de är ända framme vid divanerna och han gör något som hon genast gör efter: kastar sig framstupa på golvet med bakpartiet i vädret. Sigge ligger inte så länge som Nathan och därför hinner hon uppfatta att Nathans framstupafall tas emot med värdiga nickar medan hennes eget tycks väcka en viss irritation. Hon inser att hon inte ska härma Nathan i allt. I stället slår hon en volt. Det faller sig så lättsamt naturligt fastän siden och chiffong och broderier flaggar omkring henne och volten belönas med skratt. Det gör henne djärv; hennes långa brunsvarta fingrar dyker direkt i konfektskålen på bordet. Hon får tag på en konfektbit som är formad som ett grönt ekollon med förgylld mössa. Den är så utsökt gjord att till och med det lilla skaftet i toppen på ekollonmössan finns med. Men hon slukar den. Hon kan inte hålla sig. Sen gör hon ett skutt till och voltar på en silkesmatta. Hon undrar om de ser hennes stjärt. Kanske apgenitalierna. Har hon såna? Hon undrar också om hon har svans. Det är mycket man inte vet om sig själv, tänker hon. Men hon tänker inte sorgset längre. För hon har ingen sorg. Allting är nämligen mycket lustigt. Det är direkt komiskt. Saladin är visserligen kolossalt ädelvacker med skarp profil och olivbrun hy och bruna, nästan svarta ögon, men Sigge kan inte undgå att se att hans byxor är skurna på ett sätt som måste vara förargligt för honom. De smiter åt kring underbenen och börjar påsa sig vid knäna och sen blir det problem med skärningen av så mycket tyg. Vecken och rynkorna drar obevekligen ihop sig; det är ingen tvekan om att han borde plikta en bra summa för tomt byxaschle även om det är av siden.

Mameluckerna har vaktavlösning nu. Det är tjusiga och farliga och vackra karlar. Och starka. Men när de rör sig i noggrann marsch – till darabuckors dunder nu – så struttar de faktiskt och när de gör höger och vänster om utan någon synbar anledning så liknar de vaktavlösningen vid Slottet. Tycker Sigge och sätter mössan långt nere i pannan som en FN-basker och härmar dem med vevande armar och knän och ser blåst ut och viktig och pantad. Det väcker nöje. Jag är rolig, tänker hon. Jag är riktigt kul. Det har jag aldrig varit förut. Herrarna är komiska också. De talar filosofi nu. Avveroës säger de. Och Ibn Khalid. Och Spinoza. Och de tre religionerna, säger de. Surr surr murr. De talar rappakalja så att det fläktar i mustascherna. Murr murr murr. Det kommer långa siratliga kedjor av viktiga och ädla ord ur dem, de ringlar ur deras munnar. De läppjar på myntate och sirapstjockt kaffe. De äter konfekt ur skålen. Sigge kommer inte åt den mer och hon är inte okänslig för att de kanske har tröttnat på hennes upptåg nu; hon är inte fullt så komisk längre. Murr murr murr. Så småningom blir deras tal sövande och hon försöker sig på en volt. Men nu tar en tjänare tag i hennes arm och klämmer till ganska hårt och hon blir förd fram till Nathan som tar henne i handen och håller fast den medan han säger murr murr murr.

Det är inte en alldeles bara sidenklädd, diamantprydd och finbroderad församling som sitter runt den åttakantiga ciselerade brickan på benstativ av mörkt trä; en ganska sjaskig figur grubblar över ett schackbräde och en munk i grov kåpa finns det också. Han ser tjurig ut. Där är en ung man. Antagligen. Hans kön är svårbestämt, hudfärgen också. Han är blek men antagligen från början mycket mörk-

hyad, kanske svart. Han är kylig och stram och hans murrmurranden
verkar lite kalla och väl teoretiska också för Nathan som annars är i
sitt esse. Kindlockarna skälver. Han strålar. Och pratar.

Det kommer två tjänarinnor in med en djupt beslöjad flicka. Ja,
hon är så omsvept och inlindad att Sigge varken ser hand eller fot av
henne. Bara en svart panna med ett smycke som glimmar. En liten
ängel med vingar för övrigt. Så den flickan är nog kristen fast hon är
insvept som en ärbar muslimsk kvinna. Det är en tjänarinna med
henne, i båtliknande tofflor. Hon lindar upp slöjorna och tygsjoken
så att flickan ses av i alla fall Nathan och Sigge. De andra vänder hon
blygsamt ryggen till. Och Nathan ropar:

– Recha! Recha, min egen älskling!

Han gråter av lycka och Sigge undrar om flickan trots all varsam-
het hon behandlas med, som ett dyrbart paket faktiskt, kan vara
fånge här. Och varför ställer i så fall inte Nathan till ett helvetes liv?
Men han simmar i tårar och orden flödar och han kysser flickan som
är svart som ebenholz och har sitt hår uppsatt i en myriad av små
hårda flätor som det måste ha tagit timmar och åter timmar att tillver-
ka. Sen paketerar de henne igen. Det sista Sigge ser av henne är att
hon sluter ögonen som en stor blunddocka. Och Nathan har ivrigt
börjat prata igen. Avveroës, säger han. Och Ibn Khalid. Murr murr
och surr. Det är förfärligt tråkigt. Men Nathan matar henne med en
konfektbit medan han pratar och hon piggar på sig. Saladin är skön.
Det är härligt att titta på honom. Inget struttigt över honom inte.
Skön manlighet; ande i kroppen. De brunsvarta ögonen liknar Omar
Sharifs i Doktor Zjivago. Fast Saladin ser verkligen ut som om han
kunde skriva dikter. Ögonen de sammetssvarta –

Sigge har lirkat loss sin hand ur Nathans och närmar sig Saladin,
försiktigt på alla fyra. Han ser road ut. Men Nathan drar henne till-
baka med ett grepp i slöjan.

Tempelherren därborta är inte så lockande. Han har ett kantigt
kranium med stramt skinn. Visst är han vit? Eller svart. En tempel-
herre, en ung man ur militant kristen aristokrati måste väl vara vit?
Hans strama hud har en så underlig blekhet. Ögonen ligger djupt i
hålorna, glimmar som det sista svarta blänket av gyttja i en snart ut-
torkad brunn.

Sigge försöker nå konfektskålen igen men får en smäll på handen.
En tjänare tar tag i henne och föser henne mot ett hörn i utkanten av

den väldiga salen. Ingen tycks märka det. Nathan bara talar. Och väl i hörnet får Sigge en spark mellan revbenen och sen en i ändan, mycket eftertryckligt. Hon känner att svans har hon inte. Men svanskota.

Långt därborta talar Nathan. Och talar och talar. Sigge strövar på alla fyra runt i oktagonen. I ett av rummen som gränsar till salen har den avlösta vakten dragit sig tillbaka. Hon skymtar kropparna bakom gallrets blomornament. Deras muskeltunga överarmar och bröst glimmande av oljedroppar. Deras väldiga lår. Det luktar starkt därinne. Fränt, sädaktigt och svettigt. De damaskerade klingorna svettas. De är inoljade. Dit skulle hon inte våga gå in. Inte heller i rummet intill. Därifrån hörs fnitter bakom fördragna gardiner och det svävar ut parfymerad röklukt. De kittlar någon. Den kittlade skriker så det ilar, fnitterskriker. Men det är smärta i skriket. När hon strövar vidare ser hon en mager herre böjd över kartor. Han har ett astrolabium på bordet. Han vill gripa stjärnor han, men han tittar inte upp i himlen, tänker Sigge. Hans fingrar ser i alla fall starka och smidiga och kompetenta ut. Hon skulle inte våga komma inom deras räckhåll.

Vid bordet har klosterbrodern tagit en konfektbit ur skålen. Sigge är sugen. Hon stirrar. Klosterbrodern lyssnar till Nathan och stoppar konfekten i munnen. Nu tuggar han, tänker Sigge. Nu blir det sött i honom. Nu blir det mandel- och arrak- och vaniljsött. Han sluter ögonen när han tuggar. Det ser filosofiskt och teologiskt ut det där blundandet. Men han njuter nog. Han njuter av det mäktigt, fylligt, utsökt söta. Och hon är så sugen själv.

De glufsar inte. Hon håller ögonen på de vita händernas vandringar till skålen. Det rinner ur hennes mungipor, det rinner nerför halsen som tårarna rann i pälsen på kinderna förut. Men hon vågar sig inte fram för hon har fortfarande ont i svanskotan. Hon lufsar längs oktagonens hörn och kanter, inte på alla fyra hela tiden, det skulle vara för genant. Men lite framåtlutad tar hon då och då stöd med händerna. Höfterna smärtar annars och knäna värker.

Då hör hon ett vattensorl igen. Men det är ett annat, finare och livligare än porlandet från vattenkonsten i marmorfontänen. Och fågelkvitter. Sis och knäpp och kvirr och pip. Och en lång, milt övertalande melodisk tonföljd, en kvällsslinga ur mörka trädkronor. Och ett vasst tjatter och vissa kväkanden. Av en and antagligen eller av en anka som tar sig själv på största allvar. Det luktar löv och gräs. Mättat

387

och augustistarkt. En tunn gardin fladdrar i en fönsteröppning och därinne, i ett av de åtta rummen, sitter en rundlagd man med fårskinnsväst, stora rutiga tofflor och en svart kalott på huvudet. Han präntskriver ivrigt med ett vasst stift som han då och då doppar i en kopp med färg. Han tittar upp när hon står i fönstret och ser på honom och han ler vänligt. Sigge har en lång stund haft fullständigt klart för sig att hon är en lusig apa och hon blir väldigt förvånad när han hälsar med sirlig hövlighet på henne.

– Varsågod och stig in, säger han och visar mot en dörr med tunt pärldraperi. Sigge stiger på och försöker så gott det går att hålla sig på två ben. Det gör faktiskt inte så ont nu. Å, fåglar...

Hon får lust att ta efter dem. Svirrande vingar. Lövlätta kroppar. Spetsiga näbbar petar i dun och små patetiska bröst burrar upp sig. Tänk som de sjunger! Som Pavarotti fast de skulle kunna skickas med tjugogramsfrimärke. Och där är en som fäller upp en hjälmbuske av fjäder på hjässan och stolt höjer sitt huvud och pekar med sin långa näbb.

Rummet tycks vara en stor voljär. De flyger omkring därinne. Nu sitter en uggla på hans manuskript och stirrar dagsömnigt med klippande ögon ner på bokstavspräntet. Det står ett träd, en mäktig benjaminfikus i en kruka, mitt på golvet och kronan är full av fåglar. De gungar i grenarna och smiter ut och in i det rika blanka lövverket.

Den något runde mannen vid skrivpulpeten nickar och ler. Han känner tydligen hennes uppskattning fast Sigge inte törs ge ett ljud ifrån sig av rädsla för att grymta. Tänk att ha ett rum som är en enda stor fågelbur, en voljär för kringflygande små fän med fjädrar och kvitter och klor. Då får hon se något som får henne att grymta till i alla fall: en hel svärm av små rosenfinkar flyger rakt ut genom fönstret på andra sidan. De är fria!

– Ja, visst är de fria, nickar han som om han hört vad hon tänkte. De flyger in och de flyger ut. Titta ut ska ni se.

Därnere ligger palatsträdgården. Hon ser en damm med vita stjärnformade blommor och en stor påfågel som spatserar på dess kant och lyfter benen mycket eftertänksamt och fäller sin praktstjärt och släpar med den. Vita ankor guppar på vattnet. En gråblå häger står på ett ben och stirrar ner i djupet som antagligen inte är så värst djupt. Men hon tror att han ser något annat än det hans ögon tittar på.

– De ska snart ge sig av, säger han och hans bruna ögon glimmar vänligt. De är flyttfåglar, förtydligar han.

Men det kan ju inte vara möjligt. Inte ger sig en ripa iväg med en sädesärla. Papegojor flyger inte i flock med rapphöns och falkar. Och vaktlar, näktergalar, fasaner kan rimligtvis inte ha något ihop med påfåglar eller turturduvor. Ringduvor och ugglor och steglitsor... nej. Sigge försöker säga: flyyy-tt-fåg-lar. Hon försöker verkligen och dessutom vill hon sätta ett frågegupp efteråt. Men det blir bara ett grymt. Ändå svarar han:

– De är på väg. De har i alla fall flera gånger försökt att lyfta. De tänker bilda ett tecken i vilket de ska färdas. Ändå är det tillåtet för var och en av dem att söka sig till målet på egen hand. Ja, den enes mål är hemligt för den andre.

Det där är inte bara underligt. Det är någonting annat och Sigge vill säga det. Hon tänker på när hon voltade på Saladins silkesmatta. Fast värre. En saltomortal. Men det heter inte så. Det heter ett ord som hon inte ens vill försöka att grymta, så svårt är det.

– Ja, så heter den, ler han som om han hört ordet. Och vi måste absolut tro på den. Sådana föreställningar har vi inte rätt att utrota. Lika lite som stortrappen eller vattenaloën. Dessa fåglar flyttar tillsammans trots alla sina olikheter och under ledning av denna energiska och viljestarka fågel som ni redan har lagt märke till.

Det är fågeln med den svartvita hjälmbusken han pekar på. Men hur kan han förstå vad Sigge frågar? Han tycks svara på detta också, leende:

– Grip Ordet utan tunga och rop, säger han med en sorts milt gyckel. Utan förnuftet. Och hör det ej med örat.

Ändå har inte Sigge någon känsla av att han driver med henne.

– Ni ser er omkring? säger han. Vårt palats har många rum. Och här kring den furstliga audienssalen ligger Musikens rum, som ni säkert har hört, och Stjärnkonstens och Matematikens och De heliga Lagarnas rum. Och så har vi det inte mindre heliga Oförnuftets rum, det himladjupsökande och ibland snurrande. Och detta är, i all anspråkslöshet, Diktens rum som jag har fått den ovanskliga äran och det bjudande tvånget att under några korta människoår uppehålla mig i. Fast jag gör karameller också.

Sigge kan räkna, åtminstone till åtta. Och de rum han räknade upp vara bara sex. Hon har sett två till.

– Här finns också ett kvinnorum, säger hon. Och ett soldatrum.

Och när hon sagt det måste hon ta sig om käken. Är det möjligt? Ja, han nickar uppmuntrande. De orden grep han inte utan att tungan var med i spelet. Och han hörde det uppenbarligen med öronen som det sitter små vita hårtottar i. Detta är angenämt. Det är – ja, hon skulle vilja säga Paradiset. Eller vad man nu ska använda för ord för ett sådant milt upphöjt och ofiket tillstånd som hon befinner sig i. I ett luftgenomsusat blomsterluktande fågelsvirrande och kvittrande rum. Med en källa som pillrar under golvet och då och då sänder upp en liten stråle, en kristallisk ejakulation vid benjaminfikusens fot.

Det är bra nu. Allting är bra nu. Hon har inga önskningar alls. Fast just när hon tänker det får hon en. Det har kommit in en tjänarinna med en stor bricka som hon sätter ner på ett bord. Konfekt. Just de där söta med rostade vallmofrön och förgyllda sesamkorn beströdda bitarna som äts därute i audienssalen och som liknar druvor och ollon. Är detta hans karameller?

Det nekar han inte till. Ärofullt nog, för honom, tillverkaren nämligen, kallas den Kung Saladins konfekt. Det är visserligen inte den gamle kalottmannen själv som maler och stöter mandeln med honung och han formar inte de små bollarna och veckar dem inte. Men han har uppsikten över dem och lägger ibland en sista hand vid ett rosenblad eller eklöv och han bestämmer halten av rosenolja och violessens och han har också hemliga ingredienser, lätt narkotiska men inte tillvänjande, det försäkrar han, som han egenhändigt blandar in i konfityrmassan om mornarna. Han är inte för inte apotekare vid sidan av diktarkallet. Och han gör varje dag en originalkonfektbit, en enda, som han både formar och fyller med egen hand.

– Är den till fursten? frågar Sigge.

– Det vet man inte, säger han. Och han tillägger: Lyckligt nog vet man inte det. För då skulle man kanske börja darra på handen.

– Jag trivs så bra här, säger Sigge. Men så snart hon sagt det tycker hon att ordet var ovanligt illa valt. Jag känner mig så väl till mods. Och jag kan ju prata igen. Jag tycker om att prata. Egentligen pratar jag alldeles för mycket. Jag borde sluta har jag tänkt. Jag tycker ibland att jag har pratat nog för ett helt människoliv fast jag bara är några och trettio. Jag har tänkt mig att bli tystare sen. Men jag undrar hur det går. Jag har märkt att äldre kvinnor sällan blir tystare av sig. Men i alla fall så vill jag gärna prata med er nu. Jag tycker jag ska passa på. För jag har varit så ledsen och besviken.

– Vad är det som har gjort er besviken?

– Jag trodde att jag skulle få vara med om ett verkligt samtal där-
ute, ett intresseväckande och djupgående tankeutbyte. Men det blev
bara ord som jag inte förstod och jag blev så trött i huvudet och det
kliade och käkarna blev stela. Och jag blev förresten sparkad i ändan
också. Jag hade så uppdrivna förväntningar. Jag hade fått för mig att
det skulle talas om skepticismen. Jag anade den i luften. Jag hade
tänkt mig att få höra om den skeptiska sinnesförfattningen och dess
fina balanserande. Hur det gick till förr och kanske kan gå till nu, när
den försöker undgå att trilla ner i cynismen och att inte heller återfal-
la i vidskeplighet och fromhet och blind tro. Det var sådant jag hade
väntat mig ser ni.

– Jag lägger märke till att ni använder ordet fromhet.

– Ja.

– Men tillåt mig säga: i ett sammanhang där det inte hör hemma.
Fromheten är inte blind. Inte om den är äkta. Fromheten är inte
övertygelse. Den är undran. Skapande undran.

– Å, säger Sigge. Är den det... Jag vet så lite om den. Egentligen.

– Vi bör ha ett inre rum av skapande undran.

Å, tänker Sigge. Oj. Om man bara...

– Vi bör försöka göra ett sådant rum inuti oss om vi inte har det
redan.

Han visar mot brickan på bordet.

– Ta en konfektbit.

Men hon tycker det vore helgerån att äta nu när han talar så milt
och högtidligt. Fast hon kan inte låta bli. Så hon tar ett ekollon igen.
Ett ljusgrönt med gyllene mössa. Det slafsar lite när hon äter, det kan
inte hjälpas. Men han har en vänlig blick för djur och han talar ju till
dem som om de vore kännande varelser. Han sitter och pillar tank-
spritt i den viljestarka och energiska hjälmbuskfågelns fjäderdräkt.

– Den tappar fjädrar, säger han. Den har tappat en i Kina. Ja, den
tappar sina fjädrar här och där. Det kan verka lite tillfälligt och tank-
spritt. Det har ni säkert tänkt många gånger när ni strövat i skogen
eller på en havsstrand och så har ni hittat en fjäder. Eller litet dun.
Men...

Han avbryter sig och ser mycket uppmärksamt ut genom fönstret
mot audienssalen.

– Nu ska ni se.

Vad ska hon se? Det är något han har väntat på som ska ske därute. Hon har lagt märke till att han håller ögonen på sällskapet av samtalande herrar kring fursten.

– Nu tog hans höghet emiren en konfektbit, viskar han.

– Ja...

Det har han ju gjort flera gånger, tänker Sigge. Emiren är en riktig snaskgris.

– Nu.

Då förstår hon att den gamle mannen i kalotten hela tiden har hållt ögonen på bitarna. Emiren stoppar med ett fint leende (han lyssnar till Nathan) konfektbiten i munnen och så tuggar han. Diskret. Snyggt och människovärdigt. Men slutar tugga. Han sitter alldeles stilla och hans ögon ser inte längre Nathan. De ser ut som om de vore inställda på någonting långt borta eller långt inne i honom själv. Han måtte väl inte dö, tänker Sigge.

Men det gör han inte. Han rätar bara på sig och ser stram ut. Läpparna är tätt slutna. Då ser hon att det rinner lite blod ur mungipan. Och det värsta är att den rundlagde kalottmannen med sin vänliga kisande blick och silvertottarna i öronen verkar road. Han ler.

Nu böjer sig emiren fram och tar en linneduk från bordet. En serviett är det. Hans rörelser är mycket avmätta och behärskade och ingen i sällskapet tycks lägga märke till att det rinner blod ur hans mun och att han trycker en serviett mot den för att hejda och dölja flödet. Varför hjälper inte Nathan honom? Han måste ha sett det! Emiren har fått en inre blödning. Men den ädle Nathan tittar inte ens på honom. Det gör ingen. Linneservietten får en röd fläck men samtalet pågår precis som förut. Saladin är livlig. Hans ögon spelar av liv.

Nu viskar kalottmannen till Sigge att Kung Saladins konfekt är berömd för sin smaklighet och sina goda verkningar. Den tillverkas under min uppsikt, säger han, av mycket kunniga tjänarinnor med smakämnen till sitt förfogande som de dragit ur rosenblad och krossade frön. Den består av åtta smakliga sorter. Och så en som inte är smaklig alls. Det är den som emiren har fått.

– Den är fylld, viskar han.

– Med gift?

– Ånej, inte alls. Med blod bara. Blod. Ingenting annat.

– Men vad säger fursten om det?

– Ingenting än så länge. För han vet inte om det. Och ingen annan har någonsin låtsats om när de har råkat få den där biten. Se på emiren. Han fick blod i munnen. Nu har han svalt. Nu är han sig själv igen. Nej, de låtsas inte om det.

– Men om fursten råkar ta den där biten då?

– Ja, då får vi se. Då får vi se.

Han säger det nästan drömmande men Sigge ryser så att pälshåren reser sig på armarna. Nej, det är fjun. Det är ganska fina fjun. Försiktigt sticker hon fram sina fötter i tofflorna och ser att vristen är hög och ljushyllt. Gudskelov. Tack gode gud. Tack, tack. Hon viskar inte ens. Men han måste ha hört utan örats hjälp för han småler.

– Ni glömmer väl inte bort fromheten, säger han.

Hon blir så förvirrad. Men nu måste hon skynda sig. När hon har människoröst och människofötter så måtte hon väl få vara med och förstå. Hon tackar honom. Hon säger saker som hon aldrig trodde att hon skulle få över sina läppar. Tacksamma, högtidliga och brådskande saker. Och så ilar hon ut genom dörren och förbi den stjärnkunniges rum och kvinnorummet och är just på väg förbi soldaternas vaktrum när hon uppfattar något därinne som inte hör till. Ett silverblänk. En skugga av ögonhår mot en mörk kind. Det går så fort. Men det var Recha, tänker hon. Hon är därinne.

O, gode Gud. De har henne där och nu har de gömt henne. Recha är fånge inne hos de där. I den där stanken. Någon hade lagt en stark hand om en tunn överarm. Jag såg det. Jag såg någonting som jag knappt trodde på för jag såg det bara i ögonvrån. Men jag vet att det är sant.

Hon måste tala om det för Nathan nu så att han får säga det till fursten och få Recha ut från det här stället. Men nu inser hon att hon kanske ska vara försiktig och drar slöjan tätare om ansiktet och drar in fötterna under kjolfållen och stoppar händerna i ärmarna. Hon närmar sig bordet i salens mitt trippande, fast framåtlutad och då och då med stöd av en hand i golvet. Hon går som en apa som försöker härma en fin dam. Och framme hos Nathan glider hon ner på golvet och viskar:

– Herr Nathan, Recha är därinne hos soldaterna. De har henne där. De gömmer henne.

Hon hade trott att han skulle springa upp och slå ut med armarna. Men han kryper ihop i stället.

– Herr Nathan, ni måste befria Recha!

– Schsch...

Han kryper ihop. Hans rygg är sned. Hon försöker få syn på hans ansikte underifrån. Han ser trött och förtvivlad ut. Och han gråter. Hans vackra svartbruna ögon gråter. Hon rör vid hans arm.

– Herr Nathan... ich bitte! Ich verständige Ihnen...

Vad ska hon säga? Runtomkring dem fortsätter samkvämet som om ingenting hänt. En snabbfotad tjänare har bytt ut emirens blod-fläckade damastserviett mot en ren och glänsande. Saladin talar upp-rymt. Man ser ingenting av kropparna därinne i vaktrummet. Bakom griljeringen syns bara sköldar och svärd och läderbälten och piskor och underligt formade järn på väggarna.

– Ich bitte Ihnen, Herr Nathan, säger Sigge förtvivlad och lite för högt.

– Talar apan?

Saladin låter annorlunda nu. Han har en blåskarp och hård röst. Sigge tjattrar till och alla börjar skratta.

– Apan talar!

Sen tycks de glömma henne. Men det förfärliga är att också Nat-han skrattat. Fast osäkert. Det lät mera som om han snyftade. Han ser inte alls ädel ut längre. Käken är grov. Silverlockarna är mörka och toviga.

– Bitte bitte...

– Vi måste gå, Fräulein.

Han är så grov, läpparna rör sig stelt. Han bugar sig baklänges från sittlägret. Faller på knä och framstupa så att pannan rör vid golvet.

– Nej, nej herr Mendelsohn! viskar Sigge.

Nu hasar han sig ut baklänges med nedböjt huvud och hoplagda händer. Vid utgången reser han sig klumpigt och styvt. Han tar hen-nes hand i sin. Saladin tycks knappt ha märkt deras uttåg. Han samta-lar. Nu går Sigge och Nathan mot porten. De går förbi vaktrummet där två orörliga mameluker står i ingången.

– Vi måste gå in dit och finna henne, säger Sigge. Och vi måste tala med sultanen.

Men han skakar bara på sitt nedböjda huvud.

– Herr Mendelsohn, viskar hon i trappan och försöker dra honom uppåt igen. Det ska inte gå till så här. Det vet vi ju. Varför protestera-de ni åtminstone inte?

Hon känner sig alldeles förtvivlad.

– Är ni rädd! ropar hon.

Han svarar inte.

– Är ni rädd för döden? För smärta?

Hon drar sin hand ur hans och sätter sig i trappen och gömmer huvudet i armarna. Smärta. Inte vet jag vad smärta är, tänker hon. Jag har ju bara rotfyllt en enda tand och då fick jag bedövning. Och så fick jag stryk häromdan. Men *smärta*. Han kanske inte alls är rädd för den eller för döden. Han kanske är rädd för att de ska tvinga honom att dricka deras urin, att de ska doppa ner hans huvud i ett badkar fyllt med avföring och smutsigt vatten och att de ska hålla det där länge. Och att de ska göra det gång på gång och bara gå ifrån och låta honom vila medan de ser på fotbollen på TV. Det är sådana handlingar som han är rädd för – kanske. Jag måste få detta klart för mig. Jag borde ha haft det klart för mig innan jag sa så där. Vad har jag för rätt att förebrå honom att han är rädd för döden och för smärtan? Han kanske är rädd för att få sina testiklar krossade och inte vet jag hur den smärtan känns. Kanske står han inte ut med skammen och förnedringen och källarbehandlingarna – att suga på andra mäns organ, att bita i deras testiklar, att slita i dem med tänderna för att rädda sitt liv. Och kanske kan man göra det utan att man vill det, av blind livsinstinkt bara. Och sen ska man vakna opp och veta att man har gjort det. Det är kanske det han är rädd för. För sig själv. För sin skam. Och att se ner i den där brunnen med blod och slamsor. Är det den ni ser ner i nu herr Mendelsohn när ni tiger och gråter?

– Är ni så rädd? viskar hon. Jag blev rädd jag också. Jag rusade därifrån, jag fick kväljningar. Jag borde ha rusat in där när jag skymtade henne. Jag borde ha skrikit åt sultanen att hans män har en flicka därinne. Men jag fick så häftiga kväljningar. Var ni så rädd också? Men ni är ju den vise Nathan!

– Jag kunde inte nå dem, mitt barn.

– Men en gång gjorde ni det! Recha är ju er älskade dotter och Tempelherren är hennes bror! Ni vet alltihop. Ni vet hur det ska gå till.

– Jag kunde inte nå dem nu. Tiderna är slutna rum. Det finns inga dörrar emellan dem. Det sker och det sker igen.

Moses Mendelsohn gråter. När de har kommit ut genom porten och ner för trappan och öppnat den lilla tapetdörren så sätter han sig på en stol och gråter ännu mer. Sigge tar av sig slöjan och sidendräkten och sätter på sig sin kavaj och sina boots. Hon tar ner peruken från dess spik och sätter den på hans nerböjda huvud och rättar till den när den kommer snett.

– Gråt inte, herr Mendelsohn, säger hon. Jag vet förresten inte riktigt hur det var. Om jag överhuvudtaget såg en flicka. Jag kanske inbillade mig alltihop. Och sitt nu inte här ensam. Hur är det – finns det kanske fler julgäster på Sal?

– Ja, jag ska söka upp dem.

– Det ska ni göra. Därinne finns säkert pontak och bischoff. Och Glühwein. Nötter. Klenäter och struvor. Och ni kan sitta och samtala. Nu säger jag farväl till er.

Hon letar fram hans hand ur manschetternas slaknade lintyg och trycker den. Det är en grov, ledknölig men välmanikyrerad hand. Skrivarhanden. Den har en platt kudde på höger långfinger. Där har pennan vilat. Skaftet har tryckt mot översta långfingerleden och det har bildats en valk. Bläck har sprätt upp på manschetten i ett prickmönster.

– Farväl, herr Mendelsohn. Und recht viel herzlichen Dank.

– Farväl mitt barn.

När hon kommer ut tycker hon att luften är skön och frisk och snöluktsmättad. Snön är flockig och nyfallen. Slottet är mörkt. Hon kan inte se en enda lampa lysa någonstans.

Hennes bil står på framsidan och är nersnöad så att den ser rundare ut. När hon kommer fram ser hon sladden. Någon har stuckit en sladd till motorvärmaren under huven. Det är spår fram till bilen och motorhuven. Platta, båtformade spår. Och bilen är lättstartad denna natt.

Allting är släckt i vardagsrummet utom elljusstaken och TV:n. Ann-Britt ligger på soffan och ser på en massa gubbar som går omkring och sjunger. En av dem har en mössa som är stor som en kudde och spetsig. Det är inte Ku Klux Klan och inte stjärngossar heller. De sjunger och pinglar och sjunger. Det ryker ur små skålar som de håller opp och svänger med. På kedjor.

– Det är midnattsmässan, säger Ann-Britt. Jag ska snart gå och lägga mig. Det här är inget och se i alla fall.

– Jag kan inte sova, säger Mariella.

– Äsch, det gör inget. Vi kan sova i morgon bitti. Kom ska du se. Hämta din filt. Eilert har koppla in videon.

När Mariella kommer tillbaka med filten har Ann-Britt lagt in en kassett.

– Vi ser på Askungen ett tag, säger hon. Sen sover vi.

Mariella hade hellre velat ha Jurassic Park. Men Eilert är snäll. En köpvideo kostar nästan tvåhundra. Sen är det samma Askungen som i Kalle Anka och hans vänner, en bit in. Med råtterna. Då har Mariella sovit en liten stund.

– Titta, säger hon. Det är samma.

Alla fåglarna flyger kring Askungen och hjälper henne. De har banden i näbbarna. De gör i ordning klänningen och allting blir fint. Det är precis som när man drömmer. Det är så där bråttom och inget blir gjort. Men så kommer fåglarna.

– Jag vet hur det går. Dom hjälper henne. Fast man nästan inte kunde tro det. Jag menar med råtter och fåglar.

– Det är nog ett under, säger Ann-Britt.

– Vadå under?

Sen kan Mariella inte hålla ögonen öppna mera när hon pratar. Det surrar i dem.

– Va bra att du har borstat tänderna, säger Ann-Britt. Nu kan vi gå och lägga oss direkt. Vi ser resten i morgon. Vi tar in kaffet hit och din O'Boy.

– Dom hjälper henne, säger Mariella. Jag vet det. Det är samma.

Store tunge Heikki. Han kommer alltid att grumsa om kriget. Men han har förlåtit mig. CD-skivorna med Eugen Onegin var en kärleksgåva. Oda får lust att säga ordet högt. Men man ska inte tala till tapeterna. I alla fall inte mycket och ofta. Hon har nästan bestämt sig för att sluta med det. För det är inget samtal. Ändå har hon lust att ta det där ordet i sin mun nu. Många ord borde användas och prövas innan de avförs. Det finns naturligtvis de som är hopplösa, som konkarong och galoscher; de motsvarar ingenting längre. Mannamod? Kanske.

När Oda sent på julaftonskvällen lägger in den första CD-skivan kommer den vemodiga melodin till liv i stråkarna. Och blåsarna tar an. Det är som om de hörde melodin för första gången och försökte svara. Kvinnorösterna vet också någonting om det där. Harpans fylliga klanger: sensommar, tung fruktig luft. Kvinnornas röster – de flätar allt som är rikt och frukttyngt och som ändå vindlar så fint mellan dem. Samtal. Hon kommer att tänka på humlor och saft. De kanske paraffinerar syltburkar, de där fyra kvinnorna och talar till varandra under tiden. Och musiken tar dem på allvar, den visar dem mild respekt. Som den tar näktergalar på allvar. Hundra år före Doris Lessing; Molly och Anna äter jordgubbar och talar med varandra, talar, talar.

Ja. Han var nog en underbar man Pjotr Iljitj. Kanske Pusjkin var det också. Han har ju varit någonting alldeles närmast hjärtat för så många. Jag minns bara lite från skolan av Onegin. Vi tyckte den var högtravande. Ja översättningar – man undrar hur man själv… Pusjkin var fyrtio år avlägsen för Tjajkovskij. Som bröderna Parland idag. Fast nära ändå. Levande. Men avståndet finns till de där lantliga damerna. Kläder som måste förefalla Petersburgssprätten urmodiga. Larina är ju inte rik. De ser ut som fröknarna Surkov och deras mamma; det är dem jag ser framför mig. Men man ska nog inte se saker när man lyssnar.

Rörande lantliga damer på långt avstånd. Dalekó, sjunger hon – dalekó! Det är *långt borta*. Att ta det som är långt borta på allvar och det som då var kvinnligt och drömmande, oprövade känslor och hållningar, att ta det på allvar så här milt. Inte på högromantiskt, krävande, självförintande allvar. Utan följsamt mjukt som i stråkarnas dis. Han såg alltsammans på förmildrande avstånd, som en pjäs på Jaktslottet: dröjande rörelser genom gastyg.

De sjunger om någon fågel, det minns jag. Näktergalen? Nattens röst är det, en kärlekens och sorgens sång – smärtsam och enkel. Nochnoi sjunger de. Det är det som hör natten till, mjukt mörker. Nochnoi – det kan aldrig bli så mjukt på något annat språk därför att det är så vita nätter där och björkstammarna lyser. Sen kommer sensommarmörkret och lägger sig kring husen och det glimtar från fönstren därinne i mörkret när löven rör sig. Allt det där finns i språkets minne och det är därför barndomsspråken är så levande i oss. Det finns känslor där som är barnets och den unga öppna människans; det finns ekon i språket av allra första gången något upplevdes. Det är svårt att tala ironiskt då och världsomfattande och globalsmart. Det är mjukt mörker därnere i språkets botten. Det är kanske därför så många undviker det nu och skriver på engelska. Men Ulf Lundell sjunger mörkt och brunt på språket. Folkspråket sa de på latintiden. Det vulgära språket. Ja, därifrån kommer mycket behövligt mörker.

Nu märker Oda att hon *funderar*. Det var likadant med Johan när han lyssnade till musik. Han sa att det var ett fel han gjorde. Fast han älskade musiken så funderade han när han hörde den och ibland såg han också saker. Det medgav han när jag berättade att jag ofta såg saker medan jag lyssnade: hus, skogar, människor som rörde sig, till och med hästar. Ja, det är naturligtvis fel och i synnerhet att fundera. Musiken är ett språk från det goda mörkret. Den bryter ner våra andra språk, ofta milt och liksom leende. Åtminstone borde den få göra det. Men man kan ju inte hjälpa att man ser saker framför sig, som fröknarna Surkov och deras mamma i de där urblekta, gammalmodiga bomullsklänningarna.

Vad det är kraft i bondesången, starkt brus. Fullmoget vete, självmedvetande. Tänk att han drömde så. Man kommer att tänka på Kostja Levin i Anna Karenina, hans bondesyn och förhoppningar. Som de skulle förnedras. Men nu brusar det i lövsalar och vetefält, nu är det starka dofter i cellostråkdragen: klöver, honung, humle. Sensommar och mogenhet. Starka män och kvinnor, inga gnomer eller tomtar som ska betjäna folk av mer heroiska mått, nejdå. Och han trodde väl att de ville hylla sin godsägarinna så där brusande och starkt, fast Ivar Lo skulle inte ha skrivit det så. Men det är sant i alla fall; det är sant *härinne*.

Nu har de visst gett sig iväg för det är bara kvinnoröster kvar. Tänk när de inte fick sjunga, när de hade pojkar och stympade män, röster utan kvinnoerfarenhet, utan våra känslor och minnen i rösterna. Men kanske med något annat, inte tomhetens briljans utan en sällsam färg på rösten, som skuggor kan ha färg: violblåbrunt, varmt ockra, det smärtsamt förlorades färg.

De här rösterna flätar han i förtrolighet. Han är förtrogen med förtrolighet mellan kvinnor, vet att de behöver den. Han var förälskad i Antonina. Hon var väl hans Tatjana. Och så sårades han så grymt. Ja herregud, han var förstås Tatjana också. Men att ett äktenskaps längd kan räknas i veckor, det är ovanligt. Jag har bara hört talas om det i Ulla Hägers fall. Där gick det visst ännu fortare, men det hade med brutalitet att göra tror jag. Och det kunde det ju inte vara i Pjotr Iljitj fall; kan man skriva sån här musik och ha en okontrollerbar kränkningslust i sig? Nej. Jag vill i alla fall inte tro det, det vill jag inte. Vissa saker måste man få bestämma sig för om man ska tro eller ej. Man kan inte vara öppen för allting. Det är faktiskt också cynism. Illusioner är ju inte bara projektion. Jo förstås. Men de är *tilltro* också. Och fast äktenskapet gick sönder fullbordade han Onegin. Där ser man att figurerna har ett eget – ska man kalla det liv? De går inte sönder när förälskelsen går sönder, när Antonina *gick ur* Tatjana som om hon stigit ur en krinolin. Han var själv inuti Tatjana redan; hon levde eller vad man ska kalla det.

Nu är de förfärligt upprörda. Vad är det nu då? De får besök ja. Där har han tagit romantiken från en annan tid. Jofurs och Paphos hela makt uppbådas, det stormar och svallar som om de väntar krigsguden själv. Och så kommer det en verserad herre ur Petersburgssocieteten. Ja, de är två men Onegin är tyst än så länge. Nu är det nog han: dalakoi – dalakoi. Långt borta – långt borta. Ja, det är tråkigheten på landsbygden han menar förstås.

Men tänk så allvarlig Tatjanas röst är. Hon berättar att hon läser mycket. Ja, hon tar läsning på allvar här i den gammaldags lantliga enkelheten. För henne är den levt liv. Där i björkskogen, i trähuset invid de slagna bovetefälten. Hon äter gröten från dem, krutaja kasja, och hon går i nötta bomullsklänningar och läser mycket. I blåsarna tycker jag att de där inre strömmarna är, tonföljderna av läst, av med känslan prövat, liksom avsmakat liv. Björksus och blixtrande liar och all sådan yttre livlighet är i stråkarna fast de speglar varandra, kastar reflexer i varandra – som när man sitter och reflekterar efter ett läst stycke, ser rörelsen i björklöven och tänker på vad man läst.

Lenski är så allvarlig. Hans arioso är redan fullt av eld och sorg. Tänk vilka män. Och att de kom till slut. Det hade ju inte gått i evighet att fläta kvinnoröster om varandra.

Vechnost! Det är Olga. Evighet betyder det. Det tycker hon är hemskt. Eller i alla fall långtråkigt. Konstigt ord. Det finns verkligen ord som vi bör pröva. Vi bör ta dem i munnen för att känna hur de känns och vad vi kan mena med dem. Det är inte så enkelt. Vechnost! Kakoie slovo strasnoie! Olga gillar det inte, men hon prövar det. Hon tar ställning till det. Ingen bortglömd glosa ur gammalryskan för henne. Evighet, det är helt enkelt tristess för Olga.

Nu sitter Tatjana där och stirrar i spegeln förstås. Jaja. Det är nog inte bara på Stockholmsoperan. Antagligen står det i libretton. Men man börjar ledsna på det där kvinnliga spegelstirrandet. Operor och film fulla av spegelstirrande damer. Har alla karlar för sig att vi stirrar på oss själva i ensamheten? Att vi grubblar oss tokiga utan att komma längre än till spegelytan; kort sagt att vi undrar hur vi tar oss ut. Det stämmer inte. Han borde inte ha haft något spegelstirrande. I musiken har han det inte. Den här långa introduktionen – det är Hammershøi. Han kunde skildra kvinnors ensamhet med sig själva. Frånvändheten. Ja, Tatjana skulle vara en nacke här. En nacke ovanför en vit krage. Ett ansikte vi inte ser för det är dolt av stråkansatserna, penseldrag av ljus och mörker. I fönstrets rektangel håller den vita gardinen ljuset som i en utspänd duk. Det hemlighetsfulla därute vilar i nattljus. Dalakoi – dalakoi säger stråkarna nu och en kvinna kan också vara en vit stängd dörr, det visste Hammershøi.

Så trevande hon börjar, som om rösten vore en sond och hon försiktigt rör sig inåt mot smärtpunkten. Hon är sjuk av kärlek. Det är redan sorg i den. Stackars barn, hon talar om smärta och skam. Ändå är hon så öppen mot det som kommer att göra så ont. Hon vågar.

Drugoi! Det är ordet.

Den andre. Det andra.

Hon vet ju vem hon egentligen skulle ha gift sig med. Hur hon skulle bli måttligt lycklig eller olycklig. Bli normal. Det vore alterna-tivet till att brinna opp. Onegin, han är *den andre*. Det andra livet. Tvånget, sjukdomen. Eller livets högsta lycka... stackars flicka. Hon är full av ångest. Ambivalens. Hon vet nog så ung hon är att kärleken är ambivalens. Det har hon läst sig till i sentimentala romaner. Richardsón!

Ja, romantiken var väl början till vår ambivalens. Arma gubbe, varför spela, kan det smärtorna fördela... kluvenhet hade uppstått, den inre stämde inte med det yttre längre. Trollet var inte det onda. Det var inte näcken, det var människan själv som spelade därute i kluvenheten, spelade i rådimma och kyla där konturer är så svåra att urskilja. *Drugoi! Drugoi!* Det är romantikens röst. Med milt ospråkligt våld har den brutit sig ut ur personen och tiden. Den karakteriserar inte oskuld och rysk lantadel och flickaktig svärmiskhet längre. Det är en röst bara, smärta bara: att veta om *drugoi*, det andra, den andre. Fast på avstånd, artonhundrasjuttiotalsdistans. Som genom gastyg – då fick de där chevreauxkängorna och duellpistolerna något ljuvt över sig.

Nej, jag vet inte förresten. Kanske började han i det söta. Men det är smärta i oboens uthållna ton, mycket mer än en flicka kan bära. Rösten tar över och bär den – ja, den bär något ont och sårigt som flickan bara anar och har läst sig till. Som när trettonåriga flickor sitter och läser den där *Gå dit hjärtat leder dig*, på enkelt språk om en gammal, gammal kvinnas erotiska ungdomsförvillelser och förvirring. Någonting håller på att hända. En ny kluvenhet uppstår och de får veta det just där, på enkelt, romantiskt och föraktat språk. De vet var de ska ta sin näring konstigt nog. Hjärtats krutaja kasja. Mamma sa alltid att bovetegröten la sig som bomull kring hjärtat och vi behöver nog lite bomull också, den kan smärtorna fördela.

Vi är något mer än vår biologiska ålder och våra sociala och psykologiska omständigheter betecknar. Vi är också naken röst: människosmärta. Men så sällan den får bryta fram. På den tiden måste den ta sig igenom ljuvheten, som genom en massa hindrande tyll eller gastyg. Nu är det cynismen. Vad hette det där danska körstycket jag hörde? Mannen som förälskat sig i vännens fru. Han är på middag där. Han välter en kandelaber och så brinner huset ner. När han gett sig av står hans älskade och vinkar i lågorna med mannen vid sin sida och kören sjunger som glas. Det är ändå en totalt omöjlig situation att placera Onegin i. Visst skjuter han, han begår det yttersta våldet –

mot sin vän. Men också ur Eugen Onegin bryter den mänskliga rösten fram. Han gör ingenting av ytans ondsinthet, den glashårda. Han välter ingen kandelaber, förvandlar inte sin älskade till helstekt gås. Han tar sin smärta på sig till slut – han blir mänsklig röst han också. Hans cynism och duellpistoler är bara rekvisita och de förskräpas när den rösten bryter fram. Och Tatjana, den bittert sårade, inte kan hon skildras med beskhet – miss Otis regrets, she's unable to lunch today, nej det går inte.

Tatjana, ja, även Onegin kan bära smärta. De har rösten eller rösten har dem; de har människostyrka.

Ändå är det målat i pastell: oboens melodislinga, flöjtens och klarinettens taltrastekon och harpans klang i bottenfärgen. Det blir aldrig asfalt. Det är mjukt grått mörkerdis som hon famlar sig fram i.

Nu vill stråkarna dra henne med. Jungfrun står vid vattnet och det lockar. Det hetsar till och med. Men den där självmordssjukan slås bort i bränningar av full orkesterklang. I friskhet och livsglädje. Hon har en ung kropp.

Fast där är det ljuva trevandet efter smärtan igen. Om jag inte visste vad det handlade om skulle jag säga mystik. Jesu droppande sår eller självsvältens yrsel eller hårdträning tills plågan blir rus. Hur kunde han veta så mycket om de unga kvinnorna?

Alla kvinnor när de är unga vet att de går mot en svår smärta; de ska föda. Men det har hänt att jag har tyckt att unga kvinnor har för lätt att uppsöka smärtan i förväg, nästan vilken smärta som helst. För att visa sig värdiga, beredda, riktigt funtade som smärtans upptagnings- och utstrålningsapparater? Onegin är förstås inget ölstint rapande råskinn. Men ändå: *så här vackert är det inte*. Misshandel. Hon misshandlar egentligen sig själv och det är oboen som hela tiden lurar henne. Det är sug i den.

Men nu kommer gumman. Då borde det bli tillnyktring. Fast gumman har trots sina egna bistra erfarenheter alltför mycket förståelse för det här vidöppna rosenbladsskära *modet*. Hon öppnar ju för det. Skumpar iväg med brevet. Gå dit hjärtat leder dig. Jojo. Gamla kopplerskor vill att kvinnor ska föda. Vi vill det. Faktiskt. Att det hela ska fortsätta. Vi vill inte att unga kvinnor ska vara nackar, ensamma med en dörrspegel, en fönsterrektangel och en bok. Det här flytande musikaliska uttrycket i hela den långa brevscenen, melodiskt, elegiskt, var ändå *bläck*, suggererad röstlig skrift. Nu ska kroppsvätskor flyta. Nu ska det bli allvar.

Men först kommer skojet och glimtar in. Det där har väl alla lärt sig av Shakespeare. Det börjar som måsskratt. Flickorna sjunger och plockar bär och lockar män och sen flyr de åt alla håll. Jag hörde ett rått ord, på den tiden var det väl rått i alla fall: skrattmödis. Den som fnissade sig ur det. När det blev för hett. Men Tatjana har ingen sån där nyckdygd. Och nu vet hon snart. Stråkarna arbetar upp den hemska aningen. Hon skriker inuti för hon vet. Hon säger elegiskt, melodiskt en stump, men sönderskuret. Där är den där oboen som lurat henne. Sorg, svarar hon nu. Ett sorguttag på en säker bank.

Onegin förebådas lite mjukt men nog är han pompös. Behärskad. Det där är sofistikation. Fast man vet vad han säger till henne kan man ändå spåra mjukhet hos honom, den bryter igenom här mitt i avslaget. Den där rösten vill flätas, vill vara nära en annan och ljusare – drugoi, drugoi – den andre finns i honom men han vet inte om det.

Nu blir han odelat pompös. Nu flätas hans röst med de där förtjuserskornas. Skrattmödisar. Såna vill han ha.

Men melodin i oboen är äkta. Ja, det är äkta vara. Den drog iväg henne mot en nästintill outhärdlig skam för en finkänslig flicka. Men den var äkta. Det hörs i oboen. Och flöjten stryker under.

Tänk valsen – som den arbetar sig upp. Ta taa-ti-ta taa-ta taa-ta ti-ti-ti-ti-ti-ti – sidenskor, kristallkronor, blommor vid barmarna. Det böljar nu, det går i tyllvågor och sidenbränningar med svarta frackklädesbräm. Och flöjten under rösterna – det är silverreflexer där, kristall, bornyr. Det där mjuka vaggande ballättsinnet. Men när kören arbetat sig upp får yran nästan militärisk takt och ton. Och sen ett paradtårteslut. Krokanlager på krokanlager av disciplinerat lättsinne.

Fast Onegin nu. Hans mörker i den verserade tonen.

Nu.

Nu kommer det.

Den gamle Triquet. Det finns något där som jag inte kan förklara. Härinne i hjärtat på mig. En liten kuplett. Jag kan se hans fina dansande fötter i tunna läderskor när han trippar:

brillez – brillez!
brillez – brillez…

404

Jag måste ha sett det som barn. Men jag minns inte. Han sjunger inne i mig. Jag tänker på pappa. Varsamheten. Finessen. Att närma sig en ung flicka – så fint.

brillez – brillez toujours!

Låta henne vara vacker. Låter henne stråla. Balens flickdrottning. Jag tänker på Barnslig hjärtesorg hos Thomas Mann. Tripp trippetripp... und frühes Leid. Men detta är varmare. Lite skoj är det, men han lurar henne inte. Det är varsamt. Carpe diem, lilla flicka. Gråt inte *än*.

brillez – brillez
brillez – brillez bell-é Ta-tí-a-ná!

Nu kommer mazurkan. Messieurs! Mesdames! Det sägs att folkets danser imiterar herrskapens. Men det finns allt något träskott, loggolvsknakande under herrskapets turer här –

Och Lenskis alltmer öppna förtvivlan – mitt i detta erotiska pladder. Som Krilon på Fågelön, för ung och för kort och kanske för värdig i yran.

Onegin! Nu då. Nu måste han svara. Han är rikt utrustad denne Byron från Europas utkant. Jo, nu drar det ihop sig. Och kvinnorösterna lamenterar. Bara Larina än så länge. Det finns vemod i Lenskis sårade själ, inte bara ilska. Varför kan de inte hejda aggressionen? Länka in den på förhandlingens banor. Hur kan en man med så delikat själisk röst brusa vidare i en hormonstorm mot döden?

Han har upptäckt *drugoie*. Hos flickan har han sett det. Det bor en demon inne i ljuvheten. Olga är en ros och en orm. Och Lenski orkar inte bära *det andra*. Han brusar iväg mot entydigheten med en duellpistol i handen.

Tatjanas tema när det kommer tillbaka i stråkarna visar hur mycket längre hon kommit. Hon härbärgerar redan *det andra* fast hon sjunger:

jag är förlorad
jag är förlorad...

Ja, det är paradoxen. Man vinner sin själ genom att förlora det lilla sårade jaget. Common knowledge. Men sällan praktiserad.

Lenskis aria, den är skriven för oss här i björkskogarna, i sommarens nattljus. Ljuv är den i rådimman. Och han borde inte få dö. Fast det är vad man kallar en svanesång. Vid Tuonelas ström... så ljuv. Stråkar och flöjter som följer honom är fåglar och löv. Han vet. Ja, han vet att hans bröst snart ska vara genomskjutet och aldrig mer kunna fyllas av den här tonen. Och repetitionerna existerar inte och inte applåderna och inte avsminkningen. Han vet. Han kan inte nås av kritikens infamiteter och inte av karikatyrtecknarnas: en rundlagd tenor i trånga byxor. Han är inte där. Han är i arian och den är björksång, vattenmummel, solljus genom dimma.

Och vilket vemod ännu när det hela egentligen bara har blivit dumt, när de båda struttar mot den vissa döden. Något manligt militäriskt ärofullt är det då inte i vintermorgonens hemska grå ljus. PANG! Det är sorg i träblåsarna. Nu tar stråkarna upp sorgen och den ska lamenteras länge, länge. Onegin vacklar väl ut. Han överlever. Eller kroppen. För vem överlever ett mord?

Polonäsen. Efter duellen känns den som en paus. Kaffe och Sara Bernhardtkaka i guldfoajén. Procession och förgyllning och nån sorts vardaglighet också. Rutin. På sätt och vis kan man väl ana de unga männens dragning till de ödesdigra avgörandena. Det är då åtminstone inte kaffe och kaka och processioner. Som den käre Lars, den gode fine Arpman. Han ville offra sitt liv. Men det stals i stället ifrån honom. Det knipsades av en cynisk librettist. Och så krossades tanken och bensinen antändes och han kremerades.

Hur kan en modig fast vilsefaren själ lönas med en så fasansfull död?

Nu Onegin. De är lite äldre och stadiga de bästa tenorerna, så det är skönt att inte se honom. För man får inte glömma att han faktiskt sjunger en mycket ung mans inre död. En man som själv har dödat. Ja, vad blir det av dem? Tomhet? Hektik. Det ser så odramatiskt ut med ett sånt där levande pojklik. Slöhet. Våldets redskap blir slött och solkat.

Men han för ändå ett samtal med sig själv, utan stora åthävor. Han har inte blivit bara yta. Nej, den var nog inte möjlig för Tjajkovskij att skildra ännu. Då fick man vara en djävulsk machinatör och ta sig an Hoffmans ruggiga hjärnsprattel eller som Poe låta en död verkligen tala i efterspasmer, stöta ut redan förbrukad luft ur hopfallna lungor och sen snabbruttna i en stinkande hög.

Han ser henne. Tror inte att det är sant. Den blossande flickan förvandlad till ståtlig världsdam. Furstinnan Gremin.

Knagina Gremina –
smatritje smatritje!

Ja, titta du Onegin. Det här är Kulla-Gullas triumf. Sånt får man tillåta sig. Det blir inte opera av idel melankolisk finess.

Gremin är gammal. Hans röst, inte den kroppsliga rösten utan den andra, är erfarenhet och styrka och godhet. Soldat. Veteran. En general som inte finns hos Pusjkin. Varför gjorde han den rösten till en soldats? Hade han nyss läst Krig och Fred? Ville han som Krilon tro på att man sorgset kan slåss med vapen när man måste? Att det är rätt att göra det.

Ville han göra en ledsen snäll general, en gammal beskyddare av frihet. Förrådd kanske. Men inte kluven. Han är enig med sig själv i Gremins aria. Om jag hörde den första gången skulle jag säga att det var en religiös sång. En lugnt religiös sång. Om en människa som tror på godheten och som finner den. Hans stjärna.

Nej, honom kan man inte bedra.

Ja, de trippar och stultar och struttar i sina balskor under ecossaisen. Men nu har musiken lämnat deras kroppsliga och sociala omständigheter, den har lämnat dekoren. Den trevar inåt. De har blivit ensamma. Nästan bara deras röster nu, Tatjanas och Onegins. Stråkar några drag. Men deras röster klättrar omkring i buren, känner på väggarnas galler, trevar.

Två röster. Jag minns inte vad de säger till varandra men det är den kärlek som kunde ha blivit, det är den som famlar här och söker kring för att se om det finns någon utväg. Den trevar mot beslutets ögonblick.

Vi som är kroppar, inte röster tvingas förverkliga kärleken – och förnedra oss. I kärleken förnedra oss genom sveket.

407

Dag 1:
Julafton. Kl. 23. Illamående. Smärtor i vänster arm. Häftig
hjärtklappning.
Intog sängläge.

Dag 2:
Juldagen. Snöskottning. Häftig hjärtklappning. Ihållande
smärtor av sprängande slag i vänster arm. Mycket starkt illa-
mående. Kallade på ambulans via 90 000. Fick endast tala med
SÖS akutmottagning.
Uppmanades komma i taxi.

Här blir det svårt. Det blir så mycket. Det var grisigt. Det luktade
avslagen fylla och en som hade fått ett lutfiskben i halsen kom in före.
Och så var det en gammal tant med ett krossår i ansiktet. Och barn.
Nej. Det går inte.

Undersöktes mycket flyktigt, fick sedan vänta två timmar i
överfyllt väntrum.

Ruth är van att skriva rapporter. Hon kan komprimera och samman-
fatta och hon såg rapporten för sig innan hon började med den. Dag
1, Dag 2, Dag 3, Dag 4. Men det slår henne nu att man har ett syfte
när man skriver en rapport. Man vill framhålla vissa fakta och vissa
omständigheter. Andra är irrelevanta. För syftet nämligen. Men de
kan ändå vara mycket påträngande. Som det där gamla sönderslagna
ansiktet. Som inte hör hit. Man kan ju inte *klaga* på det. Man kan inte
dra in det i en rapport om ett enskilt fall som ska tillställas Medicinal-
styrelsen. Missförhållanden inom sjukvården. Den gamla (hon var
från Irak) hörde inte till missförhållandena inom sjukvården. Lukten
därinne hörde möjligen dit. Men den hade de ju med sig. På toaletten
kan det ju ha varit någon som var sjuk på just det sättet. Alldeles ny-

ligen. Innan någon ur städpersonalen hunnit dit. Det finns naturligt-vis alla möjliga omständigheter och ursäkter. Men nu gäller det ett enskilt fall.

Vid det undersökningstillfälle som först efter två timmar upp-stod undersöktes jag med EKG.

*Jag* låter inte bra. Jag. Med EKG.

gjordes en EKG-undersökning. En mycket jäktad jourhavan-de läkare förklarade att EKG:t inte gav anledning till oro.

Ung var han också. EGK, EKG:t.

Förklarade att det inte fanns anledning till oro. Uppmanades återvända till hemmet.

Hem. Med taxi. På egen bekostnad. Men det är svårt att få med allt det där. Och den där nonchalansen. Han såg mig överhuvudtaget inte i ansiktet. I ögonen. Det är naturligtvis ingenting man kan skriva. De har undertröjor under läkarrockarna.

Förklarade att akutmottagningen uppsökts på grund av miss-tänkt infarkt.

Och då sa han:
– Vem har misstänkt den?
Det lät inte ens hånfullt, bara trött. Men det var hån. Fast det går inte att få fram. Inte på ett objektivt och sammanfattande sätt. Sen sa han något om kärlbesvär, mycket otydligt. Vi får se. Vi får se.
– Hur har du det med din husdoktor?
Men det var rent hån. Mot reformen förstås. Ska man låta patien-ten ta emot det? Men ett tonfall kan inte återges. Nakna fakta bara.

Dag 3:
Fjärdedag jul.

Fast det är ett så gammaldags uttryck. Bättre med datum.

Nytt anfall på eftermiddagen. Svåra sprängande smärtor i armen.
Illamående. Ringde åter SÖS akutmottagning och uppmanades ta en taxi till sjukhuset. Ny läkare.

Ja, det förstås. Men att han var ännu yngre. Det kan man inte heller skriva. Undertröja. Långt hår. Kanske var det bra att han var så ung förresten för han blev lite osäker. Jag hade ju äntligen begripit att man inte ska till varje pris hålla sig oppe. Inte som förr i världen då behärskning och sådana saker räknades. Nu gäller det att visa hur sjuk man är. Ingenting annat biter. Man ska inte bara vara sjuk för att tas in på sjukhus. Man måste föreställa sjuk. Herregud. Jag minns när pappa fick magsår. Hur man ringde och *beställde* rum. Enskilt rum.

Intogs efter undersökning. Ingen tillgång till sängplats förrän klockan 18.30. Hade då, svårt hjärtsjuk, varit på sjukhuset sedan 14.30.

Dag 4:
Arbets-EKG.

Så hette det. Jag frågade om det var tillrådligt att låta en hjärtsjuk patient cykla på något som närmast liknade en motionscykel.

Återkom till avdelningen. Uppmanades städa nattygsbordet samt under sängen.

Men jag la mig. Nu blir allting så rörigt. Det fanns scheman för allt. Städschema också. Och det var en dammrulle under sängen. En gammal en förstås. En sån där luftig tott. En patient kan inte åstadkomma en dammrulle på ett dygn. Men jag såg den ju. Måste väl ha tagit något tag med den där moppen i alla fall. Så lydiga vi är!
Ruth skulle vilja skriva att hon kände sig kränkt. Men av vem? Flickan, ja det var väl en undersköterska, var så godmodig så.
– Nu städar vi här serdu.
Inget att diskutera. Hon skulle aldrig förstå att jag inte var kränkt som chef för socialkontoret och ledamot av kommundelsnämnden. Utan som sjuk. Och sjuksköterskorna var så jäktade och bara log.

Och log och log och log. Och sen ronden. Vilken erotisk spänning mellan de där undertröjedoktorerna och sjuksköterskorna i vita overallbyxor och träskor. Den kändes på långt håll.

Skrevs ut efter en otillfredsställande kort beskrivning av tillståndet som kärlkrampsbesvär.

Färdigvårdad. Det är ett ord som Ruth faktiskt använt, erinrar hon sig. Men det kan hon inte göra nu. Fick åka taxi för att hämta ut medicin. Men det behöver hon inte skriva. Egentligen är rapporten klar. Det behövs bara en sammanfattning av missförhållandena i det här enskilda fallet.

Hon har aldrig skrivit en så dålig rapport. Det är bara att erkänna. Den går helt enkelt inte att skicka. Inte ens om hon får till en svidande vidräkning i sammanfattningen. Det är omöjligt att skriva rapporter om man vet för mycket. Det blir rörigt.

En massa saker som ser röriga, hopplösa och sammanblandade ut måste ses från ett visst håll för att klarna. Då skriver man redigt. Men från det här hållet går det inte. Det blir antingen en enda röra eller alldeles för magert. Det här är magert.

Hon är sjuk. Man kan inte skriva rapporter när man är sjuk. Hon har nån sorts ledsenhet i hela kroppen. Nånting som hon aldrig har känt förr. Som att gå med blyskor.

Dag 1.

Dag 2.

Dag 3.

Hon har varit hemma i tre dagar och ätit av den där medicinen. Tre sorter. Plus en att ta om hon fick ett nytt anfall. Det går att ringa till Kreta tänkte hon Dag 1 men var för trött. Rethymion. Ringde Dag 2. Det var verkligen ett företag för de var naturligtvis inte inne på hotellet. Så småningom ringde Birgitta upp i alla fall. Ruth talade med Hasse också. Sköt om dig nu då. Sköt om dig. Ingen snöskottning hördu!

Och nu är det Dag 4. Nyårsafton. Sköt om dig. Man skulle ha haft lite kontakt med nån granne nu. Men Oda, det får vara. Och så ska man ha Kyndel till granne. Det är – ja vad är det? Cyniskt. Ironiskt. Som om nån hade hittat på det.

411

Sköt om dig nu. Och bär inga tunga kassar. Nej, naturligtvis inte. Hon vill inte ha mat. Julmaten hann hon inte ens frysa. Det är bara att kasta bort den. Men mjölk måste hon ha så hon ringer till Sascha. Han tar trettiofem kronor för en hemkörning. Men jag är ju sjuk, vill Ruth säga. Hon frågar vad han har för smörgåsmat. Gravad lax, grönpepparpastej, italiensk salami. Ja, hon känner sig blyförgiftad. Ett äckel stiger upp. Då kommer hon att tänka på gröten igen och beställer ett paket rundkornigt ris. Och russin.

Framåt kvällen har hon kokt gröten och äter den sakta. Den är god. Det är enkel mat. Det är barndomen som stiger upp ur den. Kriget. Det är ett enkelt liv hon äter. Villan var liksom tunnare då. Det drog. Och så la vi allt möjligt i komposten. Äggskal. Det stod en rönn vid balkongen. Jag hade vaddtäcke med satinfoder. Vi åt middag klockan sex.

Det är gott. Hon äter gröten till åminnelse av ett enkelt liv. Pjäxor. Golvdrag. Pianospel. Hunden som snarkade i pappas skinnfåtölj. Inte heller han gillade golvdraget. Han skulle ha tyckt om att få gröten som blev kvar. Men vad åt han annars? Det fanns inga burkar med konserverat kött, HUNDENS MIDDAG MED LEVER, inget pelleterat hundfoder. En riesenschnauzer. En stor tysk hund. Pappa fick strupar och lungor från Enskede slakthus, så var det. Det var nog hjärta också för det kallades *hjärtslag*. Usch. Kvalmig lukt när det kokade i en stor gryta. Vi borde faktiskt inte ha lagt kokta potatisskal i komposten.

Stackars pappa. Han höll nog lite på det tyska, ja inte på Hitler och nazisterna, men han höll på det tyska, på Goethe och Beethoven. Han trodde nog att officerarna skulle ta över, gudvet vad han trodde. Att de skulle få politisk makt om kriget gick bra. Tyskland skulle bli tyskt igen bara de segrade. När Rommel blev utnämnd till fältmarskalk skulle allt vända sig, trodde han. Men det blev El Alamein. Hon minns orden, de finns i gröten: *Rommel har blivit utnämnd till generalfältmarskalk.* Och sedan sex veckors ökenförintelse.

Pappas besvikelse. Det är lite sagt. Hans skarpa frätande obarmhärtiga desillusion. Kanske var det annat också. Man vet så lite om sina föräldrars liv. Han blev grå. Sjuk. Och mamma kokade gröt åt honom. Han åt gröt i stället för middag för han hade fått magsår. Det blödde en midsommar. En grynig nästan svart kräkning lämnade hans inre en sommarmorgon. Mamma ordnade med doktor. Med bil.

Enskilt rum. Och sen med hans konvalescens. Den lätta vita maten. Kokt fisk. Ris. Det fanns bara rundkornigt då. Silverte. Hett vatten med socker och lite grädde i. Gud vet vad mamma tänkte om hans besvikelse. Gud vet förresten vad hon hade tänkt om hans entusiasm. Hon brydde sig inte mycket om den där diskussionsklubben. Men hon sa ingenting. En kvinna orerade inte om sina åsikter på den tiden. Till och med Oda Arpman var lite dämpad. Mycket yngre än mamma. Lång och tjusig, faktiskt. Det var det ord man använde.

Det finns ett kort av mamma och pappa tillsammans med Oda. Lars Arpman måste ha tagit det. Osynlige Arpman. Var det Johan Krylund från början redan?

Nej, enkelt var det där livet förstås inte. Men maten. Fast de kom nog igång med stora smörgåsbord igen så snart kriget var slut och ransoneringarna började lätta. Men en enkelhet fanns det. Var den min? Barnets. Fast jag var ju nästan vuxen, sexton, sjutton år när jag satt här vid pianot om kvällarna. Helst när jag var ensam hemma. Spelade i halvmörkret. Det var bara lampan ovanför notstället som lyste. Fotografierna på pianot skallrade om jag tog i. Fast för det mesta spelade jag väldigt tyst. Vänsterpedalen nertryckt.

Den tunga grå känslan gör att Ruth inte orkar diska gröttallriken. Hon ställer den i blöt bara. Så går hon in i vardagsrummet och slår på TV:n. En dam i svart och guld läser ur en barnbok innan nästa program ska starta: Vem ska trösta Knyttet? Nej, det blir för mycket. Men det är naturligtvis välment. Som när farbror Sven på sin tid talade till de sjuka och ensamma på nyårsafton. Fast han var nog inte festklädd och om han var det så syntes det inte i radio. Hon slår över till nästa kanal. Programledaren i en frågesport har frack. Det är glitter på poängsiffrorna. De är frostade med silvrig snö. Sen får man en förhandstitt på tolvslaget: partyhattar, smokingar, papperstrumpeter, serpentiner, champagne i spetsiga glas, konfetti. Det tutar, det skjuter, det spelar. Raketer smäller och tjuter. Hon har sett den här biten flera gånger redan. Vad i herrans namn ska de göra för att överträffa den när klockan verkligen blir tolv?

En sångerska visar bröst som tillsammans måste väga sju eller åtta kilo och sjunger eldigt om zigenarkärlek. Hon slår med ögonlocken i vibrato. Sen vänder hon stjärthalvorna i rödsvart lamé mot kameran. Då stänger Ruth av TV:n. Hon gör det inte med fjärrkontrollen utan med knappen på apparaten. Det blir alldeles tyst och mörkt i rummet. Halvmörker när ögonen vant sig. Hon vill inte ha så mycket ljus så hon tänder bara pianobelysningen. Några noter finns inte framme. Ingen spelar längre.

Hela villan är renoverad i ett par, tre omgångar sen kriget. Möbleringen är annorlunda. Men pianot och pianopallen finns kvar. Inga fotografier på pianot förstås. Det hade man ju förr. De skallrade lätt i valserna. Ingen tjock sidenduk med randmönster i violett, mörkblått och rosa. Vart tog den vägen?

Hon minns något dammigt, bristfärdigt: skört siden. Trådar som nötts av. Händer som kastade bort. Ja, det var mina. Mina händer. Hur kunde jag, tänker hon mot allt förnuft.

Hon lyfter på pianopallens lock. Det är som om hon under alla dessa år inte hade kommit ihåg att sitsen är ett lock som går att lyfta. Noter. Det första häftet är: *Ja, det brevet den som skrev det, hon har vilat i min famn, det är Britta, jag säger inte något efternamn.* Taubes beredskapsvisa. Så brun den har blivit. Eller var. Här är också saker som hon spelat själv. *I dream of Jeanie with the lightbrown hair, born like a vapour in the summers air...*

Försiktigt prövar hon med pekfingret. Tre b:n! Hur kunde jag? Men den gamla Stephen Fostermelodin vaknar. Den finns i huset igen och rör sig i halvmörkret, spröd och oren. Det har inte funnits anledning att stämma pianot på senare år. Men tänk att melodin rör sig, att den finns i huset och i kroppen. Ja. Den har väl funnits där hela tiden. I minnet säger man, men jag kan då inte minnas att jag mints den.

Att sitta så här. Kanske en timme. Kanske två. Var det så enkelt?

Hade jag inte alls bråttom? Jag måste väl ha haft tider att passa? Jag gör det enklare än det var; jag har glömt.

Men kroppen har inte glömt. Den tar emot melodin, den söta, kanske sentimentala melodin, den tar emot den med igenkännande och med lugn. Hon börjar treva med vänsterhanden. Finner ackorden. Herregud – tre b:n! Och detta sitter i kroppen. I händerna. Långt inne i mig finns ett igenkännande, inte dimmigt och avlägset utan precist. Ja, mycket precist. Orört av all den tid som har strömmat. All tid som jag har mött på tvären som en simmare i hård motström. Jag har kämpat mig igenom den. Så hårt. Så hårt för kroppen, för minnet och tankarna. Allt det där. För själen. Också ett ord. Men i brist på bättre: så hårt för själen.

Orörd av tiden stiger melodin upp ur noterna och ur hennes händer och kropp och ur det gamla pianot som inte skräller nu. Lite oren är den. Men minnet korrigerar. Och utan att Ruth Anser har märkt det har det blivit ett nytt år.

Andra dagen på det nya året får Oda besök av en ung man som är så fräsch som om han hade fötts sprattlande under en dusch. Han luktar ostron fast det är nog herrparfym och han har mörkt halvlångt hår i friskt nytvättade vågor.

– Får man önska gott nytt år? säger han glatt och pojkaktigt. Ur munnen kommer friska fläktar. De är gjorda med spray, det såg hon innan han steg ur bilen.

– Och lämna en liten present från BOKONTROLL?

Sigge har sagt att Oda inte får släppa in folk som hon inte känner. Men dagen är grå. Livet är långt. Otroligt långt egentligen. Och den här kommer inte att slå ner henne, för han skulle inte ta risken att kleta ner sig. Han är ute för att lura henne. Och det blir svårare, tänker Oda, möjligen i övermod.

Han stiger alltså in och paketet läggs på soffbordet. Det är choklad.

– Jaha? säger Oda.

– Ojojoj, säger friskusen och ser sig omkring. Lite tungrott va? Inte lättstädat precis.

Han säger prec-iii-s med isande i-ljud.

– Jag städar inte så mycket, säger Oda. BOKONTROLL? Ska myndigheterna kontrollera hur jag bor? Fast di brukar inte bjuda på choklad. Så det är väl affärsverksamhet. Vad säljer du?

– Absolut ingenting, säger han fast hon hade gissat på ett uppslagsverk i femton delar och med ett avbetalningskontrakt läsbart endast med förstoringsapparat.

– Vi vill att dom boende ska ha kontrollen.

– Jaha. Över vadå?

– Över sitt boende! Full kontroll. Det är den nya idén. Och det är det jag undrar om du har.

– Kontroll?

– Ja – om du har kontroll över ditt boende.

Vid hans tänder tycks aldrig föda ha kletat. De är vita och glänser

416

och det är små hälsosamma mellanrum mellan dem.

– Trappor, säger han. Både till övervåningen och ner till källarn. Ajajaj. Stor trädgård också. Och hur är det med snöskottningen?

Ja, där frågar han klokt. För Polander tre hus bort brukar komma med en liten slunga och surra bort snön åt både Oda och Ruth Anser. Men nu är Polanders på Madeira. De har tydligen avtalat med en yngling att han ska komma och köra slungan och tömma brevlådan och tända och släcka lite olika för varje dag därinne. Men han kommer förstås inte till Oda. Hon har trampat en myrgång till brevlådan. Och Ruth tycks ha gett upp, mer eller mindre.

– Du har inte funderat på ett boende som skulle ge dig lite mer kontroll över situationen?

– Vill du köpa villan?

Han lägger huvudet på sned och håller upp två handflator, skära och rena. Det ska väl föreställa nej. Eller ja.

– Syrengården? Rosengården? säger han. Har du varit på Syrengården i Saltsjöbaden? Eller i Vallentuna på Rosengården? Lugnt, välkontrollerat boende. Service med mat, sjukvård, allting. Aktiviteter. Du anar inte vilket utbud av aktiviteter.

– Jodå, säger Oda.

– Sånt kan vi ordna.

– Jaså. Säljer du lägenheter där?

– Nejnej, men vi kan greja det åt dig om du skulle vilja få lite mera kontroll på ditt boende. Förbi köerna serdu. Inga problem.

Det är då det ringer på dörren. Oda stolpar med någon möda iväg för att öppna. Det är inte farligt att lämna honom med tavlorna och Viborgmästarens pendyl. Han är ute efter mer. På trappan står Sune Kyndel.

– Tjena, väser han. Jag ska inte bli lång. Ville bara varna dig.

Han pekar inåt och blinkar. Eller grimaserar snarare.

– Vad är det?

– Killen, viskar Kyndel. Han är ute efter oss.

– Har han varit hos dig också?

Kyndel nickar.

– Med choklad?

– En påse Twist.

– Kom in.

Men Kyndel vill stå i dörren och viska.

– Jag sågen när han gick in här serru. Och jag har setten förut. Han jobba åt Fehzén när han hade BOSTABIL. Sen kånka dom. Men nu dyker han opp igen. Dom vill åt villerna. Rensning pågår. Dom ska ha tjusigt här. Priserna stiger du vet.

– Har han erbjudit dig lägenhet på Syrengården också?

– Etta i Trollbäcken.

– Men jag tror inte att Fehzén är ute efter fler villor nu. Han säljer ju. Han sålde Krylundska villan åt kommunen.

– Det var för att han trodde det skulle bli nån sorts kulturcenter där serdu. Det är sånt som drar. Priserna stiger. Det ska vara kultur nu. Och kommunen sa faktiskt att det skulle bli nåt med kultur där.

Hon får in honom till slut. Det friska ansiktet som nu lyser från soffhörnet solkas när det reflekterar Kyndel. Missnöje som en liten beläggning. Strax borta. Finfint igen.

– Alla tiders! säger han entusiastiskt.

Luften blir mera tät när Kyndel kommer in i värmen. Han har raggsockor. Graningekängorna tog han av sig i hallen och han lägger den ena foten uppepå den andra på ett sätt som påminner Oda om en gammal hund de hade på Lindholmen. Han vilade eller avvaktade alltid med tassarna i kors.

– Vad säger du, Kyndel, ska vi flytta till Syrengården du och jag? Eller Violhemmet. Eller servicehuset Luktärtan. Eller hur var det? Vad hade ni att erbjuda Sune Kyndel?

– Vi försöker åstadkomma individuella lösningar. Det blir skillnader i upplägget. Liksom det finns skillnader mellan individer.

– Just det, säger Oda. Som skillnaden mellan Twist och Anton Berg.

– Sverige har kört på lite för länge med nivelleringen. Ta radhusena. Lika utanpå. Lika inuti. Men olika folk. Titta bara på Svenska Hjärtan. Jag menar det säger en del. Och låneuppläggena. Rena vilda torget där. Kaos. Den ena kommer undan med statliga bottenlån och fina gamla hypotek och den andra får betala notariatslån med ränter som kan få en krokodil att gråta. Jag menar ska det vara likhet så ska det väl *vara* likhet inför banken. Vi kommer att erbjuda gemensamma bottenlån, hela lånekonceptet gemensamt överhuvudtaget och gemensamma omförhandlingar.

– Jag fattar inte, säger Kyndel. Det blir ju lika då.

– Just det! Det är andra tider nu. Annan stämning. Folk kräver lite mer av sitt boende. Vi har ett koncept. Rakt av. Man känner av, individuellt, var man vill bo. Jag menar man köper ju inte bara ett hus va? Man köper ett område. Grannar. Man köper buset. Inbrott. Garagestölder. Hela upplägget. Och det är det vi har tagit fasta på. Inget mera fnattande med grannar som tömmer brevlådan och kris med snöskottningen. Utan ett helt klart rent koncept. Från lånena till snöskottningen. Bevakning. Larmsystem. Passeringskoder.

– Tänk, säger Sune Kyndel, jag hörde på radio om en som kom på att hans pelargonier kände igen honom. Det var nåt i stil med fotoceller. Känslighet för utstrålning. Han fick dom att öppna garagedörrarna. Eller hur det var.

– Kul. Vi har det här upplägget med hela system alltså. Vi tror på individens kraft här. Att folk har vett att välja det som passar dom.

– Kände di nån sorts aura då? frågar Oda.

– Förlåt?

– Ja, jag menar pelargonierna.

– Visst, säger Sune Kyndel. Dom kände nåt. Det kanske var en aura.

– Det är underligt, säger Oda drömmande. Men det är inte otroligt. Jo, kanske. Men inte *omöjligt* i alla fall. Fast det är en bra bit bortom det sannolikas gräns mot det möjliga.

– Nu är jag inte riktigt med tror jag, säger BOKONTROLL:s man friskt och uppriktigt.

– Pelargonier som öppnar garagedörrar, säger Oda. Människan är också ett sånt finstämt instrument. Hela naturen spelar på oss tror jag. Liksom på djurena och växterna. Safterna stiger och sjunker i kroppens eller växtens kärl, de stiger och sjunker efter årstider och planeternas ställning och sånt. Så det gäller att följa med och hålla rätta takten...

– Fantastiskt, säger Sune Kyndel. Riktigt jävligt bra.

– Jag har inte hitta på det själv, säger Oda. Jag läste det i en bok i morse.

– Vilken bok?

– Den heter Tusen år i Småland.

– Den skriver jag opp i psalmboka, säger Sune Kyndel.

– Rätta takten för arbete, vila, kärlek, måltider och fromma övningar. Tror jag det stod.

– Fint, säger BOKONTROLL:s man. Kul.

– Vet du vad, säger Oda. Jag tycker upplägget är tjusigt.

– Vilket?

– Ditt. Konceptet. Kultur och bevakning och snöskottning. För mig låter det som paradiset. Ska di ha uniform?

– Mycket diskret.

– Kamouflagekläder? frågar Kyndel men då blir BOKONTROLL störd så Oda säger:

– Skoja inte Kyndel. Det här är allvar. Nu ska jag be att få meddela att jag bor kvar. Jag vill bo i Paradiset.

– Jag med, säger Kyndel.

– Vi köper hela konceptet utom lånen. För vi har inga lån. Eller hur Kyndel?

– Jag kilar nu, säger den friske unge mannen.

De hör hans bil starta med ett mjukt sensuellt morrande och Oda säger att nu bjuder hon på ett glas portvin till chokladen.

– Hörru du, jag skulle akta mig för den där choklan, säger Kyndel. Jag slängde Twistpåsen i sophinken. Fehzén är en lurig jävel. Och det är han som är bakom. Det vet jag.

– Du menar att han skulle ha förgiftat chokladen för att bli kvitt oss?

– Jag menar ingenting, säger Kyndel. Men jag tar det försiktigt.

Då tar Oda fram två slipade glas inköpta i Petersburg på 1870-talet och en karaff av samma ursprung och hon häller upp guldgult portvin åt Kyndel och sig själv. Hon bräcker cellofanomslaget av chokladen och ställer asken öppnad mitt på köksbordet.

– Kyndel, säger hon, nu ska vi äta choklad.

Hon tar en bit mandelkrokant och stoppar den i munnen och medan hon fortfarande tuggar stoppar hon in en ljus bit med vit fransk nougat inuti och en bittermörk med körsbärslikör.

– Ät nu, säger hon.

– Nejtack skaru ha. Jag tar allt det lilla lugna.

– Vi måste äta av den här chokladen annars blir vi sjuka, säger Oda medan hon försöker manövrera den franska nougaten undan gommen. Jag har en ung väninna, ja, du vet Sigge, hon som arbetade åt Oxehufvud bredvid här. Hon kallar det för noja. Så nu ska vi äta den här chokladen för att inte bli nojiga. Paránoia heter det. Jag hade en bror som var läkare. Han irriterade sig på att di börjat säga parranója. Men det är vår tids sjukdom så man kelar lite med den. Uttalar den familjärt. Den är tjugonde århundradets lilla katt. Ta nu en sån här Kyndel. Tryffel med kaffesmak. Vårt lilla sällskapsdjur. Har du sett di där stora katterna som smyger omkring i gryningen utanför nordafrikanska hus? Man kan se dem ända oppe på hotellgårdarna. Såna katter kan bli mycket stora. Di går i sophögar. Di blir stora muskulösa rovdjur till slut och de kan livnära sig av lik. Krigena kommer av såna sällskapskatter som paránoian.

Han stoppar verkligen en bit i munnen nu, men han väljer den minsta och tunnaste, ljus choklad med apelsinsmak, och han sköljer efter med portvin.

När de ätit tillräckligt av chokladen för att Oda ska anse dem vara på den säkra sidan ber han att få visa henne någonting. Nåt jävligt konstigt, säger han. Hon tar på sig stövlar för det är en bit bort i hans trädgård det konstiga är. Alldeles invid drivbänken.

Det är inte mycket snö kvar nu. Mellandagarna har varit gråvåta, töande. Stänglar med fröställningar står sorgmodigt nakna i det lilla snöskrap som är kvar. Trädkronorna har svarta grenverk.

– Här.

Det är ett skyddat läge invid de nästan murknade bräderna.

– Jag har setten länge. Åratal. Jag menar blana.

Men nu blommar den. Stängeln är kraftig, lite krokig, kanske av att ha letat sig upp ur ett snöhindrat läge för några dagar sen. Kronbladen är fem stycken, vitgröna. Ja, isigt vita med en grön lyster.

– Den är stor som nån jävla anemon, säger Kyndel.

– Det är en anemon på sätt och vis. Helleborus niger. Julros.

– I alla fall är det jävligt märkligt. Att blomma på vintern. Va? Att få för sig det.

Tiden upphör inte. Processerna fortsätter och förvandlingarna.

Det går kanske att tänka sig upphörd tid som ett slutet rum. Men även i ett sådant rum blommar krukväxterna. De svältblommar i torka och blir bruna och vissna. Men tiden och förvandlingarna upphör inte då heller. Växterna börjar så småningom multna.

Det här rummet i ett HSB-hus i Kristineberg är inte slutet. Den som här hade kommit till tidens slut hade mycket hänsyn i sig. Därför står balkongdörren öppen. Det sitter en hopvikt tidning under den för att hindra den att blåsa igen. Krukväxterna som är en rad med saintpaulior i vita keramikkrukor har inte börjat multna. De har snarare frystorkat.

Fastighetsskötaren går hela helgen och blänger på den där balkongdörren. Han förstår inte att den är öppen av hänsyn, antagligen bland annat till honom. Han tycker det är ett jävla sätt bara. Värmen går rakt ut. Och så kommer den på hyrorna. Det säger han till sin fru. Hon börjar också titta på balkongdörren däruppe. Men hon är inte så upprörd. Hon har glömt den bara, säger hon. Han tycker det är ett jävla sätt i alla fall.

Sen ringer det ett fruntimmer från Visby av alla ställen. Hon frågar efter henne däruppe bakom den öppna balkongdörren och säger att hon har försökt ringa henne hela helgen. Men hon svarar inte. Första vardagen på nyåret ringer en till. Det är en jävla socialmara. Hon är noga med titlarna. Men hon ringer privat säger hon. Då börjar han tycka att det är läskigt.

Han vägrar att gå in med huvudnyckel när det ringer från Visby igen. Det är en karl nu. Han säger att vill ni gå in så får ni komma hit och styrka vilka ni är. Eller också polisen, säger han.

Det blir en massa dividerande. Och hela tiden står den där balkongdörrn öppen. Till slut blir det polisen. Vi kan ju inte ge oss av från Visby bara så där, säger karln. Om det inte skulle va nåt.

Fastighetsskötaren går inte med in. Man passar sig. Det sa han åt frugan redan innan polisbilen hade kommit. Man har varit med ett tag.

Det är två poliser. Den ena är en tjej. Dom får nog se en hel del. Jaha, säger dom när dom kommer ut. Det är den manliga. Det var tråkigt det här. När såg du henne sist? Vad är det då? säger han. Har hon fått slag eller nåt? Det är tråkigare än så, säger tjejen. Då förstår han att hon har gjort av med sig.

Ljudbränningarna från Drottningholmsvägen fortsätter att dåna genom de två rummen. Men ännu nästa dag är lägenheten kall. Frun från Visby huttrar. Det är tomt nu. Ingenting otäckt därinne. Men de rör sig i alla fall huttrande och med motvilja på de små ytorna. Saintpauliorna får man väl kasta ut, säger frun. En sån där krok, säger mannen. Den är ju bara för en lampa. Att den höll. Hon var jättelätt, säger frun och huttrar. Liten.

Polisen har tagit brevet. Det låg på sängen. Allting ska undersökas. Men de har fått en fotostatkopia så länge. Det står inget personligt. Det är som vi inte existera, säger frun. Jag menar jag är i alla fall en systerdotter. Hennes mans ja. Ja, men i alla fall. Och det är vi som får ordna allting.

Det står i brevet att begravningen ska äga rum, ja, det står äga rum, på den judiska delen av Skogskyrkogården. I annonsen och på gravstenen ska det stå Katarzyna Tidström född Grossman. Men det är ju helt vansinnigt, säger frun. Hon var inte sig själv. Sånt här kan man ju inte rätta sig efter. Varför inte det? Det är klart hon ska ligga bredvid sin man. Det är ju självklart. I Hemse. Hon måste ha varit alldeles förvirrad. Och så där kan man ju inte stava hennes namn heller. Då vet ju ingen vem det är. Men mannen tycker att man måste rätta sig efter brevet. Varför det? Det är väl inget *testamente* heller. Det finns nog inget. Nej, för det finns inga pengar. Hon gav bort en massa. Hon höll på jämt med en massa insamlingar och skänkte själv. Och ska hon begravas där på judiska kyrkogårn så kan du tänka dig hur det blir. Och vi som bor på Gotland. Ja, vad är det med det? Vi kan ju inte *kolla* fattar du. Dom håller på och välter gravstenar och sprejar hakkors och allt möjligt där. Inte hela tiden, säger han. Nej, men *nu* gör dom det. Och det kommer dom nog och fortsätta med. Vi kan inte ta ansvar för det där. Jag tycker hon ska begravas vid sin man. Morbror skulle ha velat det. Vi rättar oss efter honom. Det var i alla fall han som var min morbror. Och det är så fint på kyrkogården i Hemse. När man har gravplats och allting. Det verkar ju bara konstigt med Skogskyrkogården och den där delen. Eller om det är utanför. Och vad blir det för sorts begravning *där*? Jag menar det blir ju ingen svensk präst. Det blir det väl, säger mannen. Fast inte... Nu pratar vi inte mer om det, säger frun. Det var i alla fall min morbror. Och ingen vet om det här brevet. Jo, polisen, säger han. Polisen! Tror du att polisen kollar var folk begravs? Nu tjafsar vi inte längre. Titta om det finns nåra kassar i skåpet under diskbänken. Vi tar saintpauliorna med oss och slänger dom i sopnedkastet. Sen går vi hit när det har värmts opp lite. Vi måste ju röja opp i alla fall.

Janne är ute på nätterna. Hos Lili Thorm har Sigge förstås trott. Om det vore så enkelt så vore det väl slut nu. Då skulle Sigge packa hans grejor i några prydliga kartonger och meddela att han kunde hämta dem.

Men det finns ingenstans hon kan ringa och meddela. Han är inte inne någonstans, han är *ute* på nätterna. Bokstavligen. Sent en kväll, det var i mellandagarna, gick hon en sväng med Sickan på Katarina kyrkogård och hittade honom där. Fast det var snarare Sickan som fann honom. Hopkrupen.

– Är du deprimerad? frågade hon när de kommit hem och hon hade fått på honom en varm olle och gett honom te. Han skakade på huvudet. Han har blivit så tyst. Säger inte mycket alls. Och så har han visst slutat att tvätta sig. Eller vad det är. För han luktar konstigt. Fränt.

På morgonen var han borta igen. Sigge har egentligen inte tid att hålla på och leta efter honom för de är i full gång med EN DAG FÖRE FRAMTIDEN nu. Hon jobbar med Lili Thorm ibland. Iskallt. Vad ska hon göra? Hon kan inte polisanmäla henne för misshandel. Då skulle ju alltihop komma fram, om korten och telefonboken och pengarna som Sigge slängde. Inte kan hon lägga av heller. För vem ska jobba då? Janne går inte dit. Ändå håller de på med hans torn nu. Det finns på affischerna och det ska bli nån sorts emblem. Hur kan han bara skita i det?

Hon åker ut till torpet i alla fall fast hon egentligen inte har tid. Hon känner på sig att han är där. Det börjar skymma. Mälarvikarna med sin snöiga isskorpa som svartnar fläckvis i tövädret tycks inte ligga stilla. De svävar med öarna i snålljuset. Man vet inte vad som är fruset vatten och vad som är snöigt land. Torpstugan ser ut som om den har kommit svävande och kantrat i snön. Janne har gått in. Och sen ut igen. Men inte tillbaka till vägen.

Det är som en indianbok. Hon följer hans spår. Verkligen och på allvar. När hon var barn märkte hon att det bara var nys med Hjortfot. Det blir aldrig några avtryck i marken om den inte består av lera eller sand. Men snön tar emot avtryck. Jannes COPY CAT. Hon skulle ha haft Sickan med sig för att spåra honom. Men hon blev kvar hos farsan.

Han är världens snällaste, tänker hon. Varför ska han ha dom där dojorna. Fast han gjorde det där med Lili Thorm är han snäll. Jag vet det. Janne är snäll rakt igenom. Och han far illa nu. Men av *vad*?

*Jag vet vad du behöver.* Farsan har sagt nån gång att det är kärlek. Att veta vad nån behöver.

Förr eller senare kommer man till det där ordet. Man måste kanske inte ta det i munnen men i alla fall ta hand om det. Åt sig själv. Det kan ju inte få betyda vadsomhelst. Eller inte finnas. Kärlek. Hon har aldrig tänkt att hon har älskat Janne. Hon har inte ens varit blixtkär några veckor eller så. Det här är nånting annat. Det är som en vidrig malande mensvärk. *Jag vet inte vad du behöver.* Jag vet inte alls vad det är med dig och hur jag ska få tag på dig och kunna hjälpa dig. Jag vet ingenting.

Hon tycker att hon ser spår av att han varit inne i huset ett bra tag. Har han sovit här? Kylan är ju vass och rå och det luktar mögel. Han har då inte eldat i kaminen. Det finns väl ingen ved förresten.

Hon beslutar sig för att titta efter. Kanske kan hon vänta här om hon får upp värmen inne. Hon måste. Värme behöver han i alla fall.

Det finns en vedbod därute. Det är svårt att få upp dörren för snön har drivit ihop framför den och sen töat och frusit. Sigge hackar med en bandyklubba som hon hittat i farstun. Till slut kommer hon in. Det är nog mera skrotupplag än vedbod. Första lagret verkar modernt. Tefat av plast. Skoterkängor. En bob av trä med sprucken ratt. Sen kommer gamla pimpelspön med drag som ser ut att vara gjorda av tennbitar. Käppar med röda vippor och knutiga linor. Hemgjorda fiskegrejor kanske. En spark och ett par gamla dampjäxor. De är kantade med en liten remsa fårskinn. Hon hittar en apparat som kanske varit en leksak. Under ett lock ligger en spårskena över en fuktskadad pappersremsa med ett alfabet på. En liten manick med visare har löpt över skenan. Men hon förstår inte med vilken kraft för någon plats för batterier syns inte till. Det finns verkligen björkved allra längst in, en hopfallen trave. Hon undrar hur gamla vedträna är. De är grå och det sitter muslortar på dem.

De brinner i alla fall. Hon får upp värmen själv när hon springer fram och tillbaka med små vedbördor. Men kylan kommer krypande när hon sitter. Det finns en korgstol som hon drar intill kaminen. Visst flammar det därinne men åldrad ved ger nog inte mycket värme. Hon måste öppna termosen och ta lite choklad. Hon hade egentligen tänkt att Janne skulle ha alltihop när hon fann honom.

Det är alldeles tyst nu och mörkt. Hon måste leta på några ljus. Det visar sig att det finns stumpar i ett köksskåp. Men de är inte lätta att finna för hitut når ingen reflex från kaminen. Fyra små ljus på tefat. De fladdrar och brinner. Hur länge ska hon sitta så här? Det finns ju ingenting rimligt i detta. Ingenting som man kan bestämma hur länge det ska vara. Man kan inte fråga nån. Man vet helt enkelt inte. Ljuslågorna speglas flackande i fönsterrutorna. Sex små rutor i varje fönsterhalva. Tolv små flackande ljusandar. En möglig filt och ett gammalt fårskinn. En radio som inte går. Den är av vinröd bakelit.

Hon sover nog lite. Eller domnar bort ett tag och vaknar av att hon fryser ännu värre. In i märgen. Men hon har hört ett ljud. Inte nu. Kanske hörde hon det i sin grunda sömn men hon vet inte hur länge sen det var. Stelt börjar hon resa sig och försöka få liv i lemmarna. Det sticker av kyla. Den kommer som en rå andning ur rummets alla hörn och Sigge börjar skaka. Det är nästan ofattbart att man kan frysa så. Hon är hungrig också. Jag har aldrig varit hungrig förr, tänker hon. Inte på riktigt. Inte som nu. Och jag har aldrig frusit så att kroppen har skakat och darrat så här. Den skakar ofrivilligt.

Ljudet. Har hon drömt bara? Nu måste hon i alla fall ge sig iväg. Åtminstone upp till bilen. Hon tänker starta motorn och dra igång värmen. Sen kan hon vänta där ett tag. Men när hon kommer ut på bron ser hon att hon inte behöver vänta längre. Det är Janne. En mörk hög. Fast sen när hon tar i honom är det mera som en hård knut. Det är snöljus omkring dem. Hon ser bättre efter en stund.

– Janne, viskar hon. Vakna. Janne...

Då lyfter han huvudet. Det är inte han, tänker hon. Fast det är det. Det är klart hon känner igen honom. Det är bara något så fullständigt främmande. Det finns något i hans ansikte som hon aldrig sett. Inte hos någon människa i alla fall. Och så öppnar han munnen och fräser.

Allt gick fullständigt korrekt till när Ruth Anser kallade gruppen till minnesstund efter Kajan Tidström.

De anlände grå- och svartklädda i den droppande vintereftermiddagen. Det fanns brunt också, i Sylvias päls och sjalen som Blenda slagit om huvudet och axlarna. De kom i samma färger som jorden som töade fram och skorpan av sot och grus på de smältande snödrivorna. Mildare sagt hade de en avlägsen eller svävande likhet med koltrasthonan som kurade i häcken. De var frusna honor, illa berörda.

Ruth serverade en torr ljus sherry och bjöd runt ett fat med mandelbiskvier. Sedan höll hon ett litet tal. Det var naturligt att hon gjorde det. Hon var sammankallande och det var hon som till slut hade funnit ut vad som hade hänt med Kajan.

Hon sa så. Man kunde naturligtvis ha uttryckt det på annat sätt. Till exempel: vad Kajan hade låtit hända med sig. Eller till och med: vad de hade låtit hända med Kajan. Men så sa inte Ruth. Hennes tal var sakligt. Det hade saklig värdighet.

Detta var ju ingen begravningshögtid. Den hade redan hållits. På Gotland sa Ruth. Kajan hörde hemma på Gotland. Hon hade kommit hem. Här visade sig Ruth också känslomässigt mogen den svåra situationen. Talet hade fått en djupt personlig ton. Eller touche. Ulla Häger grät öppet.

Efter talet spelade Ruth första satsen, Allegro maestoso, ur Liszts pianokonsert nummer 1 i Ess dur på sin stereoanläggning. Det var verkligen mycket väl valt, tyckte till exempel Ulla Häger efteråt. Sorgset, värdigt och med ett *rent* allvar. Ingenting skorrande eller – ja. Man är ju så van vid disharmonier nuförtiden. Fast kanske ändå att det majestätiska blev lite, ja *mycket*. Och en viss oro... det dånade. Musik är ju så svårt att karakterisera, sa Ulla. Men... ja, man tycker ju i alla fall att saker och ting ska sluta positivt. Så på det sättet...

Hon blev avbruten. Det var uppenbart att Ruth hade ett program och att hon inte ville att de skulle distrahera varandra med sällskapligt prat. Det verkade som om hon ville hålla ännu ett tal.

– Det är naturligtvis som Kajans vänner jag bjudit in er idag, började hon. Inte som diskussionsgrupp.

Nej, det är ju uppenbart.

I den långa tystnad som följer på orden befinner sig sällskapet nu. Det verkar faktiskt som om Ruth tappar greppet om situationen. Hon pauserar lite för länge. Ulla är på väg att bryta in. Hon är inte någon tystnadstolerant människa. Men hon tar en klunk sherry först och råkar andas in så olyckligt att hon sätter vinet i halsen. Den lite för långa pausen utfylls av hennes hosta. Hon småhackar på ett diskret sätt. Blenda Uvhult snyter sig. Hennes rörelse tycks ha gått inåt och avsatt slem i stället för tårar. Hon snörvlar länge, så pass länge att Ruths ord nu verkar ha yttrats i en annan tid. Sigge sitter och vippar med foten. Det är svårt att låta bli att snegla på hennes blanka svarta boots och kostymen som de såg för första gången på förra mötet. Hon har ett stort blåmärke vid högra ögat men är målad och klippt på ett ganska uppseendeväckande sätt och verkar allmänt uppstramad. Sylvia däremot tycks ha säckat ihop. Hon har druckit ur sitt sherryglas i ett enda svep och sitter nu tillbakalutad i soffan med slutna ögon.

Då ringer det.

Någon elektronik i deras kroppar tycks ge svar på signalen. Det känns obehagligt, som vid lurande åskväder. Men Ruth reser sig med lugn värdighet och försvinner ut ur rummet. Telefonen ger ifrån sig ett par signaler till. Sen tystnar den. Ruth kommer tillbaka.

– Jag drog ur, säger hon. I en sån här stund ska vi ju inte bli störda. Jag borde ha tänkt på det i förväg.

Man kan inte säga att Ruth är till sin fördel. Det är något gråblekt och nästan osunt i hennes ansiktsfärg. En skugga av bly. Men hon är situationen vuxen igen. Det finns mycket obehag i rummet nu. Sylvia som sitter så till att hon ser genom fönstret ut mot grannvillan har fortfarande ögonen slutna. Ulla har ryggen mot fönstret men hon har fått en obetvinglig lust att vända sig om och titta. Samtidigt är det det sista hon vill. Sigge tuggar bort läppstiftet från sin underläpp och Blenda börjar snyfta högt. När hon snutit sig ropar hon:

– Jag tyckte jag *såg* henne!

Då kan inte Ulla hålla sig längre. Hon vänder sig om. Det är långt lidet på eftermiddagen. Dagern är mattgrå. Men det är onekligen en skugga i fönstret på andra sidan. En stor hög. Fast det är väl konturen av en kropp. Uppförstorad tycker Ulla. Det har nog med det konstiga ljuset att göra.

Det är då Ruth Anser säger att allt gick fullständigt korrekt till när hon sammankallade dem.

– Jamen naturligt*vis*! säger Ulla.

– Jag har meddelat Oda vad som hänt med Kajan. Men jag såg ingen poäng i att bjuda hem henne till mig. Jag ska inte sticka under stol med att frågan om Krylundska villans framtid har gjort att Oda och jag kommit ifrån varandra. Ganska långt ifrån varandra.

– Jamen hon skulle ju inte orka! säger Ulla. Hon är ju så trött. Det skulle bara ha varit uppslitande för henne. Jag har faktiskt träffat henne. Det var före jul. Uppriktigt sagt så verkade hon lite förvirrad. Oda har inte längre samma... kraft. Jag menar som i sin krafts dagar.

– Jag måste dra, säger Sigge. Vi har mycket om oss på firman nu. Vi håller på med en konferens.

– Ska vi dela en bil?

Sylvia låter slö.

– Jag tycker det är hemskt, snyftar Blenda. Det är som när man gick i skolan. Vi är som små satmarer på ett skoldass.

Det är en bisarr anmärkning och den kvävs i slem eller tårar. Men säga vad man vill om Ruth, hon saknar inte mod. Ulla måste nästan beundra den fasthet med vilken hon bemöter Blendas utbrott.

– Kära Blenda, säger hon. Visst är det sorgligt. Men vi måste se verkligheten i ögonen. Jag tror, nej, det är min *övertygelse*, att diskussionsgruppens dagar är förbi. Oda var den sammanhållande kraften. Det medger jag. Men om kraften har förlorat sin verkan så har den.

– Om saltet mister sin sälta, varmed skall man då giva det sälta igen, säger Sylvia utan att titta upp. Hon har serverat sig själv ett glas sherry till och druckit ur det i ett enda svep. Nu stirrar hon ner i dess botten där en smula grums har avsatt sig.

– Det är väl fullständigt självklart att vi ska fortsätta att träffas och umgås! Vi är ju vänner, säger Ruth. Men vi är också individer. Frågan är om vi verkligen har allt det där gemensamt som vi brukar förutsätta. Som Oda brukar förutsätta. Blir det inte till slut lite *konstlat*?

– Jag för min del ska nog flytta, säger Blenda. Så det spelar ingen roll. Jag har inte bestämt mig riktigt än men det blir nog så att jag flyttar till Småland.

– Jag kommer ju att återvända till Zürich. Lite tidigare än det var tänkt faktiskt. Jag har fått en del att sköta om. Ordna med.

Sylvia låter suddig.

– Ursäkta mig, säger Sigge och reser sig, men nu måste jag dra. Jag ska träffa en cateringmänniska klockan fyra. Vi ska bestämma om små smörgåsar och petitfourer och sånt. Det är faktiskt ganska viktigt.

Det är bara Ulla Häger som ingenting säger. Hon ser alldeles förvirrad ut. Men hon lämnar villan tillsammans med de andra. Det är ju uppenbart att Ruths program för minnesstunden är slut nu.

När Ulla går förbi alla svampvägarna och korsar Tallkrogsvägen vid trafikljusen är hon uppfylld av en känsla eller snarare en energiström som hon är mycket förtrogen med. Hon genar under Nynäsvägens pelarburna och dånande betong och tar sen vägen till T-banan över en sörjig gräsmatta kantad av buskage. Från början var väl platsen tänkt som en park, men den är snarare en sorts krok av verkligheten. Man passerar den snabbt mitt på dagen eller annars inte alls. Men det är här, just när hon måste stiga runt en lerig smältvattenspöl i vilken det ligger en tunn plasthandske och ett Snickerspapper som hon inser vad det är för en liten energi som driver henne.

*Nu ska jag gå hem och ringa till Kajan.*

Sådant tänker man ju inte i ord. Det finns där bara. Känslan finns uttagen i förväg från en reserv av förtroende, samstämmighet och tid. Framförallt tid. *Hon har tid med mig.* Vi kan tala länge om det här. Att allt blev så fel. Musiken. Teet som aldrig blev drucket. Brådskan på slutet.

Mitt framför sörjan i pölen mellan två bitar nersliten gräsmatta med smutsiga snörester inser hon att det inte går att ha den här känslan längre. Ändå har hon den. *Hon vill tala med Kajan.*

Den förfärliga parken, den nerpissade, flaskbemängda och korvpappersfläckade avkroken som knappt räknas och bara mekaniskt passeras – om man inte hör till något klientel – blir på ett ögonblick hela världen. Hennes här och hennes nu. Hon sätter sig. Antagligen tränger blötan från de halvruttna bräderna i bänken upp i kappan. Men hon orkar inte resa sig. Och hon ser sig omkring. Nu ser hon verkligen.

*Det är så här det är.* Så här sitter människor. Så här sitter dom som inte har *någonting*.

Kylan känns genom kappan nu. Hon hör ett tunnelbanetåg. Det är som om hon aldrig någonsin förr har hört hur ett tunnelbanetåg låter. Hur det... väser. Och hur bilströmmen dundrar, ett evighetslångt malmtåg. Det värsta är att hon också kan höra sig själv. Kvittret. Det hurtiga, tjänstvilliga kvittret. Det falska. Det inställsamma. Det rädda faktiskt.

Jag sa att musiken var bra. Jag kvittrade om sorgset, värdigt, rent allvar. Den var ju förfärlig! Det var inte alls en sån musik som passade in på Kajan. Men jag var tvungen att säga det. Jag kunde inte tiga. Jag var så rädd att de skulle märka hur illa den passade. Jag tror att Ruth hade lyssnat bara på början av skivan. Hon hade inte tid till mer. Det finns ingen som har tid. Ingen har tid i världen.

Ulla vet att hon aldrig mer kommer att laddas av den där lilla energin: att ha Kajan. Sorg – det är något annat än det här. Sorg är ett ord som passar för diskreta kläder och diskreta miner. Att hitta den rätta nyansen mellan grafitgrått och svart med en smula lyster i. Moll-stämt, nertonat. Sorg är – utklädsel. Det här är... Det här är bara hemskt. Det är död.

Död.

Det är ruttet. Som i en park där ingen vill vara. Men som är. Det är på såna här platser människor fastnar när de inte orkar längre. När de inte har *någonting*.

Det var ju inte så märkvärdigt mellan Kajan och mig. Jag menar man ska väl inte kalla det kärlek eller så. Men herregud vad vi kunde tala med varandra. Vad hon skulle ha tyckt att det blev fel hos Ruth. Allting.

Då minns Ulla den förfärliga historien om den lilla hunden som husbondfolket måste slakta under Leningrads belägring därför att de svalt. Och så åt de hunden som gryta och frun sa:

– Tänk vad Lajka skulle ha tyckt om de här benen om hon levat.

När den blixtrar till tänker hon att hon är tokig. Att något har gått sönder. Men i så fall är det många som är tokiga. För det här är *cynis-men*. Det är det. Någonting i den leriga och söndertrampade parken har börjat tränga in i henne. Hon inser att hon måste resa sig och gå därifrån och hon lyckas också komma på fötter. Att gå är att röra fötter och ben och hålla handväskan tryckt mot vänster sida. Inte se löp-sedlar, korvpapper, krukor med gravblommor. Det är grå asfalt, det är grå betong, det är tuggummifläckar och oljefläckar och kanske blodfläckar. Smuts. Vänta är också att gå. Röra fötter och ben. Vända. Röra fötter och ben. Över det grå, fläckade. Vända igen. Sen kommer tåget. Det är det som ska hända. Det händer också. Men gud vad *är* det här? Att transporteras.

Det är åtminstone ljust inne i vagnen och det är tätt med människokroppar och ansikten. Hon blir osäker på vad de uttrycker. Är det bara en väntans tomhet medan tunnelmörkret och lampglimtarna strömmar förbi? När man kommer hem till sitt riktiga liv får man kanske sitt riktiga ansikte. Eller är det så här det *är*? Det sitter en ung mamma med en liten flicka på sätet mittemot och flickans ansikte är mjukt och det finns hemligheter och förväntan i det. Hon måste viska när hon talar med mamman. Hon vänder upp sitt ansikte mot mamman och det blir en blommas. Ulla tittar hela tiden på flickans ansikte. De går av vid T-Centralen precis som hon och försvinner för henne i trängseln. Då får hon syn på ljuslågor och blommor. De skymtar mellan kroppar och kläder, de flackar lite.

Det är en mordplats. Det vet Ulla. Inte för att hon vet vad som hänt där. Men så är tecknen: halvvissna rosor och små knippnejlikor. Värmeljus i sina metallkoppar. Tjocka paraffinljus där veken hotar att dränkas i en pöl. A4-papper i pappersfoldrar med dikter och hälsningar textade med tjock filtpenna. VARFÖR? står det under ett färgfotografi. Två bleka flickor i svarta skinnjackor knäfaller och tänder nya ljus. Ulla vill inte gå så nära. Antagligen är det mörka fläckar på betongen. Det är ingen välsignad och invigd plats. Det är gråbleka flickor med starkt målade ögon som har gjort den, de här eller några andra. Nu står den ena och röker. Det syns att hon har gråtit. Hon ser trött ut också. Bootsen, håret, jeansen. Ulla har hört ordet materialuttröttning och det kommer för henne. Att henna håret i handfatet, låta jeansen snurra i tvättmaskinen, bootsen trampa asfalten, måla ansiktet varje morgon. Att transporteras i tunnelmörker med förbiströmmande lampglimtar.

När hon går därifrån är hennes steg snabbare och hon tänker att de gör rätt. De gör det mycket bättre än Ruth Anser. Minnesstunden var inte bra. Det fanns ett tebord dukat inne i matsalen, Ulla såg en skymt av det när hon kom. Men sen var skjutdörrarna stängda. Och alltihop bara upplöstes. Det sista hon hörde var Sylvias röst:

– Nu återstår bara det logistiska problemet.

Det skulle väl vara nån sorts skämt. Minnesstunden efter Kajan

433

slutade i ett skämt som Ulla inte förstod. Hon står i rulltrappan med en kropp tätt framför sig och en tätt bakom sig. Kroppar i vinterkläder och bleka ansikten strömmar neråt bredvid hennes ström som går uppåt. Då tänker hon att hon skulle vilja åka till Drottningholmsvägen och gå ut på den tidigt på morgonen innan trafiken blivit så hård och tända en krans av ljus och lägga blommor där, avskurna vita och rosa hyacinter och ett enda A4-papper i en plastfolder. Utan text. Bara en pil. En tjock röd pil rakt in mot fönsterraden. Mot fönstret. Sen skulle bilarna komma i morgonrusningen, de skulle dåna och dundra mot betongen, de skulle strömma och de skulle... mala ner blommorna och ljusen. Ja.

Det är bara bilder. Det är inte tankar. Man rår inte för bilder. Ändå känner hon att hon måste ta sig samman nu. Ta ansvar för vad hon tänker. Inte låta sig malas ner. Hon ska tänka på vad hon ska ha till mat. Något enkelt. Köpa något enkelt hos Mischa. Ett par skivor skinka, ett paket djupfryst spenat. Hela blad. Lite mellangrädde. Så tänker hon i 47:an medan hon tittar efter ansikten som är fyllda av hemligheter och förväntan. Men hon hittar inga. När hon stiger av vid Djurgårdsslätten orkar hon inte gå in till Mischa. Hon rår inte med de miner och tonfall som hon måste ha då eftersom hon är sorgklädd. *Sorgset, värdigt och med ett rent allvar.* Hur kunde jag?

Det är mörkt nu och det står någonting svart därborta under träden vid Franska värdshuset. Hon är säker på att hon vet vad det är och att det inte angår henne. Det är den där vagnen. Det är de svarta hästarna och kusken och mannen på sätet därbak och det är en man i gråsvart pelerin därinne och han väntar på henne. Men det angår henne inte. De står därborta under träden men de hör inte hit. Hon går in vid cementlejonet och tänker att hon ska öppna en burk lättonfisk och koka lite ris. Eller också bara ta sallad och rostat bröd till tonfisken. Det räcker. Men när hon gjort hål på burken med konservöppnaren känner hon fisklukten och den äcklar henne. Hon kan inte äta något.

När hon har slagit upp tonfiskburkens innehåll i en plastask och satt ett tätt lock på och placerat den i kylskåpet tänker hon att så här gör man för att inte få botulism. Sen vill hon börja skratta och tycker att hon känner sig som Sylvia måste känna sig inuti. Då minns hon det logistiska problemet och går in till bokhyllan och slår upp ordet. Hon slår både i ordboken och uppslagsboken. Nu lär hon sig att logistik är konsten eller vetenskapen eller kanske helt enkelt knepet att förflytta soldater och mat och ammunition och vapen och hästar och kanoner i ett krig. Ja hästar, för det är ett gammalt begrepp. Sen Napoleontiden. Tänk. Det är väl krig då när Sylvia ska förflytta sig. Det är krig överallt. Hon har så rätt så. Det är krig och krigssmitta. Kriget smittar på orden som vi väljer; man väljer till exempel ett operativt koncept och ingen vet om man ska skjuta sönder en stad eller om man ska bedriva en reklamkampanj i den. Så är det, Sylvia. Krig. Och diskussionsgruppen är upplöst. Jaja. Lika bra det. Sylvia har länge skrattat åt vad hon kallar kaffe och information. Trivselträffar säger hon. Hon hade faktiskt mage att säga det när Kajan och jag hade varit med KVINNA TILL KVINNA:s styrelse på informationsmöte i Palmecentret. Men i rättvisans namn så visste hon inte att vi hade varit där. Man måste vara rättvis. Eller i alla fall ärlig. När det är mörkt också. Oda blev mycket häftig då: *om inte de där människorna funnes*, sa hon, om ingen diskuterade nånting, om inte demokratiskt föreningsliv funnes, om det aldrig vore kaffe och smörgåsar och information. Om det vore tyst, sa hon. Om allt vore bara tigande och våld.

Kajan och jag kände det som om hon talade om oss. Och det gjorde naturligtvis gott. Men var det riktigt? Var det *sant*? Oda säger ofta ganska högstämda saker. Sylvia talade en gång om *upphöjd löjlighet*. Hon sa att det stod i Krilon. Är det sant? Vad står det i de där böckerna egentligen? En hel mängd med samtal. Och att det är så viktigt med samtal. Men ingen har ju hållt de där samtalen. Man pratar ju inte så där.

Streck prat-prat-prat-pratpratprat.

Streck prat-prat.

Streck prat!

Streck pratpratpratprat...

Då är den där gamla Krylundkommentaren sannare för Johan Krylund satt ju faktiskt och hittade på det mesta efteråt. Inte kunde Nisse Åslund prata så där som i Krilonböckerna. Eller Simon Fock! Ja, jag var ju inte så gammal men jag minns att Fock krämtade. Jämt när han skulle säga nåt lät det som om en gammal sköldpadda försökte få ur sig nånting. Det blev sällan något. Men spela bridge kunde han. Fast bara Culbertson. Och Fredh sa mest sånt som alla säger: Hrmmmuurrmmm... jag för min del... visst serdu... jojomensan, det kan du skriva opp!

En gång minns jag tydligt. De talade om skatter. Om den kommunala uttaxeringen. Jag minns det för jag tänkte då att jag aldrig ville bli vuxen. Jag ville inte sitta vid ett runt pelarbord med en virkad silkesduk och nejlikor i en tennvas och tala om den kommunala uttaxeringen. Men det var förstås inget möte. Det var hemma hos pappa och mamma och pappa var ju inte med i diskussionsgruppen. Han hade inte tid. Men han sympatiserade sa han.

Samtal. Det är ju bara för att Oda ska få prata själv. Det finns inga samtal. Någon skriver dem efteråt. Som protokoll eller romaner. När man talar är det en massa små utrop och avbrutna ord och så håller man med varandra och säger sånt där... *sorgset, värdigt och med rent allvar.* Hur kunde jag!

Samtal är inte alls vad Oda säger. Det är små bitar bara, det fladdrar och far runt. Som i tankarna. I tankarna är det inte ens ord. Det är små... det är ingenting. Fladder. Bilder som far. Knappt bilder heller. Känslor som... Jag vet inte vad tankar är. Men Sigge sa inre monolog. Att människor hade sån och att det var en stor uppfinning när litteraturen började återskapa den. Att Joyce Odysseus var en sorts inre ström av tankar och att det var alldeles nytt då.

Tänk att man satt där och höll med. Jojomensan och visst serdu och tänk i alla fall så träffande. Men det är ju inte sant! Folk tänker inte alls så. Åtminstone gör inte jag det. Jag kan inte. Jag kan inte hålla fast tankar så att de blir tankar. Det kan ingen. De kilar undan. Det är inte ord, det är... ingenting. Fladder. Långa långa bitar i romanerna handlar om hur folk går och går och går och tänker under tiden. Ingen kan förresten gå så där långt. I Krilonböckerna går Hovall ända ut till Haga och tillbaka över Söder och härs och tvärs. Det är omöjligt. Och i vinterkyla också. Ja, man kanske kunde gå så där långt om man tränade. Men tankar kan man inte hålla fast. De är som tid. Tid är... ingenting.  ·

Beckholmen. Hon ser öns mörkermassa genom fönstret. Det var ett mord där.

Förr gick jag på Beckholmen, jag gick ofta över den lilla bron förbi de små utrangerade skärgårdsbåtarna. HEBE. Hennes lilla skorsten. Den vita relingen med rostfläckar. Jag gick in bland husen, det kändes lite privat men man fick gå där. Sen var det ett mord. Men när?

Någon gick där som jag bland buskar och gamla rostiga anordningar för båtar, att dra upp dem med tror jag. Militärt också. Kasu-

436

ner eller vad det heter. Någon gick där och såg en... kropp. En hand kanske om det var barmhärtigt, bara en hand. Eller något. Sen gick jag inte där mera. Jag har aldrig mera varit på Beckholmen. Men jag minns inte när jag slutade gå där.

Jag vet inte om vi kan förstå tid, om tiden finns alls annat än... Jag vet faktiskt inte. För jag kan inte alls komma ihåg när det där var. Det är som krigen och allt sånt där. Barnen i skolan vet bättre när det var ett slag eller en stormning eller nånting så förfärligt som Stalingrad. Det var i alla fall på vintern. Man lyssnade på radio. Likadant när amerikanarna bombade Hanoi så hemskt. Mässivt sa man. Det hörde jag också på radio. Stod och lyssnade, kunde inte röra mig ur fläcken och det var på julafton, det minns jag. Men vilket år det var kan jag inte komma ihåg. Det är som om tiden löser upp sig. Det är förfärligt. Jag kommer att minnas att Kajan dog före jul, en vinter. Men inte året. Jag måste lära mig det som ett skolbarn. Annars kommer Kajan bara att ha dött en vinter. Vad Oda än säger är det som om vi inte vore gjorda för att kunna gripa tid och forma tankar. Vi famlar som spädbarn. Vårt grepp om verkligheten är så svagt. Och så famlar vi efter planeterna och de dödas röster och efter andra människors tankar. Som knappt finns. Vi famlar bara.

Kajan skulle ju inte... aldrig. Det vet jag. Kajan skulle aldrig, aldrig höra av sig. Planeter ser man ju förresten inte. Och att solen går ut ur det ena tecknet och in i det andra, Lejonets hus och Vattumannens och allt vad det är, och att månen går från kvarter till kvarter, det märker man ju inte mycket av. Vem vet när det är nymåne? Man kan se att Venus är aftonstjärna, i tidningen ser man det, och det står att det har stor betydelse si och så och att man är under ett visst inflytande. Men man vet ju att det inte är sant. Man kan förresten sällan se Venus brinna, inte Mercurius heller, i varje fall inte som aftonstjärna för det är så mycket ljus som blossar. Det är stan, den är sitt eget ljusuniversum. Jag kan ju inte ens se några stjärnor. Kanske att de hade betydelse förr, stjärntecknen och planeternas ställningar. Att det var ett inflytande. Vad vet man? För om man går under dem och ser dem vrida sig däruppe, ser månens horn och Karlavagnens glimmande tistelstång när den pekar mot den vassa polstjärnan och Orions bälte med juvelerna på svärdet, som man säger, då blir man kanske påverkad. Alltihop är ju bara påhitt. Att Sirius brinner, att Berenike låter håret strömma fritt och gnistra. Men kanske i alla fall när man verkligen

437

gick under stjärnorna, när de präglade sina bilder i en och himlen var svart när det var molnfritt och inte grå och svullen av ljus utan svart, djupsvart som bårklädessammet och man varje gång det var klart väder såg att de hade vridit sig och vandrat och stigit upp från horisonten, kanske skulle man då känna dem inuti sig. Jag vet inte.

Förresten vet jag. Det finns inga stjärnbilder. Det där glesa och gnistrande beror bara på att vi ser så dåligt. I själva verket är det massor av stjärnor. Miljarder. Det ser ut som om någon har sockrat för mycket på en tjock gröt av mörker. Det finns inget planetariskt inflytande heller. Fast det till och med står i Krilon om det och ganska mycket också. Det får man inte ta så bokstavligt säger Oda. Hon är så rädd för att tala om sånt där. Nejvisst, det är väl poetiskt eller ironiskt då. Man kan aldrig ta fasta på något där. Det är som med tid och tankar, de går inte att gripa fast. Tid är egentligen bara klockslag och brådskan mellan dem. Den är årtal också om man lyckats få dem att fastna, som att mamma dog samma år som det blev högertrafik. Nu är det den tid då jag brukar sätta på Kulturradion om det är något bra. Men det är en ung författare som talar om sitt favoritämne ondskan, det stod så och det var säkert inte ironi. Poesi var det i varje fall inte. Så det får vara. I morse var det någon som la på ett band för tidigt i Kulturnytt. En röst kom in och lät väldigt engagerad, han började just prata och tystades direkt. Förlåt sa programledaren, vi fick fel band. Och sen var det något annat, om en film. Men efter en stund så var han mitt inne i ett resonemang och så anropade han någon. Eller hur, Erik Ask! sa han. Och så kom den där engagerade rösten tillbaka med samma tirad, för nu blev den ju en tirad när han tuggade om den, när bandet kördes på nytt, fast det skulle vara ett samtal. De låtsades det. Jag tänkte på när det blev mål i fotbolls-VM. Bollen hoppar in i målburen eller rullar, sveder, skjuter, blixtrar – de har så många ord för det – mål! mål! skriker de och så har det hänt och publiken är extatisk och spelarna kastar sig i en stor hög. Men sen går bollen i mål igen, fast långsamt, långsamt och benet som skjutit iväg den blir kvar med foten och skon i luften länge och i utdragna liksom baletthopp blir spelarna glada igen, de höjer armarna långsamt, långsamt. Nyss rullade de som hundvalpar i ett nystan av hetsad glädje på gräset. Nu rullar de med utsökt långsamhet, deras rörelser blir först utdragna och till slut obscena. De ser homosexuella ut när de slingrar sig på marken om varandra i långsam, långsam utdragenhet. Gång på gång. Och från nya vinklar. Man kan varken säga att det händer eller att det har hänt. När vi har tömt njutningen för fjärde gången då pågår spelet redan och har pågått en stund. Tiden har gått på många ställen och på en del har den bara hakat upp sig ett tag och rört sig med pornografisk långsamhet.

Jag såg det där huvudet, det var första gången. Jag såg det där allt borde vara stilla.

Jag har ju sett det så många gånger tyckte jag. Asfalten, blodet som runnit ut, de framstupa fallna kropparna i billighetsvaruhusens, i hela världens kläder. Men det var det där huvudet. Det rörde sig där allt borde ha varit stilla. Han höjde på huvudet fast det låg i sin blodpöl. Han försökte se in i en annan människas blick. I min. Han gjorde som en människa gör när hon är nyfödd. Ögon ska finnas där för honom och händer, värme, bröst. Det visste han som nyfödd och han visste det nu också, det var hans enda kunskap. Han reste huvudet i sin mörka blodpöl för att se in i en annan människas ögon.

De visade det igen på Rapport och sen på Aktuellt och då förstod jag att det hade visats på alla de fyra kanaler som jag brukar se och på sexton kanske, på sextiofyra... på alla TV-kanaler i hela världen. För de som väljer ut bilderna från nyhetsbolagen tyckte nog alla att det var en ovanligt bra bild, en gripande och stark, just för att han reste på huvudet. Då insåg jag att det inte var *nu* han såg på mig och att det inte alls var mig han såg på när han lyfte huvudet i dess mörka blodpöl. Han såg in i en kamera. Och själva huvudet var ju för länge sen borttransporterat när jag såg det, själva behållaren med söndersliten hud och blodtovor där håret suttit och örat borta och munnen gapande, den var ju omhändertagen. Den existerar inte längre.

Allting kan hända. Allting kan hända om och om igen. Jag vet att det händer också. Ofattbara, outhärdliga grymheter hela tiden eller bara olyckor, sådana som är existensens grymheter, som bara finns för att vi lever, för att vi försöker ta oss fram här. Vi ser inga stjärnor. Kanske finns de men vi ser dem inte alls. Jag vet att det aldrig blir annorlunda fast vi går på möten. Oda får säga vad hon vill men det tjänar ingenting till. Och nu är det förresten slut med mötena. Det är mörkret och grymheten och lidandet som råder. Man försöker göra det bästa av alltihop och man kvittrar och säger sådana där saker som *sorgset, värdigt, rent allvar*. Men smutsigt är det och inte sorgset utan våldsamt och vidrigt och värdigheten varar bara så länge som kroppen står ut. Vi läste Jerusalems natt för många år sen och vi diskuterade den och opponerade oss mot Delblancs svartsyn – ja! För vi kunde inte stå ut med att den där stackars gamle juden som varit med Jesus inte stod ut han heller. Kroppen brast och då brast allting, värdigheten och renheten och den sorgsna tapperheten. Vi tyckte det var så överdrivet och så retoriskt och fyllt av parallellismer och oxymoron och allt möjligt som Sigge sa. Men det var sant.

De skulle alla bli väldigt förvånade om jag sa att det var sant. För jag är den som alltid håller på värdigheten och sorgsenheten och allvaret. På planeterna också ibland, det har jag faktiskt gjort. Eller antytt. De skulle inte tro sina öron om jag sa att jag inte tror att man ens kan ana andra människors tankar för det finns inga tankar. Det finns bara fladder och små avbrutna bildräckor och hjälplösa ord som drunknar i allt mörker. Eller i trivialiteter som att man ska gå och handla eller någon har sagt något sårande åt en eller att nästa buss kommer om åtta minuter.

Inte ens när man känner varandra riktigt bra och tycker så mycket om varandra som Kajan och jag gjorde så blir det något samtal på det sättet som Oda menar. Men det blir något annat. Man vet till slut så mycket om varandra fast man inte har sagt det rakt ut.

Jag visste att hon var i Tyskland under kriget. Inte i Polen och inte här. Jag vet inte hur jag anade det. Men sådant kommer fram, på något sätt gör det det när man traskar på gatorna med varandra och går i affärer eller dricker te på Malms eller går på eftermiddagsbio. En gång var det tal om koncentrationsläger, men hon sa att hon inte visste så mycket om dem.

Men något var det. Man tar en bit här och en bit där. En vänskap är som ett stort pussel med många fint lövsågade bitar. Mycket himmel och grönt förstås, men ibland vet man att man fått en viktig bit, att den passar in.

Hon sa att gotlandskyrkorna var mycket intressanta. Att hon själv sett medeltida kyrkomålningar som visade ett helvete som låg utanför själva helvetet. Det var inte det riktiga. Det var ett annat. Ett *förhelvete* sa hon. Skärselden låg till höger om det och det brinnande helvetet med djävlarna låg till vänster. Och hon sa att det stämde.

Det var någonting då. Jag har aldrig glömt det. Det finns på medeltida kyrkomålningar men det finns också hos Dante, sa hon lite pedantiskt. I Inferno. Det finns ett förhelvete. Dante placerade judar och odöpta spädbarn där sa hon. Så det har lång tradition i europeisk historia.

Jag kan aldrig fråga henne om det. Aldrig mer.

Nu får jag traska här ensam för jag har inte hennes mod. Jag får gå här. Sitta så här. Utan tankar egentligen. Utan tid. För så här är det jämt. Det vet jag nu och kanske har jag vetat det hela tiden fast jag tyckte att jag borde säga något annat.

Från början ville Adam Oxehufvud hyra förstakammarsalen i Gamla Riksdagshuset. Han gillade den solida stämningen av gammal fin demokrati därinne. Folket och landet, sa han. Himmel som på väggmålningen. Har dom inte nån jävligt läcker väggmålning därinne? Blågråa figurer. Folket äger sitt land med dess himlar och styr det.

– Såna fina stämningar vi ska ha på EN DAG FÖRE FRAMTIDEN, säger han.

Sigge tyckte att det i såna fall vore bättre att ha hela tillställningen på Skansen. GIGGLE JUGGLE INC:s Old Munic på Söder var också uppe. GLOBECOM UNIVERSAL NET (GUN) blippande i varenda sal, barer och filmsalar och total anslutning till GUN ända in i bastun. Adam lekte med den tanken tills han insåg att det amerikanska GIGGLE JUGGLE INC lika lite som riksdagens talman skulle ge tillstånd till GLOBE TOWER.

Det blev GLOBECOM CENTER. Adam har nog innerst inne kvar sin vision av Riksdagshuset krönt av Jannes torn. Han inser också att det blir svårt att ta bort det från GLOBECOM. Folk kommer att tycka att byggnaden ser ut som en hopfallen pudding efteråt. Får det vara kvar blir det problem med hysterikorna i skönhetsrådet.

Det reste sig på en natt. Ja, egentligen på ett ögonblick. Men för folk som kommer åkande över Klarabergsleden måste det verka som om det byggts under natten. Ytstrukturen och densiteten är perfekta. Det är vinylhårt och har påtaglig massa. Ljusblänket i fönstren styrs från kontrollbordet och ytfärgen är genom sensorer adapterad till dagsljuset som dessvärre är ganska sjukt på grund av årstiden. En blankhård högsommarhimmel hade varit rätta omramningen tycker Adam. Folk snurrar i filerna nu och struntar i om de kommer för sent till jobbet, rapporterar GUN RADIO. De vill se tornet från alla sidor. Flera radiostationer berättar att det är fram- och baksida på det och GUN kommer tillbaka och säger att det har vinklar som vilken byggnad som helst och att det är folksamlingar nedanför GLOBECOM CENTER nu. Folk vill in i byggnaden och komma upp och ta i tornets väggar. Så Adam borde vara ganska nöjd. Ändå fick han ett sällsynt utbrott av dåligt humör tidigt på morgonen. Det kan vara jetlag för han har just kommit hem från Peking. Sigge sa att King Caben var tillbaka. Hon hade stöldanmält den och den hade hittats vid ett skrotupplag bortom Alvik.

– Vafan i helvete! sa Adam. Du skulle ju inte anmäla att den var stulen!

– Men det verka ju inte klokt, sa Sigge. Det är klart jag anmälde den.

– Fattar du inte att du måste lyda order!

– Nej. Inte dumma order i alla fall.

– Är den hos polisen?

– Den är i garaget härnere.

Sen sa de inget mer om King Caben. Hon åkte till Långholmsgatan med Sickan. Hon kan inte ha henne på GLOBECOM under sändningarna. Farsan har egentligen inte mycket ork att gå ut med henne. Men han säger att ett par smårundor fixar han nog.

Nu är hon på väg till Hagaparken för att träffa Janne och ge honom ett paket smörgåsar och en termos med varm mjölk. Det kan vara lite svårt att hitta honom för han kommer inte alltid till det ställe de har bestämt. Sist satt han nere vid vasskanten bakom tennisbanorna och tittade på änderna i en vak. Han tittade på dem på ett konstigt sätt.

Hon har sagt åt honom att de ska träffas vid skylten med kartan längre upp mot parken. Men hon kör för säkerhets skull ner till båtklubben vid Stallmästargården och parkerar där. Sen kan hon undersöka hela den vassiga strandlinjen. När hon kommer upp till skylten utan att ha fått syn på honom pirrar det i kroppen. Hon har inte mycket tid på sig för hon måste vara tillbaka innan konferensen öppnar. Hon har jobbat nästan hela natten och har huvudvärk. Men det är ingen idé att bli arg på Janne. Hon vet det nu.

Allting är lugnare. Han är mycket ute men han låter i alla fall bli att åka till torpet. Till slut blev han kanske rädd för kylan. Det vet hon inte. Han säger inte så mycket. Han är mager och ler lite urskuldande när hon frågar om han inte ska komma hem snart. Ibland dyker han faktiskt upp i lägenheten. Men då är han så rastlös att hon blir nervös. Och så skäms hon för att hon tänker att det vore skönt om han gick ut ett tag. Men bara ett litet tag. Till Katarina kyrkogård eller så.

Det var mörkt när Sigge åkte hemifrån och glåmig gryning när hon lämnade Sickan hos farsan. Nu är solen uppe. Rödsvullen är den, skimrande av gaserna och stoftet. Det sitter kråkor på isen. De lurar på något. De första dagarna hon letade efter Janne här ute i Haga var isen renblåst och såg tunn ut. Det var svart kvistverk i alla trädkronor och kråkorna lossnade ur ådernäten av svärta och skrek varnande. Nu har snön fyllt i alla konturer och den har töat och frusit igen. Det är ingen riktigt smutsig vinter härute men den är gammal. Två hundar springer över snön ut mot Brunnsviken. Isen måste vara tjockare nu. Det kommer en människofigur sakta gående efter dem. Stora, kraftiga hundar med bågiga ryggar. Hon känner rädsla fast de inte springer åt hennes håll och hon vet åtminstone varför nu. Ja, hon är rädd för Jannes skull. Men han klarar dem nog, tänker hon. Han har andra krafter nu. Eller instinkter. Han flyr i tid.

Han har inte velat gå med henne någonstans, han bara skakar på huvudet åt tanken på läkare och sjukhus. Hon vet inte alls hur hon ska göra. Det är otäckt att ringa till en läkare och säga: min kille är sjuk. Psykiskt. Som om man ville bli av med honom. Få honom inlåst. Ibland har hon fått den där tanken att han kanske inte är sjuk. Eller att han smittat henne med sina tankar, sin föreställning. Om han har någon föreställning om det här. Det vet hon fortfarande inte.

Men hon kom på att hon hade en bekant som var medicinare. Han dök upp på litteraturaftnar ute i Frescati. En humanistisk sort. Hon mindes att han en gång sa att han höll på och läste C.S. Lewis Amor och Psyche och att hon tyckte att allting var bra då, att det fanns folk som läste Samuel Ödmans minnen och Den unge Törless förvillelser och En rysk pilgrims berättelse och *allting*. Allting var levande och fanns till samtidigt. Det var därför hon kommit ihåg honom och brukat prata med honom när han dök upp. Men hon kände honom inte och när hon slog upp honom visade han sig vara allmänläkare nu fast hon trott att han skulle bli psykiater.

Han var i alla fall den enda hon vågade fråga så hon ringde till honom och fick komma. Han arbetade på en ganska sjaskig mottagning på Karlavägen bortåt Runebergsplan. Där var flera läkare anställda och det verkade vara ett ställe där man fick läkarintyg inför körkortsprov och pensionsförsäkringar. Hon hade ingen känsla av att man var inställd på att bota folk, men det var fullt i väntrummet och säkert klirr i kassan. Hon undrade om han skulle ta betalt och tänkte att det måste han väl.

– Vet du vad Lazars syndrom är? sa hon när hon satt mittemot honom för hon tyckte inte det var någon idé att trassla till det. Hon kände obehag vid tanken på att tala om Janne.

– Har du anledning att tro att du har såna symptom? sa han. Då sa hon att nån hade sagt det bara och att hon inte visste vad det var. Men han gick inte på det. Hon tyckte det var väldigt obehagligt nu. Hon hade varit på KB och slagit och inte ens hittat ordet så hon måste helt enkelt fråga honom.

– Det gäller min kille, sa hon. Jag skulle bara vilja veta vad det är för nåt.

– Då ska du gå till en psykiater, sa han.

– Jag vet. Men kan du inte bara tala om vad det är.

– Jag är ju vanlig kroppsdoktor, sa han och skrattade lite. Jag vet inte mycket mer än du. Och man kan inte ställa diagnoser på folk som man inte träffat.

Då blev Sigge arg. Hon kände sig löjlig egentligen. Så hon reste sig och sa tack då! och skulle just säga: vad blir jag skyldig? när han böjde sig fram och klappade på stolen som hon rest sig från. Då satte hon sig igen.

– Det är nytt, sa han. Jag har läst artiklar om det. Det är en europeisk företeelse. Egentligen har det inget riktigt namn än. Det kallas Lazars syndrom efter en exilrumän i Paris som beskrev det på en psykiatrisk kongress. Men det är fler som har beskrivit det och kallat det för – ja en massa saker. Inte lykantropi precis. Men sånt.

– Är du inte klok? sa Sigge. Du tror väl inte att Janne har blivit nån jävla varulv. Han är världens snällaste.

– Nej, det hade inte dom som fick lykantropi blivit heller. Dom trodde ju det bara. Det var en psykos som var kollektiv. Så dom drog omkring. Det är länge sen nu. På sextonhundratalet tror jag. Det här är svårare att karakterisera.

Han satt tyst ett tag och såg på sina stora fräkniga händer.

– Du, sa han, jag kan inte sitta på mottagningen och snacka om det här. Det vore fel. Jag menar här skulle du vara min patient. Den första artikeln jag läste hade blivit refuserad i The Lancet. Den stod i en psykoanalytisk publikation. Jag vet inte hur mycket som ligger i den.

– Ska vi äta lunch?

Så skulle det gå till. Mottagningen var småskitig och de arbetade på löpande band. Men han hade någon sorts yrkesmoral som förbjöd honom att tala om Lazars syndrom på arbetstid och ta betalt för det. Däremot hade han ingenting emot att äta hjortfilé med smörbrynta champinjoner och madeirasås på Gåsen. Sigge betalade med Adams kort. Först när de ätit färdigt återkom han till saken.

– Luktar han fränt? frågade han.

Sigge nickade.

– Han vill mest vara ute, på nätterna också, och han fryser och far illa. Tror du man kan hämta tillbaks honom? Han kommer ju hem då och då. Men jag menar för gott.

– Tror du han vill det?

– Det verkar inte så. Fast jag vet inte om han tänker så mycket. Han är upptagen av nåt annat.

– Vi vet så lite om dom där människorna än. Jag tror inte ens man vet om dom är sjuka. Och om dom – som du säger – verkligen fryser och far illa.

Nu ser hon honom tvärsöver viken. Han står i branten under träden på Bellevueudden, halvt dold. Hon har blivit tränad i att upptäcka former av kroppar under flimmer från snö och kvistverk. När hon letat efter honom har hon ibland fått syn på djur. En räv som smet i strandkanten nedanför Gustaf III:s paviljong. En gråbrun skugga som kunde ha varit en dovhjort bortom nakna hasselsnår.

En eftermiddag visste hon hur han hade det. Hon kände det inuti sig själv. Det var i skymningen då de glesa snöfläckarna sög åt sig det sista ljuset från himlen och mörkret växte formlöst mellan träden. Hon trodde att hon såg en skymt av honom. Det var nästan natt i parken. Natt mot sena vintern. De blöta bruna löven löste upp sig. Det var ett brunt mörker under ekarna.

Djur vill sova, kände hon. Men rör sig ännu. Sömndrogen i blodet sjunker ner mot botten. Vill sova. Men det borrar. Det är ett hål. Det är tomhet som borrar. Tidens natt och jordens. Brun. Långt nere är löven ännu torra. Samla, samla. Torra löv mellan tassar. En brun lya. Ett hål. En sömn. Djur.

När orden lämnat rummet mellan träden faller tiden sakta. Vind och fukt från sjön strömmar genom rummet, löser upp det.

Det är ett hål: han är hungrig nu. Han söker. Brunst, skygghet, skräck – allt är borta. Han känner hunger. Han är hunger.

*Hunger.*

446

Varför går några av oss bort? Hon stirrade på det brunmörka flimret av snö och löv där skuggan nyss försvunnit. Varför går några av oss ut i ordlöshet och köld? I hunger. Han kan ju inte känna mycket vittring. Kan inte slå. Ändå går han. Han vet nog att han måste gå hem till slut. Om det nu är hem. Ett hus fullt av människolukt som skrämmer honom.

Varför går några av oss bort? Av skam. Av skam kanske. Vi borde alla ha den.

Hon fick till slut några svar av sin läkarbekant på Gåsen. Han var mätt av hjortfilé och kände sig behaglig till mods av ett hyggligt rödvin, en kraftig, mörk bourgogne. Han hade tackat nej till kaffe men blivit glad när hon frågade om de skulle ta in en flaska vin till. Vid det andra glaset ur den nyöppnade buteljen blev han allvarligare.

– Dom har nog gått ut ur det mänskliga, sa han. Vi tycker synd om dom. Dom går ju inte sin väg av fritt val utan under psykosens tvång. Antagligen. Dom utarmas. Dom blir allt ensammare. Vi säger att dom blir som djur.

– Har du träffat på nån? Jag menar själv. Inte bara läst den där artikeln.

Han nickade.

– Jag tror det. På dom psykiatriska klinikerna kommer det i alla fall in fler och fler. Men eftersom dom inte är farliga för sig själva och inte för nån annan heller så låter man dom gå igen. I varje fall i början. Dom förvandlas till uteliggare eftersom dom i enlighet med sin nya natur inte vill vara inne.

– Sin nya natur?

Han gjorde en rörelse med händerna, satte upp dem som för att avsvärja sig orden. Men hon tänkte: han har rätt. Janne har förvandlats. Han har en ny natur. Han har en rävs behov av att ströva och vara ensam. Han kanske är en räv.

– Blir dom djur?

– Dom tror det i alla fall. Men dom blir inte vilka djur som helst. Några riktiga studier har ju inte gjorts än. Fenomenet är ju nytt även om det redan är väldigt spritt. Det verkar så i alla fall. Det tycks vara så att dom kan bli grävlingar eller hermeliner. Lodjur. Mårdar. Och dom förvandlas inte nödvändigtvis till ståtliga djur. Artonhundratalets dårkistor var fulla av Kristus- och Napoleoninkarnationer.

447

Men dom här blir inte bara tigrar eller björnar. Fast den gången som jag misstänkte väldigt starkt att jag hade en sån här patient framför mig så kom jag att tänka på Almqvist: *det är inte ovanligt att se en björn smårunka på sitt huvud och hava nästan gråtande ögon.* Dom blir lika gärna småvesslor eller lämlar. Men inte hjortar och inte vargar. Dom går inte i flock och lever inte i hjordar. Dom tycks gå mot ensamheten.

Sen sa han något som förvånade henne mycket. Inte i sak, men att han sa det så här på lunchrasten några få kvarter från den halvsjabbiga mottagningen. Hon undrade om han hade tänkt mycket på det här eller om tankarna kom nu. En kraftig bourgogne, djupt brunröd och nästan sträv mot gommen väcker kanske vissa föreställningar. Om de hade druckit en ljus beaujolais kunde han ha sett annorlunda på det.

– Ja, dom tycks gå mot att förverkliga en ensamhet som vi inte vet vad den har för innebörd. Jag vet inte ens vad man borde kalla den. Kanske mysterium.

Han satt och funderade ett slag och drack sen en djup klunk och höll vinet länge i munnen.

– Vad skulle du säga om du fick veta att dom använder raggen och klorna och brunsten och hungern och sin tålighet mot smärta och köld bara för att göra något verkligt för sig. Något som djupast sett är mänskligt och bara mänskligt.

Han drack igen och satt tyst en stund. Sigge märkte plötsligt att lokalen var full med folk som pratade och rörde sig, utsöndrade värme och ord, blev röda i ansiktet och rökte och höll upp kontokort i luften för att få betala.

– Såna som du och jag har så romantiska föreställningar om mysteriet, sa han.

Ja, tänkte Sigge. Jag vet. Jag har barnsliga föreställningar. Och min längtan är inte så stark heller. Jag är så hemma i det vanliga.

Hon är verklighetssinnad och för det mesta ganska nyter och så är hon förståndig. Det vet hon. Men hon begriper ändå att det finns sådant som kan driva en människa att på allvar söka *det där*. Kanske en stor och mycket smärtsam förlust. Hon har varit barnslig nog, eller romantisk som han uttryckte det, att tro att *det där* var något vackert och harmoniskt. Som en extra njutning av alla de njutningar en människa eftersträvar. Kronan på verket.

Men tänk om vägen dit heter kyla och svält?

Det är köld nu. Sterilitet.Väntan. Rädsla och ondska råder. Det är en sjukdom. Det är vinterdagar i själen, i civilisationen. Vinterns långa sjukdom är här. Snön bara en oren sårskorpa. Den täcker marken och hotar att kväva och förstena människan.

Tänk om porten som ska öppnas heter skam och bortvändhet?

Han fanns under träden på andra sidan vattnet förut, det är hon säker på. Hon har brått nu. Därför tar hon bilen och kör bort till Bellevue och parkerar den halvt uppe på gräsmattan och hoppas det ska gå bra. Sen rusar hon upp på kullen och halvspringer runt hela udden på öglorna av promenadvägar. Men hon ropar inte. Hon har slutat med det.

Han visar sig inte mer den här gången och Sigge lägger smörgåspaketet på en bänk nära det ställe där hon såg honom förut. Han finns där och hon kan känna det. Men hon måste iväg nu. Konferensen öppnar om en knapp timme.

Gabriel Gabb är liten till växten men han har axlar som bygger upp kavajer. Fem timmar av konferensen direktsänds och i televisionen är mycket en fråga om axlar. Lili Thorm vid hans sida kurar språngberedd och med manke som en jaguar.

För att kunna göra sina insatser i rätta ögonblicket följer Sigge sändningen i en monitor. Hon ska övervaka småvärdinnorna som lotsar fram nästa talare över sladd- och kabelhindren och som byter ut de urdruckna mineralvattensflaskorna. Adam står och ser proper ut. Han har blå kostym och vit skjorta med mycket smala blå ränder. Det halvlånga håret är slätkammat från pannan och något tuktat med frisyrgelé. I nacken lockar det sig måttfullt och nytvättat.

Församlingen är lysande. Där finns två mikrobiologer och en materialfysiker. Metalls ordförande är där i tröja med vikingahjälm på och universitetskanslern i grå kostym. SAF:s ordförande har klubbkavaj med ett märke som visar att han tillhör Älgklanen. Där är en ekonomhistoriker med perfekt tupé och en stressforskare av äldre generation som har klarblå ögonlock med silverfrosting. En hes men professionell feminist är skallig efter behandling med cytostatika och vill framträda sådan. Hon har kommit i gräl med producenten som kräver en sidensjal om den blanka hjässan.

En yrkesdebattör som börjat med fem mjölkkor och småindustriell framställning av kroppkakor har blå ylleklänning. Där finns en författare med ordbehandlare som gör uttalanden om informationssamhället och dess teknik. Han är muslim och bär en kalott från Östturkestan. Enda närvarande ministern bär boots med tjocka sulor men är upptill fasonerad med mjukfeministisk kavaj från BIG AND TRENDY. Adam är ohyggligt nervös innan han ska säga sina välkomstord.

– Fyfan Sigge, jag kräks, säger han och stirrar i monitorn på Gabbs förtroendeinjagande axlar och den bruna blicken som påminner om en trogen och vänlig hunds. Gabriel Gabb är verkligen en moderator med skulderparti för varje tid: trygghetsskapande eller offensivt. I jeansjacka var det på sin tid militant. När bildproducenten tar in en grupp konferensdeltagare som till skillnad från Gabb ser obehagliga och intellektuella ut dricker Adam så häftigt av mineralvattnet att han börjar hicka. Församlingen är tungt politisk, snillrik, raketbefordrad, och framgångsrikt anslagskrävande. Adam hoppas ha fyra miljoner tittare nu, men dem är han inte rädd för. Sigge drar honom i kavajlocket därbak och viskar:

– Tornet har slocknat.

– Va?

Han slutar hicka men hon har en känsla av att han inte kommer att förlåta henne det här. Han ska in nu och i nästa ögonblick står han på det lilla podiet bredvid Gabbs och Lili Thorms bord och säger:

– Välkomna till EN DAG FÖRE FRAMTIDEN! Vi på GLOBECOM hälsar er som är här i GLOBECOM CENTER och som samlats under GLOBE TOWER, säger han med en ond blick på Sigge, och alla som följer konferensen via satellit-TV på GUN som ni vet är GLOBECOM UNIVERSAL NET, och alla er som när framtiden har hunnit ifatt oss tar del av den här epokbildande dagen via GLOBEVISIONS alla multimediala möjligheter på GLOBE-ROM och dess efterföljare.

Just som Sigge blir rädd att folk ska tro att GLOBECOM är hundmat på burk säger han att IT håller med MULTIMEDIA och HYPERVISION på att utveckla en konjunktiv grammatik för vårt ord- bild- och teckenspråk med på en gång total individuell kontroll och en universell och i själva verket oändlig cybernetisk fantasis möjligheter. Själva begreppet verklighet, säger han, kommer att få en annan innebörd och har redan fått det idag *här* inne och under

GLOBE TOWERS uppåtsträvande båge.

– Människor vill *in* här, säger han. Och vi har plats för människor. Nu är det inte längre fråga om massor utan om fria individer. Alla som är så gamla som jag har upplevt det fantastiska i att få kodlås med fingeravtryckskontroll och hundhalsband med elektronisk beteendestyrning. Vi tyckte det var en framgång när arkitekter som ville presentera förslag kom till oss med disketter i stället för att släpa in skalmodeller. Men allt detta är redan antiken, mina vänner. Nu ligger hela byggnader som GLOBE TOWER på jättelika hårddiskar. Nu är allting möjligt och den fysiska världens begränsningar har äntligen upphävts. Människan står inför en omdefiniering av begreppet verklighet och vi här på GLOBECOM är redo med ergonomisk komfort, informationsteknisk kontroll och cybernetisk kreativitet. Vi *kan* digitala medier. Vi har närkontakt med en analog värld som snart är här. Vi vill att ni ska stiga in i ett interaktivt universum där ni själva kontrollerar utvecklingen med pekfingret. Välkomna!

Också Sigge känner lättnad när Adams eldprov är över. Tal och mineralvatten rinner nu som vårbäckar och ingen stupar i kabelhindren eller fäller en krukpalm på sin väg mot talarplatsen. Under filminslagen låter församlingen som en skolmatsal tills studiomannen signalerar sändning igen. Den första filmen heter KRIG OCH FRED och visar hur Bofors säljer sin nya granatkastare med besökarguider på tjugotre multimediastationer som visar videosekvenser lagrade på laserdisk. Sen kommer en interiör från en storproducent i kött som styr foderutmatning, medicinering och dygnskontroll av ljus via ett styrningsbord med touchkontroll under glasskiva. Man ser också kor med violfärgade drömmande ögon och fuktiga mular. Efter filmen kommer GLOBECOM:s VD med ett humoristiskt inslag som får det tunga auditoriet att sorla ljust.

– Winston Churchill once said that political ability is the ability to foretell what is going to happen tomorrow, next week, next month, next year, and have the ability to explain afterwards why it didn't happen. *Technical ability* is the ability to foretell what is going to happen in the future and *control* it!

Stämningen är god när Hyacinth Patricia Alexanderson från UTFORSKAD FRAMTID (UFF) träder fram mellan palmerna. Hennes bleka dockansikte har rak näsa och en liten mun med tydliga amorbågar. Hon har en oklanderligt fungerande hjärna, bred bak och

451

stabila underben. Eftersom bilden är halvtotal saknar det betydelse och dessutom gillar Adam hennes visioner. Hon är arkeolog i botten och dotter till en klassisk filolog av internationell berömmelse. Hennes ideologi för framtidssamhället byggde från början på det gamla Grekland som hon aldrig kallar gammalt utan klassiskt och demokratiskt. Hon har byggt ut den med sin innovation Det Rörliga Nordiska Kunskapssamhället. Hennes grej är vikingarna, sa Adam första gången namnet Hyacinth Patricia Alexanderson kom upp. Vikingarna var inte alls ett lusigt folk som handlade med illaluktande djurhudar och plundrade kloster. De var framför allt informatörer. De förde kunskap mellan Europas länder i en interaktiv process med dittills oöverträffad distributionskapacitet: lätta, snabba båtar. De hade ett omätligt kulturellt inflytande. De kom med politiska idéer om statsbildning och federation till det som skulle bli Ryssland. De utövade för alla tider språklig påverkan på anglernas, saxernas och pikternas öar så att engelskan än idag är fylld av fornnordiska ord. De var kulturens, språkets, politikens och ekonomins moderatorer. Att ingen före Hyacinth Patricia Alexanderson upptäckt och värderat deras insats beror på att historieforskningen står inför ett paradigmskifte av samma mått som då en gång källkritiken började tillämpas. Hittills har vikten lagts vid förflyttandet av materia vare sig den bestått av krigsskepp, fotfolk, spannmålslaster eller järnvägsräls. Krig har inneburit tunga transporter och förlust av materia. Territorier har erövrats eller förlorats. I dessa avseenden har de nordiska folkens inflytande under järnåldern legat i skugga. De var inga erövrare av territorier, inte heller var de stora som förflyttare av materia. En ny historieforskning kommer att upptäcka vad som verkligen ägt rum. Information har utväxlats. Mentala innehåll har förflyttats. Det är dags att rättvist utvärdera vikingarnas kulturkommunikativa koncept och att fullfölja deras verk. Norden står inför en informationsteknisk uppföljning av sitt eget arv och kan gå mot en storhetstid om man inser detta.

Hyacinth Patricia Alexanderson slutar med att frammana Norden ur dimmorna och snöslasket som det intelligensgnistrande TOPPEN AV EUROPA. Här, menar hon, kommer människor att för första gången fullt ut pröva den nya tidens livskoncept: TO COMPOSE ONE'S LIFE. Det existerar inte längre någon periferi. Med IT-samhällets möjligheter till kommunikation kommer varje människa att

452

kunna välja sitt liv, individualformaterat, operativt standardiserat på samma gång integrerat på ett sätt som slutligen ger oss möjligheter att leva upp till det stora intellektuella arvet från vikingarna.

Efter filmen om ATTENTION, INTEREST, DESIRE, ACTION – SATISFACTION! kommer katastrofen. Gabriel Gabb säger när en av värdinnorna för fram damen i sidenturban att Jutta Monasdotter är för välkänd för att behöva någon presentation. Han kallar henne en feministisk sprängladdning apterad inom ekonomin och politiken och frågar om hon tänker smälla av nu. Han får snart erfara att det är farligt att skämta med bomber.

Hon har fått sex minuter till sitt förfogande och spiller ingen av dem på tomt prat. Hon börjar med att berätta att det finns avancerad pornografi med barn som aktörer på GLOBECOM UNIVERSAL NET. Hon hinner innan hon stoppas beskriva barn som penetreras med avlånga föremål, tvingas ta uppsvällda manslemmar i munnen och bli slickade på sina outväxta genitalier av hundar. Gabriel Gabb verkar apoplektisk. Hakan hänger ett ögonblick och olyckligt nog i bild. Det blir medmoderatorn Lili Thorm som går in.

– Stopp lite, Jutta Monasdotter, säger hon.

– Aldrig, säger Jutta och i samma ögonblick gör hon det som Sigge hela tiden väntat på: sliter av sig sidensjalen och står flammande i blankskallig prakt bredvid sin palm. Ett ögonblick ser man stressforskaren i bild, hennes silverfrostade ögonlock sluts.

– Gode gud, jämrar sig Adam vid Sigges sida. Jävlar i helvetes jävla faan.

– Jo! säger Lili Thorm. Du är välkommen att berätta om programinnehållet som i själva verket ligger på en *mycket* perifer adress, du har verkligen *grävt där du står*, Jutta. Men då ska du också berätta att det inte finns några bilder på verkliga barn i programmet. Inget barn har någonsin utsatts för det du, med en viss vällust tycker jag nog, berättar om.

– Jag har själv sett dom! Det är fotograferade, *filmade* barn. Det är inte fråga om teckningar!

– Låt mig komma in här innan vi blir för känslosamma och, ursäkta att jag säger det Jutta, för tekniskt okunniga i dom här faktiskt ganska avancerade multimediatekniska sammanhangen, så ska jag berätta vad det rör sig om. Vad Jutta Monasdotter helt enkelt har fått om bakfoten.

– Försök inte! Jag har sett barnen!

Hennes mikrofon har kopplats ur och rösten når fram till moderatorernas bordsmikrofoner som ur en avlägsen och susande skog. Det susar verkligen i auditoriet nu. Två kristdemokratiska representanter har rest sig för att markera att de möjligen tänker lämna konferensen.

– Vi på GLOBECOM UNIVERSAL NET medger gärna och med en visst stolthet...

– Ha!!! vrålar Jutta Monasdotter som börjat ana att hennes mikrofon är urkopplad.

– Det kan låta paradoxalt att tala om stolthet i det här fallet men vi anser att vi har gjort en insats som kommer att få betydelse i en framtida multimedial värld. Vi vet alla att det finns folk som vill se – och föralldel tala om – sånt som Jutta nyss talade om. Vi vet att vad vi än tycker om det så kommer det alltid att finnas såna människor. Precis som det alltid kommer att finnas – ja.

Sigge är inte den enda som undrar vad hon tänkte säga. Kriminella? Dyslektiker?

– Vi har gjort ett alternativ till den brottsliga och det vill jag verkligen säga, djupt kränkande hantering som pågår överallt i vårt samhälle och som resulterar i barn- vålds- och djurpornografiska videofilmer som distribueras via postorderförsäljning eller på oseriösa Internetadresser. Vi på GUN erbjuder en *ren* vara. Jag säger ren därför att den i likhet med rena apotekssprutor eller legal förskrivning av narkotiska preparat inte har den ringaste anknytning till någon kriminell hantering. Bilderna i DE BADANDE BARNEN, SOLSKENS-UNGAR och MY HEART BELONGS TO DADDY är framställda med digitala effekter och datorsimulerad bildteknik. Några barn i såna situationer som Jutta så utförligt beskriver har aldrig varit i närheten av kameran.

– Lögn! ropar Jutta.

– SMISK PÅ STJÄRTEN kommer att gå till filmhistorien som den första som använde digitalt kreerade bildformer i de här sammanhangen. Någonting som tycks vara fullständigt obekant för Jutta Monasdotter är att alla slags bildelement ur vårt universum, från kroppsdelar till hela galaxer, numera köps som standardiserad programvara och att företag som vårt eget UNIVERSAL DIGITAL MAGIC är ledande här. Man kan ta fram former vars ytstrukturer och rörelsescheman kontrolleras från ett tangentbord. Man kan få or-

ganiska former, som till exempel barnkroppar, att röra sig och för-
ändras med känsligt varierade hastigheter och subtila färgskiftningar
som simulerar kroppslig respons på förändringar av sinnestillståndet.
Barnkroppar är i det här fallet ett material som vilket material som
helst.

– Just det!!!

– Vi bygger imaginära händelseförlopp med hjälp av detta material
och vi befinner oss i en värld bortom den verkliga och bortom de
moraliska kategorier som Jutta Monasdotter så patetiskt tror sig för-
svara med sitt utbrott. Mitt förslag till dig Jutta är: sluta leta upp pe-
rifera nätadresser för att se filmer som är gjorda för en betydligt mer
beklagansvärd kategori människor än den du tillhör.

– Lägg av! skriker Jutta Monasdotter men nu till två småvärdinnor
som leende tar tag i hennes armar för att föra henne tillbaka till hen-
nes plats.

Lili Thorms ansikte är i extrem närbild nu. Hennes bruna blick är
inträngande och allvarsam.

– Sluta försvara digitalt framställda bildelement, dom är inga barn,
Jutta. Ägna dig åt verkligt nödställda och kränkta barn. Det finns
gott om dem i världen.

Adam skriver en lapp till Gabriel Gabb som snabbt läser den och
kallar fram materialfysikern. Han håller sig oklanderligt till ämnet.
Efteråt kommer filmen om EPOC, det nya universalmaterialet.

– Lägg in kroppkaketanten *nu*, säger Adam som länge sett ut som
en sorgsen Kutusov vid Borodino men som piggas upp av rapporter-
na från telefonväxeln och e-postjouren. Det är nu betydligt fler som
vill se Jutta Monasdotter åtalad, död, uppskuren, internerad, bankad
i roten och behandlad med elchocker än som kräver GUN:s sänd-
ningstillstånd indraget. Gabb har nu återhämtat sig och presenterar
den bastanta samhällsdebattören som författaren Gerda Myklebyst.
Hon ser bister ut och knuffar undan en palm medan hon avancerar.
Hon har liksom Jutta Monasdotter legat ute på långa föredrags- och
debatturnéer om IT-samhällets närdemokratiska och miljövärnande
potentialer. Efter Juttas resoluta vändning inser Gerda att hon kanske
lagt sig för högt uppe i vind och beslutar sig för att gå över stag. Ga-
briel Gabb som känt några ögonblicks falsk trygghet lutar sig tillbaka
under inledningen men rycker till när Gerda Myklebyst förklarar att
ingen ska tro att folk är idioter. *Verklighet* säger hon med tjockt l.

455

*Skita* och *äta gräs* slår hon fast med eftertryck. Hon har fyra minuter till sitt förfogande och ekonomiserar dem med professionalitet. Lili Thorm är huggberedd men kan inte ingripa. Gerda Myklebyst avslutar med *glada kor* och marscherar sen ner till sin plats vid mineralvattnet. Gabriel Gabb tackar henne men inser efteråt att ironi är ett overksamt stilmedel när det televiseras. Hur många gånger han än kommer att köra den lilla sekvensen kommer han inte att kunna se annat än fåraktig tacksamhet i sitt lilla fylliga ansikte.

Sigge lyssnar inte längre. Hon följer rörelserna på skärmen och märker att hon är vaksammare utan hörlurar. Hon ser Adam röra sig med nervösa kattkliv i palmområdets utkant. Hon tycker att han är lite patetisk. Hans dröm om den här dagen var att den skulle gnistra och blippa av interaktivitet och gripa hela folket. När televisionen dragit några varv på sin kvarn ringlar gröten av yttranden och åtbörder ut ungefär som vanligt. Frostade ögonlock, skäggvårtor och axlar mals sakta samman med åsikter och utspel. Gerda Myklebyst var en gång en modig författare. Jutta Monasdotter var en pigg och arg journalist. Kvarnen vevar på. Personligheter förvandlas till köttfärslimpor. Kanske märker han det inte, tänker Sigge. Men han är sorgligt skakad av Juttas och Gerdas insatser.

– Dom *gick över.*

Fast han väser låter han chockad. Han har haft för lite med fria intellektuella att göra. Hon har varnat honom. När alltsammans är slut verkar han i alla fall återhämtad. Juttas insats ligger långt tillbaka i tiden och politikerna har varit pålitliga. Metalls ordförande vacklade kanske något i den ostadiga vinden medan SAF:s stod fast som en klippa. Gabb citerade i sin sammanfattning Hyacinth Patricia Alexanderson och sa att nätet inte var något skyddsnät.

– Det är dags att sluta suga på tryggheten! Nu ska vi ut i en större verklighet. Där finns något för *alla.* Där finns demokratin!

Sigge var först inne på orientalisk buffé men nu strömmar folket ut till nachochips med guacamole, quiche, lax, parmaskinka, kyckling, druvor, cheddar, gorgonzola, rosenbröd, musselsallad och räkfyllda smördegsknyten. Precis som under sändningen serveras Linné mineralvatten. Det finns falsk champagne på skånska äpplen. Adam som påtagligt piggnat till ger henne beröm för den nationella touchen. Helylle Sigge! Det sorlar vårdat nu. Jutta Monasdotter har beställt taxi och gett sig av för att skriva en debattartikel.

456

Ute i Hagaparken och på udden vid Bellevue måste det vara mörkt för länge sen. Det har antagligen varit mycket folk hela söndagen. Kom han någonsin åt smörgåspaketet? Kanske har någon tagit det från bänken. Så fort Sigge får en möjlighet rafsar hon ihop buffémat i en kartong och ger sig iväg. Tornet lyser. Janne skulle ha stått däruppe bland gästerna nu med ett stabilt whiskyglas i handen och blivit gratulerad till tornet. Han skulle ha varit lite rädd för mig, tänker hon. Men jag är ingenting att vara rädd för längre. Allting passerar genom mig. Det strömmar som vatten. Det finns inget motstånd mera. Jag tittar på Lili Thorms ansikte och känner faktiskt ingenting. Det rinner, det strömmar. Ansikten, kroppar, åsikter.

Det är ourskiljbart svart uppe bland träden på den höga udden. Hon är inte ens rädd längre. När hon trevar med handen över bänken känner hon att smörgåspaketet är borta. Hon står länge med det fuktiga, kalla mörkret mot ansiktet och lyssnar. Det är bara trafiken som hörs, en dovt pulserande ljudmassa. Hon ställer ner kartongen och börjar försiktigt fot för fot på den hala stigen ta sig tillbaka till bilen.

– Alla har gått, säger vakten när Sigge kommer tillbaka till GLOBE-COM CENTER. Men det är inte riktigt sant för cateringfirman håller på att packa ihop och småvärdinnorna sitter i den ödsliga glashallen och väntar på att få betalt. Kablar och kamerastativ är borta. I garderobshallen väntar krukpalmer och rosenspaljéer på transport. Hon har färdigskrivna kvitton så det går fort att göra upp med flickorna.

– Det var synd att ni fick vänta. Men jag var tvungen att ge mig iväg ett tag. Min kille är sjuk.

Det är vilsamt att säga något som är alldeles sant. Förut gjorde hon alltid det, så gott hon kunde. Men Adam har sagt åt henne att inte vara så jävla aggressiv. Annars var det bara fina rapporter när han kom hem från Peking, sa han. Han är övertygad om att GLOBE-COM kommer att höra av sig till henne. Han menar antagligen någon högre upp i hierarkin. Hon undrar hur han i längden kommer att finna sig tillrätta i den. I villan i Dalen var han Gud, jultomte och ÖB. Men hon har förstått att han hela tiden haft större affärer på gång.

Till slut är det tyst i huset. Långt därnere finns nattvakten. Tornet? Antagligen lyser det fortfarande. I morgon bitti är det väl borta. Grå-morgon. Hon vet att hon kommer att ha huvudvärk. Men det är långt dit.

Hem vill hon inte gå ännu. Hon vill vara ensam. Janne kan ha kommit tillbaka. Hon orkar inte se hans rastlösa vankande nu. Höra det i halvsömnen.

Adam har gett henne en ny dator med formidabel minneskapacitet. Den är uppkopplad mot GUN och mot det interna nätet. Där finns lugnande patiencer och musik på CD-ROM. Hon har tagit in en bricka med överbliven buffémat och efter något övervägande ett stort glas whisky. Sen aktiverar hon datorn som står i viloläge. När hon kommit fram till spelmenyn och klickat in patiencelistan börjar det surra. Hårddisken är aktiv länge. I stället för den svåra patience hon valt med ett musklick visas GLOBECOM:s logo, den snurrande globen. Ljuset flyter i olikfärgade ringar omkring den. Snabba texter flimrar förbi. Till slut stannar en textruta upp.

DU ANVÄNDER SIGRID MARIA FALKS DATOR.
VAR GOD UPPGE KOD.

Sigge gör det, med en känsla av att systemet hakat upp sig. Hon har redan gett lösen för att komma in. Det är som om den börjar om igen, lekfullt och färgrikt.

FINT ATT TRÄFFA DIG, SIGRID MARIA.

Vad i helvete nu då! Fast det är klart, Adam sa att dom skulle höra av sig. Men mitt i natten...

VI VILL GÄRNA STÄLLA NÅGRA FRÅGOR TILL DIG.
DET HAR DU VÄL INGENTING EMOT, SIGRID MARIA?

Nu ser hon rutorna för NEJ och JA. Hon vill egentligen skriva IDENTIFIERA ER men kan bara kommunicera med musklick. Det finns ingen ruta med AVSLUTA eller AVBRYT och när hon försöker skriva händer ingenting. Hon klickar NEJ men inser att det blev fel. Fast kan hon egentligen säga NEJ? Det vill säga JA som skulle markera att hon har något emot att de frågar. Förvirrad försöker hon minnas hur frågan egentligen var formulerad. Färgrika och rörliga mönster avlöser nu varandra på skärmen. Hon tar en stor svälj av whiskyn. Är det ett skämt? I så fall är det väl ingenting att känna sig ruggig till mods för. Nu kommer en ny fråga. Och det är antagligen fråga om en anställningsintervju för nu har programmet blivit förnuftigt. Det kommer en hel rad frågor om hur hon ser på sitt arbete, om hon är nöjd med arbetskamrater, tekniska faciliteter och arbetsuppgifter. Hon kan bara markera svar på en standardlista: MINDRE NÖJD, GANSKA NÖJD, HELT NÖJD. Det borde kännas larvigt snarare än ruggigt. Men hon har en olustig känsla och hon tänker hela tiden på sin vänstra byxficka.

DU HAR GJORT EN FIN INSATS UNDER DAGEN. VI UPP-SKATTAR DEN. VI ÖVERVÄGER ATT FÖRÄNDRA DINA ANSTÄLLNINGSVILLKOR.

Tjolahopp! Här går det undan. Hon dricker en klunk till. Det är omöjligt att ta det här jönsiga sättet att tala med folk på allvar. Det där med byxfickan är som en fix idé. Att hon har nåt i den. Att hon inte ska sticka ner handen där. I alla fall inte i den fickan. Som när man får för sig att nåt hemskt kommer att hända om man går till vänster i stället för till höger om en lyktstolpe.

VI KOMMER NU ATT STÄLLA EN DEL MER PERSONLIGA FRÅGOR.

Det liknar testerna i kvällstidningarnas söndagsbilagor. Förut brukade Janne och hon alltid pröva om de hade ett bra sexliv eller hur intelligenta de var genom att svara på frågor som liknar de här. Grafiken består av abstrakta och rörliga mönster. Hon har ingen möjlighet att svara annat än genom att klicka på ett alternativ men lägger sig upprymt i topp eller botten. Det är kul. Den fixa idén har gett sig. Hon sticker ner handen i fickan och där finns inget som bits. Bara en tunn metallkant. Silverängeln. Hon tror inte att de vill ha en inställsam slav så hon klickar glatt tre gånger i bottenläge. Till slut får hon ange graden av sin lojalitet mot Adam Oxehufvud. Hon klickar upprymt på MÅTTLIG.
Det är inte slut där. Nu liknar det verkligen ett söndagsbilagetest. Hon får följdfrågor om lojaliteten. Hon hamnar tillsammans med Adam i den ena intrikata situationen efter den andra och ska svara hur hon ställer sig och vad hon gör för att rädda honom. Hon erbjuds

459

mutor från företagsspioner. Adam ber henne fuska med momsredo-visningen och att köra åt honom när han är full. HAR TAGIT SIG FÖR MYCKET TILL BÄSTA står det. Skatteinspektörer invaderar företaget. Hon ska signera luftfakturor. Konkurrenter erbjuder hen-ne otänkbara löneförmåner. Det här är värre än högskoleprovet, tän-ker Sigge. Frågorna ska nu besvaras på tid. Sekundsiffror tickar fram i en ruta. Hon måste snabbt bestämma sig för om hon ska rädda eller desavouera Adam.

Från början har hon konsekvent lämnat honom i sticket men hon börjar inse att hon måste ha en liten öppning så att de inte ska sluta fråga. Hon vet inte varifrån hon får idén. Ett par ögonblick mellan två klunkar whisky och medan sekundsiffrorna snabbt blinkar på tänker hon: det här kanske är allvar? Det är så dumt så det kunde vara sant. Hon dricker det sista ur glaset och så fort hon slipper tidsticket i nedre högerkanten går hon ut i köket och hämtar in flaskan.

Det är en lång och märkvärdigt abstrakt berättelse på skärmen nu. Adam befinner sig i en svår situation. Man sprider rykten om ho-nom. Hans vänner har lyssnat på förtalet och övergivit honom. Onda krafter är ute efter Adam. De vill smutskasta honom offentligt, kom-ma med falska beskyllningar som kan knäcka honom som affärsman och, om deras projekt blir framgångsrikt, kasta honom i fängelse.

Sigge ser Adam framför sig kastad från hög höjd ner i en fängelse-håla. Därnere ligger han och utstöter långa skrik. Hoppsan! Här kan bara Sigrid Maria Falk frälsa honom. Det är också vad nedersta text-raden säger. Nu ska hon trycka ENTER och få en fråga.

Hon har ledsnat nu. Testet var roligt från början. Nu känner hon bara den jönsiga mekaniken. Och spriten som piggade upp henne och fick henne att känna sig ironisk och upprymd gör henne bara tung och trött. Och rädd faktiskt. Eller i alla fall ängslig. De räkfyllda smördegsknytena är hopfallna och smakar flott. Hon ska klicka JA om hon vill rädda Adam Oxehufvud igen eller NEJ om hon avstår. Hon klickar snabbt NEJ och beslutar sig för att stänga av datorn. Men det finns fortfarande inget AVSLUTA. Och frågan försvinner inte. Den upprepas med ungefär samma tantförståndiga och lätt före-brående formulering.

SIGRID MARIA! GENOM ATT ORESERVERAT STÖDJA DIN CHEF KAN DU NU GÖRA EN VERKLIG INSATS. ÄNDÅ

TVEKAR DU. VI GER DIG EN NY CHANS ATT SVARA
KONSTRUKTIVT.

Hon har fan inte tvekat! Hon har sagt NEJ rakt av och hon gör det
igen. Men hon har glömt vad det var hon skulle göra för insats. Hon
vet att det har stått på skärmen. Det måste ha gått väldigt fort. Eller
också har de aldrig sagt det. Det går fortfarande inte att stänga av da-
torn och hon bestämmer sig för att bara lämna den. Hon måste ha tag
på en taxi för om hon kör nu mister hon antagligen lappen. Hon mår
illa av smördegsknytena. Flottigt bröd och räkor.
   Då börjar den tjata igen. Den säger att situationer som den här kan
få konsekvenser. Skulle hon fortfarande tveka (vadå *tveka*?) om hon
kände till konsekvenserna? Tjafs. Men dom vet nåt om Janne. Det är
den där jävla ormen Lili Thorm förstås. Hon har snackat. Varför ska
dom dra in Janne i det här. Det är inte skoj längre. Det är bara osmak-
ligt. För Janne är sjuk. Men har det verkligen stått nåt om Janne?
Hon har fått ordet INTERNERAD på hjärnan nu. Den sista me-
ningen före svarsalternativen är vidrig:

SIGRID MARIA, DU RISKERAR MYCKET.
VI GER DIG SVARSALTERNATIVEN IGEN.

Hon klickar NEJ. Det smakar illa i mun. Det är räkorna. Det kom-
mer en ny text nu, lika smaklös. De frågar om hon fortfarande skulle
säga nej till deras begäran fast hon är medveten om riskerna. Vilka
risker? Farsan, säger det inuti henne. Vadå farsan?

DU SÄTTER MYCKET PÅ SPEL
MED ETT NEJ, SIGRID MARIA.

Hon har aldrig i hela sitt liv hört talas om något så idiotiskt. Tidsmar-
keringen tickar på. Dom tror att jag inte *vågar* svara nej, tänker Sigge
och klickar på NEJ-rutan men slinter med pekfingret så att program-
mets reaktion uteblir. Hon stirrar fortfarande på:

DU SÄTTER MYCKET PÅ SPEL

Jag har hört det nu. Men vad har det med farsan att göra? Sjukhus?

461

Det har inte stått. Det är sånt där som uppstår i hjärnan. Av sig självt. Dom tror att jag är vidskeplig. Det är det dom testar. Hur dum jag är. Hur godtrogen och inställsam och lättskrämd jag är. Samtidigt ska dom ge mig känslan av att veta allting om mig. Fan vilka råttor! Och hon placerar musmarkören mycket precist på NEJ och trycker distinkt. Skärmen blir tom. Den lyser några ögonblick grå och gnistrande. Sen kommer ett timglas och ett enda ord.

VÄNTA

Hon är trött på det här nu. Men hon måste försöka stänga av. Hon vill inte att någon ska komma in i hennes rum när arbetsdagen börjar på GLOBECOM och se några konstiga frågor om Janne och farsan på skärmen. Fast egentligen har det väl inte stått nåt om dom. Det är i alla fall inte säkert.

Hon trycker ESCAPE utan att något händer och då försöker hon stänga av datorn men den hamnar bara i viloläge. Eller om det är det där gråa igen. Ja – där kommer timglaset och VÄNTA. Hon klickar och dubbelklickar musen, försöker med höger musknapp och trycker på alla funktionstangenter. Datorn är oemottaglig. Rummet omkring henne är grått. Allt ljus som finns där kommer från skärmen och det är mycket lite nu. Rummet är som en dator, tänker hon och känner sig lullig. Jag sitter inne i en dator. I den finns en annan dator med en Sigge som sitter vid en skärm i en annan dator och inne i den finns en dator med en Sigge som... Fan också vad trött jag är.

Hon vet inte hur lång tid som går. Färgerna är fortfarande borta. Ibland surrar det som om ett oändligt arbete utfördes på hårddisken, ibland är det tyst och då står det VÄNTA. Till slut kommer färgerna igen. De är trevliga att se på. De tar bort ödsligheten. Giftiga visserligen, men väldigt glada färger i stället för det gråa och det där förbannade timglaset och det eviga VÄNTA. Det är grafiken igen med sina nonfigurativa färgspel. Det är som om hon vore tillbaka och testandet aldrig hade varit. Men när programmets text dyker upp igen är allt som förut.

DET ÄR TREVLIGT ATT FÅ KONTAKT MED DIG IGEN, SIGRID MARIA.

Kyss mig i aschlet.

NU FORTSÄTTER VI VÅRA FRÅGOR.

Sickan. Samma gamla frågor kommer tillbaka. Men nu tänker hon bara på Sickan. Hela tiden. Och det är som om det vore Sickans liv hon riskerar genom att säga nej. Som förut är det tre etapper av frågor. Två gånger trycker hon mycket snabbt på NEJ. När texten kommer är den otäck. Den försvinner snabbt. Men hon såg den. Nu står det bara:

VI GER DIG DEN HÄR GÅNGEN EN EXTRA LÅNG BE-TÄNKETID.

Hon har inte på länge tänkt på om det har varit siffror i hörnet. Hon har svarat så snabbt. Nu känner hon sig förvirrad för hon kommer inte ihåg vad det stod om Sickan i den texten som försvann så fort. Och hur lång betänketid? Siffrorna byts i mycket hastig takt. Kan det vara sekunder? Och vad menar dom egentligen? Att när det tar slut...

En hund. För dem är hon bara en hund. Och det är hon ju förstås. Det är femton sekunder kvar. Om det nu är sekunder. Nio, åtta, sju, sex, fem...

Då förstår hon att de kan göra det. Bara för att det är en hund! Utan att hon vet hur det gått till har hon tryckt JA. Bara en sekund gått vet hon att hon är lurad. Dom satte dit mig ändå!

TACK FÖR DIN MEDVERKAN, SIGRID MARIA!
VI ÄR ÖVERTYGADE OM ATT VÅRT SAMARBETE
I FORTSÄTTNINGEN KOMMER ATT BLI MYCKET GOTT.

Aschlen, tänker Sigge och dricker djupt ur flaskan. Svin. Jag åkte dit. Whiskyn känns fel. Hon är darrig och slut och måste ha vatten nu. Norrskensdraperier i vassa färger böljar på skärmen. Nu går datorn att stänga av. Det blir gråmörkt inne. Bara nattljus från staden. Reflexer, blänk och ljusplymer på väggarna. Nu måste hon härifrån. Men hon vill befria sig från det där hon har i byxfickan. Det tunna metallföremålet. Inget att ha. Obehagligt. Hon lägger det på musmattan. Det blänker lite.

Där ligger han som en fälld örn. Han har en gulaktig plastkåpa över näsa och mun. De stora ögonen rullar och slänger; han vill uttrycka sig. Sigges läppar nuddar skinnet på båda hans handryggar, på vänster tinning och pannan. Det luktar farsan i utspädning ur landstingslakanen. Han är på väg tillbaka. Snart har han fällt ut tobak, kön, metall och olja. Han börjar lukta spädbarn igen. Essensen av farsan är blomlik, mjölkaktig.

Ren skräck kände hon när hon såg att han var borta. Våningen tom. Sickan försvunnen. Nu har dom kommit åt mig, tänker hon. Dom har trevat och trevat med inte alltför fina sonder och verkligen hittat fram, som till en körtel. Nu avsöndrar den. Inte ens ett meddelande fanns det i köket. Tanten i grannvåningen, skräckslagen hon också, men bara för att öppna, visste i alla fall. De talade genom brevlådespringan. Han hade åkt i ambulans. Hunden?

Farsan tar bort kåpan och säger ljust, högt uppe, nästan utan ton:

– Fan Sigge. Jag har tänkt på det där metafiktiva.

Skit i det nu, vill Sigge säga. Jag har skippat avhandlingen. Men en sån sak går ju inte att säga till Kejsarn.

– Det håller nog i alla fall, säger han. Jag menar jag tror faktiskt inte det är nåt pålagt, jag tror han berätta om hur vi berättar – ja, våra liv, hur vi berättar dom. Fattar du?

Sen andas han en lång stund under kåpan och syrgasen väser nästan hemtrevligt. Hon ser en blå åders meanderslinga under det tunna tinningsskinnet, ser livsticket därinne.

– Jag menar vi är vana att alla berättelser i en roman på nåt sätt hänger ihop med huvudberättelsen, att dom förklarar den och vadheterdet, gör den du vet –

– Mångstämmig.

– Javisst serdu. Men jag tog Krilon när jag kom hem från Whitloska –

– Whitlockska.

– Jag läste om den –

– Det är tvåtusen sidor.

– Men vafan Sigge. Du *vet*. Jag kan Krilon. Jag tog den. Det var timmar. Och så såg jag att han berättar mycket som är stumpar, som inte är parallellt med nånting – som är sig självt. Det är dom där ställena där man nästan blir tokig för han är så omständlig tycker man. Men jag *såg* serdu. Visst är det en kör, en sorts mångstämmighet, regelbundet och fint som fan, klassiskt. Men det är nåt annat också. Man blinkar till och så ser man det –

Rösten skärs av tvärt. Han ligger länge med den gula kåpan över näsa och mun. Ögonlocken klipper otåligt.

– Man *ser* verkligen till slut. Man är inte i nån konsertlokal utan i en skog. Det piper här och där. Nån ensam flöjt eller en fågel. Eller om man tar det där med linjerna, vägar genom romanen liksom, så finns det alla möjliga stigar och vägstumpar som ingenstans leder eller bara leder till ett ställe där det är stopp. Och man får nån känsla av att det finns andra vägstumpar som inte är med, som finns nån annanstans och är utan förbindelse med dom här. Jag menar –

Nu sätter Sigge mycket varsamt plastkåpan över hans näsa och mun igen och syrgasen pyser fint in i hans andningsvägar. Hans ögonklot slänger. Iris är mörkblå. Ingenting kan släcka ut den färgen och göra den till sörja. Ingenting.

Han befriar sig efter en lång stund från kåpan och tar an:

– Jag tror han ana inte bara det gemensamma serdu utan själva ensamheten i att leva. Jag tror faktiskt att han redan då på fyrtiotalet kunde konstruera romaner efter två principer, *samtidigt* Sigge, fast konstruera är ett jävla ord för det här gjorde han med en sorts visdom. Garva inte åt din gamla farsa, ibland behöver man såna ord. Jag menar bara att det är för tidigt att hoppa av det där metafiktiva för det ligger nånting här serdu. Det är som det där jävla nätverket som du har tjatat om sen Adam Oxehufvud börja fischla ihop det med GLOBECOM. Han vill ju inget hellre än att det ska vara kontroll på alltihop, men så finns det där vilda torget du snackar om där tusen röster hörs – jag blir rörd, det är nästan sjuttiotal igen och Chilekommittéer och hopp och tro. Men det finns nåt annat också: ensamma röster och pip, berättelser som ingen hör och ingen vill höra. Men dom finns där.

Han tystnar och länge hörs bara syrgassuset. Han har gjort slut på all ork den här gången. Men han har lyckats bära en skvalpande, bris-

465

tande gåva över nån sorts avgrund och stjälpa den i Sigges huvud. Faktiskt.

För han har ju rätt. Det finns två romansviter om Krilon. En mångstämmig och välordnad. En annan vild och ganska ödslig. Och ganska ofta får den ödsliga ta mycket av hans dyrbara beredskapstid, hans viktiga krigsuppdrag, i anspråk. Den är lika övertygande som en taltrasts röst i skogen när den berättar att det också finns andra tider, dagar, då det viktiga inte är särskilt viktigt och att de redan är här de där tiderna. Förresten har det ingenting med tider och dagar att göra. Han säger själv: *Det var inte som om åren gått utan som om belysningen växlat.* Och därför är det förstås så mycket klyftigare än man först inser när han säger: *Jag strider på den sida som vill försvara yttrande- och tryckfriheten här i landet och hela världen. Den ena människan får inte förtrycka den andra. Regeringar får inte förtrycka folk – egna eller andra. Så enkelt, mina herrar, så enkelt är det.* Han visste redan, fast GLOBECOM inte existerade, att det fanns programvara som deletar ut de där avsändarna som ingen vill höra. Man får inte in dem, så enkelt är det, mina herrar. Och han gjorde faktiskt en egen programvara som inte var ett filter utan ett upptagningsmembran, så känsligt att det skulle föda längtan inne i själva texten efter allt som inte fick bli berättat där.

Sigge ser farsans kranium mot kudden, en benbehållare med innehåll som behöver syre. Lite tunt skinn och hårlockar. Och därinne allting. Så mycket av det som fick röst! Som fick ord och syntax och program. Hon inser att han verkligen har levt och tycker inte synd om honom för att han ska dö och bli sörja. Det är mig det är synd om, inser hon. Det är mig det kommer att göra ont i och bli brist och tomhet i när den där lukten i världen utplånas.

Farsan, nu dör så många möjliga berättelser med dig, de dör utan att ha blivit berättade och det gör ont i mig efter dem.

Då går de stora kupiga ögonlocken upp och den blå blicken vinglar till innan den hittar hennes. Han lever och hennes tankar nyss blir oanständiga. Syrgasapparaten väser idel vardaglighet. Den här natten med sitt motordån på gulaktigt belysta leder är inte annorlunda än nätter med spårvagnar som pinglar på ödsliga gator med långa vedstaplar. Det är Karolinska sjukhuset. Det är nu.

Var är Sickan? Det är vad hon hela tiden velat fråga. Men hon tycker att det är hemskt att göra det när han är så sjuk. En hund är ju bara

466

en hund. Till slut frågar hon i alla fall. Han säger att Sickan är hos Oda, att hon har åkt ensam dit i baksätet på en taxi och att Oda bekräftat hennes framkomst på telefon till Karolinska. Sigge tycker att det är pinsamt men det säger hon inte till farsan. Hon skulle aldrig kunna tala om att de har upplöst samtalsgruppen och att Oda inte ens var med när de gjorde det.

– Men varför fråga du just Oda när du inte fick tag på mig? viskar hon. Hon är ju så gammal och bor så långt bort.

– Ja, vem skulle jag ringa? Hon är den enda av er i gruppen som har numret i telefonkatalogen.

Då minns Sigge vad Oda sa när hon berättade att hon skaffat sig hemligt nummer. Nej, hon gnolade det förresten:

> Tosca, i ditt hjärta
> har Scarpia byggt sitt bo.

När Sigge kommer till Dalen ställer hon bilen på gatan tätt intill Odas spretiga hagtornshäck. Uppfarten är oskottad men snön har smält så det är mest sörja och frusna isvallar på gången mot verandan. Sickan har känt igen bilmotorn och skäller upprymt inne i huset. På andra sidan häcken kommer Kryddan plaffande genom snö- och lermörjan. Han har ett par ovanligt stora mockaskor som sitter löst. Nu är han här i alla fall, tänker Sigge. Enligt beslut i kommunstyret. All hysteri onödig. Men det var nog skönt att gruppen sprack. De skulle aldrig ha kommit över att jag la ner avhandlingen. Evigt förebrående, avlånga tantansikten hade jag aldrig stått ut med. Nej gud.

– Sigge! hojtar Kryddan. Han vill nånting. Hon tycker att han är lite beskäftig. Tjock och beskäftig. Han har varit inne i villan flera gånger under flyttningen och tittat. Mätt upp fönstren och kollat färgen på väggarna. Han tänker visst måla om.

– Ni har glömt kvar frusboxen, ropar han.

– Det är inte vi. Den stod där när vi flytta in.

– Kan jag ha den då? Frusa in saker?

– Frys på du bara.

Han är framme vid häcken nu och han flåsar.

– Men den är låst. Jag måste ha en nuckel.

– Jag har aldrig låst den. Jag tror nyckeln sitter i. Vi har inte använt boxen.

Jo, en gång minns hon. Då frös hon en massa små smörgåsar som hon hade gjort till ett releaseparty. Plattan släpptes en vecka försenad men smörgåsarna var okej när de blev upptinade. Hon tänker på GLOBECOM:s buffé. Vi har kommit upp oss. Vi är i division ett nu. Men hon känner sig sorgsen när hon ser villan i grådagern. Det fanns en sorts vardaglighet där som hon tyckte om. Sickan skäller vansinnigt inne hos Oda.

– Jag tror dom sitter i, annars ligger dom väl bredvid boxen nånstans.

Äntligen begriper Oda att Sickan vill ut till Sigge och hon öppnar dörren. Tiken kommer haltande men kan inte hålla på värdigheten ända fram. Hon kavar med framtassarna på tightsen och svansstumpen vickar. Sen sträcker hon upp nosen för att få slicka Sigge under vänstra örat. Hon är hövlig och ceremoniös som hundar är. Kryddan plafsar iväg. På verandan har Oda kommit ut och Sigge bemannar sig med mod. Det är skönt att ha nånting neutralt att börja med så hon berättar att Kryddan vill ha frysboxen.

– Det var Ella Bask som hade den där boxen, säger Oda. Hon sa att jag kunde ta den. Men det blev aldrig av. Ella hade två stora boxar. Hon fick en massa älgkött från Jämtland. Till slut flyttade hon dit. Du vill väl ha lite te?

Ja, vad ska hon säga? Alltihop är så pinsamt. Medan Oda gör i ordning teet sitter Sigge på en köksstol och tittar ut mot Krylundska villan. Kryddan kommer att flappra in här hos Oda med sina stora mockaskor och sitt blanka ansikte som det ser ut att aldrig ha växt något skägg i.

– Kryddan verkar okej, säger hon. Det blir nog en bra granne. Han verkar så jovialisk. Typ Edvard Persson.

– Han var inte jovialisk, säger Oda beskt.

– Han spela väl sån i alla fall. Tjock och godmodig.

– Jag har just sett Söderkåkar, säger Oda. Inte TV-serien utan den gamla långfilmen. Där är han med och rullar en jude i tjära och fjäder.

Sigge känner sig matt. Oda kollar gamla långfilmer för att hitta tecken på ondska och urspårning. Vilar sig aldrig. Hon är gammal och trött. Maläten faktiskt. Håret står åt alla möjliga håll. Hon har antagligen gått omkring härinne och orerat för sig själv.

– Nu går vi in och dricker te, säger hon och Sigge får bära tekannan med dess rämnade mössa från Svenskt Tenn. Själv dukar hon upp digestiveskexen och morotsmarmeladen på det stora bordet i vardagsrummet. Hon har en läs- och TV-hörna vid fönstret som är så inbodd och rörig att den liknar en lya. Där står en liten fåtölj med taxben och svällande stoppade former. Undertill är den klädd med brustet vinrött siden men Oda har lagt skynken från Indiska över den för att dölja hålen i tyget. På fotpallen är stoppningen på väg ut. Det finns ett litet bord överlastat med böcker och tidningar och frökataloger. Överst ligger Svenska Dagbladets korsord uppslaget. I stolen ligger Grupp Krilon. Oda ser att hon tittar på den och det är det sista Sigge hade önskat. Nu blir det väl fullt krig. Edvard Persson var bara en liten commandoraid. Men Oda låter ledsen när hon säger:

– Ja, jag blir nog aldrig klar med honom.

Sigge inser att hon inte har mod att säga till Oda att hon själv är klar med honom. Hon måste försöka dra sig ur det här tyst. Då säger Oda:

– Sigge, jag är inte säker på att Johan träffade honom. Att di *möttes*, det vet jag. Han såg honom därute på isen. Men det var kanske inte mer heller. Det är klart han blev väldigt upptänd. Det var i alla fall en författare som han beundrade. Som di talade mycket om i samtalsgruppen. Jag tror jag har lurat dig in i det här. Men jag *trodde* det serdu. Jag ville tro det och på sätt och vis tror jag det fortfarande. Det var en stor sak för Johan det där mötet.

Sigge tycker att det är pinsamt. Det är som om Oda tror att hon avslöjar nånting som Sigge inte vet. Stor dramatisk uppgörelse. Fast det är inte teater. Oda är knäckt på nåt vis. Ovanligt självkritisk i alla fall.

– Jag såg honom också en gång. Såg och hörde. Det var efter kriget. Jag var i Helsingfors och hälsade på. Jag har aldrig berättat det här för dig.

Hon tittar upp och ser Sigge rakt i ögonen.

– Jag tyckte det var ett svårt minne. I varje fall inte oproblematiskt.

– Var han inte bra? frågar Sigge osäkert.

– Jo. Han var – bra. Till utseendet var han som jag hade tänkt mig honom. Fast mycket mindre. Jag såg honom röka efteråt. Han rökte snabbt. Det var värdighet omkring den där lilla tunna gestalten, ja, en viss betydenhet redan. Han rörde sig långsamt bland människorna som ville hälsa på honom. Avmätt. Och som sagt inte utan värdighet och en viss känsla för sin betydenhet. Det hade han ju rätt till. Han misstog sig inte på den. Men han rökte inte på det sättet. Inte alls. Cigarretten brann så snabbt. Man såg spetsen glöda. Och ögonen, ögonkasten var snabba. Det var ett annat förlopp i hans inre, det kunde man ana. Hetsigare.

Hon är tyst länge och Sigge som från början velat att de snabbt skulle komma ifrån det här samtalsämnet kan inte låta bli att säga:

– Du sa att det var svårt för dig att minnas det här. Men det var väl i alla fall inte utseendet du haka opp dig på.

– Nej. Det var naturligtvis det han sa. Ja, det var oklanderligt! Tro inte annat. Skarpt. Humoristiskt. Tändande. Men det var kanske en svår tid för upptändning. Det var aska omkring oss. Det smakade aska i munnen.

Det var ju efterkrigstid. Ont om mat och kläder och bränsle. Det var förresten ransoneringar fortfarande. Och bostadsbrist. Helsingfors var bombat. Det var fred. Visst var det fred. Men freden var som ett varigt, halvläkt sår. Det var ju inte heller vinterkrige som var närmast utan det andra, det som var – ja skamligare. Tyskarnas krig. Och vårt. Faktiskt vårt. När man börjar plocka och riva i klutarna som täcker halvläkta sår kan man inte låta bli att fortsätta. Det fanns tankar också om vinterkrige. Tankar som kom och gick. Om hetsen. Om bilderna som uppfyllde oss. Och om det hade gått att undvika... Svenskarna gjorde ju eftergifter. Men vilka skulle vi ha gjort? Du vet hur det gick för Estland och Lettland och Litauen. Och era eftergifter var ju så skamliga. Eller var di inte det?

Eftergifter. Du kan tänka dig hur ett sånt ord smakade i mun när han stod där och talade. Jaja. Det smakade förstås precis som eftergifterna hans regering hade gjort under krige. Di där permittenttågena och en hel del annat. Hur mycket visste vi inte då. Och det smakade som FN:s hot och NATO:s väntan medan den ena bosniska byn efter den andra bränns ner och landsvägarna fylls av flyktbilar med barn och med gamla kvinnor och gamla män. Di stenas i bilarna och barnen blir knivskurna för att soldaterna ska pressa pengar av flyktingarna. Och vi tänker: sånt får inte ske. Vem vill ha eftergifter då? Å fy fan Sigge, vilken smak i det ordet.

Ändå tänkte jag på barnen som vi skickade bort ifrån oss. Om det kunde ha undvikits. Barnen. De små grå ansiktslapparna. Och kistorna som lastades om på stationerna. Alla var omålade furukistor. Febern. Såren. Di krossade lemmarna. Och såren inuti som var ett slags brännsår och för alltid brände bort lusten hos unga män.

I den stunden ville jag bara ha tillbaka Lars. Hans kropp oskadad. Hans doft. Ögonen. När den där rätt småväxte, men redan mycket betydande författaren stod där och talade om eftergifter som inte fick göras, då ville jag bara ha tillbaka Lars. Det var inte en så oproblematisk känsla det heller. Som du kanske har förstått.

I den stunden gick jag ner i mig själv som man går ner i en brunn. Fast jag hörde allt han sa därframme på podiet i solennitetssalen – han ville ha oss med i Atlantpakten – så var jag djupt nere i mig själv. Jag var i sommaren 1944 då eldstormen kom. Vredens dag. I verklig-

471

heten eller vad det heter var jag i Dalen då. Här i villan. Och jag lyssnade till Johan Krylund och jag åt och drack hans tydlighet, hans mod. Men jag tyckte att jag svek den döde Lars.

Nu kom räkenskapens dag därborta på sommaren 1944. Nu var vi i krig inte bara med Sovjetunionen som vi ju varit hela tiden – inga eftergifter! – utan med Storbritannien och med de allierade. Nu brann Karelen! Nu kom den rök vi känt sommaren före krige vällande. Grå och stinkande la den sig över oss. Nu slog lågorna och hettan opp och våra soldater flydde i panik. Nu brändes deras kroppar levande. Det vrålade i mig. Eftergifter? Att göra eftergifter åt nazisten Staph för att slippa göra dem åt kommunisten Jekau. Så ställde han aldrig problemet.

Ja – det var ju i alla händelser för sent. Jag steg långsamt opp ur min brunn. Jag steg opp till den nyktra dag då författaren Eyvind Johnson talade i universitetets solennitetssal i Helsingfors.

Sigge dricker lite av sitt te. Det har kallnat. Hon känner sig osäker på handen när hon sätter ner koppen.

– Men vad tänkte du egentligen? Jag menar vad för sorts eftergifter? Alla... Ge efter för allt?

Oda sitter och stirrar rakt in i tapeten. Det är som om hon inte vore riktigt närvarande. Herregud, hon kan få en hjärnblödning närsomhelst, tänker Sigge. Och här sitter jag och vet efter de här åren och allt som har hänt inte hur hon tänker. Hur hon innerst inne tänker.

– Menar du att man ska huka? För allting. Därför att allting går över. Därför att det till att börja med går över ens huvud. Att det lilla livet finns hela tiden. Och att det finns små friheter som man kan leta opp eller en liten begränsad och anspråkslös frihet. Också i stränga och totalitära system. Menar du det?

– Jag menar bara, säger Oda, att ingen makt nånsin bombar av oegennytta. Bomber kostar pengar. Invasion kostar pengar och människoliv.

– Du tror inte att USA gick med i kriget för att försvara demokratin?

– Bomben, säger Oda.

– Atombomben?

– Han visste inte om bomben när han skrev di där romanerna. Den var inte fälld över Hiroshima än och inte över Nagasaki. Han visste inte att amerikanarna skulle testa bomberna och strålningen på människor som var ovetande om det. Människor i den egna befolkningen. Han visste ingenting om det där. Han ville ha med oss i Atlantpakten sen. Det var det som talet i Helsingfors gick ut på.

– Han ville vi skulle värna demokratin mot både kommunism och nazism. Mot den totalitära principen.

– Ibland, säger Oda och läppjar på sitt kalla te och Sigge får en känsla av att hon vill dölja ansiktet med koppen, ibland sitter jag och tänker på inre motstånd, på sabotage... på en sorts... ja, jag vet inte. Som motståndsrörelser *inuti* di där principregementena, inuti regimerna vad di än heter. Nazismen eller bolsjevismen eller kommersen. Men inte arméer av unga mäns kroppar.

– Radikalpacifism? säger Sigge. Är det det du tänker.

Hon tycker att hon låter plump. För rakt på sak. Oda säger mycket riktigt:

– Det är ett konstigt ord det där. Ingen tror på det. Men ingen har heller diskuterat det.

– Åjo.

– Nej! Vi beundrar till slut alltid det hårda motståndet. Vi beundrar offerviljan. Den är så vacker. Men det är unga mäns kroppar som offras. Och hur ruttna tiderna än är, om de så är fyllda av lögn och smitta så blir allting plötsligt så vackert och rent när man säger: vi går i krig mot det onda! Men vad vi går i krig mot är de unga männens sårbara kroppar. Vi går i krig mot barn och mot gamla förvirrade kvinnor på landsvägarna. Mot flickor går vi i krig, vi sliter opp deras underliv. Vi skjuter sönder hemmen och raserar trädgårdarna. Åkrarna blir fulla av kratrar och djuren springer lösa och svälter. Vi går i krig mot det onda säger vi. Men vem är det som dör? Och vem är det som skadas? Tror du att det onda ställer opp sig för att bli skjutet på? Nej, det onda sitter i bunker. Det är barnen och di unga männen och det är kvinnorna och de gamla förvirrade människorna på landsvägarna som vi träffar när vi bombar.

– Du vill inte att NATO ska bomba i Bosnien.

– Nej. Men man kan ju knappt diskutera det med sig själv. Det blir uppgivet. Det liksom snor om och blir cynism. När di goda bombar för demokratins och fredens skull så rycker en annan sorts ondska fram under bombplanen som under ett paraply. Våld ynglar och föder. Det är det enda jag vet.

De blir sittande tysta mittemot varandra. Oda dricker och när hon sätter ner tekoppen skramlar den länge mot fatet. Hon ser gråtrött ut och Sigge tänker: varför ska hon bry sig? Varför ska hon slitas av de här omöjliga frågorna? Kan hon inte vända sig bort från alltihop. Eller inåt. Varför är en del människor alltid i krig med sig själva? Men hon vet inte vad hon ska säga mer åt Oda. Hon kan ju inte gärna fråga om hon har fått nya frökataloger för året.

Då ringer det på dörren. Oda ser inte ut som om hon orkar resa sig så Sigge är på väg. Men det går i dörren därute och Kryddan kommer in. De har tydligen bekantat sig redan och han vet att dörren står öppen. Hon borde inte lämna den öppen. Fast Kryddan verkar okej. Han står där med sitt månansikte och säger att han inte kan hitta någon nyckel till frysboxen. Då passar Sigge på att säga adjö till Oda och går med honom över till Krylundska villan. Jag kanske aldrig ser den här gamla kvinnan mer, tänker hon och måste behärska sig för att inte vända sig om och titta mot Odas köksfönster när hon går genom hålet i häcken och över gräsmattans leriga snörester.

Inne luktar det målarfärg redan. Villan är tom och ljus. Här syns ju inte längre skönheten. Men hon får en stark känsla av dess närvaro. Den ljusgenomdragna, den genom förnedringen anade. Som skymten av ett vackert, renspolat skelett under vatten. Det är tyst inne. Det är ett av de sällsynta ögonblick då ljudmassan är avlägsen och dov och det allra närmaste är en tystnad som skulle läka om den finge vara länge. Hon undrar om Asplund ritade villan om vintern, om han tänkte på snöljus och tystnad.

De går ner i källaren. Frysboxen står i ett utrymme intill den matkällare där hon en gång fann Krylundkommentaren i en papplåda. I gången ut till källardörren står det en massa små ljuskoppar av aluminium på golvet. De bildar ringar och halvcirklar. Vekarna är svarta och paraffinet har tagit slut i de flesta.

– Vad har du haft för dig här? frågar hon Kryddan. Hon känner nån sorts obehag. Ljusfest i en matkällare. Är han inte klok?

– Det är inte jag, säger han och sparkar till ljuskopparna. Dom hade ni lämnat här.

– Här var rent när vi åkte. Jag var själv här och kolla städfirman innan jag betala dom.

– Här.

Han har öppnat dörren in till frysboxen. Det är fullt av ljuskoppar och stora halvbrända paraffinljus därinne också. Det ligger vissna blommor på golvet runt boxen som är stor och antagligen ganska gammal. Och den surrar.

– Men du har ju fått igång den.

– Nej, den har gått hela tiden.

– Då är det väl nån som har peta till knappen bara. Det måste vara flyttfirmans gubbar.

Sigge känner på locket. Det sitter bergfast.

– Det kanske har sugit fast bara. Nåt vakuum.

Kryddan skakar på huvudet och säger att den är låst.

– Då får vi leta efter nycklarna. Dom måste ha blivit kvarglömda. Ligger dom inte bakom boxen?

– Dom finns ingenstans.

– Vi får hitta nåt verktyg då och bryta opp den. Det kan inte vara så svårt. Och sen är den din.

Hon vill härifrån nu. När hon står ensam i källaren känner hon sig olustig till mods. Vissna blommor och utbrända ljuskoppar. Skitigt är det också. Grus. När Kryddans mockaskor kommer flapprande i trappen känner hon lättnad. Han har en liten pennkniv med sig, hammare och skruvmejsel och ett par spikar. Men låset är inte så enkelt som Sigge trodde. Han passar in pennkniven i ett par olika vinklar och petar med spikarna. Det ser inte särskilt kompetent ut.

– Du får ta hit en låssmed.

Det vill han förstås inte. Det blir för dyrt.

– Jag går nu, säger Sigge. Boxen är din.

Hon går långsamt uppför källartrappen. Det här är ju inte precis någonting att ta adjö av. Det har hon i så fall redan gjort. Fast nu minns hon bara brådska och irritation. Sickans klor klirrar mot parketten när de går in i det stora vardagsrummet med sina fönster mot altanens halvcirkel. Hon ser spår av hennes tassar i snön ute på de spruckna stenplattorna. Hon har nog letat efter Sigge, trott att hon satt och arbetade i villan. Eller vad hundar tror att man gör när man sitter och petar med något. Från källaren hörs det hur Kryddan mixtrar med låset. Han bultar nu. Så blir det tyst en lång stund och sen hörs hans stora mockaskor. Flapp, flapp, flapp.

– Hallå! skriker han.

– Jag är kvar.

Hon går ut i hallen och möter honom.

Allt blod har dragit sig undan från hans ansikte och lämnat en veckig svettfuktad hudlapp. Nästan inga ögon för han kniper ihop huden kring dem. Och handen är kall och svettig. Han sträcker fram den, hjälplöst, och hon tar tag i den. Likadant när de står framför boxen. Då är det hon som trevar efter hans hand för att dra sig undan med honom. De backar mot dörren och blir stående där som två barn i en saga. På det hållet ser de bara de små flätorna. Fullt, fullt av små svarta prydliga flätor och i dem sitter det silversmycken.

Det sitter en svart flicka i frysboxen. Ansiktet syntes bara några sekunder innan de backade. Det har frost i ögonhåren och blundar inte. Luften är inte stilla; det står en köldånga ur boxen. Efter några sekunder har den försvunnit. Det svarta håret som ligger tätt flätat kring skallen är frostigt. De där silversmyckena är änglar. De hänger ihop i en kedja. Hon har vit klänning med spetsar på kragen.

Kryddan gör ett konstigt ljud och vill ta i kroppen, kanske dra upp den. Men Sigge håller fast hans hand. Han har nog inte förstått att det är ett lik eller också vill han inte förstå.

– Vem är hon? viskar han.

Sigge skakar på huvudet. Hon har aldrig sett henne förr. Det är hon säker på. Men samtidigt har hon en så stark känsla av att hon upplevt detta förut.

– Kom.

Hon viskar fortfarande.

– Har du fått telefon inkopplad?

Han skakar på huvudet.

– Då går vi in till Oda Arpman. Men du ska låsa här.

Det här är Odas Synkretistiska Låda, det är Trons Soplår, det framhåller hon gång på gång. Lite nationalism har det varit också, vissa tider. Det är mycket man har trott på. Långa girlanger av flaggor under kriget. Alla utom di tyska. Di är borttagna. Ser du snöret här, en flagglängd tom för var sjunde flagga. Det är inte nådigt när Oda har kommit på nånting, då vevar hon det triumferande. Det är kanske ett gammalt påhitt som hon bara haft tillfälle att återge för väggarna. Nu mal hon det för Sigge som sitter med huvudet djupt böjt över lådan och försöker hålla tillbaka kväljningarna. Hett klibb och frysningar drar genom henne, blodvåg efter blodvåg. Jag lever. Jag vill ha whisky eller brännvin. Vadsomhelst. Jag kommer att glömma det här. Varje gång blåljusen flackar över Krylundska villans vithet och över den svartnande trädgården och över mulenheten som börjat dugga, tittar båda upp och Sigge förstår att hennes eget ansikte är lika färglöst som Odas. Det kommer bilar hela tiden och ibland kan de se poliser. Läder och reflexband blänker därute mellan buskarna. Oda tog fram lådan när Sigge sa: har du julgran kvar, det var värst vad den barrar. För vad skulle hon säga?

– Nu ska den ut, sa Oda, jag är trött på den. Fast det var den som tröttna först.

Sigge begrep ju att lådan som de ska plocka ner de ganska sjabbiga pynten i togs fram i terapeutiskt syfte; väntan kan bli lång. Det var en polis inne och sa att Sigge inte fick åka hem ännu, de behövde henne. Oda och hon kunde inte prata om det mer. Det gick inte. Först hade Sigge fått ur sig alltsammans. Fast det var ju inte mycket: att det var en flicka i frysboxen. Nej, en död flicka. Hennes kropp. Hon pratade massor då. Det kom före kräkningarna. Hon sa det gång på gång på gång. Men sen när hon varit i badrummet och kramperna äntligen var över och hon var tom och torr och hade yrsel då kunde hon inte prata om det mer. Hon kunde inte säga något alls först. Sen sa hon det där om julgranen. Bara för att hon skulle låta bli att stirra på hennes ansikte. Det var då Oda tog fram lådan och sa att de skulle plocka ner

julgranssakerna så att hon äntligen kunde slänga ut granen. Jag tar
fram dem och klär en gran varje år för att min son hälsar på före jul
och det är onödigt att han tror att jag har gett opp. Men det börjar bli
svårt att få hem en gran och den här var nog en av di sista ruskorna.
Polander var hygglig och tog hem den från Tallkrogen åt mig. Hon
var död. Jag har sett en död. Den kosta tvåhundra kronor! Det är
fullständigt sinnessvagt. Det växer miljoner granar i den där storle-
ken på hyggena. Många gånger har Sigge tänkt: om farsan dör vill jag
inte se honom, jag står inte ut med det. Jag vet inte varför men det är
så hemskt, jag vill helt enkelt inte och det behöver man ju inte heller.
Varför skulle man vara rädd för en död? Det är ju vanvettigt. Men
Heikki bryr sig nog inte om den så mycket, säger Oda, fast det är
klart han känner igen allting. Han har själv varit med och klippt pap-
per till julgranskaramellerna. Han operera dem med en nagelsax för
att komma åt polkagrisen inuti. Det är lite skrynkligt, de krusade
pappersstrimlorna faller av och änglarna och tomteansiktena som var
klistrade på de silkespappersklädda pappcylindrarna ligger i botten
på lådan och där ligger det ljusstumpar och russin och halmstrån.
Trons Soplår som sagt.
   – Fast inte har du väl trott på nåt av det här precis, säger Sigge
svagt för att överrösta tankar och äckelkänslor. Tomtar och änglar
och vad det är.
   Nej, det är det som är poängen, Odas synkretistiska soplårspoäng:
alltihop är bara skräp och från alla möjliga håll dessutom: livsträd och
uppståndelse, för det finns påskägg av papp i lådan, travade i varand-
ra, påskägg med skuttande harar och barnansikten och kycklingar
och pingstliljor. En nötknäppare utskuren i trä som ett mustasch-
prytt ansikte. Oda visar hur den kan klappra med käken. I trähålan
som är dess mun ska nöten knäckas. Vi kallade den Bismarck. Och
kräftlyktor finns det. Den där veckade pappersmånen har fel ansikte,
en fryntlig Thor Modéens. Månen borde vara kvinna och ha vanskli-
ga faser, sterila nergångar och sen feber och uppgång: blossande blod-
genomdragen mottaglighet. Sigges tankar flimrar iväg på flykt från
det kalla äcklet, från likrädslan. Men någon gång var väl ändå någon-
ting heligt på riktigt, innerst inne i ett mörkt rum, i ett kor innanför
koret fanns väl vördnad för mysteriet, fromhet vadheterdet, något
*riktigt*. Allt det här är väl lämningar ändå, sönderslagna rester av nå-
got som varit. Eller har vi alltid levt på skräp ur Trons soplår, rena

vidskepligheter, hyss och konster bara. Var det bara rädsla alltihop, var det bara likrädsla från början? Spökrösterna hallucinerade vi och tanken att den mäktige Fadern Kungen var död, verkligen bara rutten och död och grisig som ett björnslaget älgkadaver var så motbjudande och dessutom så helt otrolig när vi fortfarande hörde hans röst i ena hjärnhalvan. Det var nån som skrev om det där, hur vi tänkte i hallisar innan hjärnhalvorna smälte ihop på nåt vis, det var väl genom språket, och blev ett medvetande. Att tron kommer ur hallisar. Gör den det? Sigge har snarare trott att de som tror arbetar upp sig till tillståndet, ungefär som man kan arbeta upp sig till förälskelse. Men det kan väl drabba också, det gör den ju faktiskt ibland. Ofta. Men rädslan?

Hon har aldrig i hela sitt liv varit så rädd för nånting som för det där liket. Hon vet det. Det är inte en kropp längre. Det är bara – nånting. Det är kött. Vävnader. Det är som all den där fläskkarrén de hade slängt under kommunalstrejken och som låg och ruttna när ingen tömde soprummen. Det är lemmar som faller isär, disjecta membra, ingen kan få upp ett sånt plockepinn. Det är sammanfallet, inget mänskligt och om man inte tror på att det går att samla det igen i nån sorts brännpunkt eller nånting så är alltihop bara sopor och det vet jag. Men Oda sitter och orerar om sina julgransprydnader och all skräpig mänsklig föreställningsverksamhet som om det skulle finnas något högre och bättre att föreställa sig än – ja evigt liv, uppståndelse och så. Nånting lika evigt eller oangripligt. Skulle det vara Förnuftet då? Inte för att Sigge törs fråga för det skulle utlösa nya ordkaskader och det enda Sigge begär är att få vara ifred, få kväva illamåendet så gott det går, vila i flimriga tankar och plocka änglahår och halmstjärnor med fingrarna och sortera upp dem så att Odas soplår blir så snygg som den aldrig varit. Måne, lykta, ägg. Här är en påskkäring på en liten kvast, köpt på torget i Helsingfors för många årtionden sen säger Oda. Skärtorsdag och påskmåne. Långfredag går guden ner i underjorden för att – vadå? Jo, han slets nog sönder. Hans lemmar spreds på öde slätter. Han eller det som var han är sönderslitet och nerruttnat i mörkret. Det var bara hans beläte som kom opp. Fast det märkte vi aldrig. Oda är så taktfull så hon frågar inte mer om flickan, hur gammal hon var eller så. Hon säger bara bekymrat att nu får Kryddan det hett om öronen och det blir vatten på en massa kvarnar i Dalen. Han är i mörkret. En del av oss lever på minnen. Det där

479

änglahåret kan du slänga, säger Oda. Men tomteblossena är nog...
Hon ger Sigge ett verkligt getöga, snabbt och forskande och frågar
om hon ska brygga lite mer te. Eller vill du ha en sup? Sigge nickar.
Det måste ligga nåt i det där. Alla människor överallt i alla tider tycks
komma fram till det: att han är upplöst under jorden. Hur skulle nån
kunna uppstå sen, efter kalender och klocka? Titta fram till påsk som
göken i ett gökur. Tala till oss med klapprande träkäke. En del av oss
vågar inte tro att vi lever övergivna i mörkret. Och en annan del vågar
inte tro att mörkret ska bli havande och föda en gud igen. Men den
här skräcken, den är verklig. Rädslan för ett lik. Den är det verkligas-
te jag känt.

— Här ska du se, säger Oda. Ta alltihop i en svälj. Det är Fernet
Branca.

En så märkvärdig dryck. Med sin krydda, sitt sting. Hur den
mycket finfördelat sprider sin hetta i kroppen, utan klibb. Hur den
får blodrytmen att stadga sig. Hur den stiger som lätt kryddig ånga åt
hjärnan och rensar upp. Klarhet, kyla, förnuft återvänder. Ett ke-
miskt under. Det måste vara en av världens effektivaste droger. Och
en av de mildaste.

— Ska vi inte ta och tömma den här lådan? föreslår Sigge. Det ligger
en massa skräp i botten. Pepparkakssmulor och allt möjligt. Titta ef-
ter om det är nåt mer du vill spara nu. Sen tömmer jag resten.

Oda tar upp en gipskaka med ett påklistrat änglaansikte och för-
kastar den eftersom upphängningshålet är sönder.

— Glittret?

— Nej, det har blivit så mörkt. Och det är ju bara småbitar.

— Dom små plastljusen?

— Di är till en julgransbelysning som är bortkastad.

— Då tar jag och tömmer den.

När hon tömmer wellpappkartongen från ena hörnet ner i Odas
papperskorg trillar en ängel ner.

— Den här, säger Sigge. Var kommer den ifrån?

Och just då kommer det en ängel till.

— Dom hör till min änglakedja, säger Oda. Små silveränglar – ja sil-
ver är det ju inte förstås – som hänger ihop och som man hänger mel-
lan grenarna. Men dom lossnar så lätt.

— Var är kedjan?

— Jaa, var är *den*? Jo!

Det är som om hon trodde att det skulle vara något roligt och bra att påminna sig det.

– Det var en flicka som lånade den, säger Oda. Rosemarie heter hon.

Sigge har trevat i byxfickan, hon har gjort det fast hon vet att hon inte ska hitta nån ängel. Men hon minns precis hur det kändes att hålla om metallbiten. Ett betydelselöst föremål kallade de den. En liten vass och tunn sak.

De ska samlas hemma hos Oda som så många gånger förr. Men det är bara Ruth, Blenda och Sylvia som har kommit. Att gruppen egentligen har blivit upplöst låtsas de inte om och Ruth är tacksam för det. Just nu vill hon vara här. Hon är frusen och känner sig rädd.

Oda fick syn på henne då hon sjunkit ihop på trappan. Hon kom stultande ut och trodde att Ruth var död. Det kändes på händerna när hon tog i henne. Det var en mycket underlig upplevelse att skrämma någon på det sättet. Ruth rörde på sig och försökte tala om att hon hade mycket ont. Efteråt kom hennes egen skrämsel. Alldeles motståndslöst lät hon Oda leda sig in i villan igen.

– Nitroglycerin, sa hon. I badrumsskåpet.

Hon låg på soffan och lät en tablett smälta under tungan. Efter ett tag kunde hon sätta sig upp. Hon talade om att det var kärlkramp hon hade.

Oda gjorde te åt henne. När hon piggnat till gick Oda in till sig igen. Men hon tittade till henne ett par timmar senare. Då sa Ruth att hon varit på väg till kyrkogården med vitmossa och ett oljeljus att sätta på Lennarts grav och att hon var ledsen för att hon inte kommit iväg.

– Inte i julas heller, sa hon. Han har inte fått nåt ljus på sin grav. Det har varit alldeles mörkt där.

Det var då Oda kom på att de kunde ta sig dit tillsammans, i taxi.

– Jag har fått färdtjänst nu.

– Då får jag inte åka med.

– Vi säger att du är min vårdare!

De stod en ganska lång stund framför Lennarts grav. Vitmossan var utbredd och järnekskvistar nerstuckna i den. I mitten brann det tjocka oljeljuset. Oda tyckte till slut att de skulle dra sig mot grindarna.

– Vänta lite, sa Ruth.

– Nu så. Jag fryser om fötterna.

Ruth tänkte att de skulle ha gått till den judiska delen av kyrkogården. Fast hon visste ju att Kajan inte blev begravd där. Så det var ingen idé. Oda tänkte också på Kajan. Det var Ruth säker på. Ändå sa de inte ett ord om henne.

– Jaha Lennart, sa Ruth till slut. Nu måste vi gå. Men jag kommer tillbaka. Jag kommer snart.

– Låt bli att tala till honom som om han vore en hund, sa Oda. När han levde hade han då inte svårt för att fatta. Och kom nu.

Men Ruth tyckte att de skulle sätta ett oljeljus på Lars Arpmans grav. Hon hade köpt ett till vid ingången.

– Nej, sa Oda. Han är begravd ute i Haga.

– På Johan Krylunds då?

– Aldrig i livet nåt halvhjärtat själsfladder för Johan. Förresten har han ingen grav.

– Dom brinner i tjugofyra timmar.

– Två gånger om året och om det inte blåser för mycket. Nu går vi.

– Jag känner gemenskap med Lennart när jag står i mörkret och alla ljusen flämtar och fladdrar, sa Ruth.

När hon satt i Odas vardagsrum efteråt tänkte hon på de där orden. De var inte sanna.

– Jag tycker du ska vara här hos oss, har Oda sagt till henne. Kanske vet hon inte om att gruppen blivit upplöst. Att Ruth gjort det.

Jo, hon måste veta det. För hon har då inte ringt Ruth i förväg. Hon sa bara att de måste skynda sig hem från Skogskyrkogården för de andra skulle komma klockan åtta. Oda har också sagt:

– Kära du.

Det är lite ovanligt. Och sen sa hon med sin, man får väl säga naturliga, blandning av vänlighet och beskhet:

– Åsikter är som kläder, ser du. Huvudsaken är vad man har innanför.

Och detta medan hon hjälpte henne av med pälsen. Ruth kände sig för matt för att hjälpa till att duka fram tekoppar. I stället satt hon och såg på ABC-nytt. När väderpojken kom sa hon till Oda:

– Taxichauffören hade sånt där hår också.

Oda brydde sig inte ens om att titta. Hon vet ju hur väderpojken ser ut. Det var då Ruth sa:

– Jag skulle vilja ha nån att gå ut och gå med ibland.

Hur kan man säga en sån sak?

– Du har ju varit ute och gått med mig, sa Oda från andra änden av rummet. Hon skramlade med teservisen.

– Nej, en man. Nån att hålla i handen. Det är väl ingenting att skratta åt?

Oda hade inte skrattat heller. Hon sa:

– Du är ju inte så gammal. Du kan väl vilja ha en man. På flera sätt.

Då sa Ruth det oerhörda, det som hon aldrig sagt till någon.

– Jag har inte haft samlag på trettiotvå år.

– Va?

– Du hörde vad jag sa.

– Blev Lennart impotent?

– Nej, inte ett spår.

– Tappade du lusten då?

– Nejdå.

– Men vad var det då? Har du sagt A så får du säga B.

Det är klart att hon inte ville säga mer. Hon förstod överhuvudtaget inte hur hon kunde säga såna här saker. Hon förstår det inte nu heller.

– Ja, jag begriper ingenting, sa Oda.

När hon hade skramlat färdigt vid bordet kom hon bort till hörnan med de gamla fåtöljerna.

– Så ni gjorde aldrig det där mer? frågade hon misstroget.

– Nej, inte sen början av sextiotalet. THX-doktorn hade inte kommit igång än så jag brukade köpa kalvbräss och stuva. Sen blev den ju så dyr. Vi åt den med ärtor och citron och ris och ett väldigt gott rödvin ur det som var kvar av pappas vinkällare. Kärleksmåltider. Sen gjorde vi det där. Vi var dom fulländade egoisterna. Men på dagarna slet vi för mänskligheten.

– Och ni blev inte fattiga på det.

– Vi blev faktiskt inte rika heller fast vi var på god väg ett tag. När Lennart blev pensionerad så miste han styrelseuppdragen och så fick han inga kontakter med förmögenhetsförvaltare längre och inga tips och så greps han av panik svarta måndan – han var aldrig nån ekonom vet du. Fast han trodde det. Han var faktiskt ganska – vad ska jag säga – avlövad till slut.

– Nej, han var en stilig man! säger Oda. Hon gillade alltid Lennart.

– Javisst, silverhår och rak hållning och glimten i ögat. Men han blev inte bjuden på några middagar på Sällskapet mera. Ett tag höll han på och intrigerade i KVA för att hans unga fiender inte skulle komma in. Men sen slutade han med det också.

– Han hade behövt det där, säger Oda.

– *Jag* hade behövt det.

– Äh. Egentligen är det ju en ganska löjlig sysselsättning för vuxna människor, sa Oda tröstande.

Men falskt, tänkte Ruth.

– Man flämtar och gnuggar och gnider och stökar. Men ibland händer det väl nåt. Nångång.

– Du menar gemenskap. Närhet.

– Uppriktigt sagt är jag livrädd för din kuratorsjargong.

– Vad vill du sätta för ord i stället för närhet då? frågade Ruth.

– Inget. Inget alls. Det är det som är poängen. Inga ord. Ingen kategori. Fullständigt konstigt bara. Unikt. Efteråt visste man inte ens om man hade upplevt det. Så då ville man göra det igen för att se om det skulle upprepas. Och det gjorde det inte. Förrän om bra länge kanske.

– Det där behöver man ju inte ha samlag för att uppleva, sa Ruth.

– Jaså. Hur skulle det annars gå till?

– Ja, jag kände ofta närhet till Lennart...

– Nej, sluta åma dig! Jag talar om nånting – *oerhört*. Om det vidunderlige!

– Det gör kanske jag med. Jag kan bli lite trött på din jargong också faktiskt.

– När skulle ni ha upplevt det där då?

– I naturen.

– Kom inte med nån panteism, Ruth. Att man blir sentimental när man ser en solnedgång i havet är inte samma sak som att möta Gud. Och om man sitter och håller varann i handen på en fjälltopp är inte oerhört. Det är bra. Det är schysst som Sigge skulle säga. Men det går att beskriva.

– Det vet du inget om.

– Vad hände då? frågar Oda burdust. Varför blev det solnedgångar i stället för samlag?

– Vi pratar inte mera om det nu. Det är faktiskt privat.

– Vad hände?

– Jag kan inte prata om det samtidigt som Rapport.

Oda stängde av.

– Blev han impotent?

– Nej, har jag sagt.

– Det skulle inte förvåna mig om du skyddar honom på den punkten. Fortfarande. Du vill att jag ska ha medkänsla med dig och det är sunt, men du vill inte avslöja honom. Han kunde inte få den att stå. Det var hela saken. Katastrofen. Och du är beredd att lägga dig över hans grav för att det inte ska bli avslöjat.

– Ja, det vore väl inte så konstigt. I den här falliska kulturen.

– Prata inte bort det nu. Förresten är det löjligt att kalla en kultur efter något som faktiskt inte händer särskilt ofta.

– Att dom har stånd. Det har dom väl, sa Ruth.

Oda tyckte inte om att hon lät så uppgiven.

– Bara i mycket speciella situationer. Om di skulle ha nån rätt att kalla den här kulturen fallisk så borde di ha stånd vid alla viktiga tillfällen. I processioner. I svåra beslutssituationer. I historiska ögonblick. Men det har di inte, slog Oda fast.

– Du menar att Clint Eastwood borde ha det när han skjuter. Och på Nobelfesten skulle dom ha det.

– Just det. Allihop. Kungen med. Den borde stå som en boforskanon. Men det gör den inte.

– Nej, verkligen inte. Ska vi titta på Nobelfesten nån gång? Jag var borta då, så jag spelade in den. Men jag har aldrig haft tid att se den.

– Jag skulle vilja äta kalvbräss. När du sa det lät det så gott.

– Det har du inte råd med.

– Men THX-doktorn är väl död?

– Ja, men du har väl aldrig hört talas om att priset på nåt går ner? Förresten skulle jag inte vilja äta kalvbräss med någon annan än Lennart.

– Men herregud, sa Oda. Du duttar med Lennart och låtsas att ni pratar och hur många fotografier har du framme? Och piporna. Märker du inte att di torkar och ser dödare ut än…

– Håll käften nu.

– Det var ord och inga visor.

– Jag känner hans närvaro, sa Ruth värdigt. Det är en förnimmelse. Den är mycket stark. Jag är inte vidskeplig. Inte religiös heller. Men jag känner ibland att han är närvarande. Antagligen tror du att det är styrkan av mina egna önskningar jag känner. Men jag har en förnimmelse.

själva verket varit med på det. Hon skulle dra slutsatsen att jag hade haft hans fulla förtroende. Det var kniven i ögat det. I rätta ögat dessutom.

– Jag tror jag ska bjuda dem på den här sherryn, sa Oda. Det är bäst jag tar fram glas.

– Ta det försiktigt nu. Du brukar slå sönder glas när du har druckit vin. Man tål mindre och mindre.

– Alkohol ja. Men annars tål man mer och mer tycker jag.

Hon går omkring och brummar. Flyttar glas. Säger att hon fattar det inte.

– Det är väl ingenting att åma sig över. Lennart var en man han också. Alla män är otrogna. Det var bara jag som trodde att vi, att han och jag utgjorde ett undantag. Att vi var bättre på nåt sätt.

– Du kan inte generalisera så. Säg di flesta.

– Alla. Bokstavligt talat. Varenda en. Har du någonsin hört talas om nån som inte varit det? Har du det, Oda?

– Nja...ej. Men det finns såna män. Allting finns. Alla varianter.

– Nej, min vän. Inga varianter på den saken. Det var det jag inte begrep. Jag trodde det var fråga om val. Om livshållning – etik, gudvetvad.

– Det skulle inte finnas val menar du? Och möjligheten att ha en etisk livshållning?

– Jo! Men inte på det här området. Man svettas. Man kissar. Man måste äta.

– Du menar att det är fråga om rena biologin.

– Ja. Liksom aggressiviteten. Dom är polygama. Och aggressiva. Som baggar. Titta på bagglamm. På hundvalpar, tjurkalvar, hanguppies, gulliga manliga krokodilungar... Varför säger du ingenting? Oda!

– Ja, vad ska jag säga? Jag trodde du var folkpartist. Och nyss sa du att du kände närhet och vad det var. Och att det fanns en annan gemenskap än samlagsintimiteten.

– Jag sa det ja.

– Är det inte sant?

– Nej.

– Varför har du gått omkring och sagt det då?

– Det vet jag inte. Jag trodde väl att det var så. Jag ville det. Vet du vad som var Lennarts älsklingsmusik?

– Neej. Sibelius kanske.

– Det var Anita Lindblom. Det var en bit som hette *Det var då min vän*.

– Nej, vet du. Jag minns den där. Di malde den på radio jämt. Den är sentimental. Och brutal förresten.

Då sa Ruth nästan strängt:

– Den skivan hittade jag bland Lennarts underkläder när han var död. Den skulle ha blivit hans julklapp till henne. Det fanns en fånig vers på paketet. Jag kommer faktiskt inte ihåg den. Men den gick ut på att hon fick en ny skiva av samma sort för att dom hade spelat slut på den gamla.

– Det här är faktiskt svårt att tro. Lennart hade en mycket bra musiksmak.

– Det är därför jag har spelat den där skivan så mycket. Jag försöker tro det. Hon var och är en bildad dam. Och Lennart blev oerhört störd om jag hade P3 på. Men det gällde inte i dom där stunderna tydligen. Då var det rått och sentimentalt.

– Det tror jag nog inte ändå, säger Oda. Och nu ska du slå bort det här. Tänk på den gemenskap ni hade.

– Vilken?

– Vardagen… bekymren. Naturen!

– Ja, den var nog det största nyset.

– Jag borde inte dricka sherry innan jag har ätit nåt, sa Oda. Du borde nog inte heller ha gjort det.

– Jag tar gärna lite mer tack.

– Du ska inte riva och slita i dig själv, Ruth. Tänk på att du inte är frisk.

– Vem är det som är kurator nu? Det har rivit och slitit i mig hela tiden. Men jag har försökt sova utan piller och jag har ätit fibrer och jag har dammsugit mattorna i den där anordningen vi har i källaren. Jag har aldrig gett opp.

– Gör inte det nu heller.

– Nej, jag ska bara säga som det är. Han var en stor skit. Jag tittar på honom varje dag. I silverram, med silverhåret. Fasanslipsen. Titta bara. En stor skit. Han tog ifrån mig det enda som gör livet värt att leva.

– Neej vet du, nu är du melodramatisk. Tänk på vad du själv har sagt! Du kan inte göra sånt väsen av samlag.

– Vad har du själv sagt då, Oda? Vad sa du nyss?

– Det var polemiskt. Det var för att rycka opp dig ur din försoffning och dina ljus- och själsorgier.

– Men du hade rätt. Det enda extraordinära som livet kan ge en så här pass ordinär människa som mig det är den där närheten. Den där som du inte ville sätta namn på, som inte hörde hemma i nån kategori. Som var extra. Unikt. Jag minns inte riktigt vad du sa. Men nåt sånt. *Det vidunderlige!* Och du har rätt. Vi är inga andar. Det vidunderlige får man bara uppleva genom att blanda vätskor. Lägga hinna mot hinna. Lämna ut sig totalt. Här gick vi och småmufflade. Inga vätskor. Det var torrt i tjugotre år. Han bedrog mig på mitt liv, Oda. Han var den största skit som har gått i ett par skor.

– Men han rådde ju inte för det om det är som du säger – biologi. Och du är inte så ordinär. Du kanske kunde ha haft det där på annat sätt. Som religiösa upplevelser. Eller i ditt arbete. Euforin när man kommer på nåt, när man verkligen *gör* nåt.

– I mitt arbete satt jag och harvade med relationsproblem. Det vet du. Det finns ingen facit för såna. Inget som blir rätt. Ingen evidenskänsla heller. Ingen som är riktigt pålitlig i alla fall.

– Men folk kanske sov bättre eller söp mindre eller slogs snällare när di hade varit hos dig. Och på senare år har du ju verkligen rett opp saker och ting väldigt handfast för folk. Ja, jag menar med pengar och så. På byrån.

– Det är möjligt. Men det har aldrig gett mig den kicken som *det där* skulle ha gett.

– Vad är det som får dig att kräva såna upplevelser livet ut? Är det nån försäkringskassa som garanterar dem?

– Var inte ironisk för det hjälper inte. Det som får mig att vilja ha dom är att jag haft dom en gång. Jag ville ha det så. Länge. Ofta. Jag ville alltid leva så.

Oda har varit ute i köket och torkat av ett par glas som hade vattenfläckar. När hon kommer in sitter Ruth ihopsjunken i soffan. Hon ser ut som hon gjorde på trappan på förmiddagen. Då hade hon sin plastkasse i handen och var ordentligt påklädd. Pälsmössan hade åkt fram över ansiktet. Oda går fram och rör försiktigt vid hennes handrygg. Hon svarar med en liten rörelse, gudskelov.

491

Oda har naturligtvis ringt. Hennes telefonsignaler kan vara mycket påträngande i halvmörka rum. Ulla känner att det är Oda. Att hon försöker bryta sig in. Utanför ligger Beckholmen, en klump som tätnat till tjära i det upplösta morgonmörkret. Det ringer och ringer och det ljusnar. Solen skulle stå mellan Danvikstornet och Sofia nu, om man såg den. En liten glimt vatten kan Ulla se. En flock svanar gungande på det mörkret. På Naturmorgon har hon hört att de ofta fryser fast. Att räven tar dem. Att man hittar deras kadaver vid stränderna om våren. Men det gällde nog sångsvanar. Längre norrut. Här är kylan och mörkret ännu bara en sorts dovhet. Leda och långsamma rörelser, inte mer än så. Fast köldgiftet är på väg neråt. Det är då det ringer och ringer.

På förmiddagen svarade Ulla i alla fall. Inte för att hon bestämt sig. Det var inte mer än en rörelse, en reflex i mörkt vatten. Kroppen rister. Vingen flaxar.

– Jag kommer inte, sa hon. Jag tror inte jag kan.

När hon lagt på tänkte hon: jag behöver inte åka dit och låtsas. Jag behöver inte ens hitta på en ursäkt. Jag är inte skyldig någon någonting.

Fast det var hon. Hon kom genast att tänka på det. I klädkammaren stod det fem insamlingsbössor med IKFF:s dekal på. De var fulla med pengar. Kajan och hon hade lett en insamling för KVINNA TILL KVINNA på Skansens julmarknad. Sen hade så mycket hänt. Det fasansfulla att Kajan blev tyst. Där stod bössorna. Hon tänkte: om jag lämnar in dem är jag fri. Då är jag inte skyldig någon någonting. Då kan jag göra som jag vill.

Fast vad vill man? Det är snarast vattnet som vill. Det vill grumlas, tjockna, bilda en seg hinna, växa som hud kring kroppen. Det vill bli is.

Sent på eftermiddagen ringde hon till Tjärhovsgatan för att höra att det fanns någon där i IKFF:s lokaler. Jag kommer med några bössor, sa hon. Hon hade inte ätit mycket de två sista veckorna och kände yrsel när hon rörde sig. Hon förstod inte riktigt hur hon skulle orka ta sig ner i den hala backen och komma över gatan. Hur hon skulle kunna stå ut med att vänta på 47:an i kylan därute. Och sen? Hon fick byta vid Norrmalmstorg, ta 46:an. Den gick uppåt Katarina. Om hon steg av vid Renstiernas gata? Eller skulle hon åka 47:an ända till Åhléns och ta tunnelbanan till Medborgarplatsen? Hur långt var det då att gå? Bössorna var tunga av mynt.

Hon kom på att hon kunde åka taxi. Att det inte spelade någon roll vad det kostade. Hon behövde ju inte spara nu. Det var inte alls en massa tid och ängslan kvar. Tiden fryser, tänkte hon. När den upphör att röra sig blir den som is.

Hon gick in i sitt vardagsrum och tog de tre hundralapparna som låg i sekretären. Sen packade hon ner bössorna i två plastkassar och ringde efter en bil. När hon klätt på sig den svart- och vitspräckliga ulstern, stövlarna och hatten med lackbandet drack hon ett glas sherry. Ett ganska stort glas. Hon fick en tung yrsel av det.

Chauffören sa något till henne när de väntade på grönt ljus vid Dramaten. Det var något om trafiken som började bli tät nu. Hon kunde höra den som en avlägsen makadamkross, för hon blundade och det försköt allting omkring henne till något långt borta. Hon vågade inte svara honom av rädsla att hon skulle sluddra. Sherryn hade verkat starkt i hennes halvsvält. Den bände i bröstkorgen.

När de kom fram till den gamla brandstationen i Katarina måste hon i alla fall tala till honom. Hon mumlade att han skulle vänta. Hon hade turen att möta en av Bosnienkvinnorna redan i förstugan och lämnade över sina kassar. Hon ville bjuda på kaffe men Ulla gick inte in i det ljusa sammanträdesrummet. Hon sa att hon hade en taxi som väntade.

Sen blev hon bara sittande i baksätet. Det var som om käkarna låst sig. Hjärtat hade börjat bulta. Det var något inuti henne som rörde sig, i magen. Och hjärtat: sugande slag. Snabbare och snabbare. Chauffören sa nåt. Det blev bättre då. Lite bättre.

– Jaha?

Han ville förstås veta vart de skulle åka. Det var då hon sa:

– Enskede. Jag ska till Dalen.

Hon sa det för att hon var så rädd. När det var sagt kände hon sig bättre. Bara lite svajigare än vanligt, fast hon satt. Svajigare i huvudet, i tankarna.

Snömodden duskar mot bilplåten. De är på väg förbi Globen. Fågel Rocks ägg. Det fyller henne inte med förundran över Guds skaparkraft. Men himlen är mörk; hon kan mycket väl tänka sig jättefågelns vingar utbredda över motorvägen. Ägget ser ut som is.

När taxin kommit till Dalen kan chauffören inte hitta villorna. Ulla bryr sig inte så mycket om det. Hon känner sig nästan upprymd nu. Att det gick över och att hon kan tänka igen, fundera på saker. Men sen inser hon att även om det är skönt att sitta tillbakalutad i bilen som söker sig genom snöyran så kommer det här att bli väldigt dyrt. Hon börjar själv titta efter Krylundska villan och efter Odas hus och Ove Fehzéns och Ruth Ansers. Men det är som om de blivit upplyfta ur verkligheten och burna bort i dusket av en Fågel Rock. De åker förbi höghus. Det finns inga höghus i Dalen vill hon säga, men hon känner sig så osäker. Mörkret faller. Billjusen bländar och snöflingor piskar mot löpsedelstavlorna. Gatorna heter inte som de ska. Gråluddiga figurer skyndar mot portarna. Men det är alltid hyreshusportar. Var är Dalen med sina äppelträn? När chauffören frågar en flicka med snö i det stora håret säger hon att den är här. *Här.* Det här är Dalen.

– Men villorna?

Hon skakar håret som en våt mopp och så går hon vidare. Ulla ser inga villor. Alltså är det inte Dalen. De kommer till ett ställe där bokstäver, ord står darrande i de våta vindkasten: DALENS AKUT-MOTTAGNING.

– Vad heter gatan? frågar chauffören.

Ja, vad heter gatan? Så idiotiskt. Det har fallit bort.

– Jag minns inte, säger hon.

– Men för fan!

Ulla har fått huvudvärk. Inte den vanliga sorten som brukar bero på ackumulerad trötthet och spänning. Den här känns som elektriska överslag i pannloberna. Gång på gång sprakar det till. Hon ser ljusglimtar. Men det kanske är reflexer i snövått glas. Folk har blöt snö på axlarna. De skyndar kutiga med framkörda huvuden. Chauffören kör upp bredvid en äldre dam för att fråga efter villaområdet i Dalen men hon skyggar. Så böjer hon ner huvudet och viker av in på en gård. Ulla är ganska säker på att det inte var dit hon skulle. Han letar efter en kiosk eller en tobaksaffär där han kan fråga och han tycks medveten om att hans krypande körning väcker misstankar. Eller i alla fall olust. Det är inte säkert att man i snöbyarna kan se att det är en taxi. Till slut får de syn på en kvinna i vad Sylvia brukar kalla den militanta åldern. Som hon själv tillhör. Chauffören försöker köra upp mjukt för att inte stänka ner henne.

– Fråga du, säger han till Ulla. Jag fattar fan inte vart du ska.

Han har en knapp som han kan trycka på så att hennes ruta åker ned.

– Jag letar efter villaområdet där den där flickan blev mördad, säger Ulla till ansiktet därute. Lucian. Hon i frysboxen. Vet du hur man kommer dit?

Förakt. Det är vad hon läser i hennes ansikte.

– Nej. Och om jag visste det så skulle jag inte tala om det för dig. Åk hem du. Sköt ditt.

Hon liknar på sätt och vis Sylvia. Auktoritativ. Välvårdad under det blöta hattbrättet. Ulla är alldeles torr i munnen och huvudvärken ljungar. Dalen med sina mossiga äppelträd finns inte. Det handlar inte om något verkligt. Hon har bara försökt lura chauffören att åka till en plats som inte finns.

Det här är verkligt. De stora bostadskonstruktionerna. Betongmassan med glimmande kärnhus där människofigurer rör sig som maskar. Hon vill ut ur bilen. Fast hon vill inte alls vara här där ingen känner igen henne och där hon blir misstrodd och föraktad. Hon inser att det kommer att bli ännu värre om inte pengarna räcker, så hon ber att få stiga av. Hon ser inte på chauffören när hon betalar. Hon vill att han ska vara vanlig. Inte någon tystlåten och sträng kusk i underliga gamla kläder. Bara vanlig.

Det blir bättre när hon har betalat och börjat gå i snömodden. Hon behöver inte ens fråga om vägen längre för hon ser en tunnelbanestation. Den heter Kärrtorp. Ulla studerar tavlorna länge och förstår att hon ska åka till Skärmarbrink och byta tåg där för att komma till Skogskyrkogården och Tallkrogen. Det går faktiskt mycket bättre när man inte frågar.

När hon kommer fram och Oda tar emot henne får hon veta att hon förirrat sig till Enskededalen.

– Jag trodde det här var Enskede. Och Dalen.

– Ja, Gamla Enskede. Men Dalen heter inte Dalen egentligen. Fredens Dal förstår du, det är bara ett påhitt. Den kallades så efter byggmästarn. Det kunde den ju inte få heta. Inga gator eller stadsdelar eller nånting får uppkallas efter levande personer.

Blenda och Sylvia sitter i soffan men de reser sig och säger att hon ska ligga ner. Oda går efter en filt. Hon slås av Sylvias likhet med damen hon mötte i den falska Dalen. När hon berättar vad hon har varit med om låter det inte så märkvärdigt. Men de förstår. Hon hör på deras röster att de förstår att hon varit långt ute. Att hon varit på väg bort.

Ruth sitter i en av fåtöljerna mellan Blenda och Sylvia. Ulla tycker det är konstigt. Men det är bra också. Värmen har stigit i rummet. Rösterna fladdrar. Det är ett sorl som lika gärna kunde komma ur luft och vatten. Det kommer kanske inte så mycket an på vad vi säger, tänker hon. Inte så mycket som jag har trott. Och precis som när vindbrus och vattensorl ibland stillnar, blir det hål av tystnad i röstväven. Då tittar de ut, ofrivilligt kanske, mot Krylundska villans vithet och altanfönstren som blänker.

Blenda som sitter närmast Ruth känner sig rädd när hon ser ut i mörkret som inte är något mörker. Det är visserligen skuggor under äppelträden men det är också snöljus och gatlyktsreflexer. Hon har ofta varit rädd på sista tiden. Hos Oda brukar det vara stilla och lite dammigt. Andra tider har ruvat sig kvar här. Hon tänker på allt Oda berättat om Krylundska villan. Om den första rockorgien som sprängde altanstenarna. Om kollektivet och författaren Paul Orne som hade kommit över ett uthus som stått på Kymmendö. På dess trappa hade han presskonferenser när han gav ut sina böcker. Han deklarerade att det var Strindbergs dass. Och blev trodd. Om Ella Bask som gjorde korv på älgkött och lät barnen måla på väggarna. Oda vill inte gå med på att den här tiden är värre än alla andra tider. Men Blenda tycker att andra tider verkar stillsamma och komiska nu. Hon har nyss hävdat det. Sagt att nåt sånt här har väl ändå aldrig hänt i villan.

En kropp. En flicka som fått halskotpelaren bruten. På en löpsedel stod det

SVART LUCIA
FÖRSVUNNEN
I TALLKROGEN

496

Men Oda vill inte ens gå med på att hon var svart.

– Inte helt och hållet, säger hon.

Och fast hon haft hennes jacka hängande i sin tambur hela tiden ursäktar hon sig inte ens. Låter som om det vore helt naturligt att leva i sin egen värld. Att inte läsa kvällstidningar eller se på löpsedlar.

– Och förresten blev hon aldrig riktigt luciaklädd, säger hon. Jag kunde inte hitta luciakronan.

Då säger Ruth som annars varit väldigt tyst hela tiden:

– Kommer du inte ihåg att du skänkte bort den? Dalens Boende-förening fick den. Det var en flicka som var Lucia på opinionsmötet.

Oda blir ursinnig. Det kan de alla se. Hon är till och med uppe och går ett tag. Käppen stöter i golvet.

Blenda tänker på den där luciamorgonen. Oda såg flickan pulsa iväg i snön. Hon hade stövlar under den långa vita klänningen. De satt fortfarande på fötterna i boxen när man hittade henne. Om halsen hade hon lindat en lång ljuslila scarf. Det var väl medan hon gick över gården i morgonkylan. Den är borta. Inte ett spår finns det heller av saffransbullarna, pepparkakorna och termoskannan med kaffe som hon hade med sig på en bricka. Bortstädat. Som om hon aldrig varit där. Men varför då lämna henne kvar i en frysbox? Och omge henne med blommor och ljus. Det var paraffin överallt på källargolvet och det låg vissna blommor här och var i hörnen. Och gatsmuts hade de dragit in, lera och sörja med snön på skorna som varit grov-räfflade, COPY CAT de flesta. Allt detta kan man läsa om, men man kan alltså inte fråga Oda som bor alldeles intill. Oda som hade flickan hos sig på morgonen. Man kan inte fråga henne för då blir hon myck-et högdragen och säger:

– Låt oss nu lämna Rosemarie Andersson i fred. Hon var en snäll flicka som brukade komma till mig med varor från affärn ibland. Mer vet jag inte.

Men det gör hon. Oda har inte klart för sig att det står i varenda tidning vad hon vet. Att hon lånat flickan en julgransprydnad att ha i håret när hon inte kunde hitta luciakronan. Att hon lät henne vänta inne i köket på den där sångaren och hans gäng. De hade nån utom-huskonsert vid en kyrka.

Det ringer på dörren och när Oda går och öppnar passar Blenda på att säga:

– Hon kom nog inte med varor bara för att vara snäll. För härifrån

497

kunde hon ju hålla ögonen på ROCK OFF. Se om hon kunde få syn på Martin Sallah. Hon var hos Oda med varor när hon hörde dom säga att dom skulle komma tillbaka till villan på luciamorgonen.

– Var hon ett sånt där fan?

– Nej, hon var hans syster.

– Halvsyster, säger Ruth. Dom hade samma far.

De viskar praktiskt taget och de rycker till när det rasslar i draperierna. Men det är bara Sickan som rinner in. Hon hälsar vänligt på alla men drar sig undan handpåläggning. Sigge kommer efter. Mer sig lik får man säga. Hon har visserligen den där kavajen fortfarande. Men med tights. Och nu är det ett tag sen hon klippte håret. Hon är bara målad kring ögonen, kraftiga tag med kajalen, och hon ser trött ut.

– Vi talar om den där flickan, säger Blenda lågt.

Oda är i köket. De hör att hon skramlar med tekitteln och vattnet brusar. Dessutom är hon rätt döv.

– Vem var hon?

Sigge skakar på huvudet.

– Nån tjej bara. Jag vet inte.

– Hon skulle ju vara hans syster?

– Ja, hon sa det. Halvsyster. Men dom trodde henne inte. Tjejerna hittar på så mycket för att få träffa Martin Sallah.

– Vad hände då? frågar Blenda.

– Jag vet inte. Ingen vet. Utom dom som var där. Eller nån av dom.

– Blev hon våldtagen? viskar Ruth och Sigge skakar på huvudet.

Men Blenda drar fram Expressen ur sin stora handväska. Hon vågar inte läsa högt utan skickar runt den.

– Halsduken, viskar Ruth när hon har läst. Så äckligt.

– Dom har ju DNA-analyser nu. Karln som dom kallade Lotar, han heter visst Percy nånting i verkligheten...

– Percy Gustafsson, säger Sigge.

– Han var ju försvunnen. Men dom hitta honom. Och nu har dom hittat halsduken i botten på hans skåp i nåt gym. På Sveavägen. Det kom från honom. Det som var på halsduken.

Blenda säger inte sperma. Men de läser det i tidningen. Sigge också.

– Då måste det komma nåt på Aktuellt.

Det är Sylvia som börjar leta efter fjärrkontrollen. Blenda tycker att det är bra. Sylvia har suttit och sett ironisk ut. Det kan hon inte göra längre nu när hon slår på TV:n. Hon sätter ner ljudet också så att Oda inte ska höra det ut i köket. De sitter tysta och ser på ett ansikte som talar om de framtida pensionerna.

– Det kanske inte kommer.

– Jo, det brukar vara rätt mycket om det. Det kan ju vara ett rasistdåd.

– Gud i himlen vilka ord! säger Sylvia.

Det retar Blenda att hon lyckas låta överlägsen igen. Då kommer det. Reportern har brungult smink, tänder med amalgamfyllningar och en brinnande buske av hår. När hon intervjuar åklagaren rycker hon ständigt närmare med en mikrofon i luddigt hölje. Han verkar inte alls korrekt och formell som en åklagare borde vara. Ändå säger han korrekta saker:

– Vi vet ännu ingenting om något eventuellt uppsåt.

Han har en tomatröd kavaj. Kanske beror det på den. De diskuterar det en stund.

– Det är ett misstag att köpa kläder på Kapp-Ahl, säger Sylvia. Under alla förhållanden.

Blenda tänker en sekund att Oda kanske har rätt. Att det är bättre med radio.

– Liket har av allt att döma legat en tid i en källare, säger åklagaren med munnen tätt intill mikrofonvanten som antagligen är snuskig och som många har andats på. Fackföreningsledare och skalbolagsskojare. Han kommer att få influensa.

– Det var fruset och har legat i källaren ända sedan den trettonde december.

Blenda får den egendomliga idén att han inte borde ha sagt liket. Att ordet inte passar utan hör hemma i ett annat program.

– Jag kommer under de närmaste dagarna att besluta om jag ska väcka åtal mot tjugoåringen.

– Förutsägbart! ropar Sylvia.

Hur kan hon säga så? Sigge bara tiger och ser ledsen ut.

– Men bilen då? frågar Ulla Häger. Att han inte körde bort flickan i den. Att han la henne i en frysbox. Och med blommor och ljus.

– Det var inte han som satte dit ljusen, säger Sigge. Inte blommorna heller. Han satte inte ens på frysboxen. Han bara la henne där.

– Men varför det?

– Är han sinnessjuk? Är det en sån här sexual… vad heter det? En *abnorm* individ.

– Han la henne där för att jag kom.

Det blir alldeles tyst och de ser på Sigge och väntar.

– Det kom en bil som skulle leverera kassetter först. Men chauffören gick aldrig in i källarn. Sen kom jag. När jag skulle gå in hade Lotar låst källardörrn. Det var nog då han lyfte ner henne i frysboxen. I ren panik. För att inte jag skulle få syn på henne. Jag tror att han hade tänkt köra iväg henne i King Caben. Men sen stack han bara. Han är så där. Jag tror inte han tänker så mycket. Han hade nog fått order om att köra bort henne.

– Skulle nån annan ha…

– Nej, dom ville kanske bara att hon skulle gå ut källarvägen för det kunde komma journalister. Dom skickade iväg henne med Lotar. Percy heter han. Det gick väl snett för honom därnere. Ingen vet.

– Ville inte Martin Sallah träffa sin syster?

– Antagligen trodde han inte på henne när hon sa det. Fansen hittar på så mycket. Ingen av dom trodde henne. Dom sa bara åt Lotar att ta ut henne källarvägen. Men dom hörde nog att nåt gick snett. Jag tror min värderade chef sa åt Lotar att ta bort henne när han fick se vad som hänt. Köra bort henne i King Caben. Och att dom skulle hålla tyst.

– Men varför det? ropar Ulla.

– Dåligt för affärerna. Dåligt för Fehzén som ska in i politiken. Dåligt för alla, för Martin också. Det var bättre hon blev hittad nån annanstans.

Då säger Ruth att det inte har stått något i tidningarna om Adam Oxehufvud, att han skulle ha låtit den där Percy använda bilen på det sättet.

– Nej, säger Sigge. Jag försökte tala om för polisen hur det var. Att jag hade hittat en ängel på golvet, en sån som hon hade i håret. Och sen använde jag hans kontokort privat utan att han protesterade. För jag hade ängeln. Jag höll faktiskt på med utpressning på honom utan att fatta det själv. Dom ville att jag skulle lämna tillbaks ängeln. Ja, Adam sa det inte rent ut. Inte nån annan heller. Men jag blev utsatt för subliminala hotelser i ett datorprogram.

– Vad är det? frågar Ulla.

– Äsch, säger Sigge. Skit detsamma. Polisen trodde det var paranoja. Det kanske det var. Adam klarar sig alltid. Jag tror inte ens han behöver hota folk egentligen. Men han var inte vidare angelägen om att få tillbaka bilen. Han trodde ju att Lotar hade kört bort henne i den. Att det kunde finnas spår i den.

– Men hon låg ju i frysboxen hela tiden.

– Det visste inte Adam.

– Varför satte Percy på strömmen?

– Det gjorde han inte. Den var avstängd när Staffan Polander och två andra i hans gäng snoka igenom den tomma villan. Det är han som kallas Tigern i tidningarna. Dom hade stulit nyckeln. Det vill inte Tigern medge. Men det är en som heter Rickie, han har berättat att Tigern nappat åt sig den från en nyckeltavla vid mitt skrivbord. Dom var inne och tiggde dekaler strax före flytten. Tigern var den som starta frysboxens motor och satte den på SUPER. Den där Rickie är bara tolv år. Vid det här laget är han på en barnpsykiatrisk avdelning. Men när dom hittade liket fick han inget sammanbrott. Han var med därnere och joxade med ljus och blommor och invigning och vad det var. Riter och ceremonier. Det här var sista ceremonin. Bara dom högsta fick se henne. Tigern bestämde.

– Det är nog annorlunda när ingen annan vet nånting, säger Blenda. När dom hade det för sig själva. Typ egen värld.

De glömmer att vara tysta; deras röster har länge varit ganska gälla och upphetsade. Oda står i dörren. De har inte ens hört draperiet rassla.

Hon sätter sig tungt. Det verkar som om hon har glömt bort tekitteln därute. Kanske hör hon den inte. Men Blenda reser sig när ljudet av sjudande vatten stiger och kitteln är på väg att vissla. Sylvia böjer sig fram mot TV:n och stänger av högtalaren. Hon borde naturligtvis ha släckt den helt och hållet. Det är inte gott att veta varför hon nöjer sig med ljudet. Kanske är det en demonstration av oberoende. Det är i alla fall alldeles tyst när Blenda kommer tillbaka. Oda sitter i sin läsfåtölj som de har dragit fram till soffbordet.

– TV-nyheterna blir mycket tydligare utan ljud, säger hon och låter nästan tankspridd. Folk. Ansikten. Jag har märkt att di ofta tar bilder av oss när vi handlar. Eller när vi ligger i sängar på långvårdsavdelningar. Eller när vi traskar på asfalt bland många andra och det ligger affärer på sidan. Ibland kan man se att det är samma bilder från Fältöversten som man såg nån dag innan. Det ligger ju nära TV-huset. Vi handlar och vi går på övergångsställen och vi ligger hjälplösa i sängar. Vi är folket.

Sylvia brukar känna igen trappan på METRO BARONEN på TV. Ulla som gör sina uträttningar på Fältöversten vet att Oda har rätt. Hon har själv blivit filmad i förbigående. Man kan ju inte neka. Men hon gick förbi mycket snabbt.

– Skräp, säger Oda. Titta på min hand.

De ser på den hand som vilar på käppkryckan. De ser en ådrad och fläckig handrygg och beniga knogar under skinn som stramar om silverknoppen. Oda har sin pappas käpp inomhus. När hon går på halkiga gator har hon en landstingskäpp med stor broddförsedd doppsko.

– Vi ser ut som skräp. Vi väller fram. Och vi är fläckiga och rynkiga och vi har hängiga kläder. Vi stirrar i asfalten med färglösa, trötta ögon. Di unga också. Håret blir stripigt av blåsten. Vi har bråttom jämt och får påsar under ögonen. Som den där åklagaren nyss. Han i röd kavaj.

De vill naturligtvis protestera, precis som Ulla ville göra när hon blev filmad. Men de tiger och gör som Oda, ser på TV-bilden som inte motsäger henne. Det är några som väller fram där. Flera av dem har snedgångna skor.

– Skräp. Det är deras estetik.

Hon låter från. Fingrarna som omsluter käppknoppen har kupiga naglar. De är rena, filade och polerade. De ser ut som om de vore kvarglömda från en annan tidsålder.

– Jag minns när vi satt och väntade på att få se Kajan på TV. Det var det där Norrmalmstorgsmötet om kriget i Bosnien. Jag är säker på att Kajan skulle ha sagt nåt mycket viktigt. Men vi fick se en karl i stället. Han svor över att kriget störde honom. Han sa att di gärna kunde få ta ihjäl varandra därnere. Di tyckte väl att han var en vanlig människa och att en sån borde få yttra sig. Och att Kajan var ovanlig. Kanske var hon det också. Men egentligen vet vi mycket lite om den saken.

Sylvia böjer sig plötsligt fram och stänger av TV:n helt och hållet. Oda tycks ha glömt bort teet. Plötsligt slår Viborgmästarens pendyl tio små klingande slag. De räknar och småler. Oda tvingar aldrig det gamla urverket att rätta sig efter sommartiden. Men nu när det är vinter går det nästan rätt.

– Jag hörde att ni pratade om Rosemarie Andersson.

Man kan misstänka att Oda är selektivt döv. Hon borde inte ha kunnat höra dem när hon var därute i köket. I varje fall inte i början. De är beredda på en uppläxning. Men hon låter ganska försonlig.

– Rosemarie ser både hemsk och vanlig ut på det där fotot som tidningarna har. Det är väl ett sånt där kort man tar i ett bås på en tunnelbanestation. Rakt framifrån och med uppspärrade ögon och stort hår som står åt alla håll. Jag tycker det är förfärligt att se henne så där. När hon kom hit på morgonen var hon så vacker. Hon hade håret i små flätor. Hon var så förväntansfull. Men ingen annan fick egentligen se henne så. För jag tror inte att di nånsin såg henne därinne. Di såg en mörk ansiktslapp. Di såg ett fan. Di såg en av di många som väller fram. Och det gör mig så ont att hon nu blir verklig och synlig för andra bara för att våldet nådde henne. Så grovt. Så skamligt. Vi lyser opp det där ansiktet med sina uppspärrade ögon ett tag. Så är hon borta. Skräpet.

Hon tar ett stadigt tag med händerna i fåtöljkarmarna för att resa sig. Käppen far i golvet men Blenda böjer sig fram ur gungstolen och tar upp den åt henne.

– Jag ska visa er en sak.

Hon går till sitt sovrum och när hon kommit in där stänger hon dörren efter sig. Ingen av dem har varit därinne. De har knappt tittat in i rummet. De vet att hon hade sovrummet på övre våningen förr, men dit går hon aldrig numera. Trappan är så brant.

När hon kommer tillbaka har hon fotografier med sig. De två största har tennramar. Hon visar ett av de stora där det står Jaeger med flytande skrift i bildens nederkant och ett årtal. Det är 1948. Tre andra är amatörfoton. Hon lägger dem på soffbordet och de böjer sig alla fram för att kunna se dem. När de tittat ett tag svänger Oda på dem så att Ulla som halvligger i soffan ska kunna se dem från rätt håll.

– Jag har aldrig visat er hur Johan Krylund såg ut. Jag kom att tänka på det. Jag har ju talat mycket om honom men ni borde ju också få se hur han såg ut.

Vad ska de säga? Jaha. Eller: tänk. Så här såg Johan Krylund ut. En liten stadig herre med mörkt hår kammat i en lång slinga över hjässan. Han försökte uppenbarligen dölja en flint.

– Jag minns honom, säger Ruth. Han hade bruna ögon.

De böjer sig fram och tittar på nytt på hans ögon. Det mörka håret på ateljéfotot och de kraftiga sammanväxta ögonbrynens svärta är alltså inte något hovfotograftrick.

– Han såg ganska vanlig ut, säger Oda.

Det vill de inte hålla med om. Inte alldeles. Det där mörka finns ju. På amatörkorten ser han emellertid mindre mörk ut. Han står framför ett spaljéträd. Bredvid honom står en dam i vit blus och veckad kjol. Hennes ansikte har blivit solbelyst på ett så ofördelaktigt sätt att dragen plånats ut.

– Det är hans fru, säger Ruth. Aina hette hon.

Han är väldigt kort. Mycket mindre än frun. Och han måste ha varit avsevärt kortare än Oda. Hon är ju, fastän åldrad och något hopsjunken nu, en lång, man måste nästan säga ståtlig kvinna. Det finns också en bild som är tagen i en motorbåt. Där har Johan Krylund ett grogglas i handen. Han bär kostymbyxor som går högt upp i livet och en vit skjorta, uppknäppt i halsen.

Oda samlar ihop sina fotografier och går in i sovrummet med dem. Hon är därinne en lång stund. Det går lite omständligt till och de vet inte riktigt vad de ska säga. Kanske är det inte heller meningen att de ska börja prata med varandra. Hon har glömt kvar en porträttbild.

Den ligger nedåtvänd i soffan men ingen rör den. När Oda kommer tillbaka och de stela knäna gett efter så att hon kommit ner i stolen säger hon:

– Jodå, han såg ganska vanlig ut. Det är inte ens säkert att Eyvind Johnson la märke till honom. En människa på isen en vacker söndag när så många är ute och går.

Fast hon säger det som i förbigående så förstår de att det kostar på. Sigge tittar ner i mattan.

– Det kan vi ju förstås inte veta, säger Oda när hon harklat sig lite. Di var väl allihop lite ovanliga människor. Kanske. Av di där fem som brukade träffas och diskutera var utan tvivel Johan Krylund den märkvärdigaste. Jag anser att han var rent ovanlig.

Oda tystnar och säger inte någonting alls på en lång stund. De andra tiger också. Inte ens Ulla försöker fylla ut pausen.

– Kärleken och i synnerhet förälskelsen lyser upp människor och gör dem märkvärdiga för oss. Förlusten, smärtan kan göra dem ännu märkligare. Men jag vill ändå säga att jag tror att Johan Krylund var en ovanlig människa.

Ingen säger emot henne. Det är en stämning av välvilja runt Oda. Medlidande är inte ett begrepp någon av dem skulle vilja använda. Det kan finnas något alltför närgående i medlidandet. Oda skulle värja sig mot att bli sedd som en gammal kvinna som har förlorat en av sina allra bästa vänner och som har hjälpt en flickstackare – ja, att gå rakt i fördärvet. Faktiskt. Det är i alla fall vad Ruth tänker. Och att Oda kanske inte alltid borde vara så säker på sig. Men mest är det välvilja som råder. Hemkänsla också. Man kan gott kalla det samhörighet. Därför verkar Odas nästa yttrande mycket brutalt.

– Jaha, säger hon. Ni hade upplöst gruppen hörde jag.

Vem har talat om det för henne? Och varför har hon kallat hit dem utan att låtsas om att hon vet om vad som hände på minnesstunden efter Kajan? Nu tittar hon envist på Ulla. Stackars Ulla som knappt orkar sitta uppe och som är så mager att kläderna hänger löst på henne. Varför ska hon ge sig på henne?

– Jag vet inte hur det kunde bli så där, säger Ulla. Vi tyckte väl det var lika bra.

Oda fortsätter att titta på henne. Det är faktiskt inte barmhärtigt. Men ingen kommer sig för med att ingripa. Och Ulla famlar efter ord.

– Jag vet inte, jag tror inte jag kan förklara hur det kändes.
– Försök, säger Oda.

Då reser sig Ulla i soffan så att hon kommer upp i sittande ställning. Hon viker ihop plädet som hon haft över sig och lägger den ifrån sig. Hennes händer darrar lite. Det är alldeles barockt att göra stackars Ulla ansvarig för gruppens upplösning. Men ingen av de andra kan komma på något att säga. Det är rentav svårt att minnas vad som hände den där gången. Vad som blev sagt när Ruth hade spelat en sats ur en pianokonsert av Liszt för dem.

– Jag tyckte inte att jag hade någon olja i lampan, säger Ulla nästan trotsigt.

Oda bara nickar.

– Det var ingen mening. Jag tyckte inte nånting hade nån mening. Jag vet inte om jag tycker det nu heller!

De har aldrig hört Ulla säga sådana saker. Hon har ett par skarpt avgränsade skära fläckar på kinderna. Det skulle kunna vara rouge men de vet allihop att hon var blek nyss. Trött och grå och mycket mager.

– Jag tänkte hela tiden på det där stället... på de djupa vattnen. Jag vet inte. Jag minns inte.

– Vilket ställe? frågar Oda och hennes röst är ganska mild nu.

– Det är i Bibeln. Men jag orkade aldrig försöka leta på det. Vattnen tränga mig inpå livet. Jag har sjunkit ner i djup dy. Jag kommer inte ihåg det riktigt.

Då säger Sylvia:

– Psaltaren sextinie.

Det är förunderligt med hennes bibelkunskaper. Bibelställena verkar inte betyda något särskilt för henne. Men ofta kan hon dem. Hon säger att det beror på att hon utom veckotidningar från sin pappas affär bara hade Bibeln att läsa tills hon var tretton år.

– Jag tycker inte det är nån ordning längre heller, säger Ulla. Allting verkar alldeles upplöst.

Hon får häftigt medhåll av Ruth. De har alla börjat tala i munnen på varandra och Oda sitter tyst. Till slut säger hon att hon tycker att det är dags att dricka te. När de fått sitt te i de gamla tunna kopparna av flytande blått och delat på äppelkakan som inte är så stor, och när Oda tagit fram bröd och ost så att Sigge kan bre sig en ostsmörgås, hon som kommer direkt från ett polisförhör och inte har hunnit äta

något, och när Sylvia och Blenda också tagit varsin eftersom bröd-
korg och ostfat ändå står framme, och när Ulla samlat ihop smulorna
på duken i sin kupade hand och Blenda hjälpt Ruth att bära ut kop-
parna och faten i köket, då börjar Oda tala om ordning och mening.
Då har de nästan tappat bort sina egna ord. För en liten stund tycks
de ha glömt bort meningslösheten som de nyss talat om, ja, som de
känt som en frän andedräkt utifrån mörkret.

– Ordning och mening är mänskliga påfund, säger Oda. Helt och
hållet mänskliga. Men de hedrar människan. Man kan rentav kalla
dem högmänskliga.

Fast hon genom att säga detta också påminner dem om det andra,
det som står därutanför fönsterrutorna och andas med rovdjursfrän
lukt eller kanske inte andas alls, det som *är*, inte det som sägs eller ens
kan sägas, så känner de hemkänsla i hennes ord. De håller med henne
om att människan har en särskild talang för att skapa ordning och
mening. Hon är helt enkelt en sådan varelse. Och Blenda föreslår att
ungarna som lekte sin makabra lek i källaren, de där Gudabarnen,
kanske försökte skapa en mening och en sorts ordning åt sig, alldeles
på egen hand. De har svårt att finna något svar på Blendas inlägg och
hon vet inte om hon ska ta tillbaka det. Hon känner sig osäker. De
kanske bara är små perversa monster, tänker hon. Inte så små heller.
Och här sitter jag och försvarar dem.

– Mening, säger Oda, kan som allt annat mänskligt överdrivas.
Möjligen är det något som vi bäst undfår glimtvis. Eller känner som
ett slags hälsans trivsel i kroppen. När det gäller ordning är den
märkbart efterfrågad nu. Ropen på den blir alltmer skallande. Det lå-
ter som i en gymnastiksal. Ännu inte som på ett exercisfält. Blir det så
är det stor risk att mycket härsklystna ordningar och meningar
prompt inställer sig. Det har hänt förr att man ropat fram dem. Men
när de väl är där längtar de flesta tillbaka till den gamla slarviga tiden
då var och en hade sin egen mening och sin egen högst tillfälliga ord-
ning. Människan kanske bör leva i det tillfälliga och föränderliga. Det
tycks vara i enlighet med hennes väsen. Det finns di som vittnat från
dödsbäddar att di sett den döendes mun öppna sig och en fjäril fladd-
ra ut ur kroppen.

Odas ord är ju faktiskt ett slags föreläsning. De är mycket tänkvär-
da. Utom slutet. Ulla kan inte hjälpa att hon ropar till. Det är helt
enkelt för makabert. En fjäril. Vid en dödsbädd. Hon tänker på en

sån där sorgmantel. Och det här är inte alls likt Oda som inte är det minsta religiös. Vad de vet i alla fall. Men hon säger lugnt:

– Ja, det är en bild förstås. Men bilder kan bli mycket tydliga. Kanske är fjärilen som lämnar det stela, döda gapet en övergiven bild. Men det måste finnas andra.

– Av föränderlighet?

– Av något sådant ja.

Då säger Ulla Häger att medlidandet också är ett mänskligt påfund. De tänker på detta och på att det är ett bra påfund, ett som Oda skulle kalla högmänskligt. Men Sylvia påpekar att det inte finns något lidande som man så snabbt hämtar sig från som medlidandet. De tycker sig ha hört henne säga detta förut. Ja, det är som om alla deras ord härinne i värmen har hörts förut, utom möjligen det där om fjärilen, precis som ljudet av Viborgmästarens pendyl som nu åter klingar sprött i rummet, ett enda slag. Sylvia blir emellertid häftig. Hon låter inte ens slagverket klinga ut, innan hon säger att ordning och mening och sådant språk som organiserar mening och ordning – ja, till och med medlidandet och dess språk, allt detta tar slut om lidandet blir för stort.

– Att säga att språket tog slut vid Auschwitz portar är naturligtvis lite slagordsmässigt. Men jag tror det är rätt! När lidandet blir för stort går det inte att omfatta. Det blir bara groteskt. Man blir en språkkonditor om man försöker skildra det. Man spritsar och garnerar det outsägliga med ord. En äcklig hantering. Kitsch. Skit.

– Men dom som var i Auschwitz, säger Sigge, dom har ju inte hittat på det där. Dom som överlevde lägren säger inte att språket tog slut. Eli Wiesel till exempel. Primo Levi. Eller Therese Müller. Eller dom som bor här hos oss. Ebba Sörbom. Hédi Fried. Dom berättar ju. På språk.

– Men en sak som du aldrig skulle vilja erkänna, det är att såna böcker kan vara dåliga böcker. Estetiskt dåliga. Böcker som språket gått sönder i.

Blenda vill säga en sak nu. Men Sylvia är så rasande upptänd att hon inte låter henne få ordet. Det är som om detta att språk kan gå sönder, att språk faller samman och blir torftighet och pekoral, att det finns ett sabotage inbyggt i språket, en fatal underminering av själva högmänskligheten, angår henne så djupt att hon inte kan släppa det. Och Ruth tänker att det beror på att Sylvia gjort sig så beroende av språket, på bekostnad av allt annat, av gesten, av andedräkten, värmen, hinnornas fukt och spottet – men hon törs inte säga det. Hon vet att både Oda och Sylvia skulle bli mycket uppbragta om hon kom med psykologiska tolkningar. De skulle betrakta det som ett övergrepp. Ruth undrar om de anser att det är ett övergrepp också att tänka det och hon försöker lyssna med den andra sortens inställning till Sylvias ord, den som de kallar saklig.

– Jag skulle vilja säga något.

Det är Blenda. Hennes ord har gett mer rum kring sig än hon önskar. Men nu måste hon fortsätta.

– Det finns ju inte bara ord, säger hon. Språk menar jag. Det finns ju handlingar också.

De lyssnar. Blenda är alldeles blank i ansiktet, som om hon blivit mycket varm.

– Jag tänkte flytta till Småland. Ensam.

Det är naturligtvis sensationellt. Mer eller mindre. Men Ulla kommer till och med att tänka på den där boken, av H.G. Wells var det väl, om Mister Polly, han som var så *fasansfullt, gruvligt, ohjälpligt fast* att han till slut la sina kläder på flodstranden och simmade över och försvann i ett nytt liv. Blenda som är så stadig av sig och som tyckts ohjälpligt sammanfogad med sina bekymmer. Med sin familj. Sin katt. Hade man trott. Man skulle vilja fråga sig: vem kan ta hand om dem? Men det gör man inte. Det vore beskäftigt och dessutom kunde det komma henne att ångra sig. Nu visar det sig att hon nästan gör det ändå.

– Jag skulle förstås inte bli ensam därnere, säger hon och blir ännu blankare i ansiktet. Men jag tänkte jag skulle vilja leva ett renare liv. Enklare. Närmare naturen. Fast när Sylvia sa det där om språket tänkte jag på att handlingar är ju inte heller... jag vet inte. Det kanske inte blir som jag tänkt. Det kanske bara är en massa ord det också.

– Jag tycker du ska flytta dit! säger Sylvia med stor övertygelse. Gör det.

Ruth och Ulla håller med. Ruth säger att vore hon i samma ålder som Blenda, och frisk, så kanske hon skulle vilja flytta också. Faktiskt. Hon tittar sig omkring som om hon väntat sig att de ska protestera.

– Jag har bott i samma hus i hela mitt liv. Utom när jag gick på Soss då bodde jag i en studentetta i Värtahamnen.

509

Ulla menar att man kan vara nära naturen fast man har elektricitet och Sigge säger med lika stor övertygelse som Sylvia:

– Gör det, Blenda. Jag tror du får kul.

Nu har de alla talat i munnen på varandra igen och efteråt är det lätt att se att Oda blivit trött. Frågan är om de inte ska bryta upp nu. Mörkret stockar sig därute. Kyla, väntan, okända ansikten, blekt gatlyktsljus stockar sig. Oda säger inte emot dem när de börjar tala om hemfärd. Sigge föreslår att de ska åka med henne i bilen till Slussen och sen ta taxi därifrån. Men de kommer inte iväg ännu. Det är återigen Blenda som säger att hon har något att berätta. En sak som hon egentligen inte hade tänkt säga. Hon är rädd att de bara blir ledsna. Men som hon nog vill säga i alla fall.

– Det gäller Kajan.

Ulla ser förfärlig ut när hon säger det. Det är som om det bara vore skuggor och hål i hennes ansikte. Hon ser helt enkelt rädd ut.

– Det verkar som om hon berättade nånting på sin sista lektion, säger Blenda. Nåt hemskt. Om kriget. Om en slavfabrik.

– Varför gjorde hon det? viskar Ulla.

Blenda skakar på huvudet.

– Jag vet inte. Tjejerna i klassen tyckte det var pinsamt att hon balla ur. Utom en av dom.

– Vad sa hon? frågar Oda.

– Hon sa att hon trodde att Kajan kanske var judinna.

Ulla kryper ihop, slår armarna om sig själv, om den tunna kroppen i svart angoratröja. De kan inte se hennes ansikte längre. De ser bara hjässan som är mer gråsprängd än vanligt och de märker att hon darrar.

– N'oubliez pas, viskar hon.

Blenda sträcker ut handen och rör vid hennes arm. Då reser hon sig. Hon ser lite yr ut men samlar sig och går bort mot matbordet. Hon famlar över böckerna som ligger där. Det är mörkt, kanske ser hon inte så bra. Men hennes händer är inte otåliga. De far över böcker som Oda tillfälligt lagt in i bokhyllan över andra som står upprätt i hyllorna. De letar bland tidningarna på det lilla bordet vid hennes läsfåtölj. Ingen frågar vad hon söker och ingen erbjuder sig att hjälpa henne. Det ser ut att vara bra för Ullas händer att röra sig över böcker och papper, att leta. Till slut kommer hon tillbaka med boken. Hon har hittat den under Svenska Dagbladets söndagskorsord. Hon räcker den åt Oda men Oda säger tyst:

– Läs du, Ulla.

Och då gör hon det.

”...vi får inte glömma”, läser hon med sin tunna röst. ”Jag upprepar det och så länge ni minns mitt ansikte och min röst, så ska ni minnas dem som en ständig upprepning av dessa ord: **Vi får inte glömma! Remember! N'oubliez-pas! Glem det ikke! Kom ihåg!** Så länge vi lever måste vi påminna andra om det som har hänt oss. Det kommer att låta tjatigt för ungdomen – om tio år eller redan nästa år. Vi får ta den risken.”

När hon har slutat läsa säger Oda att det är vackra ord. Vackra i sin kraftfullhet. Ulla tycker att Kajan nu har fått sin rätta minneshögtid bland dem. Hon skulle vilja att det fick vara så här. Att de alla satt tysta en stund och sen bröt upp och gick hem, var och en till sig. Fast hon fortfarande darrar tror hon att hon kanske kan stå ut med ensamheten nu. Hon förstår att hon inte behöver göra det jämt.

Men Oda vill inte låta det vara. Hon säger att det är sorgligt att så vackra och kraftfulla ord visar sig ha svag verkan. Handlingar också, säger hon med en nick mot Blenda.

– Jag kom att tänka på koncentrationslägret i Jasenovac, säger hon.

Hur kan hon komma att tänka på det? De har talat om Auschwitz denna kväll. De har nämnt slavfabriker. Räcker det inte? Måste de tala om koncentrationsläger nu? Och hur kan man säga att man *kom att tänka* på något sådant? Som om det vore ett infall.

– Jag läste om det. Det ligger i Kroatien, nära den bosniska gränsen. Det fanns inte gaskamrar där. Det kroatiska Ustaja som upprätthöll naziregimen i Kroatien dödade med gevärsskott och med kniv. Man halshögg med motorsåg. Under krigsåren på fyrtiotalet mördades mellan en och en och en halv miljon människor där. Efter kriget förvandlades hela lägret till ett museum. N'oubliez pas! Glem det ikke! Så hade man tänkt. Den sista museichefen hette Mirkovic. Han sa att Jasenovacs historia låg fångad där. Den var för alltid inkapslad mellan murarna. Det som hade hänt där var inte glömt. Därför skulle det inte kunna hända igen. I oktober 1991 stängdes museet. Serberna hade kommit och doktor Mirkovic fick ge sig av. Det var ingen tid för minnen längre. Snart öppnades lägret i Drejtel.

Jag vet inte varför detta *n'oubliez paz*, detta *glem det ikke!* ofta är verkningslöst. Jag menar inte att vi ska överge det. *Så länge vi lever...*

511

ja, jag tror säkert att Kajan tänkte så. *Så länge vi lever måste vi påminna andra om det som har hänt oss.* Men varför förstår di inte? Jag har funderat mycket på den saken. Och jag har funderat på det förra kriget som man ju i den sista boken om Krilon kunde börja skönja det hoppfulla slutet på. Man hade kämpat för en rättfärdig sak. Ja, det hade man. Och man hade vunnit sitt krig. Utan tvivel. Men det förefaller som om krig inte kan vinnas, inte ens av USA. Eller som om man inte kan vinna sådant som har högt mänskligt värde genom krig. Fascismen har ju överlevt kriget i Europa. Hur har det gått till?

Jag har tänkt på något som Sigge berättade för oss en gång. Ja, det hör hemma i litteraturvetenskapens värld och kanske har jag missförstått det. Men jag tror att det kan tillämpas också på det vi kallar verkligheten. Sigge berättade för oss om något som kallades platonsk upprepning. Om hur författaren själv uppträdde i boken om Krilon och därmed framträdde i två versioner och i två grader av verklighet. Det var en platonsk repetition, om jag inte minns fel. Jag roade mig med att tänka på Johan Krylund och Johannes Krilon på det sättet och jag ska erkänna att jag blev förtjust i tanken på en platonsk upprepning också i detta fall. En kopia av en kopia av verkligheten. Kanske är det platonska kopior vi går och väntar på. Om fascismen upprepar sig så kommer vi att känna igen den och då upprepar vi frälsningsverket. Johannes Krilon och USA är beredda att rycka ut. Såna som Krilon kommer igen i ny gestalt. Små men stadiga. Det kanske är rätt att hoppas på det.

Men Sigge har också påpekat för mig att det inte alls är säkert att man känner igen fascismen. Den är inte som lungpest sa du. Eller hur? Man blir inte ett uppsvällt hostande kadaver på en gång. Man kan se riktigt civiliserad ut. Man kan låta riktigt bra till att börja med och man behöver inte skrika som på ett exercisfält. Man kan tala lugnt, nästan milt om ordning och mening. Det kan tyckas som om man tillhörde själva räddningsverket.

Det var då tanken kom till mig att verkligheten precis som romanerna använder sig av nietzscheansk upprepning. Att vi lever i en värld där ingenting egentligen upprepas. Det finns inga kopior utan bara förvirrande likheter och vaga påminnelser. Det finns pånyttfödelser som är skenbara. Men dessvärre också orena förvandlingar och förvridningar. Det är något spökaktigt med det där. Kajans berättelse kanske var något spöklikt, något hemskt och vacklande för de där flickorna. De hade ingen platonsk kopia att para ihop den med i sin värld. Det kanske inte finns någon.

Så har jag tänkt. Jag har tänkt rätt mycket i de banorna den sista tiden. Jag vet inte hur långt man kommer på den linjen. Jag kan inte säga att jag har tänkt den färdig än. Om uppgivelse skulle visa sig vara den vägens ände så drar jag nog tillbaka mina tankar. Jag tror inte att det totalt meningslösa är riktigt mänskligt.

Det vanligt mänskliga, om jag får kalla det så, tycks mig höra ihop med en viss meningsskapande verksamhet. Fast jag medger att jag ofta känner mig modlös. Det krig som stört en del av oss och smärtat andra och som dödat eller vanställt hundratusentals, som har fördrivit ett par miljoner människor från deras hem, det ser vi nu slutet på. Vi anar det. Men vad är det för ett slut vi ser? Är det en spöklik upprepning? Ska fascismen överleva i de brända byarna och i de sönderslagna städerna. Är det den som hatet i hemlighet tänker bygga upp? *Tänker* hatet?

Ja, jag ska erkänna att jag tror det ibland. Att det tänker som ett slugt djur. Det är ett rovdjur som stryker omkring inne på gårdar där det inte borde få visa sig. Men när vi själva hyser det då omhuldar vi det och kallar det för rättskänsla. Hos andra tror vi gärna att det är hanterligt. Di som är unga och hatar ska växa ifrån det. Vi hoppas att det försvinner om di får leka med det utan att vi låtsas om det.

Hatet är som en katt som vi föser undan. Men det växer och det blir kanske en dag en varelse som vi aldrig tycker oss ha sett förr. Det blir en vanställd dubbelgångare till någon som vi en gång trodde att vi kände.


De sitter alla tysta efter Odas ord. Det susar påtagligt i elementen. Mot fönsterglasen slår en klaskande väta som varken är snö eller regn. Fotografiet som de trodde att hon glömt har hon tagit upp och lagt mot sin kropp så att de ser baksidans montering av papp och bruna klisterremsor. Bara Oda känner det ansiktet. Hyn var verkligen så fin och ännu så ömtålig som hovfotografen tonade fram den. Det manliga, det blomlika ansiktet: Lars Arpman vilar bakom dammigt glas mot hennes gamla putande mage. Han har fänriksuniform och han ser glad ut. Han är en av dem som ska få gå ut i kriget och kämpa för den sak som Johan aldrig tvivlade på. Det är mer än ett halvt sekel sedan.

Hon behöver inte vända på bilden för att veta hur den ser ut. Men hon rår inte med att visa den. Inte den här gången. Nu vet hon varför hon tyckte sig höra Didos röst när Ulla läste besvärjelsen mot glömskan. Hon fick till och med det infallet att spela något från skivan med Purcells Dido och Aeneas för dem. Men det ska hon inte göra. Inte nu.

*Remember me!*

Det måste vara ett uråldrigt ord. Format och kanske framstammat när det likgiltiga, det avnosade och snart glömda blev det outhärdliga: sönderfall och ruttnande. Kadaver.

Han är död.

Didos röst – en virvel efter något som tappas i mörkt vatten, en fågel som flyger mot öde slätter: *re-member me!* Hon ska försvinna efter honom. Han är en sönderfallen kropp. Lemmar spridda i leran och mörkret. Disjecta membra.

Re-member me! ber rösten. Sätt samman mina lemmar. Gör mig levande igen. Gör mig levande igen!

– Tills vidare tycker jag att vi avvaktar, säger Oda. Härhemma fordras vaksamhet. Ni vet att kommunen nu har gett upp tanken på ett flyktingcentrum i Krylundska villan. Det blev för makabert efter Kryddans fynd. Han vill förresten aldrig sätta sin fot där mera. Så nu finns det ett förslag att man ska ha gruppboende här, för senildementa. Nu börjar protestlistorna utformas igen. Så vi måste vara vaksamma. Jag återkommer till detta. Förmodligen kommer vi att behöva göra ett motupprop. Frågan om Sigges avhandling bör också tas upp.

– Äsch vadå, säger Sigge. Det är väl min sak. Och det känns så motigt efter den där smällen på Whitlockska.

De tittar allihop på henne. Hon tänker på studielån och på Janne som, om hon har tur, sitter på Katarina kyrkogård när hon kommer hem och som kanske kommer med henne upp. Det är ju inte precis något man kan tala om. Men de ser ut som om de väntade på att hon ska säga något.

– Men det är klart. Jag har ju inget jobb längre. Om man säger så.

När Sigge kommer hem till Tjärhovsgatan är det inte längre våt snö i vindbyarna. Blåsten har sopat stora bitar av himlen ren. Molnen driver snabbt och hon skymtar månen bredvid Katarinas torn.

Det är kallt i lägenheten. Hon förstår att Janne lämnat balkong-dörren öppen. När hon ska stänga den ser hon att han är därute. Han sitter inte ihopkrupen utan står och lutar sig med armarna mot räcket. Det är inte något mörker han står och ser in i. Det är kallvita stråk av månsken och det är mjukt gråljus från underbelysta molntrasor. De blir allt glesare på sin snabba färd.

– Hörde du?

Hon vet inte riktigt vad han menar. Men det måste vara något för också Sickan lyssnar uppmärksamt och det går darrningar genom hennes lilla hårda kropp. Efter en stund hör Sigge ett skarpt ljud. Ett till. Två. De flyter ihop. Det blir som ett yl. Fast avhugget. Gläfs? Ihåligt och rått låter det. Hon fryser och går tillbaka och hämtar skinnpajen. Det är ingen idé att ta Jannes rock med ut. Han vill i alla fall inte ha den. När hon kommer tillbaka dröjer det länge innan ljudet hörs igen. Men så kommer det. Ingen skulle kunna härma det, tänker hon. Det är för gällt och raspigt.

– Är det en hund?

– Nej. Räv. Det är två stycken förresten. Hannar. Det är februari. Deras parningstid.

Hon ställer sig bredvid honom med armarna på räcket.

– Vad har rävarna haft för sig i natt? säger han efter en lång stund. Det är det första jag undrar på mornarna. I morgon ska jag gå och titta på spåren. Jag tror jag går till Vitabergsparken också.

Så mycket har hon inte hört honom säga sen i julas. Hon vågar inte svara. Hon står alldeles stilla och håller sig i det kalla balkongräcket.

– Dom fascinerar mig.

Hans röst är fyllig. Den har ton. Hon känner igen den.

– Dom där spårslingorna. Det där hemliga intensiva livet. Elva må-nader på året är dom diskretare än koldioxid. Men den här enda må-naden skriver dom sina meddelanden över hela stan.

– Vad är det för meddelanden? frågar Sigge tyst. Vad skriver dom?

– Vi är här. Vi lever vårt rävliv.

Det är en lördagsnatt i februari. Johan Krylund sitter vid matsalsbordet där diskussionsklubbens grogglas fortfarande står kvar. Duken som vid kvällens början var vit och manglad till djup linneglans är nu något solkig av cigarraska och har fått fläckar av konjaksblandat vichyvatten. Aina har burit ut de överfulla askkopparna. Johan sa att han själv skulle ställa i ordning alltsammans och att hon borde gå och lägga sig.

Aina kom från Konserthuset. Hon hade fortfarande glans i ögonen av den starka stämningen. Samtidigt såg Johan hur ljuset tändes i Oda Arpmans villa. När Aina hade sagt godnatt stod Oda orörlig i köksfönstret på andra sidan. Aina hade kysst honom på hjässan, på det kala på hjässan om man ska vara noga. Johan undrar om Oda såg det. Han undrar också om Aina nu ser Oda stå i fönstret och om hon i så fall förstår att hon står och tittar in på Johan. Att de ser på varandra. Han beslutar sig för att inte tänka mer på detta.

Oda har varit på Konserthuset tillsammans med Aina och med de övriga fruarna. Damklubben som Siv Åslund brukar kalla den. Det är byggmästare Fredh som skaffat biljetter till Jussi Björlingkonserten. Johan anar att det var dyra biljetter. Men ändamålet är gott. Jussi Björling sjunger för Finland. Efterfrågan har varit storartad.

Som vanligt skriver Johan sitt protokoll direkt efter mötet. Det är mycket svårt att nästa dag minnas den böljande, cigarröksomsvävade diskussionen. Radion har också varit på. De har inte lyssnat på musik utan på Adolf Hitler. När nu Ainas steg på halvhögklackade skor i trappan och så småningom också hennes lätta toffeltramp på övervåningen tystnat, är det som om rösten fanns kvar i rummet. Inte som ljud men som torrt elektriskt damm.

Nu har Oda släckt i sitt kök.

Johan har egentligen skrivit färdigt om diskussionen om rikskanslern. Nu återstår Simon Focks avslutande inlägg. Det är brydsamt hur han ska göra. Ska han nämna den dikt som Fock läste?

Det blir en upprepning. Fock läste den för knappt ett år sen. Det var mycket oväntat. De hade samlats till en minnesstund för Lars Arpman. Det var på kvällen efter begravningen. Focks näsa där de ytliga blodkärlen för länge sen brutit igenom var starkt blåröd. Det kom av konjaksgroggar men hade förstärkts av den iskalla vinden på kyrkogården. Kanske också av tårar, av sorg.

> Två kandelabrar gjorde honnör vid hans urna,
> lyste på frackar, sorgdok och katafalk.
> Tätt vid hans sida glänste i ebenholts skurna
> bilders förgänglighet mörkt mot muren av kalk.

Nej, Johan hade inte tyckt om det. Inga honnörer. Nej nej. Det hade varit nog med honnörer i Lars Arpmans liv. Nog med ära, skyldighet, vilja. Med stilighet också, tänkte Johan och skämdes. Han skämdes djupt. Lika djupt som han var förälskad i Oda Arpman. Han hade aldrig sagt det till henne. Aldrig visat något, trodde han i alla fall. Hoppades han.

Nu var hon änka och han skämdes för att det fanns ett vilt starkt hopp i honom.

Omständigheterna och diskussionen var något annorlunda den gången. De hade kommit in på litteraturens uppgift att skydda, stödja och befordra humanistiska värden när dessa hotades. Dess plikt att i onda tider värna demokratin. De hade talat om en ny sorts, en förut okänd ondska.

Nisse Åslund hade kallat den råhet. Han sa att råheten smög sig på. Det kunde de alla hålla med om. Men när Nisse nämnde Jag Lars Hård som ett exempel på den ansmygande råheten blev Johan betänksam. Det var tydligt att de med råhet och kanske också med ondska menade olika ting.

Johan ångrade vad han sagt om litteraturens uppgift. Han hade inte tänkt sig den här komplikationen och tappade några ögonblick greppet om diskussionen och blev sittande tyst. Det var då Simon Fock oväntat avrundade sammankomsten genom att läsa denna dikt. Denna protestdikt. Den hette mycket riktigt Protest.

Han hade haft en mycket stark känsla av att Fock läste dikten därför att han tyckte den var stilig och att den motverkade råhet.

Johan ser ut genom de stora altanfönstren på skarsnöns gatljusglänsande gipsmask över jorden, skalet över nerruttnade rudbeckior och de skörfrusna rötterna av kort vissnat gräs.

Han känner sig generad. Han tycker det är märkvärdigt att en känsla som han trodde förflyktigades med cigarröken för två år sedan kan leva upp i honom. Fock som annars inte var någon deklamatör visade sig kunna dikten utantill.

Vilka hans motiv än hade varit och hur lite de än tycktes överensstämma med diktens sanna anda, så hade läsningen förädlat Focks utseende. Den annars krämtande och grymtande boktryckaren med sin blåådrade näsa hade tett sig ädlare än Johan trott vara möjligt. Han hade fått ett högmänskligt utseende.

Och nu har det alltså hänt igen. Simon Fock har läst Protest. Ska Johan skriva in den i protokollet?

Någon riktig upprepning var det egentligen inte. För den här gången hade Fock andra bevekelsegrunder.

Han har blivit ledsen, upprörd och rentav modlös när han insett att hans lands regering handlar och förhandlar med gangstrar. Han skulle vilja att den var modig och resolut. Att den bar sig stiligt åt och kände sin ära, sin skyldighet och vilja. Han försökte under hela diskussionen efter Adolf Hitlers tal uttrycka denna önskan men åstadkom mest krämtningar. Det blev en sorts uppbromsning av tankarna. De började säkert slira som i modd. Sota och stinka som Focks egen gengasdrivna Opel.

Johan Krylund har ibland själv den sortens tankar. De brukar komma om natten, efter mötena. Fock tänkte säkert på ruinerna av bombade hus och på taggtrådsinhägnade läger. På utsvultna, sjuka barn. På repressalier. Han såg antagligen en framtid i bisarra glimtar som i en sådan där modern fransk film som Oda dragit med dem på. Han såg: gevärskolv i skallen. Spräckta naglar. Blod från munnen.

När tankar och bilder av det slaget kommer i vinternätterna brukar Johan känna sig nersänkt i Tidens Brunn. Där finns det ingen historia. Där finns knappast han själv. I varje fall inte något annat än en kropp med hans kläder och en mun med hans tunga, men knappast med några ord. Därnere förlorar han sig. Där sker lidandet. I våg efter våg kommer det tillbaka. Orden i hans mun blir till tjatter. Om lidandet kommer honom tillräckligt nära, om det griper hans kropp och spräcker hans naglar, då blir tjattret ett skrik. Så tror han nere i Tidens Brunn.

Sådana vinternätter har det hjälpt honom att se ljuset lysa i Odas

518

fönster. Att skymta hennes nattklädda gestalt. I dessa ögonblick är det inte genom att hon kan skänka honom tröst eller en flyktig och ljuv och nästan alltför mänsklig glädje som hon hjälper honom. Utan det är för att hon står där och påminner honom om hans svek och om det onda han gjort och fortsätter att göra. Det som han gör i detta avsnitt av historien, däruppe där den pågår: hans privata historia och världens.

Han har för länge sedan förstått att det är ont att bli sviken. Det blir man inte med säkerhet god eller ädel av. Men det svek man själv begår kan ibland hjälpa en. Det onda som man kan ta ansvar för, kan lyfta en ur Tidens Brunn. Det är så Johan Krylund åter går in i historien, sin egen och världens.

Denna lördagsnatt beslutar han sig för att i alla fall foga dikten som Fock läste till protokollet. Han gjorde det inte förra gången. Då tyckte han att även om hans gamle vän boktryckaren påtagligt hade förädlats, i varje fall utseendemässigt av läsningen, så skulle dikten aldrig komma att utöva den sortens inverkan som Fock väntade sig av den. Men nu? Hade Fock äntligen förstått?

Det är i alla fall inte omöjligt säger han sig.

Så han skriver in den. *Efter en avslutande diskussion läste Simon Fock en dikt av Johannes Edfelt.* Men han bryr sig inte om den första strofen. Det gjorde inte heller Fock. Inte den här gången.

> För att förjaga skräcken, som följer döden,
> fasan, som följer det mänskligas undergång,
> och för att överordna oss växling och öden
> stämde vi plötsligt upp en segersång.
>
> Mitt i Persefones tid på trots den föddes
> under de piskande almarnas kamp och gråt.
> Om det blir skörd av ord, som för vinden ströddes,
> det får de levande veta efteråt.

519

Det är på landet. Man åker först tåg till Gnesta och sen tar man buss en bit. När man väntar på den kan man gå i en blomsteraffär som ligger som i en barack. Allt det där har de gjort. De har satt in sina grejer hos mormor också och Ann-Britt har sagt till att de ska gå till kyrkogården först och fika efteråt. Så mormor ska sätta på kaffe när hon ser dem på vägen.

Blommorna är tulpaner. Det är de första som är levande sen begravningen. Förut frös allting. Men Ann-Britt tror att de kommer att stå länge nu och vara fina. Det är skära tulpaner. Hon pratar om det där hela vägen tillbaks till mormor och att det ska bli en riktig sten med Rosemaries namn på. Det blir när hon får råd. Harry har lovat att skicka pengar. Hon har sagt alltihop flera gånger förut och Mariella brukar svara att det ska vara en duva på den. En som sitter och tittar ner. Men nu säger hon ingenting. För hon såg att sladdarna var trasiga.

Hon berättar det inte för Ann-Britt. Än kanske det inte är för sent. De behöver ju inte ha varit avklippta länge. Man kan bryta strömmen ett tag utan att det gör nåt. Men hon får ont i magen. Det är som det gick runt nånting och skar därnere.

Hon får en cola och dricker ur den samtidigt som hon tuggar bullen.

– Tugga ordentligt, säger Ann-Britt. Det är inte bra för magen att äta fort. Det vet du.

– Hur är det med hennes mage? frågar mormor.

– Jag sticker ut ett tag.

De tror att hon ska ut bara. Ut och leka. Mormor säger så i alla fall. Man kan gå en genväg till kyrkan fast Ann-Britt vill inte gå där. Hon är rädd om skorna. Det är stora fält och så en smal väg vid sidan om. Det är bara ett par hjulspår med lera i. I mitten är det visset gult gräs. Det finns ingen snö längre. Kyrkan är alldeles vit utom taket. Det är ett torn. Det står trän bredvid den och i dem sitter det svarta klumpar. Det är inte kråkor, det är en annan sort.

Hon skyndar sig så mycket hon kan. När de stod vid graven såg hon prästen. Han kom i en vit Saab. Sen gick han in genom grindarna och försvann in i kyrkan. Hon tänker leta rätt på honom och säga till honom.

Bilen är kvar. Det är ingen människa på kyrkogården. Alla gravar har stenar. Det är kransar av vitmossa och en del har lyktor. Det låter om gruset när hon springer. Vid sidan ligger det där diket. Hon vill inte titta på det men hon vet i alla fall precis hur det ser ut. Man ser hur det ser ut nere i jorden när man har grävt upp den. Först är det lite svartgrått och sen är det brunaktigt, nästan rött. Med stenar i. Det finns ingenting som växer därnere. Inga rötter eller nåt. Det är bara det där gruset och sanden. Och så kablarna. En svart tjock och två som är mindre, en röd och en vit. De är av. Man ser små metalltrådar i dem, det är fransigt i ändarna. Det är i de trådarna som strömmen ska gå. Nu kommer den inte fram.

Det är svårt att få upp dörren. Den är tung och har en stor järnnyckel som ska vridas om. Det gnisslar och hon är rädd att han ska höra henne därinne. Men hon måste ju prata med honom i alla fall.

Först är det ett grått rum och en dörr till. Två egentligen, med gulbrun sammet på kanterna. De viskar när de gnider mot varandra. Ovanför står det DETTA ÄR HERRENS HUS eller nåt. Hon hinner inte läsa alltihop. Kyrkan är stor och det är en sorts trälukt därinne. Det är kallt. Nästan som ute. Härinne har hon inte varit förut. De tyckte inte att hon skulle vara med på begravningen. Hon fick vara kvar hemma hos mormor med Ingela som är hennes kusin, fast hon är mycket äldre. Ingela sa att de var rädda att Mariella skulle börja tjuta, det var därför hon inte fick följa med. Längst fram är det ett bord. Det ser mera ut som en byrå med lång vit duk. Uppepå är det ljusstakar och en vas med tulpaner. Ovanför den sitter det en stor tavla med en massa folk i skynken. De tittar uppåt med ögona. Det är moln ovanför.

Hon kan inte se prästen nånstans. Men sen hör hon ett litet ljud. Först förstår hon inte var det kommer ifrån. Hon går närmare bordet och tavlan och blir stående vid en figur som liksom tittar rakt ut. Det är en tant. Hon är av gammalt mörkt trä med små hål i och det är tyg som är gjort av trä också. Kläderna är i veck och det ligger trätyg över huvet. Hon håller armarna som om hon hade nåt i dem. Men det har hon inte. Det är ingen hand på vänsterarmen. Det är bara en järnpinne som sticker ut.

Då hörs ljudet igen. Hon får syn på en dörr som står halvöppen. För att komma dit måste hon gå över en matta med fina mönster på. Det är inte säkert att man får det så hon försöker gå på sidan. Bara sista biten stiger hon på mattan. Sen står hon i dörren. Hon har petat upp den lite och trodde att han skulle höra det för dörren knirkade. Han står vid ett skåp med ryggen åt henne. Han ser vanlig ut men hon vet att det är prästen. När han kom hem till mormor och satt och pratade med Ann-Britt före begravningen hade han den där kavajen. Skjortan är röd med en sorts polokrage. Det är prästdräkten, sa Ann-Britt.

Han har silverskålar i händerna när han vänder sig om och han ska just lägga ner dem i en kasse när han får syn på henne.

– Strömmen är av, säger hon.

Han lägger huvet på sned. Hon säger det igen.

– Strömmen är av! Det är nån som har klippt av sladdarna.

Han grinar opp sig.

– Diket, säger hon.

Äntligen. Han tittar opp nästan som de som var på tavlan. Det menas väl att han förstår. Och så nickar han en massa gånger. I stil med Björne. Hon tycker att allting går för långsamt. Och då blir hon alldeles ifrån sig och börjar grina.

– Men lilla barn, säger han.

Han försöker ta i henne också.

– Låt bli! skriker hon.

Prästen går lite baklänges.

– Gå ut och sätt på strömmen!

Han frågar henne med väldigt sorglig präströst om hon menar kablarna i diket. Det är klart hon gör.

– Det är reparationerna förstår du. Det blir snart klart. Tycker du det är kallt härinne? Vi ska ha gudstjänst i församlingshemmet i stället. Tänk om du skulle komma med din mamma och pappa då. Var bor du nånstans?

– I Tallkrogen. När sätter dom på strömmen?

– I slutet på nästa vecka, säger han. Det är bara den här söndan som...

– Men då är det ju för sent!

Han kanske inte har tänkt på det. Men det verkar faktiskt som om han inte förstår att det är farligt att ha strömmen avslagen så länge. Eller också är det för att det finns andra ledningar.

– Är det annan ström i gravarna? frågar hon.

Han ser lite konstig ut och sätter sig på stolen bredvid det lilla bordet. Han plockar med fingrarna bland några papper och så säger han att det inte är nån ström i gravarna. Mariella tycker att han låter som på radio. En sån där pjäs.

– I Rosemaries grav är det ström i alla fall.

– Nej, kära barn... varför tror du det? Inte har man ström till gravarna. Lyktorna... det är stearinljus förstår du. Eller paraffin. Såna som brinner länge.

– Jag menar inte strömmen till lykterna. Jag menar djupfrysningsströmmen.

Han är tyst länge och hon väntar och väntar på att han ska säga nåt. Det börjar göra väldigt ont i magen igen. Och hon har grinat fast hon inte tänkte göra det.

Det finns ett avlångt fat på bordet och i det ligger det en penna och en kam med hårstrån i. Han har tagit kammen och sitter och vänder på den.

– Menar du Rosemarie Andersson? Var det din syster?

Det är ju larvigt. Han verkar ha svårt för att fatta. Hon var ju tvungen att hälsa på honom den där gången hemma hos mormor. Ann-Britt sa att hon var Rosies lillsyrra.

– Varför skulle det vara ström? nästan viskar han.

– För att hon ska kunna väckas opp.

Sen sitter han där och slickar på läpparna och hon tycker att tiden bara går och går och tänker på sladdarna därute, den grova svarta kabeln och de två mindre. Man borde kunna sno ihop trådarna och lägga isoleringsband om.

– Du förstår, det finns inte alls nån ström i gravarna. Man fryser inte ner... det går inte till så.

– Inte alla heller. Det vet jag väl. Men hon var djupfryst i alla fall. Och då behövde hon inte bli bränd. Hon skulle få vara, sa mamma. Det är därför hon är begravd här. Mormor bor här. Och så blev det billigare här.

Nu svänger han på stolen. Fast den verkar gammal är det små hjul på den. Han åker framåt och försöker ta tag i henne. Han har fläckar på den där lilaröda skjortan. Mariella drar sig bakåt. Han sitter där bredbent och med händerna framsträckta. Sen drar han tillbaks dem.

– Det finns inte alls nån ström i gravarna, säger han. Inte i Rosemaries heller. Det kan jag verkligen lova dig. Du behöver inte vara rädd för att det är strömavbrott. Det är bara lite kallt i kyrkan. Och så måste man tända stearinljus om man kommer in hit när det är mörkt. Annars gör det ingenting förstår du. Nej, nej, det finns ingen ström. Så går det inte till. Det *behövs* ingen ström ser du.

Han har talat så länge att han har fått en spottkula i ena mungipan.

– Då kan hon ju inte bli uppväckt.

– Vet du vad jag sa på begravningen? Var du inte med då?

Han är dum. Det vet han ju att hon inte var. De var bara fem stycken.

– Jesus Kristus är uppståndelsen. Så sa jag. Jag läste det ur den här boken.

Han klappar på en bok på bordet och säger:

– Herren Jesus Kristus ska uppväcka dig på den yttersta dagen.

– Då är hon ju förstörd.

– Bara kroppen förstår du. Man kan säga att Rosemarie lever ändå. Att hon har ett annat liv nu.

– Vadå för liv?

– Hennes själ finns. Den finns hela tiden.

Det är då hon begriper att han försöker lura henne. Han säger ju emot sig själv. Om hon lever nu skulle hon inte behöva bli uppväckt. Det tänkte han inte på först. Men nu försöker han prata bort det.

– Kära barn, hur trodde du då? Det går inte att uppväcka nån som har blivit nerfryst. Det gör det faktiskt inte.

– Det vet jag väl. Inte *nu*. Men vetenskapen kommer att hitta på det. Det är därför det måste vara ström på tills dom har hitta på det.

– Vi ska tala om det här du och jag. Det är så kallt härinne. Vill du följa med mig till ett annat hus? Till församlingshemmet. Jag ska förklara det för dig.

Men Mariella vill inte prata med honom mer. Han kommer inte att försöka laga sladdarna. Det är helt klart. Han bryr sig inte om det. Hon backar först och när hon har kommit till dörren vänder hon och springer genom den kalla kyrkan. Det går lättare att öppna den tunga dörren inifrån och han hinner inte i fatt henne. När hon kommer ut på fältet törs hon springa saktare.

Från början ser hon allting väldigt tydligt. Sina egna spår i leran och piggarna av några strån som står opp på hela jordfältet. Sen börjar det bli alldeles disigt och hon öppnar mun för att det gör så ont att grina. Det bara rinner från mun och från näsan och ögona och det gör ont inuti. Det är som hon blev skakad av nån. Hon förstår ju att det aldrig har varit nån ström i graven. Det var en massa annat han sa också. En massa prat. Men det där var sant. Det märktes.

Hon har tänkt hela tiden att hon inte ska grina för det blir så hemskt då. Om Mariella grinar börjar Ann-Britt också och sen är allting bara hopplöst. Men hon springer i alla fall mot mormors hus och uppför de tre trappstegen som är av trä. När hon öppnar dörren är Ann-Britt redan där och tar emot henne. Då skriker Mariella men hon märker det nästan inte själv. Efteråt kommer hon ihåg att hon skrek som en unge och att Ann-Britt tog upp henne och vaggade henne fram och tillbaka. Benen hängde ner förstås. Hon kände att de släpade med. Sen var det den där skära och blå filten. Ann-Britt stängde dörren ut till mormor i köket och när hon försökte komma in sa hon:

– Tyst! Gå ut ett tag.

Hon satt med henne i soffan och Mariella tror att det var ett bra tag. Ann-Britt började inte grina själv, hon bara klappade henne i ryggen och muttrade lite hela tiden när Mariella berättade om sladdarna. Nu ligger Mariella ensam därinne för mormor knackade försiktigt på dörren och så hördes hennes röst:

– Nu kommer prästen.

Då la Ann-Britt ner Mariella. Hon stängde dörren när hon gick ut. Men allting hörs. Goddag, goddag. Han håller på så där med den där sorgliga rösten, som i nån pjäs. Hon bryr sig inte om vad han säger. Men hon hör Ann-Britt:

– *Kunde du inte ha låtit henne tro det då?*

Hon har så konstig röst. Ilsken. Och sen kommer hans röst och en massa ord. Det är om tron och sånt. Om bibeln. Men Ann-Britt är bara arg. Hon säger likadant igen och nu skriker hon.

– Varför kunde hon inte få tro det då? Det är väl hennes sak!

Och sen säger hon lite lägre men Mariella hör det i alla fall för hon har satt sig opp nu och lyssnar noga:

– Har du hört talas om att barn får magsår? Va? Har du hört talas om det? I ett land där det inte är krig?

525

En gång skällde hon ut ett par killar som höll på och bråka i trappen med Mariella. Dom hade bundit en halsduk för mun så att hon inte kunde skrika. Men Ann-Britt hörde i alla fall att det var nåt på gång och kom ut. Då lät hon så här. Men prästen börjar prata likadant som han gjorde i kyrkan.

– Gå nu, säger Ann-Britt. Gå är du snäll.

Men han vill visst inte gå. Han säger att hon måste försöka förstå att han inte kan gå med på en sån sak. Han tycker det är illa att flickan har fått tro så där. Att man har sagt det till henne.

– Det är ingen som har sagt nåt. Hon har trott det själv. Skulle jag säga emot henne då? Skulle jag säga att hennes syster ligger där och ruttnar?

– Du kunde ha talat med mig. Jag kunde ha fått förklara för henne. Tala om det på ett riktigt sätt.

– Det ser man ju hur det går när du förklarar. Hon är ju alldeles förstörd. Gå nu. Gör det.

Han är nog på väg mot dörren för hans röst hörs längre bort nu.

– Jag kan inte gå med på vadsomhelst, säger han. Det tror jag nog du förstår. Den kristna läran...

Det hörs att nån öppnar dörren.

– Min telogi.

– Din vadå? säger Ann-Britt.

Sen hör Mariella att dörren smäller igen. Det måste vara Ann-Britt som stänger den. Hon är så arg.